{ ANDRÉ MATHIEU }

La Saga des Grégoire

Tome 3

La moisson d'or

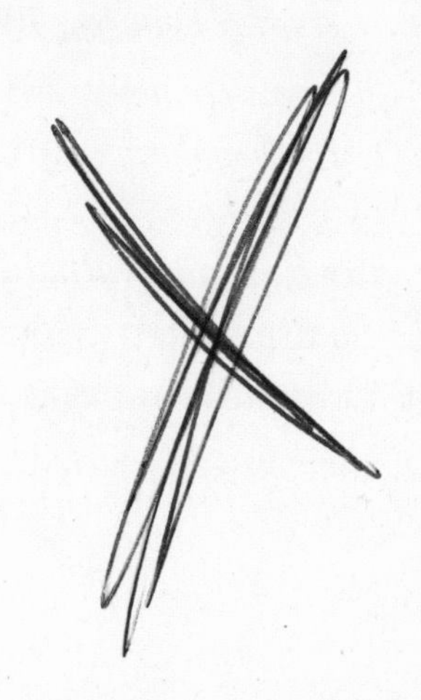

Les Éditions
Coup d'oeil

Du même auteur, aux Éditions Coup d'oeil:

La Tourterelle triste, 2012

L'été d'Hélène, 2012

La saga des Grégoire

1- *La forêt verte*, 2012

2- *La maison rouge*, 2012

3- *La moisson d'or*, 2012

4- *Les années grises*, 2012

5- *Les nuits blanches*, 2012

6- *La misère noire*, 2012

7- *Le cheval roux*, 2012

Aux Éditions Nathalie:

Plus de 60 titres offerts, dont *Aurore*,
la trilogie du Docteur Campagne et les Paula

Couverture : Camille Ponton
Conception : Geneviève Nadeau et Marjolaine Pageau
Correction : Diane Gionet

Dépôt légal : 3e trimestre 2012
Bibliothèque et Archives nationales du Québec
Bibliothèque nationale du Canada
Imprimé au Canada

ISBN : 978-2-89690-376-4

Le bonheur est en soi.

Boèce

Un clocher dans la forêt

La moisson d'or s'inspire de l'ouvrage intitulé *Un clocher dans la forêt* par Hélène Jolicœur, petite-fille d'Émélie Allaire et Honoré Grégoire, figures centrales de cette saga familiale, et Canadiens français de bonne souche.

Hélène a elle-même basé ses écrits sur divers témoignages et fait preuve d'une grande authenticité dans sa recherche sur la famille Grégoire.

Mon regard sur ma paroisse natale où vécurent les Grégoire, s'ajoutant à celui d'Hélène sur cette grande famille beauceronne, donnent une œuvre qui tient autant du roman biographique que de la fiction. Mais ce qui compte d'abord, c'est l'esprit qui animait ces gens d'autres époques, mentalités qui furent si bien comprises par Hélène, et que j'ai tâché de rendre avec mes yeux d'enfant de 1950 et ma plume de maintenant.

J'ai dédié *La forêt verte*, premier tome de la série, à la mémoire de Berthe Grégoire, mère d'Hélène Jolicœur.

Le second, *La maison rouge*, est à la mémoire d'Alfred Grégoire, un grand personnage de mon enfance.

Le troisième, *La moisson d'or*, à celle de Bernadette Grégoire, un être exceptionnel qui a tenu une fort belle place dans mes ouvrages et dans mon cœur à ce jour.

Les suivants seront dédiés à la descendance.

André Mathieu

Chapitre 1

Malgré la chaleur de ce jour de fin d'été 1895, Émélie portait du noir. Comme toujours ou presque. Comme si sa vie tout entière avait été endeuillée. Pourtant, elle possédait bien plus que les femmes de son âge. Et parmi ses avoirs autres que matériels, toutes les raisons de connaître un bonheur bien réel, mais rude et souvent âcre, comme la plupart de ces rares bonheurs de femme en l'époque victorienne s'achevant.

Une douloureuse beauté émanait de son regard et de toute sa personne élégante. Une fierté aussi qui, ce jour-là, allait chercher son eau vive moins dans la réussite de son couple et de leur entreprise que dans son accomplissement personnel.

À 15 ans, elle débarquait avec son père, sa sœur Marie et son frère Joseph, dans ce village de la Beauce, perdu dans la forêt et qui avait émergé lentement tout comme les rangs du canton de Shenley, d'une terre noire fertile travaillée avec acharnement par des colons venus des paroisses d'en bas. C'était en 1880, par un resplendissant midi d'été. Son premier geste, après avoir mis le pied sur le noir chemin devant la chapelle, avait été de clouer sur la devanture de la petite maison grise que son père Édouard était venu acheter au printemps, une affiche portant la mention MAGASIN GÉNÉRAL en de flamboyantes lettres rouges. C'est elle qui, malgré son jeune âge, y aurait la haute main vu sa formation à l'école Modèle de Saint-Henri et parce que son père était analphabète, et veuf.

Pétronille, la mère d'Émélie, avait rendu l'âme huit ans auparavant, après avoir fait croître en sa fille aînée une force de caractère innée. Orpheline de mère à 6 ans, mûrie prématurément par les événements, dont certains d'une atrocité sans nom, comme la mort de sa petite sœur Georgina, Émélie était devenue responsable de la famille et du magasin dès l'installation des Allaire dans ce coin d'exil que n'avaient pu apprivoiser Marie et Joseph, elle partie pour l'éternité et lui pour les États, tous deux envolés dans la dernière décennie pour leur monde de rêve, un monde meilleur.

Et puis, peu après l'ouverture du magasin, Honoré, son futur époux, était venu de Saint-Isidore, emportant avec lui son cours commercial, ses chansons, sa compétence, sa prestance, sa joie de vivre, et, dans ses bagages, des pinces pour arracher les dents et dans son cœur des instruments pour extirper les épines du cœur des autres. Jeune homme ayant hérité de la « fleur de lys » soit du don de guérir pour être né septième fils d'affilée au sein de la famille Grégoire, il venait occuper le poste de commis au magasin.

– T'as l'air rendue loin, Émélie, lui dit une voix féminine d'une grande douceur.

La jeune femme sursauta :

– Je revoyais dans ma tête un peu tout ce qui s'est passé depuis qu'avec papa, Marie et Jos, on mettait le pied devant la maison rouge... ben qui était grise dans le temps.

– J'avais 21 ans. C'était hier.

– Des fois, la nostalgie me prend comme ça, sans raison. Heureusement pas souvent.

Émélie prenait le thé dans le petit salon de la maison rouge jouxtant l'espace du magasin en l'agréable compagnie de sa voisine Lucie, l'épouse de Joseph Foley, ce forgeron-cultivateur qui habitait à côté, dans une maison fort animée où, en cet après-midi-là, Mary, 13 ans, gardait la marmaille grouillante.

En 1880, quand l'une n'avait encore que ses 15 ans, l'autre était déjà une jeune mariée, mais sans encore d'enfants. Et voici qu'après quinze ans, Lucie était maintenant mère de huit enfants : Joseph, Mary, William, Arthur, Philias, Alcid, Jimmy et d'un nouveau-né prénommé Edward. Et pour sa part, Émélie avait donné naissance à compter de 1887, deux ans après son mariage avec Honoré Grégoire, à cinq enfants : Alfred, Éva, Ildéfonse, Alice et Henri. Le tout dernier n'avait encore que 7 mois.

– Tout change en bien peu de temps, soupira Lucie qui prit un semblant de gorgée de thé.

– J'ai jamais été malheureuse depuis qu'Honoré a mis les pieds par ici. C'est un homme qui ensoleille les lieux où il se trouve et les personnes qui l'entourent.

– Je te dis que… plusieurs ont été déçues de voir qu'il se mariait avec toi, à commencer par Séraphie.

– Séraphie ? Mais c'est sa nièce…

– Pas vraiment, d'abord que Grégoire Grégoire, est rien que le demi-frère d'Honoré. Ils auraient pu obtenir une dispense et se marier, tu sais. Et toi, tu serais peut-être, je dis bien peut-être, l'épouse de Georges Mercier.

Émélie regarda au loin, très loin dans le temps une fois encore. Jamais elle n'oublierait ce jour du mariage de Clorince Tanguay où Honoré qui n'avait pas été invité, s'était vengé en promenant sa « nièce » Séraphie sur son cheval, histoire de réveiller Émélie à son sentiment. Il est vrai qu'alors, elle avait considéré cette jeune personne comme une rivale et que l'événement contrariant l'avait poussée à se montrer par la suite plus réceptive aux élans du cœur d'Honoré vers elle.

– Entre toi et moi, Honoré m'a dit que dès le moment où il m'a vue, il n'a plus jamais eu personne d'autre en tête.

– Il est rare de t'entendre dire du bien de toi-même et j'en suis bien contente, Émélie. Parce que tu le mérites en grand.

– Ben… c'est peut-être qu'aujourd'hui, je me sens un petit peu fière de ce que j'ai réalisé durant toutes ces années.

– Il y a deux fautes dans ta phrase. D'abord, tu devrais être fière tout le temps et pas rien qu'aujourd'hui, et deuxièmement, tu devrais te sentir très, très fière, sans fausse modestie, et pas rien qu'un peu, comme tu dis.

– Toi aussi, t'as fait de belles choses, Lucie...

– On parle pas de moi, on parle de toi en ce moment. T'as travaillé comme une bonne à tenir la barre du magasin. Vous connaissez le succès... Tu me diras que ton mari y est pour beaucoup, mais on sait que l'âme de l'entreprise, c'est toi, Émélie. T'es la femme forte de l'évangile. Honoré te perd demain, qu'est-ce qui se passe pour lui ?

– Personne est irremplaçable, voyons. Et puis arrête, Lucie, tu me fais rougir jusqu'aux oreilles. Et ça, c'est de l'orgueil mal placé. Mais non, c'est la vie qui m'a faite comme je suis. Les conseils de maman... sa mort elle-même et papa qui a tout fait pour que je sois instruite... On doit beaucoup à ses parents, sinon tout. J'ai fait ce que je devais faire, moi, c'est tout. C'est pas bien de me sentir fière, j'en parlerai à monsieur le curé à confesse.

– Je te le défends bien, Émélie Grégoire, je te le défends bien.

On ne put poursuivre. Quelqu'un frappa contre la porte entrouverte.

– Entrez !

C'était Obéline Racine, la meilleure amie d'Émélie depuis son arrivée en 1880. Elle se montra avec précaution :

– Je peux entrer ?

– Ben sûr, Obéline ! Tu le sais que mon salon est toujours ouvert à qui veut entrer. C'est pour la clientèle, mais c'est d'abord pour les amis. Viens t'asseoir, on prend le thé.

– Je serai pas longtemps...

– Tu nous déranges pas, ben au contraire, intervint Lucie.

– Il reste encore pas mal de thé dans le « tea pot ». Assis-toi sur le divan. Quoi de neuf, Obéline ?

– L'été, c'est tranquille pour une maîtresse d'école.

La jeune femme alla prendre place tandis qu'Émélie se rendait à une crédence et remplissait une tasse pour la visiteuse.

– As-tu hâte de recommencer ton école ? demanda Lucie.

– Oui. Je m'ennuie durant les vacances d'été. J'ai hâte de retrouver mes élèves. C'est comme ma famille. Ah, chaque année, j'en perds quelques-uns, mais j'en accueille d'autres.

– En tout cas, t'es aimée des enfants ! déclara Lucie. Les miens me l'ont souvent fait à savoir.

– Ça, tu peux le dire ! enchérit Émélie qui revenait vers Obéline avec la tasse en céramique.

– Pas besoin de les battre, les petits, pour qu'ils nous obéissent. Moi, je les prends par la douceur et ça marche. Et ça m'empêche pas d'avoir de la discipline.

– C'est pas toutes les maîtresses d'école qui sont comme toi. D'aucunes ont la main pas mal dure avec les petits… Mais dis donc, j'ai pas entendu la clochette sonner quand t'es entrée dans le magasin…

– C'est ton Freddé qui l'a tenue silencieuse pour te jouer un tour.

– Ah, celui-là, il pense rien qu'à rire ! fit Émélie en regardant de nouveau quelque part dans le lointain, mais cette fois dans l'avenir pour y voir son fils aîné, maintenant âgé de 8 ans, quitter la maison pour aller se faire instruire au collège. Peut-être au collège de Sainte-Marie comme son père jadis.

– Il a pas fait ça pour mal faire.

– Ah, il joue des tours, mais jamais des mauvais tours. C'est un petit gars qui a du cœur…

Une nouvelle voix se mêla à celles du trio :

– Du cœur comme son père, dit Honoré qui se montrait le nez par l'entrebâillement de la porte.

– Ah, t'es là, toi ? Tu veux t'occuper du magasin un bout ?

– C'est ce que je fais depuis tantôt, quand j'ai vu que t'avais de la visite dans ton salon.

Honoré était venu par la porte de côté, celle menant à la maison privée par la passerelle extérieure. Celle-là ne comportait pas de clochette pour avertir la personne attitrée au service de la clientèle qu'on venait depuis la résidence voisine. En voyant Obéline entrer, il avait pensé s'amener pour libérer Émélie un certain temps. Mais il ignorait la présence là de leur voisine Lucie Foley.

– Ah, mais quelle belle visite, mesdames! Notre voisine la plus… vivante… vu que de l'autre côté, nos voisins habitent le cimetière… et puis… notre chère Obéline, une personne indispensable à l'avenir de nos enfants.

La clochette du magasin se fit bien entendre. Émélie s'inquiéta aussitôt:

– Honoré, va voir si c'est Freddé qui sort ou si c'est un client qui entre.

– Si c'est Freddé qui sort, pas besoin d'aller voir; si c'est un client qui entre, faut lui donner le temps de regarder un peu la marchandise sans se faire déranger.

– Moins on dérange le client qui examine, moins on lui vend, opposa Émélie qui se leva. Vendre, c'est parler.

– Reste là, Émélie, je m'en occupe, je m'en… occupe.

Honoré fit bouger son nez retroussé, ce qui imprima un mouvement à sa moustache. Il fit le tour des yeux féminins pour cueillir la réaction de chacune. Ce fut la chaîne des sourires. On s'amusait de le voir s'amuser comme un enfant avec souvent les choses les plus sérieuses et surtout de l'exprimer par un visage à la joyeuse ironie et une mimique aussi comique. Freddé le ricaneux avait de qui retenir, soupirait souvent sa mère.

– Entendez-vous le paf paf paf qui nous vient par les châssis?

Émélie agrandit les yeux et les remplit de fléchettes réprobatrices qu'elle lui lança en des mots taillés sur mesure par sa bouche intense:

– Ça fait... deux semaines... qu'on l'entend, Honoré. En parler, c'est se répéter tandis que toi, faut que t'ailles vendre... Au magasin... Vite ou ben j'y vais...

– O.K. boss! Quand la patronne parle, le patron chante...

Et il s'éloigna en fredonnant un air connu:

«*Parlez-moi d'amour, redites-moi des choses tendres...*»

La conversation se poursuivit entre les femmes après le retour d'Émélie à son fauteuil. Et Honoré se rendit tout droit au comptoir de la caisse tout en jetant un œil à travers les étagères du centre du magasin. Ce n'est pas Freddé qu'il devait apercevoir mais un autre Alfred que son fils et dont il n'apprendrait et le prénom et le drôle de nom que plus tard.

– Freddé? Tu fais quoi là, à fouiner dans le sucrage?

Honoré ne pouvait entrevoir, en fait, qu'un bras étiré qui semblait mettre une main à portée d'une boîte de tôle haut perchée, hors d'atteinte de la tentation. À moins qu'un enfant de 8 ans ne grimpe dans les tablettes basses pour atteindre le bonbon mélangé qu'on savait là, caché comme un péché.

Une voix répondit, qui n'avait rien de celle d'Alfred Grégoire:

– Ça fait longtemps qu'on ne m'avait pas appelé Freddé. Vous me connaissez, monsieur Grégoire?

Honoré bredouilla:

– Ben... ben... n... non... Montrez-vous le pif et je saurai peut-être...

On marcha et quelqu'un émergea d'entre les étagères murales et centrales. Honoré projeta sa tête et son étonnement en avant:

– Monsieur l'abbé? Monsieur le curé? Je ne vous connais pas, mais bonne journée. Je gage que vous venez donner des directives aux ouvriers à propos de l'agrandissement de la sacristie. Entendez-vous les paf paf paf... Ça cogne des clous en arrière de la chapelle...

Le père s'avança, sa robe noire éclaboussée par les rayons du soleil, son jeune visage animé par un fin sourire:

– Vous avez la parole en bouche, monsieur Grégoire. Notre bon curé Feuiltault me l'a soufflé à l'oreille avant que je ne traverse la rue.

– On vous a pas vu arriver. Vous êtes le prédicateur de la retraite ?

– C'est bien ça.

– Vous êtes arrivé à matin ?

– Non, hier. Avec le postillon de la reine. Il est venu me déposer devant la porte du presbytère. Un homme serviable.

– D'habitude, on voit tout d'ici ou de notre résidence à côté. Vous nous avez échappé… Votre nom encore, c'est ?

– Freddé. Vous l'avez dit, fit le père avec une touche d'ironie dans le regard et dans la voix.

– Donc Alfred ?…

– Alfred Pampalon.

– Alfred… qui ?

– Pampalon… pas pantalon, là… Pampalon…

Honoré tendit la main :

– Ah, mais votre nom est connu. Je l'ai vu… ou plutôt lu dans le *Journal de Québec* et même *L'Électeur*.

– Attention, je ne fais pas de politique…

Il se tourna vers la photo de Laurier avant de poursuivre :

– Malgré tout mon respect pour notre futur Premier ministre du Canada.

– L'élection est pour 1896 donc l'année prochaine et… vous avez raison, il sera notre Premier ministre.

Le père mit ses mains en V à hauteur des épaules, à la manière des représentations de Jésus et hocha la tête :

– Il n'est pas bon qu'un prêtre prenne parti. Ni en faveur des bleus ni en faveur des rouges. Et… qu'avez-vous lu de moi dans les journaux ?

Honoré se gratta la tête dans l'espoir de réveiller quelques souvenirs :

– Que vous avez passé plusieurs années en Europe et que… vous êtes de retour de là-bas depuis quelques semaines seulement.

Le père Pampalon, un rédemptoriste de Sainte-Anne-de-Beaupré, était arrivé la veille pour prêcher (en partie seulement en raison de son état de santé) la retraite de trois jours décidée par le curé Feuiltault. En plus d'ajouter une dévotion à la multitude d'autres essaimées dans le calendrier liturgique annuel, le prêtre voulait se servir de l'occasion pour présenter à ses ouailles son projet de construction d'une vaste église en remplacement de la chapelle que pas même l'addition d'un agrandissement de la sacristie ne permettrait de répondre adéquatement aux besoins sans cesse grandissants du service liturgique. La population dépassait les 1,500 âmes et il fallait que nombre d'assistants à la messe du dimanche restent debout. La nouvelle sacristie ne suffirait même pas à les absorber tous en position assise. Mais il y avait de la dissidence, beaucoup de dissidence. Le curé parlait de son projet à gauche et à droite dans la paroisse, lors de ses visites officielles, lors de ses rencontres et même aux hommes affairés aux travaux de la sacristie, et l'on s'opposait à ses « idées de grandeur » bien plus qu'on ne les favorisait.

Dans les journaux, on avait parlé du père Pampalon comme d'un saint ces derniers temps, avant et depuis son retour d'Europe. On l'avait défini comme un convalescent alors que dans les faits, il était gravement atteint de tuberculose. Et comme il était fils d'un constructeur d'églises, Antoine Pampalon de Lévis, l'abbé Feuiltault n'avait pas hésité à l'inscrire à son plan de conviction populaire. Une lettre du curé au père lui-même et à son père, et le tour était joué. Honoré Grégoire, fin nez, sentit le parfum sans tarder.

– On espère que vous prendrez parti en faveur de la construction d'une belle grande église. C'est un besoin criant dans cette paroisse.

– C'est l'évidence même.

– La dissidence est forte et puissante, mais j'en fais pas partie. Quand une église est nécessaire, elle est nécessaire.

– Bien entendu… Mais dites donc, pourquoi m'avoir appelé Freddé il y a un moment ?

– Ah ça ? Je pensais que c'était mon fils aîné qui fouillait sur l'étagère du haut pour y trouver du bonbon. Il s'appelle Alfred tout comme vous et, par la faute de sa tante Marie, la sœur de ma femme qui dort maintenant dans le cimetière – Dieu ait son âme ! – qui suggérait de l'appeler Freddy comme ça se fait aux États, voici que c'est asteur Freddé… Un p'tit Fred en français, ça fait Freddé… pis en anglais : Freddy… avec un Y…

– Je sais, oui.

– Et qu'est-ce que le magasin peut faire pour votre service, père Pant… Pampalon ?

– Ne vous moquez pas de mon nom : ça pourrait vous retomber sur le nez, jeune homme !

– Vous fâchez pas, père Freddé… père Fred… Pantalon… He… Pampalon… suis tout mêlé.

Le ton du prêtre durcit encore davantage :

– Je suis fâché et vous mettez de l'huile sur le feu.

Honoré leva les mains en signe d'armistice :

– Je retire tout ce que j'ai dit. C'est pas par manque de respect, ça, je peux vous le garantir.

Le père se mit à rire :

– Je sais, je sais. Et… bon, je ne suis pas fâché du tout : j'ai juste voulu vous faire… étriver un peu comme on dit si bien au Canada français.

– Vous me soulagez, soupira Honoré en hochant la tête. Vous me soulagez vrai. Est-ce que je peux vous dire que je vous trouve pas mal jeune pour un père prédicateur ?

– Je ne suis pas prédicateur. Et nous avons sans doute le même âge. Je suis né en 1867.

– Et moi en 1865. J'ai atteint la trentaine, vous savez. J'ai eu mes 30 ans au mois de janvier.

– Et on m'a révélé que vous avez cinq enfants : trois garçons et deux petites filles. Des enfants chers à votre cœur, m'a-t-on dit également.

– Mais bien élevés quand même, vous savez. Quand c'est le temps de les reprendre, on le fait, ma femme et moi. J'y pense, venez donc avec moi que je vous présente mon épouse et deux paroissiennes exemplaires : madame Foley et mademoiselle Racine. Elles sont à prendre le thé au salon d'Émélie. C'est à côté. Venez...

Cheveux bruns, épais, mais plus courts que la mode du temps, visage émacié, joues creusées par la maladie, regard profond et d'une infinie douceur, lèvres ourlées, le jeune père gardait tout de même sur son visage la grâce de l'enfance que devait soutenir la grâce de Dieu.

Atteint par une inflammation des poumons dès l'âge de 17 ans, il en avait été guéri par une intervention, disait-on, de la bonne sainte Anne. Par la suite, il s'était embarqué pour la France où il était devenu prêtre en 1892. Ses supérieurs l'avaient alors envoyé à Mons en Belgique. Il en était revenu voilà moins de quinze jours en quête d'une seconde guérison que les deux plus grandes guérisseuses du ciel, Marie et sainte Anne, lui accorderaient peut-être avec la permission du Seigneur Dieu.

À son retour même, des lettres de sollicitation de visite et de prédication l'attendaient. Il n'avait accepté que l'invitation du curé Feuiltault car il y avait la construction d'une église en jeu et si sa présence et son intervention devaient s'avérer utiles au projet, celui-ci serait à la faveur de l'entreprise de son père, à la faveur des paroissiens de Saint-Honoré et ultimement à la faveur de Dieu. Il n'aurait pas pu se soustraire à pareille invitation...

Honoré mit la moitié de sa personne dans l'entrebâillement de la porte :

– Mesdames, excusez-moi, mais j'ai quelqu'un de bien important à vous présenter. Monsieur le curé nous avait parlé d'un prédicateur qui viendrait cette semaine, eh bien il est là. En fait, il est ici, au magasin. Il est un illustre rédemptoriste de Sainte-Anne-de-Beaupré...

Honoré ouvrit la porte à sa grandeur et les trois femmes purent voir à contre-jour ce prêtre en noir qui leur fit battre le cœur à toutes par la sainteté émanant de sa personne et que favorisait une éblouissante lumière venue derrière lui depuis la fenêtre de l'escalier en face et celle de la porte arrière du magasin.

– Voici le père Alfred... Pampalon.

Honoré insista sur le deuxième P du nom Pampalon afin d'éviter la confusion et surtout les sourires de la confusion.

Émélie fut estomaquée. Frappée par la blancheur du visage, du col romain dégagé sur toute sa largeur et sa longueur autour du cou et par celle de la main qui tenait un livre sur la poitrine, sans doute son bréviaire.

Elles se levèrent spontanément. Le père entra, fit trois pas, s'arrêta. Honoré le contourna, montra d'abord Lucie Foley :

– Voici notre voisine, madame Foley, mère de huit enfants.

– Enchanté, madame !

– Et mademoiselle Racine, maîtresse d'école d'une grande valeur.

– Je ne vous donnerai pas la main, je suis affligé d'un léger rhume que je ne voudrais pas vous transmettre. Mais je vais vous bénir... dès qu'on m'aura présenté... madame Grégoire sans aucun doute.

– C'est bien ça, fit Honoré en montrant sa femme. C'est mon épouse.

– Monsieur le curé m'a dit grand bien de vous.

La voix du père n'impressionnait guère, mais son accent teinté d'ailleurs le différenciait. Et puis, en sa présence, on se sentait autrement que de coutume. Même Honoré, homme de belle prestance vers qui confluaient aisément les regards de plusieurs à la fois, était éclipsé par quelque chose d'indéfinissable en Alfred Pampalon. Le halo du mystère peut-être. Celui de la grâce sans doute. Ou bien l'auréole de la sainteté, sûrement l'auréole de la sainteté.

– Je vous bénis toutes ainsi que monsieur Honoré, fit le père en même temps qu'il traçait dans l'air avec sa main droite aux trois doigts repliés, deux servant de goupillon imaginaire, le signe de la croix.

C'est à ce moment qu'Émélie sentit quelque chose dans son ventre. Comme si une nouvelle vie s'y trouvait à l'état embryonnaire. Quelque chose lui dit qu'elle était au début d'une sixième grossesse. Et que l'enfant à naître aurait quelque chose au plan moral du père Pampalon. Comme si par sa main bénie et qui bénissait, il venait de transmettre quelque chose au petit être dont elle soupçonnait la présence en son corps profond. Elle espérait que ce soit la grâce qui habitait l'homme de Dieu et qui rayonnait malgré cette pâleur extrême de son visage et la maigreur squelettique de sa main…

– On prend le thé comme en Europe. Belle occasion de fraterniser. Une coutume qui devrait se répandre dans nos belles campagnes canadiennes.

Émélie prit la parole:

– En tout cas, nous autres, on donne le bon exemple là-dessus.

– Et sûrement sur bien autre chose… Monsieur Grégoire, vous êtes bien avare de… prénoms. Vous ne m'en avez donné aucun. Madame Foley, mademoiselle Racine, madame Grégoire, mais ces dames ont aussi un prénom n'est-ce pas?

– S'il vous manque rien que ça pour faire votre bonheur… Mademoiselle, c'est Obéline. Madame, c'est Lucie. Et mon épouse, c'est…

– Émélie. Eh oui, on me l'a révélé en me disant du bien d'elle. Et si l'occasion s'était présentée, je suis certain qu'on aurait dit du bien aussi de mademoiselle Racine et de madame Lucie. Eh bien, sur ce, je vais vous laisser; je dois retourner au presbytère. Monsieur le curé m'attend. Nous devons planifier les trois prochains jours par le détail. Il y a ce soir une assemblée spéciale des marguilliers. Et tout à l'heure, nous irons visiter le chantier de la sacristie.

La pensée que ce prêtre pouvait être gravement malade avait traversé l'esprit d'Honoré tout à l'heure dans le magasin. Voici qu'à le regarder ainsi de profil, cette triste appréhension s'accentuait. Il se souvenait particulièrement en ce moment du visage ravagé de sa pauvre belle-sœur Marie, la sœur d'Émélie, morte de tuberculose en 1887, et enterrée dans le cimetière juste à l'ombre du magasin. Il pouvait s'agir aussi de cancer comme celui qui avait tué Marie-Rose Larochelle, cette femme qui, dans le plus grand secret, avait occupé le cœur d'Édouard Allaire, le père d'Émélie, pendant de nombreuses années, et qui dormait elle aussi pour toujours dans le champ des disparus. La mort, la grand'rôdeuse, comme l'appelait souvent Honoré, ne chômait pas, ne dormait pas et gardait son grand œil froid toujours ouvert, à observer jeunes ou vieux, hommes ou femmes, clercs ou laïcs, et aussi bien le saint Père de Rome que le fou du village. Et secondée par ses aides, la maladie, l'accident, voire même le suicide, elle frappait au gré de sa fantaisie. Mais il y avait la vie par les naissances et parfois par le miracle. Honoré eut une dernière pensée avant de reconduire le père au magasin : Dieu avait besoin de lui sur terre et lui enverrait la guérison afin qu'il demeure son serviteur encore longtemps dans un monde qui ne pouvait se passer d'hommes de cette trempe.

– Je vous reverrai sûrement à l'église, mesdames. À la messe, aux sermons ou bien au confessionnal. Les trois jours à venir rendront les âmes éblouissantes de blancheur.

– On y sera, craignez pas, fit Émélie.

Les deux autres approuvèrent et le père quitta, suivi du jeune marchand qui ne put retenir un clin d'œil complice à l'endroit de son épouse en sortant du salon. Honoré lui servit les pastilles contre la toux qu'il était venu se procurer... On se parla un peu des origines presque communes, des paroisses d'en bas gravitant autour de Lévis, pas loin...

Obéline en vint au but de sa visite à Émélie :

– Je t'apporte une invitation aux noces, et à toi, Lucie. Je fais d'une pierre deux coups d'abord que t'es ici.

– Non ? s'étonnèrent en chœur les deux autres.

– Tu me dis pas que tu te maries ? fit Lucie, les yeux grands et joyeux.

– Ben non, ben non, pas moi, mon frère Georges.

– Georges avec Angéline Mercier, c'est décidé ?

– Le 14 octobre. Ça va te donner le temps pour ta toilette, Émélie. Je sais que tu refuses d'aller aux noces sans porter quelque chose de neuf.

– Ben oui. Une noce, c'est quelque chose de neuf en soi. Il faut porter du neuf.

– Et pas forcément du noir ! dit Obéline le regard en coulisse.

– Tu sais qu'aux noces, je porte autre chose que du noir.

– Des fois !

– Des fois.

– En tout cas, ça va te donner tout le temps pour t'habiller à Québec si ça te le dit. Asteur que les gros chars passent à Saint-Évariste, j'imagine que tu vas aller plus souvent dans les grands magasins de la ville ?

– Vous pouvez en être certaines ! Je vas prendre le train au moins trois fois par année pour Québec et autant vers Mégantic.

Émélie prit une dernière gorgée de sa tasse et son regard s'évada dans l'avenir et l'éloignement. Obéline respecta sa distraction et s'adressa à Lucie Foley pour lui répéter son invitation à la noce d'octobre alors que les familles de Pierre Racine et de Prudent Mercier célébreraient l'union d'un fils et d'une fille.

∞∞∞∞∞∞

Chapitre 2

Impossible d'utiliser la sacristie pour l'assemblée des marguilliers, vu les travaux importants qui y laissaient entrer le ciel ouvert et ses risques d'intempéries. Et la chapelle-église abritait les saintes espèces, ce qui imposait silence et respect en ce lieu sacré. Il restait pour lieu de réunion des responsables de la fabrique le bureau du curé au presbytère, de l'autre côté de la rue, face au magasin général.

Il fallut s'y entasser sur des chaises droites serrées les unes contre les autres autour du bureau de l'abbé Feuiltault : marguilliers et le père Pampalon. Il y avait là Édouard Allaire, Onésime Lacasse, Théophile Dubé, Rémi Labrecque, Barnabé Tanguay et Onésime Pelchat.

– Messieurs, voici que s'ouvre une autre assemblée des marguilliers et celle-ci pourrait être la plus importante de la jeune histoire de cette paroisse. Vous connaissez tous la mission que Dieu et la vie m'ont confiée, celle de la construction d'une vaste église qui répondra, pour cent ans au moins, aux besoins de Saint-Honoré. Nous avons avec nous, je vous le présente, le père Alfred Pampalon venu me seconder pour la retraite, retraite qui se voudra une campagne de persuasion des fidèles, eu égard au projet nécessaire et grandiose dont je viens de vous parler.

Feuiltault était un homme jeune à cheveux bruns frisés, mais les traits de son visage lui conféraient un air sérieux. Il était posé, précis, méthodique et tournait la tête lentement, comme pour dire à l'interlocuteur, qu'il délaissait des yeux, qu'il le faisait à regret et faire savoir à celui qu'il dévisageait qu'il le considérait important. Pour lui, cette gestuelle, c'était comme un don, pas comme une stratégie étudiée. Une voix lente et lourde appuyait fort sur les mots et les phrases. Et malgré ces atouts majeurs du chef qui réussit bien dans ses entreprises de persuasion, il n'avait rencontré que bien peu de sympathie pour son grand projet d'église depuis son arrivée l'année précédente. Et il lui avait semblé que tout ce qu'il avait dit en faveur d'une telle construction durant l'hiver avait fondu comme la neige exposée au soleil et à la pluie du printemps.

La venue du train, enfin, à Saint-Évariste, avait amené de l'eau à son moulin de même que l'ouverture de deux rangs doubles du côté est du village, et pourtant il avait l'impression de tourner en rond dans le cerveau de ses ouailles avec son idée que bien trop peu de gens approuvaient à part Honoré Grégoire, Théophile Dubé et Prudent Mercier, celui-ci ayant même mis à la disposition de la fabrique, depuis assez de temps, le terrain requis pour l'église, le nouveau cimetière et un futur presbytère.

Il poursuivit:

– Comme vous le savez tous, plusieurs paroisses jeunes ont déjà leur église, d'aucunes comme Saint-Évariste depuis près de dix ans déjà.

Barnabé Tanguay glissa sur une respiration du curé:

– Je vous ferai remarquer, et c'est pas une objection, que Saint-Évariste a été ouvert avant Shenley.

Le prêtre hocha la tête et dit en appuyant son regard dans celui de Barnabé:

– Il faut que les marguilliers donnent l'exemple et disent Saint-Honoré et non plus Shenley qui est un nom de canton donné à notre région par l'administrateur anglais.

– Excusez-moi! L'accoutumance, vous savez…

– Bon, oui, certaines paroisses ont plus d'âge, mais le développement de Saint-Honoré fut plus rapide. Nous dépassons les quinze cents âmes et à ce rythme, à l'aube du nouveau siècle, c'est deux mille âmes que comptera cette paroisse. La chapelle ne suffit pas. Elle suffira de moins en moins à couvrir nos besoins.

Édouard répondit à l'attente d'une idée, attente que les yeux du curé exprimaient:

– Vous savez ce que les cultivateurs comme moé disent dans le rang 9? Qu'on n'a pas les moyens d'agrandir la sacristie comme on le fait pis en même temps de se lancer dans la construction d'une église.

– Mais, monsieur Allaire, il faudra dire à vos voisins du rang 9 que la construction de l'église ne saurait être entreprise que vers 1897 ou même 1898.

– Oui, mais faudrait commencer asteur à ramasser de l'argent pour ça. Payer pour la sacristie pis pour la future église, d'aucuns – pas moé là – disent que c'est un peu trop pour leu' reinquier.

– La dissidence a toujours peur du progrès, dit à mi-voix le père Pampalon que l'effort amena à une quinte de toux provoquant de l'inquiétude au front de Théophile Dubé.

Mais il se trouvait aussi une ride de réflexion parmi les autres car Dubé était le plus instruit et progressiste du groupe à part les deux prêtres. Cette parole du père Pampalon était lourde de sens. Toutefois, il avait la moitié, au moins, d'un bâillon sur la bouche quand il était question de la construction d'une église. Nul doute qu'il vendrait beaucoup de bois à la paroisse et que cet appel probable à l'approvisionnement en matériaux bruts constituait déjà et par avance, un conflit d'intérêt entre sa fonction de marguillier et celle d'industriel, propriétaire d'un moulin à scie dans le bas du village.

– Pour aller droit au but et pour parler franc, il n'est pas dans mon intention de débattre de la pertinence du projet de construction d'un temple paroissial à la gloire de Dieu, mais plutôt de décider à cette assemblée régulière et officielle de lancer la campagne de financement appelée à durer tant que nous n'aurons pas réuni la mise de fonds nécessaire.

Onésime Pelchat, un jeune personnage dépassant à peine les cinq pieds, cheveux noirs et voix puissante mais conciliante, commenta :

– Je pensais que c'était pour en parler, pas plus.

– Vous êtes contre notre église, monsieur Pelchat ? lui demanda le curé qui appuya ses coudes sur son bureau et projeta son corps en avant dans un signe d'autorité menaçante.

– Moé ça ? Pantoute. Une église, ça va être bon pour tout le monde. On va finir par la payer si on met le temps qu'il faut.

– C'est bien parlé ! déclara Onésime Lacasse, un homme de compromis qui savait persuader sans heurter.

Le curé reprit la parole :

– Si nous tous ici, nous nous entendons pour lancer cette campagne, l'idée fera son chemin dans toutes les directions et notre église, nous l'aurons et nous pourrons y loger au moins mille personnes…

– Ouais, c'est un gros projet ! s'exclama Tanguay.

Les murs assombrissaient la pièce par leur couleur jaunâtre et ce qui les tapissait : rideaux en schintz à la fenêtre avant, très grande photo du pape Léon XIII derrière le curé, croix noire de la tempérance à côté de la porte donnant sur le couloir et crucifix imposant du côté gauche de la même porte. Quant au mur derrière les chaises des gens réunis, il portait les portraits ovales de prêtres ayant précédé l'abbé Feuiltault au ministère de cette paroisse soit les curés Faucher, Quézel, Gosselin et Fraser, avec rameau tressé entre les portraits. Et pour finir, deux reproductions d'œuvres d'art d'artistes canadiens-français : *La tempête de neige* de Cornelius Krieghoff et *Madame Renaud et ses deux enfants* de Théophile Hamel. La première avait été posée là par le curé Quézel et l'autre par l'abbé Fraser, prédécesseur de l'abbé Feuiltault à cette cure et dans cette maison.

Soudain, un bruit se fit entendre dehors. Le curé sut que deux pas courts avaient été faits sur la galerie de bois, sans doute des pas féminins révélés par une certaine légèreté des ondes produites, mais la porte du presbytère fut ouverte sans gêne, sans que l'on y frappe, comme le voulait la bienséance et le respect.

« Il faudra bien faire installer une sonnette... Qui donc se permet d'entrer ici comme dans un moulin ? » songeait le prêtre en se levant et en marchant vers la porte qui donnait sur l'autre, celle qu'on avait poussée sans façon.

Il s'y trouva nez à nez avec un enfant énervé, fafoin, qui semblait hors de contrôle de lui-même. C'était le jeune Alfred Grégoire qui, à bout de souffle après avoir couru comme un lièvre, bredouillait :

– Monsieur le curé... faut venir... Y'a eu un acci... dent... Pis monsieur Tanguay itou... Vite...

En une fraction de seconde, le prêtre put lire la détresse dans le regard de l'enfant, contrairement à la joie de vivre qu'il y pouvait apercevoir toujours. Il le prit au sérieux aussitôt et leva les mains :

– Attends, attends, je vais prendre ma valise d'Extrême-Onction.

L'abbé retourna dans le bureau quérir le nécessaire en question, une petite malle noire contenant huiles bénies, eau, ouate, croix et branche de rameau. Qui donc chez les Grégoire, avait subi un accident ?

Parmi les gens de la pièce, quelqu'un d'autre s'inquiétait autrement plus et c'était Édouard Allaire cherchant à lire dans l'énervement de son petit-fils Freddé qu'on pouvait apercevoir dans l'embrasure de la porte. Émélie pouvait-elle se trouver en processus d'avortement et en grave situation hémorragique ? Et comme on n'avait pas de médecin encore dans la paroisse, on réclamait le docteur des âmes... Ou bien Honoré avait-il subi un accident dans les entrepôts, une ruade de cheval ou quoi encore ? Mais il pourrait s'agir aussi d'un des enfants du couple qui soit en cause : petite Éva si fragile encore malgré ses 6 ans, Ildéfonse à 4 ans, Alice qui n'en avait que 2 ou même le bébé Henri âgé de 7 mois.

Il ne venait pas à l'esprit d'Édouard que le petit Freddé avait couru bien plus que pour traverser la rue. Non plus avait-il remarqué que l'enfant avait parlé de Barnabé Tanguay appelé à venir avec le curé.

Barnabé le comprit qui se leva aussitôt et se rendit auprès du messager.

– Est-il arrivé quelque chose à la maison chez nous ?

Freddé fit signe que non.

– Au bureau de poste ?

Autre signe négatif.

– C'est quoi d'abord ?

– C'est… Poléon…

– Poléon à Amazélie ?

– Poléon…

Freddé ignorait le nom de la mère de son ami Napoléon Lambert. La femme l'avait dépêché au presbytère pour faire venir le curé ainsi que son père à elle, Barnabé Tanguay, qu'elle savait s'y trouver à une assemblée de marguilliers.

Édouard pensa que le curé non seulement pourrait être solidement secondé par le père Pampalon, mais que celui-ci possédait peut-être des capacités supérieures à celles de l'abbé Feuiltault, vu son lien connu avec la bonne sainte Anne. L'homme se leva et lui adressa la parole :

– Vous devriez venir, père Pampalon. Vous allez pouvoir faire quelque chose, c'est sûr.

Le père toussa. Sans rien dire, il se leva et suivit Édouard qui à son tour suivait son petit-fils et le curé sortant l'un après l'autre de la maison. Les autres marguilliers furent, eux, emportés par leur curiosité et bientôt dans la première ombre du soir, les villageois purent voir ce drôle de convoi se diriger vers le bas du village. On passa devant le magasin puis la résidence Grégoire et ensuite la demeure des Foley. Émilie et Honoré avaient trop à faire à l'intérieur pour se rendre compte de la situation. Leurs enfants étaient sous la garde de la servante. Mais de l'autre côté de la rue, quelqu'un se berçait sur la galerie des Mercier. C'était Angéline, la jeune femme qui épouserait le fils de Pierre Racine en octobre. Elle se leva, regarda intensément les gens pressés, questionna vainement du regard puis entra informer les membres de sa famille.

Plus loin, on sortit carrément des maisons et on s'approcha du chemin gris pour voir passer et s'interroger respectueusement. Qu'est-ce que tout cela pouvait bien signifier ? Deux prêtres, le petit Freddé Grégoire et les marguilliers qui n'avaient pas l'air d'aller fêter quoi que ce soit. Et qui allaient le pas pressé…

On put voir le groupe s'arrêter devant la porte de la famille Lambert, et les prêtres et Barnabé Tanguay entrer dans la maison…

Amazélie accourut depuis une petite chambre d'où provenaient des lamentations enfantines.

– Venez, on dirait qu'il s'est crevé un œil, le p'tit Poléon.

Sur le chemin, on avait appris de Freddé que l'accident consistait à une blessure à l'œil que l'enfant s'était faite avec une broche servant à curer les pipes. Souvent battu par son père, l'enfant cherchait toutes sortes de façons de lui faire plaisir pour l'adoucir, et l'une d'elles consistait à « ramoner » ses deux pipes. L'homme fumait beaucoup et du tabac pas très sec de sorte que les pipes avaient tôt fait de s'encrasser. Et plutôt d'utiliser un brin de paille de balai pour nettoyer le tunnel du bouquin, il s'était trouvé à la forge une broche métallique fine, souple et aiguisée.

L'enfant de 7 ans n'en était pas à son premier écurage, mais cette fois, sa bonne action avait tourné à la tragédie. Les substances du conduit le bouchaient presque totalement et il avait dû pousser fort pour les traverser. Il y eut bris soudain de la résistance, la tige de fer tourna dans le fourneau et son extrémité atteignit le globe oculaire gauche. La cornée serait-elle endommagée de façon irréversible ? Les humeurs de l'œil couleraient-elles hors de l'orbite ?

Au récit bousculé que Freddé avait raconté en chemin, les prêtres s'étaient posé des questions. Perdre un œil à 8 ans, ce serait pénible à vivre, en tout cas un certain temps, pour le petit garçon, bien qu'il ne serait pas le seul borgne dans la paroisse. Et puis il y avait pire : la tuberculose, par exemple, de dire le curé.

– Votre mari est absent, madame Lambert ?

– Il travaille dans le haut de la terre.

L'abbé se dirigea tout droit à la chambre, suivi du père Pampalon et de Barnabé Tanguay. On entoura le lit où le gamin reposait sur le ventre et gémissait.

– Il faut le retourner, dit Feuiltault.

– Poléon, tourne-toé, dit sa mère.

L'on n'obtint de lui qu'un son accentué, celui de la douleur et de la peur combinées. Sa mère s'approcha et, le prenant par les épaules, le retourna afin que son visage soit offert à la vue des visiteurs. Il y eut des sursauts. Le globe oculaire était caché par l'enflure des paupières. S'agissait-il du choc de la blessure seulement ? Ou bien de germes mauvais qui effectuaient un travail destructeur ?

Le père Pampalon tourna la tête pour apercevoir sur la table de la cuisine, par la porte ouverte, l'objet qui avait provoqué l'accident soit la pipe transpercée d'une fine tige de métal. Il en ressentit du dégoût. Pour lui, fumer constituait un plaisir dangereux, et bien plus pour les voies respiratoires que pour les yeux. Il s'en abstenait comme du péché mortel de la chair. Jamais pourtant, il n'aurait soufflé plainte de son désaveu du tabagisme de crainte de perdre le respect des hommes qui pour la plupart s'adonnaient religieusement aux voluptés puantes du tabac à pipe et aux sensations écœurantes de celui à chiquer.

– Arrête de pleurer, Poléon, monsieur le curé va faire une prière sur ton bobo pis le mal va arrêter pis tu vas guérir.

– On va lui faire une compresse avec de l'eau bénite, fit le curé en ouvrant son sac noir posé sur le pied du lit.

L'enfant blond avait une totale confiance en les prêtres. Un savant de grande réputation, fut-ce Pasteur lui-même, n'aurait pas inspiré en lui plus grande sécurité. Mais la douleur était tenace et il faudrait peut-être plus que des mots pour la soulager.

Le curé trouva une ouate enrobée de coton et l'imbiba de l'eau d'un flacon. Il s'approcha de l'enfant blessé dont le cœur était plus abîmé encore que la cornée de son œil droit.

Dehors, Freddé se faisait du mauvais sang. Il compatissait vite au malheur d'autrui. Comme il savait que son ami recevait souvent des grosses volées de la part de son père, des corrections vingt fois pires que les coups sur les fesses qu'il lui était arrivé de recevoir de la part d'Émélie ou Honoré, voici que Napoléon pourrait perdre son œil et quand son père reviendait de l'ouvrage, il ajouterait à son malheur les coups de la colère. La faute de cet accident incomberait à l'enfant et rien qu'à lui; et il en porterait la marque toute sa vie dans son âme écorchée plus encore que dans son corps éclopé.

Le curé prit place sur le bord du lit et se pencha sur l'enfant qui tourna la tête de peur de souffrir encore plus. Mais l'abbé le maintint en position droite sur l'oreiller en immobilisant son menton; il toucha l'œil meurtri de son pansement moral. Et obtint un cri de souffrance puis un autre chaque fois qu'il appliqua la compresse en répétant une prière de circonstance:

– Notre Seigneur, sainte Marie notre Mère et tous les Saints du ciel, faites en sorte que notre petit ami... quel est son prénom, madame Lambert?

– Napoléon.

– Faites en sorte que notre petit ami Napoléon guérisse de son mal et qu'il recouvre la vue afin de vous mieux servir pour votre plus grande gloire. Ainsi soit-il.

Puis le curé rangea ses choses et invita le père Pampalon à prier sur l'éclopé.

– Ta guérison sera à la mesure de ta foi, dit le rédemptoriste à l'enfant dont il prit la main entre les siennes. Prie... prie fort la bonne sainte Anne et elle t'apportera le réconfort, le soulagement. Prions ensemble. Bonne sainte Anne, priez pour nous. Bonne sainte Anne, priez pour nous...

Les voies du Seigneur sont impénétrables et les événements à venir devaient se contredire quant à l'intervention du ciel dans les affaires humaines. L'eau utilisée par le curé pour faire une compresse avait beau être bénite, elle n'en était pas moins infectée par des bactéries qui se mirent aussitôt à agir dans l'œil blessé. Elles s'infiltrèrent par la brèche derrière le cornée, attaquèrent les humeurs; et dans les heures prochaines, l'enflure augmenta ainsi que le martyre de l'enfant. Son père refusa de l'emmener chez le docteur de Saint-Évariste et trois jours plus tard, humeur aqueuse et humeur vitrée s'écoulèrent hors du globe par la blessure ouverte. Par contre, mise en contact direct avec le bacille de Koch dont le père Pampalon était grand porteur, le petit Napoléon développa une immunité qui durerait toute sa vie et le protégerait des ravages de la tuberculose.

Par chance, diront les optimistes, que le ciel nous donne deux yeux à notre naissance...

Barnabé Tanguay, le grand-père de l'enfant borgne dira à qui voudra l'entendre dans les semaines suivantes:

– C'est un médecin qu'il nous faut, ben avant une église neuve, un vrai docteur comme à Saint-Évariste, comme à Saint-Georges...

∞∞∞

Le père Pampalon fit sur les ouailles du curé Feuiltault une forte impression malgré ses piètres talents de prédicateur. À la sortie de l'église, après les prises de parole du rédemptoriste, les femmes se déclaraient imbibées d'une odeur de sainteté que leur avait transmise le saint homme. Quant aux époux, ils se promettaient une meilleure conduite. Moins boire pour ceux qui en avaient le défaut. Moins jurer pour ceux qui se vidaient de leurs tensions par un vocabulaire emprunté à la liturgie. Mais aucun ne songea à surveiller ses pulsions afin que s'espacent les grossesses de leurs épouses. Faut dire que le prêcheur ne leur avait rien dit à ce sujet...

Quant à l'idée d'une campagne de souscription et de cueillette de fonds pour la nouvelle église, elle fut reçue en silence. C'était un grand progrès par rapport aux réactions négatives clairement exprimées auparavant.

∞∞∞∞∞∞∞

Chapitre 3

Personne d'autre qu'Émélie ne fut autant bouleversé qu'elle par le père Pampalon et ses exhortations en chaire. Et sans même qu'elle n'en prenne conscience, le dimanche soir de son départ, elle ajouta à son tumulte intérieur en remuant les cendres de souvenirs que des objets gardaient vivants dans la chambre du couple. Assise au bord du lit, elle les passa en revue : la croix de bois de sa tante, la mèche de cheveux de Georgina, le coffret de sa mère, le chapelet de Marie. Mais elle commença par une chose qui lui rappelait des moments heureux : le parapluie noir que lui avait donné son père il y avait déjà tant d'années. Elle le sortit du tiroir du fond de sa commode et reprit place sur le lit en le posant sur ses genoux. Comme on s'était moqué d'elle quand elle l'utilisait par jour de grand soleil ! Et comme elle-même s'était moquée de ces sourires de ceux qui n'y connaissaient rien du tout aux coutumes des belles dames de Paris et de Londres !...

Elle fut là un bon moment sans presque respirer pour faire plus grand silence. Dans le coin, endormi à poings fermés dans sa couchette, bébé Henri rêvait aux anges et quelque chose, une onde berceuse venue de sa mère, le gardait dans le plus respectueux des mutismes.

Une seule lueur éclairait la pièce entière pour donner un décor ambré ; elle provenait de la lampe posée sur la commode, près du coffret, objet si précieux pour le cœur, que Pétronille avait donné à sa fille avant sa mort en même temps qu'une leçon sur la douleur morale et les larmes qu'il ne fallait pas verser inutilement afin de ne pas attrister le défunt dans son au-delà.

Émélie se leva encore et remit le parapluie à sa place, referma le tiroir puis ouvrit le coffret dont elle retira la mèche de cheveux blonds attachée avec du fil à coudre. Et se rassit dans la clarté jaunâtre qui l'environnait. L'immense tragédie qui avait massacré son cœur au jour de l'An 1873 alors qu'elle avait eu ses 7 ans la veille, lui revint en mémoire. Elle avait pleuré tant que sa petite sœur Georgina, ébouillantée à mort, avait agonisé dans d'atroces douleurs, puis, quand la fillette de 4 ans avait rendu son esprit à Dieu, les larmes d'Émélie s'étaient arrêtées. Il ne fallait pas que l'âme de la petite soit triste de la voir tant affligée.

– Georgina, soupira doucement Émélie, la plus jolie de nous toutes. Une vraie petite poupée… Ma tante Marie te prend-elle sur ses genoux tous les jours là-haut, petite fille d'amour, petite Georgina ?

Émélie porta les cheveux si doux à ses lèvres puis les remit dans le coffret dont elle sortit le chapelet de Marie qu'elle rêvait de transformer un jour en bracelet-talisman. Elle aurait pu l'égrener comme parfois et se remémorer un souvenir par grain, mais elle se contenta d'imaginer ce qu'aurait pu être le mariage de sa sœur avec son amoureux Georges Lapierre au lieu de cette mort affreuse par pleurésie hémorragique dans la solitude de sa vie là-bas, chez son père, dans le rang 9.

– Pauvre, pauvre Marie !

Et l'accident qui avait tant blessé sa sœur revint à la mémoire d'Émélie dans toute son horreur. Cette chute dans l'escalier de la maison rouge et la fracture terrible de sa jambe qui n'avait jamais repris sa place par la suite, une fatalité qui avait fait de cette jeune personne de pas même 20 ans une infirme pour la vie. Cassure qui l'avait considérablement affaiblie par un long alitement pour sans doute favoriser le développement de la tuberculose en elle.

Le rêve éveillé d'Émélie se poursuivit encore un temps. Il emportait son âme dans des passés divers et il écrivait dans son regard brillant la plus profonde nostalgie qui soit. Honoré vint y mettre fin sans le vouloir, quand il fit son entrée en douceur, pensant que son épouse était peut-être déjà endormie et, de toute façon, se faisant discret pour ne pas alerter le bébé.

Il l'aperçut qui tenait en sa main son plus vieux souvenir, la croix de bois que lui avait confiée sa tante au corps de grand-mère Allaire au jour de l'An 1872. Tante Émilie avait dit que dans les pires moments de sa vie, ce pieux objet aiderait Émélie à traverser l'orage et que pour cette raison, elle devrait toujours le conserver. Un événement avait définitivement consacré la croix noire de bois brut et s'était produit quand Pétronille avait rendu l'âme après l'avoir tenue sur son cœur pendant trois jours.

– Ton cœur est rendu loin, on dirait, fit l'homme à mi-voix.

– C'est peut-être la faute du père Pampalon qui nous a parlé de ses 17 ans et de sa guérison.

– Moi, j'pense qu'il a pas été guéri… à vie si on peut dire.

Tout en parlant, Honoré s'approcha à pas feutrés et prit place à côté d'Émélie. Il ajouta :

– Le pauvre homme, il tousse, il crache… on dirait Marie au pire de sa maladie.

– C'est peut-être passager.

– Tu sais, les papes aussi meurent.

Ils restèrent silencieux un moment. Elle manipulait la croix doucement, le regard perdu dans des sentiments lointains qu'elle n'avait pas reconnus en elle depuis des lunes. Puis elle murmura :

– Et nous aussi, on va y passer. Tout le monde y passe. Comme il est dit : la mort est un passage obligé.

Tout en parlant de nouveau à mi-voix, il y mit de l'âme :

– Mais on est encore trop jeunes tous les deux pour songer à partir, il nous faut songer à bâtir. Pour nous-mêmes, pour nos enfants et je dirais... pour notre paroisse. Les gens nous donnent beaucoup, il faut leur donner en retour.

– Comme dit toujours mon père: cent cennes dans la piastre. Il le dit pas pour la même raison, mais on peut l'appliquer à notre exemple.

– T'as ben raison, Émélie, t'as grandement raison.

Après une autre pause, elle soupira:

– Honoré, je pense que je porte un autre enfant et...

– Déjà?

– On perd la vie une seule fois, mais on peut la donner plusieurs fois.

– T'as combien de temps de fait?

– Pas beaucoup. Quelques semaines, mais je sais. Une femme le sent. Si je t'en parle aussi vite, c'est que j'aimerais avoir ton accord pour mon idée de faire baptiser l'enfant, si c'est un garçon, sous le nom de Pampalon.

Honoré faillit s'étouffer de rire. Elle protesta:

– Je trouve pas ça drôle.

– Pampalon... pantalon... Le pauvre enfant va faire rire de lui toute sa vie.

– On fait pas rire de soi quand on porte le nom d'un saint. Tu portes le nom d'Honoré, c'est pas le diable mieux.

Le jeune homme comprit par le ton d'Émélie qu'elle n'avait guère envie de rire. Après tout, si l'enfant à naître devait être un garçon et porter le nom d'un personnage aussi sage et bon que le père Pampalon, peut-être que les inconvénients de se prénommer comme son patronyme seraient amplement compensés par les avantages moraux de la chose.

– On s'habitue à tout. La marraine de notre petit Henri s'appelle bien Restitue et personne ne s'en moque. Au contraire, tout le monde s'en moque. Je veux dire...

– Tiens, tiens, te v'là enchevêtré dans ton discours.

– Couchons-nous donc, on a une grosse journée demain.

– Pis l'autre demain pis l'autre demain encore.
– On va se reparler du magasin à bâtir.
– On va s'en reparler.

∞∞∞

Émélie avait fait une erreur. Il n'y avait pas d'embryon dans son ventre. Ses règles le lui révélèrent peu de temps après. Elle se demanda alors ce qui avait cloché dans ses intuitions. Puis elle se dit que c'est au moment où le père Pampalon leur avait donné sa bénédiction qu'elle avait eu le sentiment d'être de nouveau enceinte. Peut-être que c'est la grâce qui avait fait naître en elle quelque chose qu'elle avait pris pour un enfant au premier stade de sa conception.

∞∞∞

Il fut souvent et abondamment question des Jeux olympiques en cette fin d'année 1895. Il était maintenant officiel que les premiers Jeux de l'ère moderne auraient lieu au mois d'avril suivant en Grèce dans la ville d'Athènes. On en parlait au magasin mais surtout à la forge Foley où il était de tradition de se réunir entre hommes certains soirs.

– Ça va être le plus grand événement mondial de l'année qui vient, déclara Joseph, le forgeron de 38 ans.

– Moi, je pense que l'événement de l'année 1896, ça va être l'élection de Wilfrid Laurier à Ottawa, commenta Honoré.

– Peuh! s'exclama Barnabé Tanguay. Laurier prendra jamais le pouvoir à Ottawa: les Anglais le laisseront pas passer. Pas un Canadien français!

– Si la province de Québec vote à noir pour les rouges comme j'pense, ça va pas prendre ben des sièges aux libéraux dans le reste du pays pour prendre le pouvoir, fit valoir Honoré.

Et l'interminable opposition entre le bleu Tanguay et le rouge Grégoire se poursuivit devant un public composé de quelques hommes du village qui regardaient passer les réparties comme on assiste à un match de balle. En fait, il existait un parallèle important entre les Olympiques et les élections, et ce lien venait de se faire encore ce soir-là à l'insu même des antagonistes de la parole.

Mais il y avait plus derrière l'échange, il y avait un enjeu dont on ne se parlait pas et pourtant que l'on savait bel et bien réel: le bureau de poste et la fonction de maître de poste. Ce ne serait plus, après la prochaine élection, une question de disponibilité d'un lieu, mais bien une question de mérite électoral. Advienne l'élection des rouges et Tanguay aurait toutes les chances de perdre le bureau de poste au profit d'Honoré. Il y avait dans la maison rouge une pièce, jouxtant le magasin, qui servait à l'entreposage de marchandise: là serait le bureau de poste. Mais Honoré qui s'attendait à être nommé organisateur du parti dans la paroisse devrait travailler dur pour décrocher des résultats hautement favorables à Laurier.

Pas loin, qui, par une fenêtre de la maison, regardait vers la forge en se questionnant sur les plaisirs des hommes à se réunir là pour discuter, une jeune fille de 13 ans enveloppait son corps de ses bras pour se réchauffer tandis qu'un petit garçon de 4 ans tirait sur sa robe pour qu'elle s'intéresse à lui. Mary Foley, seule enfant de sexe féminin d'une famille de huit enfants, partageait les tâches domestiques avec sa mère Lucie. Et c'est sur elle que l'on comptait pour prendre soin du petit Jimmy, sa mère devant s'occuper du nouveau-né Edward et du reste de la famille.

– C'est quoi que tu veux?

– J'ai froid, se plaignit-il en lui lançant un regard à l'avenant.

– Viens, on va aller se chercher une couverte pis on va se réchauffer ben comme il faut.

Voilà ce que désirait le petit garçon: se coller tout contre sa grande sœur sous une couverture comme il le faisait tous les soirs depuis l'arrivée de la saison fraîche et y rester jusqu'à s'endormir.

Parfois, sa grand-mère le prenait sur elle, mais Euphemie qu'on appelait Memére Foley, n'était pas toujours disposée à bercer son petit-fils et il lui arrivait de préférer revivre par la pensée divers épisodes de sa vie en la compagnie plaisante de son mari Michaël décédé trois ans auparavant.

– Viens, redit Mary à Jimmy, le prenant par la main. On va demander à Memére de nous conter des histoires.

Âgée de 65 ans bien sonnés, Euphemie se donnait l'allure d'une femme de 80, entourée d'une bulle de vieillesse constituée d'une chevelure tressée qui entourait l'arrière de sa tête comme un beigne, de châles noirs aux lainages épais et de lunettes rondes qui s'enfonçaient sur ses yeux parmi des épis de cheveux presque blancs flottant dans l'air ou dans rien.

Pour se réchauffer, elle se tenait près du poêle, engoncée dans sa berçante qu'elle faisait bouger lentement et craquer souvent. Elle comptait les enfants à chaque heure du jour et tâchait de savoir où chacun était ou allait. Joseph, 14 ans, ne venait à la maison que pour manger et dormir. William, Arthur et Philias dont les âges allaient de 11 à 7 ans fraternisaient avec des amis du village et ne rentraient jamais qu'à la brunante. Quant à Alcid, un petit solitaire de 5 ans, on ne le voyait guère tant il se tenait à l'écart. Et le petit Jimmy allait d'une femme de la maison à l'autre, de sa mère à sa grand-mère en passant par Mary, comme s'il était toujours en quête de protection. Fragile de sa santé, peut-être le percevait-il quelque part dans les brumes de son inconscient.

Mary revint de la chambre avec deux couvertures de laine et Jimmy qu'elle tenait par la main.

– Viens, on va s'asseoir sur le plancher à côté du poêle.

Lucie, leur mère, assise à table de la partie cuisine de la grande pièce, leva ses yeux de son tricot et regarda par-dessus ses lunettes.

Tout était dans l'ordre des choses. Memére proche du poêle; Mary qui prenait soin de Jimmy; le bébé Edward qui dormait dans la chambre à coucher et le nouveau bébé qui était à se former dans son ventre, le neuvième. Quand donc son corps prendrait-il un peu de repos? songeait-elle en préparant d'autres bas d'enfant après d'autres bas d'enfant.

Mary mit par terre une couverture repliée, s'assit dessus et y entraîna son petit frère puis les enroba tous deux de la seconde couverture.

– Ah, vous allez être ben comme il faut, à chaleur! s'exclama Memére qui fit bouger sa chaise un peu plus et redressa une mèche de vieux cheveux qui s'entêtait à flotter devant son regard.

– Memére, contez-nous la fois que Pepére Foley quand il était jeune est venu proche de se faire tuer par les soldats en Irlande…

Jimmy se colla contre sa sœur et les mots somnifères de sa grand-mère l'emportèrent quelque part dans un agréable infini…

∞∞∞∞∞∞∞∞∞

Chapitre 4

Tandis qu'un autre enfant, le neuvième, faisait son entrée dans la famille Foley, une petite fille que l'on fit baptiser sous le prénom d'Alice, des événements importants se produisaient à Saint-Honoré et de par le monde en cette année 1896.

On était en avril et la terre, en partie dégarnie malgré des plaques de neige dans les champs, sentait les fortes odeurs présidant à la renaissance de la vie en son sein. Il arrivait que l'on aperçoive un ou deux chevreuils affamés sortir des grands bois pour aller brouter une vieille herbe sèche qui avait passé tout l'hiver à cuire sous le gel et la glace. Mais l'on songeait davantage à ensemencer la terre qu'à récolter le gibier. Et puis les cerfs n'auraient pu être approchés que de très loin, hors de portée de toute arme à feu. Leur fuite se pouvait être rapide et dans une course à zigzags qui les mettait aussitôt hors d'atteinte du plus rusé des chasseurs, même de Napoléon (Cipisse) Dulac, le plus indianisé des Saint-Honoréens à part peut-être Amabylis Quirion, l'épouse de l'ancien quêteux Augure Bizier.

– À soir, les gars, c'est la dernière fois qu'on se réunit au magasin, dit Honoré aux hommes dispersés devant la photo de Laurier autour du comptoir de la caisse. À partir de la semaine prochaine, vu que les froids sont finis…

– Les frettes, dit une voix dans la pénombre.

– Les froids, les frettes…

– C'est ben plus frette quand c'est frette que quand c'est… froid, mon cher jeune homme instruit.

Des voix approuvèrent.

– Tu nous mets dehors ? demanda Cipisse Dulac en rejetant de sa bouche une poffe de fumée très malodorante.

– Vous savez ben que non. Mais ça vient, ça rentre, ça sort...

– On « haït » pas ça, surtout quand c'est une belle créature.

– Je parle des clients, mon espèce d'Hilaire Paradis.

Jeune homme dans la mi-vingtaine, Hilaire osait lancer des blagues grivoises quand l'occasion se présentait, et ce, malgré l'époque encore et toujours terriblement victorienne et, de surcroît, dans un petit milieu catholique et canadien-français. Et ses plaisanteries qui amusaient Honoré – et les autres hommes – le contrariaient aussi, surtout quand la très scrupuleuse Émélie se trouvait en train de vernousser dans le magasin, ce qu'elle évitait le plus possible ces soirs de réunions masculines.

Honoré poursuivit :

– Ben sûr que non, j'mets personne dehors, mais qui c'est qui est contre nos rencontres à la boutique de forge ? Joseph Foley a ben hâte que ça recommence. Il m'a dit qu'il fait assez chaud en dedans pour nos « parlotteries » du soir.

– Pis là-bas, y a moins d'oreilles qui se cachent pour nous écouter.

– Y en a pareil ! dit une voix.

– Un juron dans une boutique de forge, me semble que c'est moins pire que dans le magasin, fit Hilaire qui obtint quelques rires.

Malgré l'importance de l'éclairage assuré par quatre lampes à patentes de Ives, en fait des lanternes qu'on pouvait remplir d'huile sans avoir à déplacer le globe, l'abat-jour ou la cheminée, les environs paraissaient plutôt jaunes et assombris par les étalages centraux, les poutres du plafond et la marchandise accrochée comme les brides et licous, les sangles, les bottes de cuir et les raquettes de babiche. (On était à la veille de ranger pour plusieurs mois la marchandise vendue presque seulement durant la saison froide et le printemps, afin de la remplacer par les arrivages d'été, mais en ce début d'avril, le travail de l'inventaire eût été un peu prématuré.)

Freddé trouvait toujours un coin où s'embusquer pour surprendre les propos des « hommes faits » comme on appelait les adultes de sexe masculin. Ce soir-là, il était tapi dans l'ombre, au pied de l'escalier de l'ancienne cuisine, près de la fenêtre donnant sur le cimetière. Et il ne perdait pas un seul mot des échanges dont il s'instruisait. Ce que dit son père à propos des Jeux olympiques d'Athènes qui débuteraient le lendemain le fascina. Honoré s'alimentait à tout ce qui s'écrivait dans les journaux à ce propos et y ajoutait ses commentaires personnels :

– Soixante mille personnes, j'ai bien dit soixante mille personnes que peut contenir le stade plein vent qu'ils ont bâti. C'est le plus gros du monde entier.

– Y va y avoir pas mal de pays qui vont envoyer des…

– Des athlètes, dit une voix venue à la rescousse de l'ignorant.

– Ouais…

– Quatorze, mon ami Romuald. En tout 265… non attends… 285 athlètes. C'est du monde, ça. Et ça va courir, sauter, s'escrimer, nager… Tout ce que font des athlètes…

Assis sur un banc haut derrière le comptoir de la caisse, Honoré s'était arrêté pour consulter l'article du journal en l'approchant d'un globe de lampe. La flamme fit sauter les lignes devant ses yeux mais les rendait lisibles. Il en profita pour se rafraîchir la mémoire à l'aide d'autres détails sur l'événement grandiose tenu les dix prochains jours en Grèce à l'initiative du baron français Pierre de Coubertin. Et les six ou sept villageois qui se trouvaient au magasin pour placoter et fumer leur pipe du soir, retournèrent chez eux plus instruits une fois encore, comme chaque fois qu'ils côtoyaient Honoré.

Au moment de fermer boutique, après avoir tout éteint à l'exception d'une lanterne qui lui servait d'éclairage portable,

Honoré entendit un frottement à l'intérieur. Il pensa qu'il pouvait s'agir d'un enfant et découvrit aisément Freddé qui s'était levé pour le suivre dans l'ombre.

– Sais-tu qu'il est tard pour un petit gars de 9 ans.

– C'est dimanche demain.

– Quant à ça... Envoye, on s'en va à maison.

L'enfant sortit et fit trois pas sur la passerelle en attendant que son père ait fini de cadenasser la porte puis il le devança vers la maison habitée dont l'entrée se trouvait à vingt pas de celle de la maison rouge. Chez les Mercier, en biais, de l'autre côté de la rue, Agathe Lacroix regardait passer ces deux spectres familiers, embusquée derrière les rideaux d'une fenêtre sombre. Ce n'était même pas la curiosité, c'était l'habitude. Voir quelqu'un simplement. Quel autre désennui dans une chaumière quand les travaux quotidiens sont terminés le soir? Depuis un quart de siècle, cette femme qui approchait la cinquantaine, souffrait de nostalgie. Son village natal de Sainte-Marie lui avait toujours manqué, plus encore les premières années alors que presque tout dans son pays d'adoption n'était que forêt verte et maringouins quand ce n'était pas le vent d'hiver qui siffle dans les branches, entasse la neige et cherche à enterrer toute vie, toute habitation, tout espoir.

– Papa, c'est pas 9 ans que j'ai encore...

– Quand on a plusieurs enfants, mon gars, on peut pas tout le temps se rappeler de l'âge de chacun. C'est à l'enfant de s'en rappeler lui-même. L'âge, c'est à soi, pas aux autres. Et tout ce qui vient avec.

– Ah!

Et là prit fin la brève conversation entre le père et son fils Alfred.

L'enfant craignait Honoré, un homme souvent d'allure austère mais plus souvent encore d'un joyeux air.

Le fils aîné de la famille était un être confiant, sensible et lui-même joyeux, mais aux larmes aussi promptes à venir que le rire. Et son naturel bon enfant lui était écrit sur le visage en des bajoues prononcées. Il se rendit droit à sa chambre du grenier où une fois couché, il resta les yeux ouverts dans l'ombre de la nuit, allumés par quelques reflets de lune qui entraient par la fenêtre du côté des Foley.

Il rêvait éveillé. Rêve de Jeux olympiques à l'autre bout du monde qui faisaient tant parler les grands. Comment en être un jour comme athlète quand on est un gamin de 8 ans qui vit dans un village du fond des bois? Néanmoins, cela se pourrait. Son père l'avait dit aux autres: on fait du sport au collège. Or, le collège, il y serait mis en pension pour y faire ses études au-delà de ses classes du primaire à Saint-Honoré.

Toutefois, c'est moins les compétitions sportives qui appelaient son futur que les attraits de la terre. À l'instar de son grand-père Allaire il les ressentait chaque fois qu'il songeait à son avenir, un avenir où il ne se voyait guère marchand général comme son père. Édouard y était pour quelque chose et lui chantait les vertus de la terre nourricière toutes les fois où ça lui était possible. Émélie ne s'en inquiétait guère; elle se disait que son père pouvait par ce discours se souvenir de Marie-Rose et peut-être à travers elle de Pétronille. Et puis elle savait qu'une fois à l'âge adulte, son fils aîné saurait faire la part juste des choses et mettre dans la balance et de bien les peser, les métiers de cultivateur et de marchand, tous deux fort exigeants, mais le second sûrement plus gratifiant que le premier.

∞∞∞

La mercredi de la fermeture des Jeux olympiques, un couple s'amena au magasin. Émélie leur réserva un accueil particulier vu que ces deux-là s'étaient mariés la veille en l'église de Saint-Évariste. Elle le savait par les bans qui avaient été publiés aussi à l'église de Saint-Honoré quelque temps plus tôt. Surtout, elle tenait minutieusement un registre des mariages qui impliquaient quelqu'un de la paroisse, homme ou femme, et appelé à y vivre.

C'était le cas pour Marie Lamontagne et Gédéon Jolicœur.

– Attendez-moi ici une minute, je vais demander à mon mari de me remplacer au magasin, dit Émélie aux nouveaux mariés.

Elle sortit de la maison rouge et lança un cri à Honoré qui, devant la grange, était à scier des perches de cèdre pour en faire du bois d'allumage, aidé par Alfred qui transportait à mesure les morceaux à l'intérieur et les y rangeait en une corde qu'il avait un peu de mal à faire tenir debout.

– C'est quoi ?

– J'ai les nouveaux mariés d'hier pis je voudrais leur servir le thé. Viens me remplacer.

– Le commis est pas là ?

– Parti faire une commission dans le 9.

– J'arrive.

L'homme délaissa le sciotte que reprit aussitôt son fils. Freddé s'imaginait pouvoir chausser les bottes de son père et couper autant de bois, mais il avait du mal à tenir la scie et il risquait à tout moment de briser la lame. Honoré le vit faire quand il franchit le seuil de la porte et s'en amusa.

Après les civilités d'usage, salutations et félicitations, il remplaça Émélie qui conduisit le couple dans son salon.

Garder du thé chaud n'était pas une mince affaire, mais la jeune femme s'y prenait comme pour garder les pieds au chaud l'hiver dans une carriole : avec des briques chaudes. On les apportait de la maison à l'ouverture du magasin, et on les emprisonnait dans une boîte comportant un trou de la grandeur de la théière. Réchaud home made qui faisait des petits miracles.

– Comme ça, vous allez vous établir au Grand-Shenley ?

– En plein ça, madame Grégoire, dit le jeune homme.

Le couple avait pris place sur le divan, Émélie dans son fauteuil. Chacun avait sa tasse à la main. Mais Gédéon aurait préféré prendre la théière et boire à même le bec tordu comme il le faisait à la maison, une habitude qu'il aurait vite fait d'installer dans sa vie de chef de famille.

– Comme ça, vous allez voisiner Georges et Clorince ?

– Sais pas, je les connais pas, répondit Marie à qui Émélie venait de s'adresser.

– Clorince, une bonne amie. Si vous saviez les folies qu'on a faites ensemble avant de se marier… Rien de mal, mais des petites folies…

Et elle raconta l'anecdote de la baignade du temps du curé Faucher alors qu'elle, Obéline Racine, Clorince Tanguay et Mathilde Bégin avaient osé se rafraîchir dans un bassin d'eau formé par un ruisseau du haut de la terre à Prudent Mercier.

– Notre bon curé avait installé une pancarte le jour suivant et qui disait : interdiction de se baigner sans un gardien adulte. Peut-être que c'est lui qui aurait voulu agir comme gardien… C'est Mathilde qui disait ça…

Émélie ne parvint pas à dérider Gédéon qui gardait son air réservé voire sévère. Aussi, elle cherchait à lire dans le regard de la jeune femme pour y déceler un certain bonheur. Elle n'en trouva pas. Comme si Marie était égarée dans un monde qu'elle ne comprenait pas. Le temps arrangerait les choses, songeait-elle du même coup. Les obligations du mariage, la venue des enfants et les tâches lourdes lui mettraient les deux pieds bien au sol.

Comme il n'y avait aucun autre client dans le magasin, Honoré vint mettre son nez dans la porte du salon, pensant qu'un homme préfère jaser avec un autre homme de sujets de conversation d'hommes. Il lança une phrase concernant les Jeux olympiques, mais Gédéon répondit par un air de méconnaissance et le marchand dut changer de registre :

– Comme ça, tu vas ouvrir la dernière terre avant le trécarré du canton de Dorset ?

– C'est ben ça. Ça sera pas long que je vas avoir mes lettres patentes. On va faire ce qu'il faut faire pour ça. Dans deux ans, je vas être franc-tenancier moé itou.

– T'as l'air ben bâti… pour la grosse ouvrage.

– J'ai toujours travaillé dur, pis asteur, j'vas travailler encore plus dur. C'est la vie.

– Tu pourrais pas mieux dire, mon Gédéon. C'est la vie dure que le bon Dieu nous fait pour éprouver nos cœurs. Plus on a de misère sur la terre, plus belle sera notre place dans la vallée de Josaphat.

Il y avait de la joyeuseté dans le propos malgré un certain sens de la fatalité que parmi les quatre personnes en présence, Émélie était le mieux en mesure de comprendre.

Sans philosopher, Gédéon commenta dans un retour sur le sujet précédent :

– Moé, mon lot, c'est quasiment le dernier du canton.

– C'est vrai, ça, on peut dire que la paroisse est quasiment au grand complet asteur. Il en reste quelques-uns dans les deux rangs 4, mais pas beaucoup.

– La terre du Grand-Shenley est meilleure d'après moé.

– D'après moi aussi. Mais la terre est bonne partout dans le canton sauf dans le commencement du bas de la Grand-Ligne.

Pendant que les deux hommes s'entretenaient, Émélie s'excusa un moment et revint pas longtemps après avec un objet entre les mains :

– C'est notre cadeau de mariage.

– Mais…

Marie hésitait, cherchait à comprendre ça aussi.

– Prends. À chaque mariage de jeunes qui viennent s'établir par ici, on fait un petit cadeau aux époux.

Gédéon posa sa tasse sur la table et tendit la main pour prendre ce que sa femme ne prenait pas encore. Il déclara :

– Ben… ça nous gêne un peu, mais…

Honoré intervint :

– Vous avez pas le choix : faut prendre. C'est un cadeau que vous fait le magasin.

Gédéon prit l'objet et l'examina dans tous les sens. C'était un jeu de cartes dans sa boîte.

– Pour vous amuser quand il vous restera un peu de temps, fit Émélie.

– Travailler, c'est beau, mais faut s'arrêter des fois, enchérit Honoré.

– J'ai jamais eu ça de ma vie, moé. Pis toé, Marie ?

– Ben... non... C'est beau, hein ?

– Honoré peut vous expliquer le sens des cartes et on pourra vous enseigner des jeux comme le whist...

L'on se tourna vers Honoré qui prit la parole :

– Les piques, c'est les armes. Les carreaux, c'est les maisons. Les trèfles, c'est les récoltes. Les cœurs, c'est les fonds ecclésiastiques.

– Ça veut dire quoi au juste, les fonds...

– Disons les biens de l'Église.

– Comme la chapelle ?

– Quand le jeu a été inventé, les prêtres eux-mêmes possédaient pas mal de biens. En plus que c'était en Europe...

Honoré palabra sur le sens des cartes et parla même du Tarot considéré comme l'ancêtre du jeu de cartes.

Les nouveaux mariés prirent confiance en Émélie et Honoré qui leur avaient témoigné autant d'amitié en ce premier jour de leur vie de ménage au lendemain de leur mariage.

Au moment de partir, les regards d'Émélie et de Marie se croisèrent et l'une, plus expérimentée, plus sûre d'elle, plus âgée de 8 ans, réconforta l'autre.

– Elle aura pas la vie facile, la jeune madame, soupira Émélie quand les Jolicœur furent à leur voiture, elle qui, sans aide, s'était installée sur la banquette et lui qui détachait la longe du cheval de l'anneau de fer fixé au magasin.

– Va falloir qu'elle prenne ça par le bon bout…

– Il a donc l'air sévère, ce jeune homme-là !…

∞∞∞∞∞∞∞

Chapitre 5

– Tout ce qui est beau à part le plancher, les murs et le plafond, on va l'ôter.

– Dis donc, Émélie, un comité électoral pas d'ambiance, c'est pas un comité.

– L'ambiance, c'est aux électeurs de la faire, pas aux cadres pis aux meubles.

– Où c'est qu'on va pouvoir remiser les meubles jusqu'au lendemain des élections ?

– Dans le petit entrepôt, mon cher organisateur politique.

Il y avait discussion entre les deux époux Grégoire. Certes, Émélie était une fervente de Laurier, le chef du parti libéral du Canada et, l'espérait-on de tout cœur, futur Premier ministre du pays à compter du mardi 23 juin, journée des élections générales, mais elle avait goûté à l'expérience contrariante de laisser Honoré utiliser son salon comme comité électoral du temps de Mercier. On avait sali, on avait craché noir, on avait écrasé des cendres sur le plancher, on avait maculé les murs, bref, on avait parlé d'élections durant toute une campagne et voici que pour cinq ou six semaines, Émélie devrait encore céder son salon aux hommes, sachant qu'ils le souilleraient à qui mieux mieux. Mais, ainsi que le disait souvent Honoré, c'était là sa participation à elle, à l'organisation électorale, faute de pouvoir s'y mêler elle-même, étant femme…

Et puis, l'espace de quelques semaines, elle pourrait toujours servir le thé aux électeurs plutôt qu'aux clientes un peu pincées qui aimaient partager la fantaisie d'Émélie.

«Toi pis tes clientes fancy!» disait parfois Honoré.

«Mes clientes fancy, c'est eux autres qui nous font vivre!» répliquait la jeune femme du tac au tac.

Le Premier ministre Mackenzie Bowell avait démissionné de son poste en avril, une quinzaine de jours passé les Jeux olympiques d'Athènes. Son remplaçant, le très honorable Charles Tupper, avait été assermenté le 1er mai pour aussitôt déclencher des élections. Le politicien n'avait pas le choix puisque le gouvernement qu'il dirigeait en était à la cinquième année de son mandat courant. L'histoire canadienne venait de finir de mettre la table devant Wilfrid Laurier et ses libéraux après trop d'années d'hégémonie conservatrice.

Dans le comté de Beauce, le candidat libéral et député sortant avait pour nom Joseph Godbout. Élu en février 1887, réélu en 1891, on lui savait plusieurs longueurs d'avance sur son adversaire. D'autant qu'il avait au-dessus de sa personne pour amener le peuple à le réélire l'image géante de son chef. Quelqu'un revenant d'un siècle futur aurait qualifié l'immense popularité dont jouissait au Québec le leader de l'Opposition de «Lauriermanie» tant son mouvement dépassait celui de la vague pour se rapprocher de celui du raz de marée.

Et la campagne électorale commença. Elle consisterait pour Saint-Honoré en l'ouverture et la tenue de ce comité dans le salon d'Émélie de même qu'en des assemblées de cuisine dans chaque rang, présidées par Honoré, et surtout par une assemblée contradictoire qui mettrait sur le même hustings, jouxtant la sacristie, le candidat Godbout et son adversaire conservateur, un personnage anonyme pour la plupart des électeurs, mais qui pouvait quand même compter sur une vieille organisation conservatrice dans le comté et à la grandeur du pays. Et sur des fonds pour mener sa campagne, rembourser ses frais et faire à l'occasion un petit clin d'œil à quelqu'un à l'aide de quelques piastres servant à payer des appuis d'hommes influents dans leur milieu ou même d'hommes de bras.

Honoré Grégoire n'avait droit à aucune sacoche électorale et c'est à ses frais et dépens qu'il travaillerait à la cause libérale. Et pas même ses déboursés ne seraient pris en compte par le parti. Mais on avait l'œil sur le bureau de poste. C'est au cœur du village, tout le monde le disait, qu'il aurait fallu ce service gouvernemental, pas dans le Grand-Shenley. Des amis libéraux voire des gens sans parti s'entendaient pour dire que Barnabé Tanguay avait fait son temps et que le service serait amélioré si le bureau de poste logeait au magasin général. Et pourtant, cette question était devenue un cas de conscience pour Émélie et Honoré. Souventes fois, ils en avaient discuté. Souventes fois, on avait pensé que c'était à chacun son tour l'assiette au beurre. Autant de fois, on s'était dit que d'obtenir le bureau de poste serait aussi enlever le pain de la bouche à Barnabé.

– On a aussi des bouches à nourrir, des avenirs à préparer, dit Émélie alors qu'on en parlait encore ce jour-là, au magasin, en l'absence temporaire de clientèle.

– C'est vrai. Déjà cinq enfants et c'est pas fini. Mais surtout, va falloir du gagne pour payer le nouveau magasin. Autrement, on va faire banqueroute.

– Les gens veulent voir le bureau de poste au magasin. Et on peut pas attendre de bâtir le magasin pour ça.

– Je le sais, mais d'un autre côté, j'voudrais pas faire de tort à Tanguay.

– Il a encore sa terre à Saint-Évariste. Il se retrouvera pas dans la misère noire parce qu'il perdrait le bureau de poste. Il survivait avant de l'avoir, il va survivre après l'avoir eu.

– Ça aussi, ça compte, c'est sûr. Il pourra retourner cultiver sa terre, c'est certain.

– En tout cas, faut pas vendre la peau de l'ours avant de l'avoir tué. Les élections, c'est pas encore gagné si l'Ontario vote à noir pour les bleus…

– Pour gagner, Émélie, faut se dire gagnant tout le temps, même si tu sais que tu vas perdre…

– Si le Québec veut, le Québec peut.

– Et si femme veut, Dieu le veut.

– On vote même pas, nous autres.

– C'est pas nécessaire d'abord qu'une femme voterait comme son mari.

– Les pas mariées.

– Toutes ou presque d'âge mineur.

– Les vieilles filles comme Obéline?

– Voteraient comme leur père.

– Pas Obéline en tout cas.

– Pierre Racine est bleu…

– Pis Obéline, elle voterait rouge.

La clochette de la porte se fit entendre. Émélie qui vit apparaître une cliente s'exclama:

– En parlant du loup…

Honoré prit la parole:

– On était à dire que si les femmes avaient le droit de vote, elles voteraient comme leur père ou leur mari.

La jeune femme ricana:

– Craignez pas, c'est pas mon cas. Papa est bleu. Moi, je voterais pour… lui…

Elle s'arrêta devant le portrait grandeur nature de Wilfrid Laurier fixé à un espace réservé au bout de l'étal du centre.

– Le Canada, pour survivre, a besoin d'un Premier ministre qui vient du Québec, un honnête homme, un petit gars de par chez nous comme on pourrait dire.

L'expression par trop familière ne plut guère aux Grégoire, eux qui voyaient en Laurier un dignitaire et une idole à la fois.

Un grand personnage appelé à se faire anoblir. Peut-être, songea Émélie, valait-il mieux après tout que les femmes ne votent pas tant qu'à le faire pour des valeurs aussi terre à terre que celles suintant des propos tout juste prononcés par son amie.

– Qu'est-ce qui t'amène aujourd'hui, chère Obéline ?

– L'amitié.

– Ça, c'est ben plus fort que la politique…

Et les deux femmes firent dos à Honoré qui ne put réprimer un fin sourire.

∞∞∞

– Il est des nôtres ! répétait sans cesse Honoré dans les assemblées de cuisine en parlant de Laurier.

L'argument plus que majeur frappait en plein front et faisait briller tous les regards d'un nationalisme qui somnolait depuis l'époque des Patriotes et n'attendait qu'une belle occasion pour jaillir comme d'une source profonde que pas même 1759 n'avait pu tarir autrefois.

L'organisateur en chef de la paroisse venait de redire cette phrase qui ne suscitait toujours que des répliques favorables. Il présidait une assemblée tenue loin dans le bas de la Grand-Ligne en la demeure de Napoléon Martin. Une douzaine d'hommes y jacassaient autour de la table et s'entouraient de lourds halos de fumée bleue qui tournaient en rond un temps puis se mélangeaient comme des idées politiques pour finir par remplir la cuisine d'une odeur piquante que les yeux de l'épouse du maître de céans ne supportaient pas. Odile avait trouvé refuge à l'extérieur où elle se berçait sur une petite galerie de bois en attendant que les hommes aient fini de changer le cours des choses.

La plus grande épreuve d'Honoré au cours de ces assemblées était précisément l'âcreté de l'atmosphère dans laquelle chacune le plongeait pour une couple d'heures. Il se mit à tousser et dut sortir.

Et salua de nouveau Odile qu'il avait vue à son arrivée une heure plus tôt.

– Comment ça va, toi?

– Bien, ça va bien, monsieur Honoré.

– Les enfants parlent de toi souvent.

– Ah oui?

– Émélie autant. Elle t'appréciait beaucoup. Tu t'occupais bien des enfants, de la maison et même du magasin à l'occasion.

– Ça me manque.

L'odeur des lilas en fleurs chassait des poumons d'Honoré la pestilence des pipes. Il s'assit sur le coin de la galerie, aux pieds de la jeune femme qui n'osait parler de l'homme qu'elle avait aimé du temps qu'elle agissait comme aide domestique chez les Grégoire, le beau Marcellin arrivé au village comme un survenant et reparti un bras en moins pour aller gagner sa vie aux États.

– On a eu des nouvelles de Marcellin. Une lettre l'autre semaine. Il nous demande de te saluer. Quelqu'un prend bon soin de lui là-bas...

La jeune femme demeura impassible pour demander:

– Il s'est marié?

– Non... c'est une personne plus âgée... qui pourrait être sa mère... Elle l'a pris en pension... Il dit qu'il a pas envie de se marier... que des trop gros morceaux de son cœur sont encore par ici, avec nous autres. Pis ça, je crois qu'il devait penser à toi.

– Il avait beau rester, fit-elle sèchement.

– Je l'ai compris de partir. Un bras en moins par ici, la vie aurait été trop dure pour lui. En plus que ça s'est su qu'il était pas de religion catholique... je te dis que les gens d'ici sont pas trop tolérants envers ceux qui ont tourné le dos à la religion qu'on dit la seule vraie, la seule bonne.

– Au moins, son bras est enterré dans le cimetière. C'est peut-être ça qu'il voulait dire par un gros morceau de son cœur.

– Tu sais ben que non, Odile. Tu sais ben qu'il parlait de toi. Même si tu le veux pas, c'est comme ça.

Le soleil baissait sur l'horizon. Le mont Adstock, complice du soir tombant, émergeait, sombre, de la ligne rosée qui courait au loin depuis les hauteurs de Saint-Évariste jusque vers les vallons de Saint-Éphrem. Ce fut un moment de silence que seule la rumeur des voix de l'intérieur troublait sans le briser. Chacun de la jeune femme et d'Honoré semblait en train de garder une minute de silence à la mémoire de celui qui ne reviendrait sans doute jamais après avoir laissé sa marque profonde dans certains cœurs comme le leur.

Napoléon, après avoir quitté le groupe, retrouva Honoré dehors.

– Ça jase, ça jase ! s'exclama-t-il en sortant.

– On parlait de notre ami Marcellin.

– Tout un homme !

– Un gros travaillant.

– Ça, tu peux le dire, Noré.

Le cultivateur s'adossa au mur gris de la maison et regarda au loin :

– Va faire beau demain, le soleil se couche dans le feu.

– Une bonne année à foin.

– Ben bonne.

Et l'on parla ainsi entre hommes du temps, des semailles, de politique surtout. Odile rentra en elle-même. Et elle imagina un destin autre que le sien, une vie qui l'aurait réunie à Marcellin et emportée au loin, là-bas, aux États qui pour plusieurs, comme le beau-frère d'Honoré, Jos Allaire, évoquaient la Terre Promise et l'évasion.

Puis les deux hommes rentrèrent. Odile reprit une fleur de lilas qu'elle avait cueillie plus tôt et la porta à son visage pour en sentir l'odeur. Et son rêve revint la prendre pour l'emporter cette fois dans des souvenirs vivaces. Le plus beau de ceux-là, c'était, du temps qu'elle et Marcellin travaillaient pour les Grégoire, de le voir aller de la maison rouge à la grange d'entreposage et de lui sourire en passant puis de lui faire un signe de la main, et pour elle, de sentir ces gestes se transformer, quand ils l'atteignaient par la fenêtre, en souffle chaud sur la nuque, en des baisers frôlés sur sa joue.

De là, une autre image l'entraîna près de la rivière du rang 9, à la roche à Marie (Allaire) où ils avaient vécu ensemble des moments d'éternité... Des larmes lui vinrent qu'elle essuya avec les petites fleurs bleues.

∞∞∞

L'assemblée contradictoire eut lieu une semaine avant le vote. Émélie reçut l'un des deux candidats à souper tandis que l'autre mangeait chez son organisateur paroissial Barnabé Tanguay. Tous les électeurs avaient été invités par un mot de la main même d'Honoré. Il leur avait promis une soirée civilisée. Pas comme d'autres assemblées qui tournaient au vinaigre ou pire à la bagarre. Il fit savoir aux gens qu'un service d'ordre assurerait la sécurité de tous et chacun, et demanda aux électeurs de venir applaudir leur candidat favori et le soutenir moralement.

Quand le jour en fut à son déclin, il accompagna au hustings le député Godbout venu de la vallée en une voiture qui avait suivi le long du chemin, celle du candidat conservateur. Les environs de la chapelle grouillaient de monde. Tout partout, des lanternes avaient été suspendues aux branches des arbres et prodigueraient leur éclairage quand le soleil se retirerait dans les draps opaques de la nuit.

Entièrement debout, le parterre était composé de quelques femmes parmi les hommes, qui soutiendraient leur mari venu supporter son candidat favori. Tanguay se présenta quelques minutes plus tard accompagné de son candidat. Les deux hommes furent hués dès qu'on les aperçut. Il semblait impensable à plusieurs que l'on puisse se présenter contre un homme de Laurier.

En fait, contre le grand Laurier. Mais cela faisait partie d'un large processus démocratique ainsi que le clamait depuis le début de la campagne l'organisateur libéral Honoré Grégoire.

Sur la tribune, des invités d'honneur trônaient, fierté à la pipe et le regard tranquille qui se promenait sur la foule. Il y avait le curé Feuiltault qui avait pour devise de ne jamais se mêler de politique. Puis le maire Ferdinand Labrecque et le secrétaire Jean Jobin junior. Deux autres maires venus d'ailleurs. Le député provincial Joseph Poirier, un conservateur qui apportait son appui au candidat du même parti au fédéral.

Honoré ne tarda pas à prendre la parole:

– Invités d'honneur, monsieur le curé, monsieur le député au provincial, messieurs les maires, monsieur le secrétaire Jobin, bien chers électeurs, nous y voici enfin, à l'assemblée contradictoire que je vous ai annoncée les semaines précédentes. Chacun des candidats aura quinze minutes pour vous adresser la parole en commençant par le député sortant monsieur Godbout, que le sort a désigné pour parler le premier, puis cinq questions de prime importance seront débattues par les deux hommes à raison de huit minutes pour chacune. Au total, l'assemblée devrait durer environ une heure et quart. Mais tout d'abord, je veux vous remercier tous de votre présence ici. Par là, vous démontrez que vous êtes de bons citoyens et je vous en félicite. Je vous demande de faire montre de politesse envers chacun des candidats. Celui que vous considérez comme un adversaire a lui aussi le droit de prendre la parole et de dire ce qu'il a à dire. Laissez-le exercer ce droit…

Parmi la foule se trouvaient non pas que des électeurs mais aussi des curieux qui n'avaient pas l'âge de voter et parmi eux, le jeune Freddé Grégoire entouré de garçons de son âge: Alfred Dubé, Cyrille Beaulieu et le petit Napoléon Lambert.

Honoré pérora encore un temps, celui pour le soleil de baisser à travers les grands arbres du village, de retirer doucement sa chaleur avant sa clarté. Et il présenta le candidat bleu qui s'avança vers un lutrin à l'avant de la tribune, là où chacun offrait le spectacle de sa personne et de son éloquence à un public affamé qui, non rassasié par les prestations du curé le dimanche et des prédicateurs venus prendre la parole en chaire à l'occasion, raffolait de ces meetings électoraux trop rares à son goût.

– C'est pas le temps, faut attendre la brunante, souffla vers ses copains un Freddé au regard allumé.

Chacun comprit le sens de son propos et l'on se mit à l'attention comme le reste de la foule sur place. Le propos du candidat conservateur se poursuivit. L'homme possédait le regard brillant de celui qui espère et que frappe le dernier rayon du soleil à travers le feuillage, en même temps que le premier reflet d'une flamme artificielle brûlant dans une lanterne.

Il osa prononcer les mots fatidiques :

– C'est pas parce que Wilfrid Laurier est issu de la nation canadienne-française qu'on peut lui faire tant confiance, vous savez, mes bien chers électeurs…

Des huées sombres et sourdes affluèrent vers la tribune puis un projectile suivit. Il s'agissait d'un petit crottin de cheval séché dans lequel on avait inséré un caillou pour lui donner du poids ou bien la chose trop légère aurait été retenue de voler par l'air ambiant résistant à la force d'inertie.

Freddé abaissa le bras qui venait de lancer l'objet, celui de son ami Alfred Dubé. Il lui souffla :

– C'est pas le temps, c'est pas le temps…

Et les deux Alfred se sourirent et se remirent à l'attention. Peu de gens avaient pu apercevoir le geste, et ceux qui le firent ne s'en désolèrent point. Le candidat ne fut pas atteint et la boulette roula sur le hustings jusqu'au curé puis passa entre ses pieds écartés. Honoré crut voir quelque chose sans pouvoir le reconnaître pour se dire que ses yeux devaient lui jouer des tours vu la brune qui s'installait.

Quelques voteurs recrutés par Barnabé Tanguay applaudirent l'orateur et d'aucuns parmi la foule se frappèrent dans les mains par politesse et sans la moindre conviction tandis que la plupart des hommes et des femmes réunis demeurèrent de marbre.

Honoré présenta ensuite le député sortant. Le marbre se transforma en marée, puis en rumeur, et Godbout fut accueilli par une liesse que lui-même devait juger prématurée dès ses premiers mots:

– Mes bons amis, merci pour votre accueil, mais faut pas penser que l'élection, c'est à soir... non, c'est le 23 juin, pas une heure avant... Je sais que vous me voyez élu, mais va falloir se donner la main et travailler tous ensemble...

Quelques mots rassembleurs précédaient les civilités de circonstance qui consistèrent en des salutations des personnalités présentes. Comme dans tous les discours dignes de ce nom. Puis le candidat fit porter tout son propos sur la personne de son chef en une véritable apologie au cours de laquelle les plus simples qualités de Laurier étaient taillées, ciselées comme des diamants que chaque électeur pourrait ensuite porter dans son cœur.

– Notre futur Premier ministre est né en 1841, à Saint-Lin, au Québec... oui chez nous, au Québec...

Applaudissements.

– Son père était... le savez-vous, mes amis de Saint-Honoré?

Une rumeur négative courut dans la foule. Tandis que les invités se lançaient des regards voulant dire qu'eux connaissaient la réponse.

– Il était... cultivateur... comme vous pour la plupart, mes bons amis...

Cette seule phrase révélatrice permit aux quelques indécis parmi la foule de faire un choix définitif. Les mots d'Honoré leur revinrent en mémoire: «*Il est des nôtres.*» Quoi d'autre pour influencer leur vote? Quoi de plus fort?

– Il a fait ses études primaires à l'école de son village... comme ces jeunes garçons, là...

Godbout, un personnage au nez busqué, le regard perçant et la moustache lourde, accompagnait ses mots de gestes abstraits aptes à faire réfléchir et deviner, mais cette fois, il désigna de façon bien concrète le groupe de Freddé et ses amis. La foule braqua son regard aimant sur ces êtres qui n'étaient plus des enfants et pas encore des adolescents, et qui, bientôt, seraient entraînés dans un changement d'époque par la fin d'un vieux siècle et le début d'un tout neuf.

– Voici nos adultes de demain, déclara Godbout comme si cette phrase répétée par tous les politiciens du monde de tous les temps venait de naître dans une chambre oratoire de son cerveau unique au monde.

Applaudissements nourris.

– Laurier, le grand Laurier, est d'origine modeste : fils d'agriculteur. Il a connu une enfance promise à un bel avenir... Tout comme, par exemple, le fils de notre maître de cérémonie et organisateur libéral de la paroisse, Honoré Grégoire... ce fils que je vois là, parmi la foule et avec qui j'ai pris mon repas du soir, tout à l'heure, un repas si bien préparé par madame Grégoire, une cuisinière hors pair et une marchande généreuse...

Godbout avait emprunté plusieurs chemins à la fois et ne savait plus comment revenir au fil de son discours. Il s'étouffa par exprès et se mit à tousser alors que la foule applaudissait.

– Donc Wilfrid Laurier a ensuite fréquenté une école de New Glasgow où il a appris l'anglais. Il est devenu parfait bilingue, oui, mais en français, il possède une langue d'argent. Eh oui, pour se faire comprendre des gens d'Ottawa, si tu parles les deux langues, tu fais ton chemin. C'est ça qui lui a permis de faire des études de droit à l'université McGill... Avocat, il a pratiqué avant de faire de la politique. Il fut alors gravement malade et c'est là qu'il a ouvert son bureau pas bien loin de chez nous, à Arthabaska...

De savoir que le grand personnage habitait pas si loin que ça fut une nouvelle occasion pour la foule d'hommes de se laisser survolter ; une autre salve d'applaudissements suivit. L'orateur passa ensuite à la politique de conciliation entre les deux races que prônait Laurier. Là, le claquement des mains fut un peu moins ferme. Il poursuivit en parlant de l'affaire Riel et de la volonté inébranlable du chef libéral de défendre les droits des Canadiens français puis termina en parlant des grands honneurs qui rejailliraient sur toute la race quand, devenu Premier ministre, Laurier serait reçu par la reine Victoria et salué par le président Cleveland des États-Unis.

Il termina par :

– Vive Laurier !... Vive Laurier !... Vive le futur Premier ministre Wilfrid Laurier !... Vive le premier Canadien français à occuper le poste de Premier ministre du Canada... Et vive le Canada !...

Il faisait carrément noir maintenant. Et chaque mot lancé par l'orateur devenait comme un phare dans la nuit. Et les électeurs, tels des rescapés sur un bateau en perdition, criaient des hourras et des bravos qui durent se répercuter jusqu'aux oreilles de l'homme d'état canadien sur le point de prendre le pouvoir et de le garder pendant quinze ans.

Honoré revint au lutrin. Il remercia puis annonça qu'on passait maintenant à la phase « débat » de la soirée.

Au magasin, pendant ce temps, Émélie servait la clientèle féminine tout en prêtant oreille à la rumeur venue de l'autre côté de la chapelle. Hélas! elle ne pouvait pas entendre les paroles prononcées et seulement les vivats de la foule. Et ça la faisait sourire. Dans son cœur, elle pensait déjà victoire libérale. Restitue Lafontaine, la marraine de son fils dernier-né Henri, lui dit à l'oreille comme un secret :

– Paraît que les petits gars vont faire du grabuge au meeting.

– Quoi ? Qui ?

– Le petit Dubé, le petit Lambert pis même ton Freddé. J'ai su qu'ils avaient les poches bourrées d'œufs pis de crotte de cheval pour arroser le candidat bleu.

– Ben j'espère ben que non! Freddé est mieux pas...

– Ça m'est venu aux oreilles...

Et la femme, personnage de 64 ans à la tête entourée d'un rouleau de cheveux gris, fit un grand geste de la tête voire du corps tandis qu'une moue de joyeuse certitude animait son visage aux profondes rides.

– Ben il faut arrêter ça tout de suite. Mais j'peux pas laisser le magasin. Vous le feriez pas pour moi, Restitue?

– Faire quoi?

– Allez chercher Alfred pis me le ramener ici.

– J'pourrais toujours le faire, mais c'est pas un crime qu'il va commettre avec les autres petits gars.

– Oui, c'est un crime. Et faut pas que ça se produise. Chacun a droit de parole aux élections et c'est sacré. En plus que si Honoré l'apprend, Alfred pourrait en manger une bonne.

– Je vas essayer de le retracer si tu veux, mais je te garantis rien, Émélie, le soir est tombé.

– Les petits haïssables, on les renifle, nous autres, les femmes. Quen, prenez-vous deux, trois «paparmanes» pour vous déboucher le nez comme il faut, là, vous.

Restitue fit un signe de tête en biais et plongea sa main dans le bocal des bonbons pour y prendre les récompenses de sa langue et les promesses de plaisir pour son palais.

– Je vas te le ramener, ton p'tit gars.

Et la femme fit faire demi-tour à son intéressant gabarit pour prendre la direction de la porte, l'air peu convaincue.

La première question à débattre fut celle de nouveaux subsides accordés par le gouvernement conservateur à la cie de chemin de fer du Canadien Pacifique désignée sous le sigle anglais CPR.

– Mes amis, fit le député Godbout, ça fait onze ans que le dernier crampon marquant l'achèvement du chemin de fer transcontinental fut enfoncé par monsieur Donald Smith en

Colombie-Britannique. La compagnie fait des profits depuis lors et notre bon gouvernement conservateur en rajoute par des subsides non nécessaires. Il ne faudra jamais répandre en ce pays la pratique des subsides autrement que pour l'essentiel. À la construction du chemin de fer, nous, libéraux, étions d'accord; onze ans plus tard, on ne l'est plus. À la place, nous disons ceci: il faut inciter le Canadien Pacifique à redoubler d'efforts pour attirer les immigrants qui vont aller peupler et développer l'ouest. Ça, c'est du progrès!

– Au candidat conservateur de répondre, intervint Honoré.

– Après l'inauguration d'un premier hôtel et lieu de villégiature en Colombie-Britannique, le CPR en a ajouté d'autres et l'un de ces hôtels est prévu pour… Québec. Tout près d'ici, la ville de Québec aura son hôtel du Canadien Pacifique. Ça, c'est du progrès!

– Du progrès pour les riches! lança une voix parmi la foule.

– Bien dit! lança Godbout. Des petites gens comme nous, on a pas les moyens de fréquenter des hôtels de luxe comme ceux-là…

– C'est pas en votant pour Laurier qu'on aura les moyens plus. On est un peuple de pauvres, c'est pas la faute des riches…

Voilà qui dépassait les bornes. Des huées fusèrent de toutes parts. Et tandis que Restitue se frayait un chemin parmi les gens à la recherche de Freddé, celui-ci sortait de sa poche un œuf et de l'autre un caillou dont il se servit comme d'un outil pour endommager la coquille en ses extrémités dures, ce qui la rendrait facile à briser de manière que le contenu s'échappe et éclabousse la personne ou la chose que l'œuf lancé à bout de bras heurterait.

Ce que voyant, ses trois amis imitèrent.

Et l'instant d'après, tandis que le conservateur hochait la tête afin de reprendre l'attention de la foule, trois œufs assassins volaient dans l'air au-dessus des assistants en direction du vilain de la fête. Les trois atteignirent leur cible et l'un d'eux, celui de Freddé fit mouche réellement en s'écrasant sur le front. Le candidat resta un moment hébété puis il rit jaune en se touchant pour se rendre compte de ce qui arrivait et prendre conscience de ce qui lui coulait dans le visage.

Aussitôt, une salve de crottins de cheval suivit, au risque, à nouveau, que les boulets touchent d'autres personnes que celles visées. Ce qui arriva et le curé reçut sur sa soutane l'un des obus malodorants. Du hustings, on ne pouvait discerner d'où venaient les projectiles. Honoré intervint :

– Mes amis, chers électeurs de Saint-Honoré, nous devons faire preuve de civisme. Je croyais que nous étions plus civilisés ici qu'à Saint-Georges ou Beauceville, même si la paroisse est bien plus jeune…

Un autre orage s'abattit sur scène. Honoré aussi en fut atteint et il se tut pour un moment. Restitue, pendant ce temps, arrivait à Freddé et son groupe. Elle les regarda faire puis dit au garçon qui s'apprêtait à lancer un œuf craqué :

– Donne-moi ça, Alfred.

Ce que fit le garçon que le regard foudroyait. Alors la femme remonta sa manche de blouse jusqu'au coude et à son tour, lança la chose vers les tribuns. Le maire de Saint-Martin, un dénommé Léon Poulin, en fut atteint sur son bel habit noir. Au même moment, Napoléon Lambert, l'enfant borgne visa de travers et son œuf frappa le député sortant qui en fut éclaboussé.

Honoré reprit la parole. Il prit le ton du commandement :

– Arrêtez ça tusuite, vous autres, arrêtez ça !…

Son intervention eut du succès et l'attaque prit fin aussi brusquement qu'elle avait commencé. Le débat put reprendre. Restitue ramena Alfred au magasin. L'enfant fut vertement réprimandé par sa mère.

– C'est rien, c'est rien, insista Restitue que le garçon ne dénonça pas.

Puis elle quitta les lieux après lui avoir adressé un clin d'œil qu'Émilie ne put voir.

Pauvre Émélie, qui, une heure plus tard, surprit Honoré en train de parler à leur fils aîné à sa demande et qui, au lieu de le rabrouer, lui tendait des pièces de monnaie à remettre à ses trois copains en disant :

– Vous avez ben fait ça. Même si d'autres que le candidat bleu ont été frappés, tout le monde a compris que c'est lui qui était visé.

– On va gagner nos élections ?

– On va les gagner, mon gars, pis ça sera un peu grâce à toi et tes amis…

La scène se déroulait sur la passerelle entre le magasin et la maison. Émélie qui avait ouvert la porte de la maison rouge n'en croyait pas ses oreilles. Mais que faire ? Quoi dire ? Faire un drame avec ce qui n'était pas la mer à boire ? Elle souhaita seulement que d'autres, un jour, fassent subir le même sort à son mari pour qu'il comprenne qu'il y a des choses qui ne se font pas… Même pour rire. Même en politique…

Toutefois, ce n'est pas Alfred qui hériterait de cette tendance aux facéties électoralistes de son père et plutôt un enfant qui n'était même pas encore conçu mais sur le point de l'être et dont le prénom était choisi depuis un temps pourvu qu'il soit un garçon. Pampalon ne s'installerait dans le ventre d'Émélie que deux mois plus tard, quatre semaines avant la mort à 27 ans d'Alfred Pampalon, ce rédemptoriste qui avait si profondément marqué l'épouse d'Honoré lors de son bref séjour dans la paroisse l'année d'avant.

Mais l'on n'était encore qu'au printemps 1896…

∞∞∞∞∞∞∞

Chapitre 6

Les élections qui sont une usine à fabriquer des ennemis servirent du moins à rapprocher Alfred de son père et quand il obtint à l'école un prix d'assiduité, soit un livre intitulé *L'Outaouais supérieur* de Arthur Buies, le bouillant écrivain et ex-secrétaire du curé Labelle, l'apôtre de la colonisation, il s'empressa d'aller le signaler à Honoré au comité électoral après avoir reçu les félicitations mesurées d'Émélie au magasin.

Son père se trouvait en la compagnie de six sous-organisateurs paroissiaux et n'avait guère de temps pour son fils en ce moment. Son seul commentaire devant un Alfred en attente devant lui fut ces quelques mots laconiques :

– Ouais… Ben tu peux t'en retourner asteur, Freddé…

L'enfant sortit du salon d'Émélie avec son prix sous le bras et sa fierté dans ses poches. La maîtresse lui avait parlé du contenu de son livre qui «*plaidait de façon vibrante en faveur de l'ouverture de nouvelles paroisses dans l'arrière-pays*». Il sortit du magasin par l'arrière et alla s'asseoir sur le petit cap, pas loin du cimetière et de ceux qui y dormaient comme sa tante Marie et cette madame Larochelle dont son grand-père Allaire visitait si souvent la tombe. Il ouvrit et lut un texte qui eût dépassé l'esprit de bien des garçons de son âge mais qui passait par son cœur avant d'atteindre sa penser pour s'y fixer à demeure.

«*La colonisation, j'y insiste, est l'œuvre par excellence, l'œuvre vitale, et elle seule peut nous assurer une prospérité normale, solide et durable.*

En elle est, en effet, le fondement de notre édifice national. L'établissement de nos régions les plus favorisées est la base même de notre développement. C'est uniquement par l'expansion de notre race que nous arriverons à poser sur le sol de l'Amérique un pied ferme, et à l'y maintenir en dépit de tous les assauts. Il faut que le petit peuple franco-canadien s'accroisse et se fortifie sur son propre sol! (...) Il faut coloniser, nous répandre, comme une marée montante dans tout l'est de l'Amérique britannique!»

L'enfant avait souvent entendu son grand-père parler de manière élogieuse de la terre nourricière et cela se produisait chaque fois qu'il allait se recueillir sur la tombe de Marie et celle voisine de cette dame du rang 10. Voilà qui lui suggéra quelque chose : c'est à lui qu'il devait montrer son prix à cause du sujet du livre. Il décida de se rendre dans le rang 9 à pied en prenant le raccourci de la terre des Foley.

Oui, mais arborer un livre devant un homme qui n'avait de toute sa vie jamais su lire un traître mot, une simple lettre de l'alphabet, il y avait de quoi le contrarier voire blesser son orgueil, songeait en substance et en sa manière de dire, le garçon qui marchait le pas long malgré des chaussures qui lui enserraient un peu trop les pieds. Néanmoins, son élan du cœur le transportait, lui donnait des ailes pour franchir les ruisseaux, escalader les clôtures, courir sur les planches de labour, marcher dans le foin long en frôlant le haut des tiges avec ses mains ouvertes au bout de ses bras allongés en croix.

Ce n'était pas la première fois qu'il se rendait voir son grand-père en passant par là et tout l'enchantait depuis le vert bocage du cap à Foley jusqu'à la roche à Marie près de la rivière du rang. Chemin faisant, il s'adonna à quelques haltes pour admirer la terre, humer ses odeurs, vibrer à sa puissance créatrice. L'une d'elles lui plaisait davantage car elle lui permettait d'embrasser du regard tous les environs : le clocher dans les arbres là-bas, les maisons alignées comme des soldats de part et d'autre de la seule rue du village, la verdure des champs fertiles, les érables se chuchotant des secrets en petits groupes et les bouleaux se rappelant des souvenirs du temps de la sauvagerie qu'ils avaient si bien connue. Et puis de l'autre côté, le rang 9 qui s'enfonçait dans l'horizon peu éloigné pour se perdre aussitôt dans les vallons, ne laissant apercevoir que ses deux premières maisons dont l'une appartenait à Augure Bizier, l'ancien quêteux de grands chemins et son épouse indienne, l'Amabylis toujours si colorée et si timide… Du très bon monde. Des gens qui avaient accompagné la pauvre tuberculeuse de Marie Allaire l'année de sa mort qui se trouvait aussi celle de la naissance d'Alfred: 1887.

Le garçon s'assit au pied d'un bouleau blanc et s'y adossa pour lire au hasard dans ce livre à reliure en peau de chagrin, qui ne cessait d'alimenter sa joie depuis la veille. Il tomba sur un texte de Buies parlant des moustiques et dont il ne lut qu'un paragraphe par le milieu:

J'ai vu de pauvres vaches, la queue tout épilée, sèche et rude comme une queue de tortue à force de s'en être fouetté les flancs; j'ai vu des chiens tellement éreintés, morfondus par leur lutte avec les moustiques que, pour aboyer aux voitures qui passaient, ils étaient obligés de s'appuyer sur les clôtures, et qu'à peine ouvraient-ils la gueule qu'une nuée de brûlots s'y engouffraient comme au lit d'un ravin se précipitent les sables ardents…

Et l'enfant se mit à rire en s'imaginant le chien de la maison, la gueule posée sur une pagée de clôture pour japper aux passants… Tout en ce livre venait chercher son cœur et son esprit. Il serait son inspiration. Et c'est lui qui ferait grandir en lui jusqu'à son accomplissement, son désir de posséder et cultiver de la terre.

Puis il reprit son chemin et rejoignit le rang de terre battue sur laquelle il courait en dansant, loin des préoccupations de sa famille à propos de son avenir que les élections du lendemain modifieraient peut-être.

– Si c'est pas le p'tit Freddé ! s'exclama Édouard lorsque l'enfant parut dans l'embrasure de la porte.

– Pepére, j'viens vous montrer quelque chose que j'ai gagné à l'école.

– Tu m'en diras tant !

Édouard continuait de vivre seul sur sa terre comme depuis l'année où il avait perdu Jos et Marie, tous deux rendus dans un monde rêvé. Il y avait bien eu le bref épisode du commis Lavoie, mais ces quelques semaines avaient passé comme une feuille d'automne dans le courant de la rivière. Malgré ces départs cruels, l'homme ne souffrait pas trop d'ennuyance et quand la solitude frappait à sa porte, il la faisait asseoir près de lui dans une berçante et posait sur ses genoux toutes sortes de souvenirs du passé parmi lesquels l'image de Pétronille, celle des enfants morts trop jeunes, celle, incontournable, de Marie-Rose ainsi que la brillance du regard de Jos quand il venait lui rendre visite et qu'il lui parlait des États, sans jamais oublier toutes ces étoiles qu'il avait si souvent vues s'allumer dans les yeux de Marie quand elle priait et demandait à la Sainte Vierge de l'emmener auprès d'elle, de Pétronille et de Georgina.

Ses cheveux, sa moustache et sa barbe avaient blanchi avec les hivers et son cœur répondait moins bien qu'auparavant aux efforts physiques requis pour cultiver efficacement la terre. Mais, malgré les conseils d'Émélie qui espérait le voir prendre sa retraite et revenir au village, pas question pour lui d'abandonner cette terre magnifique qui lui donnait encore tant de choses belles et bonnes grâce à l'aide que lui fournissait, en toutes occasions possibles, son grand ami Augure.

Alfred courut à l'homme assis qui fumait sa pipe ; il tendit son livre en même temps qu'il parlait :

– Je l'ai eu hier parce que j'ai pas manqué une journée d'école de l'année.

– Hey, tout un beau livre, ça !

– Vous pouvez l'ouvrir.

Ce que fit le sexagénaire en disant :

– Mais... tu sais que moé, j'sais pas lire. J'ai pas eu la chance d'aller à l'école. Dans mon temps, c'était pas la mode comme asteur. Avec l'instruction qui est obligatoire depuis ben avant que je vienne rester par icitte, les enfants peuvent apprendre à lire pis écrire de nos jours. Mais... bon, j'me suis débrouillé pour faire vivre ma famille. Pis même que j'ai ouvert un magasin : en plus, pas capable d'écrire le mot magasin sur un écriteau. Ah, c'est sûr que sans ta mère, j'aurais pas pu ouvrir ça, mais elle aurait pas pu non plus sans son père. Tandis que ton père à toé, c'est un homme instruit. Instruit comme ça se peut pas. Un cours commercial bilingue du collège de Sainte-Marie, c'est quelque chose. Pis va falloir que toé itou, tu t'instruises...

– Moi, j'veux cultiver la terre comme vous, Pepére.

– C'est pas parce qu'on cultive la terre qu'il faut être gnochon, Freddé. Vu que tu sais lire pis que tu pourras te faire instruire, tu pourras apprendre des manières de cultiver qui sont meilleures, qui ont été trouvées par des agronomes... Bon, assis-toé pis explique-moé c'est quoi au juste, ton livre.

Le garçon fit comme demandé. Et ce fut au tour de son grand-père d'écouter. Ce qu'il fit avec une grande attention tout le temps que son petit-fils lut devant lui des passages plus savoureux les uns que les autres. Et quand ce fut terminé et que le temps vint pour Alfred de retourner au village, l'homme lui dit :

– Quand tu vas revenir, tu l'emporteras, ton livre, pis tu m'en liras encore des bouttes. Ce monsieur Arthur Buies, il est pas piqué des vers pour dire les bonnes choses. C'est un homme d'une grande intelligence. J'comprends comme il faut pourquoi c'est faire que le curé Labelle l'avait pris comme secrétaire. C'est un ben beau livre qui va te mettre des bonnes idées dans la tête...

Sur ces mots, l'enfant s'en alla. À la roche à Marie, il se rendit sur le bord de l'eau et lut un autre paragraphe, un morceau qui ne faisait pas partie à proprement parler du livre et y avait été inséré par l'éditeur, histoire de provoquer un peu les lectrices.

« *L'onde est trompeuse comme la femme; c'est pour cela qu'elle attire...* »

Qu'est-ce que l'onde? se dit le garçon. Il demanderait à sa mère en revenant chez lui.

Ce qu'il ne put faire. Il y avait un tel brouhaha électoral à la maison rouge que toute autre chose en était balayée, oubliée. Et cela dura jusqu'à la fin du jour et tard le soir. Alfred s'endormit, Buies à ses côtés. Ses parents, eux, se partageaient Laurier...

Honoré fut l'un des premiers à se rendre au bureau de scrutin situé dans la maison de Barnabé Tanguay, en un coin de la cuisine d'été qui servait en partie de bureau de poste. Il vota, s'assura que la représentante de son parti surveillait du bon œil le déroulement du processus puis sortit, l'air digne, le corps droit, la tête haute, le cœur en paix.

– Salut Honoré! lui dit une voix masculine dès qu'il fut à l'extérieur à croiser des arrivants.

C'était Barnabé embusqué au coin de la maison et qui l'attendait.

– Ah, si c'est pas mon adversaire préféré!

– On peut se parler un peu?

– Toujours, mon ami, toujours!

– Viens par icitte qu'on n'entende pas...

– C'est bon.

Ils se rendirent à l'écart des hommes qui entraient et sortaient de la maison et qui, pour plusieurs, formaient des attroupements afin de se parler d'une victoire assurée pour le parti libéral.

Pour les bleus, se profilait à l'horizon politique une défaite dont Barnabé Tanguay ne doutait plus, lui qui avait tout lu ce que les journaux avaient publié depuis le début de la campagne sur les intentions de vote, non pas qu'au Québec mais aussi en Ontario. Son dernier espoir pour garder le bureau de poste consistait à prévenir les coups en tâchant d'influencer ce dangereux rival qui, sans aucun doute, chercherait à le remplacer.

– Je vas aller droit au but, Honoré, as-tu l'intention de demander le bureau de poste si Laurier passe ?

– Laurier va passer, Barnabé.

– Ça, je commence à m'en douter, même si je le dis à personne pis tu vas me comprendre.

– C'est ça, les élections : des fois, on perd ; des fois, on gagne.

– Pis comme ça, tu vas le demander, le bureau de poste ?

– Écoute, Barnabé, si moi, je le demande pas, d'autres rouges vont le faire pis l'avoir. C'est pas de même que je devrais te dire ça. C'est certain que d'autres vont le demander, que je le fasse ou pas. On va être plusieurs sur les rangs pour l'avoir. Xavier Blais, Joseph Dubé, Jean Jobin, tous des hommes qui ont de l'instruction assez pour tenir un bureau de poste. D'autres itou. Si on est six, sept, dix à le demander, tu vas être au bout de la ligne de toute façon. Si je le demande pas, ça va en faire rien qu'un de moins dans la filée. Plusieurs pensent et disent que le bureau de poste, il devrait être au milieu du village. Pis comme j'ai l'intention de bâtir de magasin, un ben gros magasin, c'est là que le monde, ça va vouloir aller chercher leur malle. Ça me fait ben de la peine pour toi, Barnabé. J'en ai discuté souvent avec ma femme, mais tu vas le perdre d'une manière ou d'une autre. Pas que t'es pas un bon maître de poste, mais c'est une affaire politique, un bureau de poste, tu le sais. Et là, le vent politique vire de bord. Ça fait qu'à moins d'un miracle demain, Laurier va remplacer Tupper à la tête du pays. Faudra pas m'en vouloir, c'est la vie qui veut ça comme ça. On s'est dit que tu pourrais te remettre à cultiver ta terre à Saint-Évariste. T'es un homme de valeur, tu vas t'en sortir. Et si je peux t'aider en quelque chose, je vas le faire avec... avec tout mon cœur. Je peux te dire que je parle itou au nom de ma femme

Émélie. Ça lui fait de la peine pour toi. On peut pas changer le cours de la grande histoire pas plus que de la petite histoire de Saint-Honoré-de-Shenley. Laurier, c'est de la grande histoire ; le bureau de poste, c'est de la petite. On se résigne et on regarde devant : c'est là que se trouve l'avenir, droit devant, mon ami.

Honoré s'approcha de Barnabé et lui mit une main sur l'épaule pour conclure en le regardant profondément dans les yeux :

– Et peut-être que dans quatre ans, après les prochaines élections, tu vas le récupérer, le bureau de poste. T'es un bon maître de poste et t'es un bon organisateur politique.

L'homme n'avait d'autre choix que de se résigner. Il n'insista pas pour que le marchand s'abstienne d'appliquer afin de le remplacer. Même qu'Honoré lui garda allumée une lueur d'espoir avant de partir :

– On sais jamais, ils peuvent me donner le bureau, mais te garder, toi, comme maître de poste. Ça, ça se pourrait à plein. Mais si c'est un autre que moi, c'est d'abord ta fonction qui est en danger ben plus que le loyer du bureau. Salut, Barnabé ! Bonne chance ! T'as tout mon respect. T'es un bon homme et un honnête citoyen : c'est ça qui compte avant tout… avant tout le reste.

– Salut ben là !

Honoré retourna à la maison à pied comme il était venu. Et chaque fois qu'il croisait un électeur, il l'enjoignait poliment de voter non pas libéral, non pas pour Laurier, mais pour « un des nôtres »…

Laurier fut élu. On connut les résultats finaux le surlendemain par les journaux. Libéraux : 118 sièges. Conservateurs : 88. Et quelques autres qui ne sauraient faire la différence.

Ce soir-là, à la lueur de la lampe, attablés dans la cuisine, les enfants tous endormis à part Alfred qui tendait l'oreille par la porte de sa chambre à peine entrouverte, le couple était à remplir la formule d'application pour le bureau de poste. Honoré se désolait sincèrement pour Barnabé. Émélie eut le mot final quant à ce cas de conscience:

– Dans la vie, quand on évite à tout prix de faire du mal à quelqu'un, c'est souvent à soi-même qu'on en fait. Mais, si c'était rien que pour ça, on le demanderait pas, le bureau de poste. Monsieur Tanguay est appelé à le perdre de toute façon. C'est peut-être nos amis libéraux qui vont nous envier le plus...

– Si on l'obtient, si on l'obtient...

– On va l'avoir. C'est mon nez qui me le dit.

– Et ton nez ne te trompe jamais, je sais, je sais, soupira Honoré avec un ton et un visage à l'ironie provocatrice.

– Tu pourras féliciter Alfred et lui dire que lui aussi a gagné ses élections, fit-elle sur le même ton.

– Pourquoi que tu me dis ça, là? questionna Honoré qui feignait ne pas comprendre l'allusion à la conduite des garçons le soir de l'assemblée contradictoire.

– Tu le sais ben trop pourquoi, Honoré Grégoire.

– Non, je l'sais pas, pis j'voudrais ben que tu me le dises.

– On est mieux de pas en parler, ça pourrait faire de la chicane entre nous deux.

– C'est déjà de la chicane quand une femme dit qu'elle sait quelque chose mais qu'elle veut pas dire quoi.

Émélie ne dit mot, se leva de table, se rendit à la porte de la chambre d'Alfred et l'ouvrit brusquement, devinant que le garçon les écoutait. L'éclairage de la cuisine tomba sur l'enfant qu'elle fit venir à la table.

– Je peux le faire dire par lui, si t'aimes mieux.

– Ahhhh! laisse faire. On a une formule à remplir. Alfred, va dormir. Attends un peu... Tiens, je te donne un trente-sous... ça va avec ton prix d'assiduité... une récompense...

Émélie fut attendrie par ce geste tardif de son mari. Elle voulut bien oublier une fois pour toutes son rôle derrière l'inconduite d'Alfred et de ses amis au soir de l'assemblée politique.

∞∞∞∞∞∞

Chapitre 7

Pour une raison inconnue, le petit Jimmy Foley tomba malade durant une période caniculaire du mois d'août. Aucune épidémie n'avait pourtant été signalée dans la région et personne d'autre dans la famille Foley ne souffrait du même mal. On pensa à une maladie infantile, peut-être les fièvres typhoïdes.

La femme Foley prévint sa voisine Émélie et lui conseilla fortement d'empêcher les enfants Grégoire de se mêler aux siens qui se verraient servir le même ordre sévère. D'un commun accord donc, il fut décidé d'isoler les deux familles pour un temps, celui du retour à la santé de l'enfant de 4 ans.

Ayant une famille nombreuse à voir, Lucie laissa à sa fille Mary le soin de veiller sur son petit frère d'une façon toute particulière en raison de cet aléa. Pour dormir, les autres enfants se partagèrent d'autres chambres que celle où le petit malade avait été confiné. Seules Mary et sa mère pouvaient se rendre au chevet de Jimmy dont l'état empira rapidement.

Diarrhée, vomissements, fièvre, autant de symptômes fort inquiétants se relayaient pour affaiblir le garçonnet à chaque heure qui passait. On lui administra de l'eau de riz, de l'extrait de fraise, on fit venir le curé Feuiltault qui pria les yeux fermés, on demanda même à Augure Bizier de se rendre auprès de Jimmy, lui dont on disait qu'il possédait un don de guérison supérieur à celui d'Honoré Grégoire : rien n'y faisait quelque chose, pas le moindre soulagement.

L'enfant plongeait de plus en plus profondément dans un état de faiblesse et de somnolence avoisinant le coma.

Honoré répondit humblement à Lucie qui lui demandait de venir imposer ses mains sur son fils, sachant qu'il avait hérité de la fleur de lys (pouvoir de guérir). Il s'opposa, le ton persuasif:

– C'est des accroires que les «gensses» se font. J'arrache des dents comme ça, mais j'ai jamais guéri personne. J'aurais commencé par la sœur de ma femme en 87, la pauvre Marie qui a rendu l'âme à 20 ans. J'ai pas mal prié pour elle, ma femme encore plus, mais la voix humaine sert à quoi quand Dieu dit le contraire? Le mieux, ça serait de le prendre et d'aller voir un docteur à Saint-Georges. Des fois, c'est pire: l'enfant supporte pas le voyage. En tout cas, je ferais ça si le petit Jimmy était mon fils. Je le mettrais sur une paillasse haute de même dans une voiture fine à deux sièges comme vous en avez une et je prendrais le chemin de Saint-Georges sans retarder.

La scène se passait sur la rue, devant le magasin. Émélie aperçut la voisine et son mari; elle sortit pour prendre des nouvelles. Lucie se désola:

– De pire en pire. Pauvre p'tit gars, on dirait qu'il veut s'en aller à tout jamais.

Honoré parla:

– Moi, je dis qu'il faudrait quelqu'un pour l'emmener à Saint-Georges. Ça nous prendrait dont un docteur par ici: une grosse paroisse de même. Saint-Évariste, ils ont perdu le leur ça fait pas longtemps…

– On l'aurait emmené à Saint-Évariste, mais…

– C'est sûr que vous prendrez pas la route à soir, la brunante sera là dans pas grand temps; mais, aux aurores par exemple. Si Joseph peut pas, je vais y aller, moi, avec toi, Lucie. Le docteur Gravel, il va lui donner un bon remède, tu vas voir…

L'échange fut brusquement interrompu par la venue de Mary qui courait comme une folle:

– Maman, maman, venez… il bouge plus… il respire plus…

– Mon doux Jésus!

Et la femme tourna les talons.

– Vas-y donc avec elle pour voir! dit Émélie à Honoré qui hésitait quelque part entre la crainte, le doute et le désir de faire quelque chose.

Mary suivit. Elle se sentait coupable sans savoir de quoi. C'est elle qui avait la garde de son frère et voici qu'il semblait avoir rendu l'âme. À chaque pas qu'elle fit pour regagner la maison, elle invoqua la vierge Marie et lui demanda de sauver Jimmy. Quitte à la prendre, elle, à sa place. À 14 ans, elle savait depuis longtemps ce qu'est la mort. Dans une si grosse paroisse et avec autant d'enfants par famille, la grande faucheuse récoltait chaque année une moisson d'âmes trop abondante et il fallait savoir se consoler en pensant que chacune, quand il s'agissait d'un enfant, était devenue un ange du ciel.

À la chaleur suffocante du jour avait succédé une fraîcheur bienfaisante qui entrait par la fenêtre de la chambre, venue des arbres des alentours et d'un petit marécage qui formait un triangle avec la grange et la maison.

Joseph Foley travaillait fort dans sa boutique de forge. Il fallait le prévenir. Lucie allait le demander à Mary quand elle s'en abstint alors qu'elle se penchait au-dessus de son fils malade. L'enfant, ô miracle, avait les yeux ouverts et regardait sa mère. Des yeux ternes et amortis mais un regard qui laissait échapper une étincelle de vie.

La femme tourna la tête vers les deux autres:

– Ça sera ta présence, Honoré, qui l'a fait revenir d'entre les morts.

– Non, non, non, c'est pas ça pantoute. C'est le bon Dieu qui mène. J'ai rien à voir là-dedans. Le curé est venu? Ça pourrait aussi ben être lui qui a fait revenir le p'tit.

Mary se dit que ses invocations à Marie avaient marché. Et que le ciel viendrait peut-être la prendre, comme elle l'avait souhaité, à la place de Jimmy.

– Va dire à ton père que le p'tit va mieux.

– Oui, maman.

Et Mary repartit le cœur moins lourd.

– Comment qu'il va, mon petit gars ? demanda Lucie à l'enfant qui se contenta de l'esquisse d'un sourire en guise de réponse.

Elle posa sa main sur son front. Il lui parut que la fièvre avait quelque peu diminué. Et pour que le phénomène s'accentue, elle prit le linge mouillé laissé sur la table de chevet par Mary et le trempa dans un plat d'eau où il restait à fondre un petit morceau de glace.

– Une chance qu'on a eu de la glace au magasin, chez vous, Honoré ! Mary a contrôlé sa fièvre avec ça.

– J'en ai encore pour jusqu'à l'hiver dans la glacière en arrière de la grange. À partir du milieu de l'été, on la dépense plus tranquillement. Faut s'en garder pour des cas comme celui-là.

– Joseph devrait s'en garder, lui aussi, dans la grange.

– La glace, ça prend de la place. Bah! on en trouve à toutes les deux maisons de nos jours. Théophile Dubé produit assez de bran de scie à son moulin pour enterrer toutes les réserves de glace du village. Bon, ben… comme tout a l'air de ben aller, je m'en retourne au magasin. C'est Émélie qui doit avoir hâte de savoir ce qui se passe. Les enfants, elle, ça l'inquiète, même si c'est pas les siens. Je te dis qu'elle prie pour ton petit gars. Coudon, Memére Foley, elle est pas à la maison ?

– Est partie pour Beauceville. Joseph est allé la reconduire à la gare la journée avant que le petit tombe malade. Une chance parce qu'elle en ferait une maladie à son tour.

Honoré prolongea la conversation avec des riens afin de rassurer encore mieux sa voisine et dans l'espérance que Joseph viendrait prendre sa place. Mais cela n'arriva pas et Mary revint avec les mots de son père :

– Il a dit « tant mieux ». Il va revenir dans une heure ou deux.

– Un forgeron, ça travaille dur.

– Surtout longtemps ! Pire qu'un cultivateur.

– D'une étoile à l'autre.

Puis Honoré parla à Mary restée sur un fond de lumière dans l'embrasure de la porte dans l'attente d'une nouvelle demande de la part de sa mère :

– Je te félicite de prendre soin de ton petit frère comme tu le fais. Il prend du mieux : il va revenir, tu vas voir.

Elle répondit par un petit signe de tête qui exprimait à la fois le contentement, le soulagement et une timidité craintive. Et il lui passa par la tête son propre alitement, son agonie, sa fin qui seraient le prix à payer pour la vie sauve de Jimmy. Elle en était certaine maintenant. Son cœur vint à la rescousse de sa raison et lui dit que ce prix à payer serait sans doute un prix à gagner. Car le mot ciel était celui, parmi tous ceux qu'elle connaissait, qui possédait le son le plus beau. À lui seul, il faisait briller dans son être profond lumière, éclat, sainteté, santé, magnificence et paix.

– Tu peux revenir avec ton petit frère, moi, je vais voir ma femme pour lui apprendre la bonne nouvelle.

Mary céda le passage et Honoré partit sur une dernière salutation encourageante :

– Le bon Dieu est bon… qu'il garde Jimmy en vie ou qu'Il le rappelle à Lui… Tenez-nous au courant. Émélie s'inquiète.

– C'est certain ! assura Lucie.

Comme les trois derniers soirs, Mary, après avoir enfilé sa jaquette blanche et son bonnet de nuit, s'étendit sur la paillasse posée à même le plancher de la chambre, à côté du lit que le petit malade occupait seul.

Jimmy dormait, lui semblait-il. Mais elle se promit de veiller le plus tard qu'elle pourrait. Et de se lever chaque quart d'heure pour toucher son corps et constater l'état de sa fièvre. Et au besoin l'éponger d'une eau froide alimentée par d'autres morceaux de glace conservés dans des linges blancs épais. La tension des heures précédentes relâchée, elle sombra vite dans un profond sommeil.

Et pendant qu'elle dormait, son petit frère entra, lui, dans son dernier sommeil.

Le rêve de Mary l'emportait toute dans un lieu des merveilles et des plus grands enchantements, une terre lointaine où tout n'est que douceur et paix, un boisé au clair feuillage où l'air frais remplit les poumons de vie et le cœur d'amour, un pré semé de fleurs matinales tout de violettes, de roses et de primevères, une clairière au ruisseau d'argent où deux tourtereaux se tiennent par la main, un monde imaginaire qui a tout pour plaire et reposer…

Elle en émergea brutalement quand une main la secoua en lui touchant le bras:

– Mary, Mary, réveille, réveille… Jimmy… est parti voir le bon Dieu.

– Quoi?

– Ton petit frère, il s'est endormi pour toujours.

– Mais… j'ai pas pu…

Lucie comprit le désarroi de sa fille. Elle la rassura:

– C'est pas de la faute de personne, là… Habille-toi. Moi, je vas chercher monsieur le curé. Tu iras prévenir madame Émélie.

– Oui, maman!

Et Mary resta seule avec la dépouille de Jimmy. Elle s'agenouilla auprès de lui et, mains jointes, elle lui souffla des mots à l'oreille:

– Tu m'as fait rêver au paradis… Mon cœur est triste, mon petit frère, mais il est heureux. Je sais que t'es là où j'étais dans mon rêve: au grand pays du bon Dieu.

Des larmes de grandeur se formèrent dans les yeux de la jeune fille et roulèrent sur ses joues. Elle regardait les yeux éteints de

Jimmy sans plus rien dire. Puis toucha l'un de ses bras nus: il y restait un frisson léger ou bien une zone de chair de poule provoquée par la fraîcheur de la nuit qui avait envahi la chambre. Une voix la sortit de son état de torpeur. Une voix qui lui semblait venir de l'au-delà et qui lui parla avec une grande tendresse:

– Faut pas pleurer, Mary, faut pas pleurer. Jimmy veut pas que tu pleures. Ou bien il en serait moins heureux là où il est rendu...

La jeune fille tourna la tête, aperçut madame Émélie debout derrière, tout près, et qu'elle n'avait pas entendue entrer. En passant devant la maison Grégoire, Lucie avait informé sa voisine, sortie pour s'enquérir de l'état de Jimmy.

– Oui, madame Grégoire.

Mary écouta avec attention les conseils de la femme...

De concert avec l'abbé Feuiltault, Joseph décida que l'inhumation aurait lieu le jour même par crainte d'une contagion. Un jeune homme du village habile de ses mains, Octave Bellegarde, fabriqua un petit cercueil qu'il chaula pour le blanchir; la boîte et la dépouille furent laissées au cimetière en attente d'une fosse qui serait creusée dans les heures suivantes ou le lendemain par Prudent Mercier.

Le jour suivant, une pluie fine et constante enveloppa les arbres, les maisons, les champs et les bêtes. Un boghei surmonté d'un toit pliant s'arrêta devant la maison des Foley: c'était la voiture du postillon de la reine revenant de la gare de Saint-Évariste. En descendit avec prudence Memére Foley. La sexagénaire ignorait que durant son absence, le deuil avait visité la famille de son fils Joseph. Ce n'était qu'un enfant mort et pas même le postillon n'aurait pu en informer sa grand-mère, ne le sachant pas lui-même.

Mary accourut auprès d'elle:

– Memére, Memére... Jimmy... il est rendu au paradis.

– C'est quoi que tu me dis là, toi? opposa la grand-mère qui n'y croyait pas et refusait de le croire.

– Jimmy, il a eu la fièvre pis il est mort...

Toujours frappée d'incrédulité, la dame questionna:

– Quand ça?

– Hier… Il est dans sa tombe au cimetière… Ils vont l'enterrer aujourd'hui…

Euphemie leva la tête vers la maison; elle aperçut sa bru dans la fenêtre. Et comprit par son regard que Mary lui disait la vérité. Hochant la tête, elle marmonna des mots que sa petite-fille ne saisit pas:

– J'ai vécu trop longtemps, moi.

Puis elle confia sa petite valise à Mary et se mit en marche vers le cimetière. La fosse n'avait été que partiellement creusée et le cercueil se trouvait toujours au bord du trou. Elle s'en approcha et l'ouvrit pour arroser le petit visage de quelques larmes lourdes.

– Pourquoi venir en ce monde quand on doit le quitter aussi vite?

Émélie qui l'avait vue passer devant le magasin hésita un moment entre la laisser se recueillir toute seule ou bien la suivre et aller la réconforter. Honoré lui conseilla d'aller vers elle.

– J'ai vécu trop longtemps, répéta Euphemie quand sa voisine fut à ses côtés.

– On vit tous trop longtemps… ou pas assez…

– Émélie, on manque de temps pour aimer nos enfants quand on les élève, mais voir mourir un petit-enfant, ça fait mal au cœur.

Émélie ne trouvait pas les mots pour prodiguer à l'autre consolation et soutien. Elle se dit que sa seule présence suffirait peut-être et elle avait raison. Euphemie l'en remercierait quelque temps après.

Mary qui avait porté la valise à la maison vint à son tour au cimetière. Les deux femmes quittèrent les lieux pour aller au magasin, laissant seule l'adolescente dont on ne songeait pas qu'elle pût, elle aussi, avoir le cœur écrasé par le deuil.

Et Mary resta longtemps là, sous la pluie, les cheveux dégoulinants, la robe qui s'imbibait, à se demander si son petit frère avait trouvé dans l'éternité quelqu'un pour s'occuper de lui. Peut-être cette madame Larochelle là, dont elle pouvait lire le nom sur l'épitaphe ou Marie Allaire dont elle avait gardé un vague souvenir, la sœur d'Émélie étant morte alors que Mary n'avait encore que 5 ans. Ou bien grand-père Foley…

L'adolescente ne s'en rendait pas compte, mais un regard tendre se posait sur elle en ce moment. Quelqu'un l'observait depuis une fenêtre du magasin. Et ce n'était ni sa grand-mère ni un membre de la famille Grégoire. Un jeune homme de 16 ans venu au village depuis le haut de la Grand-Ligne pour aider son père à rapporter des effets et faire un tour avait le cœur en émoi. Depuis quelque temps, il songeait à cette jeune fille qu'il pouvait apercevoir le dimanche à la messe et qu'il regardait à la dérobée quand elle reprenait le chemin de la maison à la sortie de la chapelle. On parlait du décès surprise de Jimmy au magasin. Il avait entendu la douleur de la dame Foley, les mots d'encouragement à son égard par le marchand et son épouse. Et on avait fini par s'inquiéter de Mary dont on louait le dévouement et toute l'attention qu'elle avait portée à son petit frère depuis sa naissance.

– Je vas aller la chercher pour la ramener à la maison, dit Euphemie qui se dirigea vers la sortie.

– Elle va attraper la mort à son tour à se laisser mouiller de même, déclara Honoré qui vint se placer derrière le jeune homme pour voir le cimetière et sa visiteuse du moment.

Et tandis qu'Émélie s'occupait d'une cliente, Célina Paradis, et que Memére Foley allait chercher sa petite-fille, Honoré soupira des mots qui augmentèrent encore le sentiment ressenti par Firmin Mercier, celui qui devant lui regardait aussi par la fenêtre :

– La Mary Foley, une petite fille qui a du cœur comme j'en ai rarement vu. Elle me fait penser à Marie Allaire. La bonté faite femme. Et Dieu du ciel qu'elle est jolie en plus ! La connais-tu, toi, Firmin ?

– Qui ça ? fit l'adolescent, le cœur caché par la crainte d'être découvert et mis à nu.

– Ben Mary Foley, là, dans le cimetière, auprès de la tombe de son p'tit frère ?

– Ben… ouais…

Après un pause presque sacrée, Honoré reprit la parole en soupirant fort :

– Bon, ben faut tourner le dos aux morts si on veut voir la vie en face. On les oublie pas, mais on peut pas tout le temps penser à eux autres…

∞∞∞∞∞∞

Chapitre 8

La mort d'un enfant qu'on avait souvent vu jouer dans la cour était l'occasion la meilleure pour Émélie d'enseigner à ses enfants les mystères de la vie sans prétendre les expliquer ni même tâcher de les faire saisir empiriquement. Il s'agissait plutôt de les éduquer à la foi. Elle prévit une visite familiale au cimetière dans les jours à venir, mais le magasin la retenait par un joug dont elle ne parvenait pas à se libérer à sa guise et ce rendez-vous avec les disparus ne fut possible que dans les premiers temps de septembre alors que des feuilles commençaient à changer de couleur sans toutefois qu'aucune ne soit encore tombée au sol.

La jeune femme voulut que son père les accompagne afin que les petits prennent aussi conscience du temps qui passe et de l'âge qui avance chez les personnes mais surtout pour donner l'occasion à Édouard de se recueillir à la fois sur la tombe de Marie-Rose et de Marie, sa fille. Elle le garda à manger ce jour ; et le repas comme tous les dimanches fut tardif à cause du magasin qui ouvrait ses portes avec la permission spéciale du curé Feuiltault afin de mieux accommoder la clientèle des quatre coins de la paroisse. Le prêtre qui avait lancé une grande levée de fonds en vue de la construction de l'église voulait ainsi plaire aux fidèles et leur sauver du temps, sachant fort bien que leur visite au magasin leur permettait aussi de bavarder entre eux et de prolonger une rencontre qui se faisait sur le perron de la chapelle, du moins par beau temps.

L'on se mit en marche après le repas. Il fut demandé à Alfred de prendre les devants avec son grand-père. Le suivaient Éva qui tenait sa petite sœur Alice par la main, Ildéfonse qui faisait son petit homme du haut de ses 5 ans puis le couple Grégoire, Émélie portant le bébé Henri dans ses bras.

Le curé se mit un peu en retrait derrière sa fenêtre pour les voir passer devant le presbytère et donc du magasin puis entrer dans l'enclos des sépultures que l'on avait dû agrandir à trois reprises depuis son ouverture près de vingt ans auparavant. « *Quelle belle famille* ! » songeait-il. « *Quelle famille exemplaire* ! » Ces pensées avaient trait d'abord au nombre d'enfants. Les Grégoire accomplissaient rigoureusement leur devoir d'époux chrétiens : déjà cinq enfants et la jeune femme n'avait encore que 29 ans. Ils étaient beaux, ils étaient fortement constitués, ils étaient jeunes et surtout, ils se préoccupaient du salut de leur âme et de l'éducation chrétienne de leurs enfants. Cette visite qu'ils faisaient au cimetière en était une autre belle démonstration.

Ce n'était plus un temps d'été mais ni encore un temps d'automne, et il fallait déjà une épaisseur de plus sur le dos pour ne pas risquer de prendre froid. Alice portait un petit manteau vert foncé que sa mère lui avait acheté tout fait dans un magasin de Québec à son dernier voyage là-bas. Et elle s'en montrait toute fière. Éva quant à elle portait un vêtement gris foncé aux chevilles ; pourtant, elle ne l'avait pas choisi elle-même et c'était comme si les choses de couleur sombre choisissaient elles-mêmes de l'habiller d'une sorte de tristesse insondable qui ne correspondait guère avec son tempérament. Car elle rayonnait d'énergie et d'amour que tempéraient d'autres penchants naturels comme la patience et la sollicitude.

– Les enfants, on s'en va à la tombe de ma tante Marie, ordonna Émélie qui en fait s'adressait par là indirectement à son père.

Édouard pourrait se recueillir à la fois sur la tombe de sa fille et celle de Marie-Rose, cette femme qu'il avait aimée comme il aimait la terre et qui avait quitté ce monde bien trop vite, elle qui ouvrait le canton à la colonisation aux côtés de son époux en 1857 et aurait dû se trouver là pour voir la nouvelle église projetée et surtout l'apogée vers laquelle se dirigeait à grands pas cette paroisse neuve de la haute Beauce.

La famille entière se regroupa devant les deux sépultures, chacune marquée par une croix noire sur laquelle une épitaphe en blanc inscrite par Agathe Lacroix, l'épouse de Prudent Mercier, rappelait aux vivants l'espace d'une visite, qu'avaient vécu, aimé, souffert et disparu cette jeune femme de 20 ans au nom de Marie Allaire et Marie-Rose Lapointe dit Audet, femme dans la cinquantaine qui reposait là depuis plus de huit ans déjà.

D'abord, Émélie confia l'enfant à Honoré et sortit son chapelet. La famille entière le récita comme tous les soirs après le souper. De tous les enfants, Éva était celle que pareille visite troublait le plus sans qu'il n'y paraisse. C'est que la nature l'avait dotée d'une sensibilité profonde. Et pourtant, son regard n'allait pas aux disparus qui dormaient à leurs pieds mais plutôt à la blessure de la terre plus loin qui marquait la sépulture de l'enfant Foley. Elle s'était prise d'une affection toute spéciale pour le petit Jimmy dès que le garçonnet avait commencé à jouer à l'extérieur de la maison. Se cachait de lui derrière un obstacle puis se montrait la tête pour le faire rire. Disparaissait pour ensuite le surprendre par derrière et le chatouiller sur les côtés du dos. Lui chantait des airs tendres. Et l'enfant quand il était dehors la recherchait et s'attendait à ses câlineries comme à celles de sa grande sœur Mary. Mais Éva devait aussi s'occuper des enfants plus jeunes, Ildéfonse et Alice, afin de dégager sa mère que les tâches à la maison et surtout au magasin écrasaient malgré la présence au sein de la famille d'une aide domestique des plus vaillantes en la personne de Delphine Carrier.

Puis Émilie prit la parole:

– Les enfants, il y a sous nos pieds qui dort pour toujours votre «ma tante» Marie Allaire qui nous a quittés tandis qu'elle avait seulement 20 ans. 20 ans, c'est plus vieux que vous autres, les enfants, mais c'est plus jeune que moi et c'est plus jeune que votre père…

Éva n'écoutait plus. En son cœur, les souvenirs du petit Jimmy abondaient; et sa disparition, bien plus que celle d'une tante décédée avant même sa naissance, jetait un certain éclairage plutôt embrouillé sur les deux grands mystères de la vie, celui de son commencement et celui de sa fin.

Ildéfonse quant à lui restait droit comme un I. Garçon aux cheveux blonds, au menton relevé quand il gardait la tête droite, au regard franc, il montrait en tous jeux et tous travaux une grande résolution et un soin attentif. Il avait eu 5 ans le 15 avril, mais Émilie avait obtenu de lui faire passer un test de lecture et d'écriture (Éva et Alfred avaient beaucoup appris à l'enfant) afin de le faire admettre à l'école primaire un an avant son temps. Et c'est haut la main qu'il avait réussi l'examen d'entrée spéciale. Voici qu'il fréquentait depuis quelques jours l'une des deux écoles du village, celle des garçons.

Le cimetière était pour lui un lieu familier où il avait maintes fois couru malgré les interdictions, afin de s'y cacher derrière des planches tombales dans des jeux partagés avec d'autres de son âge comme Alcid Foley ou Jean Pelchat…

Il arrivait à Émilie de penser que le futur marchand, celui qui hériterait d'Honoré et le remplacerait, serait peut-être ce garçon déterminé et non pas leur fils aîné qui ne s'intéressait pas assez à son goût aux choses du magasin. Bien entendu qu'il était beaucoup trop tôt pour envisager cela et il coulerait de l'eau sous les ponts pendant une vingtaine voire une trentaine d'années avant que ne se pointe à l'horizon la perspective prochaine de passer le sceptre à un héritier, mais y songer maintenant ne faisait quand même pas vieillir et permettait d'observer les talents et aptitudes des enfants.

Si la réalité de la mort touchait Éva, elle échappait complètement à Ildéfonse, un être pour qui tout n'était que vie, énergie et accomplissement. Il avait une grande affection pour les animaux, les chiens surtout, et n'aurait jamais été celui qui tient le couteau à la boucherie.

Son mot terminé, Émélie demanda à Honoré de s'adresser à la famille. Il n'avait pas prévu la chose et dut improviser :

– Si on est unis au cours de la vie, on le sera dans l'éternité du Seigneur. La mort est une séparation... mais temporaire seulement. Il y avait une petite fille blonde appelée Georgina que le bon Dieu est venu chercher quand elle n'avait que 4 ans. Sa sœur Marie, votre tante Marie, a souvent dit que Georgina lui apparaissait et lui disait qu'elle viendrait la chercher. Et elle est venue. Et Marie viendra un jour chercher votre maman Émélie. C'est comme ça. C'est naturel. C'est voulu par le bon Dieu...

Il venait un couple dans le cimetière. On le reconnut. C'était Onésime Pelchat et son épouse Célanire, la fille de Henri et Restitue Jobin. Ils avaient avec eux un petit garçon haut comme trois pommes et qui se mit a sourire quand il aperçut Ildéfonse.

– C'est Ti-Jean, c'est Ti-Jean, se mit à répéter Ildéfonse que la vue de son ami rendait joyeux et trépidant.

Interrompu, Honoré fronça les sourcils. Mais d'un autre côté, il devait gratter fort dans le tiroir de sa pensée philosophique pour ramasser des idées à transmettre à des enfants en un tout qu'ils puissent comprendre le moindrement. Bref, l'apparition du jeune couple à peine plus âgé que le sien, le soulagea de ce devoir qu'il n'avait pu refuser à Émélie. On se salua de sourires et signes de la main et les arrivants se dirigèrent à la tombe du père de Célanire où se trouvait aussi l'une de ses sœurs morte en bas âge.

– Alfred, tu pourras faire une rédaction intitulée « *Une visite au cimetière* » quand la maîtresse vous en fera faire une pour travail à l'école.

Le garçon regarda sa mère de ses yeux bleus rieurs qui virèrent au sérieux l'instant d'après. Il regarda les arbres des alentours comme pour photographier les environs dans son esprit. Survint un léger coup de vent comme ceux qui faisaient tournoyer l'air du village depuis le midi. Alfred fit un signe de tête approbatif à sa mère puis se tourna et s'éloigna vers l'arrière du cimetière où il fut vite à la tombe du pendu sise juste à côté de la terre bénite. Honoré remit Henri à sa mère et suivit son fils avec dessein de lui parler de Jean Genest, le vétéran de la guerre civile américaine qui s'était donné la mort pour des raisons connues de lui seul et peut-être, parmi celles-là, la tuberculose qu'il aurait transmise sans le vouloir à Marie Allaire.

Émélie donna le signal du retour à la maison. On la suivit à part Édouard qui resta debout quelque part entre la tombe de Marie et celle de Marie-Rose. Sa fille lui jeta un regard à la dérobée et sourit. Son père restait attaché à son passé et c'est la raison pour laquelle, après la mort de son épouse Pétronille, mère d'Émélie, de ses frères et sœurs, il n'avait jamais voulu chercher une autre compagne de route. L'homme restait fidèle à la mémoire de sa femme et à celle de Marie-Rose, et le resterait à jamais.

Ildéfonse voulut rester avec son ami Jean, mais Éva le tira par la main; Émélie dut intervenir en s'adressant à Célanire Pelchat:

– Je peux le laisser avec vous autres, mais pourriez-vous me le ramener tout à l'heure? Ou on peut emmener le petit Jean avec nous autres pis vous le redonner quand vous allez repartir.

Célanire se pencha sur son fils:

– Tu veux-tu aller avec Ildéfonse?

– Madame Grégoire, elle va te donner des bonbons, enchérit Émélie.

Séduit, l'enfant noiraud vêtu d'un mackinaw à carreaux rouges et noirs, acquiesça d'un signe de tête et suivit les Grégoire en se tenant à côté d'Ildéfonse qui sautait de joie.

– Alfred, dit Honoré à son fils aîné, il serait bon que tu saches, si tu dois faire une rédaction sur le cimetière comme ta mère l'a suggéré, qui était cet homme enterré ici. Je vais te dire ce que je sais de lui et tu pourras ensuite questionner ton grand-père là-bas qui lui, a bien connu Genest dans son jeune temps. Il pourra t'en raconter plus que moi. Sais-tu pourquoi il est pas enterré à l'intérieur de la clôture?

– Ben... parce qu'il s'est pendu?

– C'est ça. Un être humain a pas le droit de s'enlever la vie. Ce droit appartient à Dieu seul. On peut pas forcer la volonté du bon Dieu. Mais le repentir existe. Et peut-être qu'au dernier moment, Genest a pu demander pardon à Dieu, mais il était trop tard... pas pour demander pardon, mais pour ne pas qu'il meure vu qu'il était suspendu par le cou au bout d'une corde, les pieds sur rien et trop affaibli pour utiliser ses mains pour défaire le nœud coulant...

Et l'homme narra l'épisode de ce jour où, accompagné d'Augure Bizier et Georges Lapierre, il avait fait la découverte du corps en putréfaction de Genest dans sa cabane du Petit-Shenley. Ébranlé, Alfred n'en laissa rien paraître. Quand son père tourna les talons pour rentrer à la maison, il fit comme Honoré l'avait souhaité et se rendit auprès de son grand-père qu'il contourna. Le garçon reçut alors l'image la plus impressionnante de cette journée: Édouard semblait perdu dans un état second et des larmes coulaient sur ses joues. Rarement dans sa vie, Alfred n'avait vu un homme pleurer ainsi. Il se souvenait vaguement d'une visite de l'oncle Jos, venu des États, et qui avait provoqué une pluie de larmes chez trois personnes adultes réunies par les mêmes nostalgies. Alors il regarda le ciel bleu, plissa les yeux, hocha la tête, hésita puis décida de ne rien dire. Ces larmes disaient tout pourvu qu'il sache les faire parler dans cette rédaction à venir.

Le souffle du vent se fit plus mordant. Assez pour arracher de sa branche une première feuille d'automne. Elle tourbillonna dans l'air au-dessus du cimetière et quand elle s'approcha d'Édouard, elle tomba doucement à terre quelque part entre la tombe de Marie et celle de Marie-Rose…

Alfred s'arrêta un moment près de la fosse de Jimmy Foley que seule la terre brune indiquait, il récita un *Ave* puis continua sa marche vers la maison…

∞∞∞

Ce soir-là, Émélie annonça à son époux qu'elle était de nouveau enceinte. Il lui dit qu'elle pourrait bien se tromper comme la dernière fois. Cette fois, elle en était sûre à cent pour cent. Mais elle ne le saurait sans l'ombre d'un doute en raison de ses périodes qu'au début du mois suivant, le jour même où les journaux rapportèrent la mort par tuberculose du rédemptoriste Alfred Pampalon.

Une autre mort, moins tragique cependant, mais qui fit couler beaucoup d'encre cette année-là, se produisit fin décembre. Le journal l'*Électeur* de Québec, organe du parti libéral, ferma ses portes. Le lendemain, sa disparition donna naissance à un nouveau journal qui fut appelé *Le Soleil*. C'était le 28 de ce mois-là…

∞∞∞∞∞∞∞∞∞∞

Chapitre 9

1897

Le parti libéral au pouvoir à Ottawa tardait à renvoyer l'ascenseur à Honoré Grégoire pour le récompenser de son vaillant travail d'organisateur lors de la campagne électorale de 1896 et voici que des élections furent déclenchées dans la province de Québec au printemps 1897.

Six ans déjà que Mercier avait dû démissionner pour cause de scandale, celui de la Baie des Chaleurs. Trois ans que le tribun populiste avait quitté ce monde. Brisé par le chagrin, disaient ses chauds partisans. Tué par la honte, murmuraient ses détracteurs.

Wilfrid Laurier avait pris toute la place dans le cœur des Grégoire. Mais Laurier ne pouvait pas être à la fois au four et au moulin c'est-à-dire à Ottawa et à Québec. Le chef du parti libéral qui devait affronter le Premier ministre conservateur Flynn avait pour nom Félix-Gabriel Marchand, un homme qui ne soulevait pas les foules et qui, sans un bon organisateur à Saint-Honoré, n'enfoncerait pas les murs. Mais survint dans le paysage électoral un personnage de talent et de haut charisme : le candidat libéral du comté de Beauce, le docteur Henri Béland. Celui-ci vint rendre visite à Honoré et l'embrigada sans peine.

– Encore jusqu'au cou dans les élections, reprocha Émélie à son époux. Par chance que ta femme s'occupe du magasin ou bien il nous faudrait, moi et les enfants, manger de la politique à table. «*Maman, maman, c'est quoi qu'on mange aujourd'hui ?*» «*Je vous fais mijoter une chaudronnée de votes, les enfants.* » « *Ça goûte quoi, des votes ?* » « *Ça goûte rien pis ça coûte cher.* »

– Prends ton mal en patience, Émélie, on va avoir des nouvelles du fédéral au sujet du bureau de poste.

– Peuh ! depuis le temps que monsieur Laurier est au pouvoir…

– C'est pas la faute à Laurier.

– Je le sais, mais… mais ça prend du temps.

– Faut qu'ils fassent d'abord le ménage à Ottawa parmi les bureaucrates. Faut qu'ils nettoient la poussière bleue imprégnée tout partout là-bas… Ça se fait pas en deux temps trois mouvements.

Et Honoré s'embarqua de nouveau à fond de train. Émélie dut souffrir une autre fois la transformation de son salon en comité politique. On cracha sur le plancher. La fumée du tabac s'incrusta dans les poutres, les murs, les meubles. Mais le parti libéral remporta les élections le 11 mai. Marchand devint le nouveau Premier ministre et le docteur Béland remplaça le député sortant Joseph Poirier.

Le plus important gain d'Honoré en cette nouvelle aventure électorale fut celle d'un ami sincère, le docteur Béland. Une amitié qui devait en fait inclure aussi les épouses des deux hommes ; et une fois encore, Émélie devrait reconnaître que son mari ne perdait pas son temps en folichonneries quand il organisait des élections.

∞∞∞

Ce jour-là ne fut pas comme les autres pour le couple Grégoire. Le ciel était d'un bleu pur à l'étonnante limpidité, la température excellente, douce et fraîche à la fois, le village venait de s'habiller d'une verdure éclatante. Mai qui achevait rayonnait de ses feux les plus prometteurs. Et pourtant, c'était jour de funérailles en la chapelle et Honoré s'apprêtait à s'y rendre. Debout devant la vitre de la porte du magasin, il se pencha pour y voir quelque chose vers l'ouest d'où viendrait bientôt le convoi funèbre.

– 56 ans, c'est quand même pas à bout d'âge.

Il parlait du défunt. Une mort qui avait pris la paroisse par surprise. En fait, il s'agissait d'une femme. Une grosse cliente malgré sa maigreur légendaire. Célina Carbonneau, épouse de Édouard Paradis, avait rendu l'âme subitement. Un cœur usé. Un sein qui avait trop souvent donné la vie pour être capable de la retenir.

– Avait fallu une engueulade par mon père pour que madame Paradis se transforme en la meilleure de nos clientes.

– Des fois, ça prend ça!

– Moi, je dis: le sourire d'abord!

– Des fois, des gens attendent plus que ça, ils attendent des gros yeux pour se sentir en sécurité. C'est comme les loups. Ils sont plus heureux quand ils sont soumis au chef de la meute…

– Une personne humaine, c'est pas un loup.

Honoré se mit à rire. Il se tourna et se rendit à son épouse près du comptoir tout en parlant:

– Il est dit que l'humain est un animal raisonnable.

Émélie secoua la tête:

– Raisonnable, c'est toute la différence.

– Je me demande si notre «Pampalon» entend ça, lui?

Et il toucha le ventre rebondi où logeait pour quelques jours encore, tout au plus, le dernier-né de la famille appelé à voir la lumière du grand jour début juin.

– Fais donc pas ça, toi! Si du monde arrive, là…

– La clochette avertit voyons.

– Peut-être, mais ils ont le temps de nous voir par la vitre.

– Ce que j'ai fait est pas péché, Émélie, tu le sais.

– Non, mais devant le monde, c'est pas loin d'être scandaleux. Ça se fait pas. Y a des choses qui se font en privé, pas en public.

Honoré hocha la tête. Qu'il la trouvait scrupuleuse parfois et tatillonne sur les principes! D'un autre côté, songeait-il aussi, il fallait aux enfants une mère possédant une morale à toute épreuve et aux valeurs solidement établies.

– T'aurais pu te passer d'aller au service vu que t'es allé au corps hier soir, Honoré.

Il mit sa tête en biais et transforma sa main ouverte en couteau tranchant :

– Y aura jamais de passe-droit. Chaque fois qu'une personne de notre clientèle disparaîtra, un de nous deux ira au corps ET au service. Si tu veux pas, j'irai tout seul, mais j'irai. A moins d'une raison de force majeure. Comme par exemple si ça se passe le temps qu'on est à Québec. On peut pas se fendre en quatre. Les gens s'attendent à notre présence. Ça leur fait du bien. Ça les réconforte. Et on leur doit ben ça.

Émélie était occupée à tailler du tissu. Elle aligna les ciseaux et coupa à la mesure qu'elle venait de prendre :

– Ben moi, faut que je m'occupe du magasin, ce qui m'empêchera pas de prier pour madame Paradis. Tu peux y aller, au service. En sortant du cimetière, tu veux aller chercher la malle au bureau de poste ?

– Pas besoin de le demander, je devais y aller…

Émélie ne perdit pas une minute dans les heures qui suivirent. Des clientes venues aux funérailles vinrent porter une liste d'effets à préparer. Elle travailla comme une fourmi, appuyant souvent son ventre au comptoir sans penser que le bébé à naître pût se sentir à l'étroit dans sa prison liquide. Et elle suivit la progression de la cérémonie par son instinct de l'heure qui passe. Et puis le service funèbre fut ponctué de virgules temporelles imprimées par la cloche de la chapelle. Mais elle ne vit pas le noir convoi se former à la sortie du temple paroissial et passer devant la maison rouge. Il lui apparut toutefois par la fenêtre donnant sur le cimetière. Elle y jetait un bref coup d'œil quand la clochette d'entrée retentit. C'était Honoré qui la surprit :

– T'es pas au cimetière, toi ?

– Mon devoir s'arrêtait à la sortie de l'église. Ensuite, mon devoir, c'était de venir te seconder…

– Tu fais une drôle de face, toi.

En effet, le jeune homme bougeait la mâchoire inférieure, exerçait une pression avec ses dents, lançait par son œil trop brillant des étincelles qui pouvaient signifier n'importe quoi d'important, mais quelque chose de pas ordinaire. Colère ? Non pas! Joie? Qui sait? Tristesse? Loin de là!

– Qu'est-ce qui se passe dans ta tête encore ?

– C'est pas dans ma tête que ça se passe, c'est dans ma poche, fit-il, énigmatique.

Elle avait trop à faire pour analyser chacun de ses gestes et n'avait pas remarqué qu'il tenait sa main dans sa poche de veston, ce qui ne lui arrivait que devant public quand il devait s'adresser à une foule pour une raison politique ou religieuse.

D'un mouvement brusque, il fit émerger sa main mystérieuse et elle put voir qu'il tenait une lettre, signe qu'il s'était sans doute rendu au bureau de poste tandis qu'on reconduisait Célina à sa fosse.

– Une lettre d'Ottawa.

– Pis tu l'as ouverte. Tu devais pas…

– C'était plus fort que moi.

– On l'a eu ?

– On l'a eu.

Elle secoua la tête et ne put réprimer malgré ses efforts de femme réservée et toujours en contrôle d'elle-même, un petit cri de joie.

– Hey… C'est pour quand ?

– On peut déjà aller prendre les meubles chez Barnabé. Dans une semaine, t'auras devant toi le nouveau maître de poste de Saint-Honoré.

Émélie avait eu les secondes nécessaires pour reprendre sa joie en main et revenir à la réalité qui s'imposait :

– Bon, ben faut se grouiller et faire de la place.

– Tu veux pas lire la lettre ?

– T'as voulu la lire tout seul. Ça devait se faire ensemble.

– J'y ai pas pensé...

– Ç'a été plus fort que toi, tu l'as dit. L'homme est un animal raisonnable... mais pas toujours raisonnable.

Elle baissa les yeux vers son ventre puis marcha vers la chambre d'Édouard servant d'entrepôt. Il fallait en sortir la marchandise. Comme si Émélie avait cru qu'un retard à être prêt leur ferait perdre le bureau de poste tout juste obtenu de l'État fédéral canadien.

La toute première lettre qui fut livrée au public par la voie du nouveau bureau de poste le fut le 3 juin à un couple de nouveaux mariés : Émérence Dulac et Alfred Bilodeau. Sitôt fait, Émélie demanda à Honoré de se rendre chercher la sage-femme car l'heure d'une nouvelle délivrance, la sixième, approchait à grands pas.

Au bord du soir, Pampalon naquit. Le lendemain, on le fit baptiser. C'était vendredi : un très beau jour de printemps. Un autre baptême aurait lieu tout de suite après le sien : celui du premier-né de la famille Jolicœur du Grand-Shenley. Celui-là reçut le prénom de Wilfrid.

En fait, le petit Pampalon aussi avait reçu le prénom de Wilfrid, mais on ne l'utiliserait pas et il en souffrirait...

Après le baptême, Honoré ramena le parrain et la marraine à la maison soit Damase Boulanger et son épouse Philomène Simoneau. Il demanda à la bonne de leur servir le thé à tous, tandis que dans la chambre, Émélie déjà s'asseyait au bord du lit en pensant au travail qui l'attendait au magasin.

Dans son ber à quenouilles, le bébé gazouilla. Chez un autre enfant, cela eût sans doute été un pleur pour exprimer la faim ; chez petit Pampalon, c'était probablement un rire pour faire contre mauvaise fortune bon cœur...

∞∞∞∞∞∞∞

Chapitre 10

1898

En fin d'hiver, le couple Grégoire décida de se rendre à Québec pour y effectuer des achats chez les grossistes comme trois autres fois durant l'année depuis la venue du train tous les jours à quatre milles de la maison rouge. Quant au réassortiment de marchandise entre-temps, il se faisait par des commandes postales et livraisons par voie ferroviaire.

Ce n'était pas la seule raison pour laquelle on faisait le voyage. Émélie envisageait une visite aux sœurs Leblond avec qui une amitié profonde traversait le temps sans le moindrement vaciller, et Honoré, lui, serait du groupe qui traverserait le fleuve sur le dernier pont de glace lors d'une fête d'hiver mobilisant les foules de la capitale vers l'excitation, le plaisir et une forme de nationalisme capable de tout cautionner, de tout excuser…

Le départ de cette course à pied sur le fleuve se faisait du côté de Québec dans le secteur portuaire et les participants s'y trouvaient prêts à partir par plusieurs dizaines. L'invitation avait été faite sous forme de défi à Honoré par le député Béland qui y prenait part lui aussi avec des maires et organisateurs de son comté de Beauce.

Le groupe attendait de pied ferme le signal du départ.

– On va leur montrer qu'on sait sur quel pied marcher, nous autres de la Beauce, déclara le docteur politicien.

Honoré rajusta sa ceinture fléchée autour de son manteau brun et approuva de toute sa voix, si forte en ce moment qu'elle devait bien franchir le fleuve la première jusqu'à Lévis :

– Faut voir le fleuve comme une période électorale à traverser. Les plus ambitieux le font avec le succès qu'ils méritent. On va voir ce qu'on va voir.

Le ton était joyeux et sans prétention malgré le choix des mots. En fait, c'est avec humour que le jeune homme s'apprêtait à perdre aux mains et aux pieds des habitués de la traversée en raquettes par ces ponts de glace sur le cours d'eau national.

S'il avait accepté la proposition du député, c'était pour une autre raison, bien plus importante que le divertissement, le défi à relever ou rencontrer des gens, et ce moment d'attente du signal lui permit d'en faire part au docteur Béland :

– Avez-vous pu sonder les reins de quelques bons jeunes médecins comme je vous l'ai demandé bien humblement ?

Le député acquiesça d'un long signe de tête :

– C'est fait et j'ai même une excellente nouvelle : je crois que j'ai trouvé le candidat idéal. Pas 30 ans : un jeune homme de la Beauce qu'on dit très compétent. Son nom, c'est O.P. Drouin. Je m'excuse d'ignorer la signification des initiales. Soit Octave ou Olivier ou... Oscar... Ovide peut-être... Onésime, qui sait... L'important n'est pas son prénom mais ses qualifications. C'est grâce à un contact à l'université que j'ai pu savoir qu'il était disposé à ouvrir un bureau dans une paroisse qui a besoin d'un docteur... Il m'a écrit et a signé O.P. Bon, je devais te remettre la lettre en mains propres, Honoré, mais j'ai omis de la prendre avant mon départ. Je te la ferai donc parvenir depuis mon bureau de Saint-Joseph la semaine prochaine. Et tu pourras commencer d'en parler à tes concitoyens : c'est une nouvelle qu'ils apprécieront. Et ils feront un lien certain, grâce à toi, entre l'établissement à Saint-Honoré d'un premier médecin et leur député, ce qui nous sera politiquement rentable tout en étant parfaitement légitime.

Le député était homme de classe aux manières quelque peu affétées. Tout en sa personne, manteau droit, moustache taillée, gants ajustés, chapeau chaloupe en mouton rasé, s'agençait dans une sophistication en accord avec son instruction et son rang d'élu. On le disait «ministrable» rien que pour son apparence et Honoré pensait que si un jour, il devait se présenter au fédéral plutôt qu'au provincial, c'est aux postes qu'on devrait le nommer ministre.

Personne du groupe du docteur Béland ne se classa parmi les premiers et quand on fut de l'autre côté du fleuve, le député déclara à ses amis:

– Le meilleur de nos énergies, on le garde pour gagner des élections, comme le dirait notre ami Honoré Grégoire…

Honoré fut applaudi par personne interposée.

Il revint en Beauce hautement satisfait de son voyage et prêt à annoncer à tout un chacun la grande nouvelle à propos du docteur espéré.

Ce n'est toutefois pas à quelques-uns à la fois qu'il devait livrer le message du député et bien plutôt à une grande assemblée de francs-tenanciers convoquée la dimanche par le curé Feuiltault et qui fut tenue en la chapelle même, le lieu de la paroisse où l'on pouvait asseoir le plus de monde.

L'objectif de la rencontre: mousser la campagne de financement des travaux à venir grâce auxquels une nouvelle église serait construite. C'est qu'il y avait un vent d'opposition dans la paroisse, un vent accru par un autre pire encore venu d'ailleurs et plus précisément de Saint-Georges où les dissidents étaient parvenus à faire cesser les travaux de construction d'une nouvelle église et du presbytère, au grand désarroi du curé Montminy.

«Vingt mille piastres pour une église, y a ben plus important que ça à faire par chez nous», répétaient les têtes fortes qui voulaient retarder la construction et miner la campagne de levée de fonds.

– Plus important qu'une église ? Comme quoi donc, mon cher Romuald ?

Le bon Dieu avait été transporté dans la sacristie vu la réunion profane tenue dans l'église. On avait installé une table dans le chœur et s'y trouvaient assis le curé, le maire et le secrétaire Jobin. Les francs-tenanciers et même quelques-uns des derniers colons du canton prenaient place dans les bancs, dissidents dans les premières rangées, autres ensuite.

L'homme interpellé répondit :

– Comme un docteur... Une paroisse de quasiment 1800 âmes pas de docteur mais avec une église grande comme le Palais du Parlement, ça tient pas deboutte pantoute, ça...

Il reçut des approbations bruyantes. Mais un piège bien installé venait de se refermer sans bruit sur la personne de Romuald Beaudoin. Tout avait commencé au retour d'Honoré de Québec. Le premier à qui il avait dit que l'arrivée d'un médecin dans la place était imminente avait été celui qui travaillait souvent pour lui au magasin et qui était aussi secrétaire de la municipalité : Jean Jobin jr. L'heure d'après, Jean Jobin en informait le maire Ferdinand Labrecque et ce dernier sans faire ni un ni deux se rendait au presbytère pour prévenir le curé tout en mijotant un plan quant à la tenue annoncée de l'assemblée des francs-tenanciers. Quand Beaudoin parla de l'importance d'avoir un docteur, le maire rentra en lui-même et revit par la mémoire la scène de la veille au bureau de l'abbé Feuiltault.

« Le vent contre nous est très fort, monsieur Labrecque », avait-il alors été dit.

« J'ai une nouvelle qui pourrait nous aider. »

« Comme quoi ? »

« On aura un docteur. Honoré Grégoire l'a su du député. Il l'a confié au secrétaire municipal ; je vous l'apprends. »

« C'est une bonne nouvelle, mais en quoi ça va nous aider à calmer la tempête de la dissidence ? »

« Vous savez quelle est la stratégie des dissidents ? Dire qu'il y a plus important à faire que de bâtir une église et remettre à plus tard sa construction. Comme ça, ils se montrent pas contre le projet, mais c'est du pareil au même. Et ils parlent toujours d'un docteur… On va leur tirer le tapis sous les pieds si Honoré Grégoire est d'accord… »

Ce que Ferdinand avait prévu se produisait. Le chef des dissidents, Romuald Beaudoin, venait d'ouvrir la trappe sous leurs pieds en parlant à nouveau d'une priorité, pour lui et son groupe, qui reléguait au second plan la construction du temple et la levée de fonds pour la préparer. Argument fallacieux puisqu'il n'y avait guère de coûts rattachés à la recherche d'un médecin, argument solide mais qui parvenait à convaincre pas mal de gens à la bonne foi quelque peu douteuse et à la bourse trop peu généreuse.

Le maire prit la parole :

– Eh bien, on a pour vous ce soir une nouvelle qui va nous réunir tous derrière la même idée : bâtir d'église au plus vite. Parce que c'est le bon Dieu qui exauce nos prières… Ça vous intéresse de l'entendre ?

– Oui, murmurèrent les têtes favorables.

Les dissidents, eux, demeurèrent silencieux. Romuald Beaudoin prit le parti de s'asseoir et d'attendre la suite. Le curé, pour montrer qu'il était de la mise en scène, parla en se tournant vers l'autel :

– Monsieur Grégoire, vous pouvez venir.

Honoré parut et vint prendre la parole en restant debout derrière la table des officiels :

– Mes amis, Saint-Honoré aura son docteur…

L'arrière de l'assistance applaudit. Les dissidents se regardèrent les uns les autres, incrédules, à la fois déçus et satisfaits, ce qui leur conférait un air débile.

– Vous pouvez applaudir plus fort, pensez-y, on va avoir notre premier docteur bientôt, au courant de l'année 1898.

Le curé donna l'exemple et applaudit ardemment en criant: magnifique, magnifique! On suivit. Honoré reprit:

– Combien de pauvres personnes ont été perdues parce qu'on n'avait pas de docteur sur place? Qu'on pense au petit Jimmy Foley, ça fait pas deux ans. Qu'on pense à madame Paradis. Qu'on pense à Delphis Lapointe, à Philomène Veilleux et combien d'autres. On pourrait remonter aussi loin qu'à madame Marie-Rose Larochelle qui devait aller se faire soigner à Saint-Georges.

Dans l'assistance se trouvait Édouard Allaire qui pencha la tête aux derniers mots de son gendre. Plusieurs dissidents se laissaient attendrir à la pensée que leur famille aurait pu être touchée par l'accident ou la maladie, événements qui, sans assistance médicale, auraient pu tourner à la tragédie.

– Si le bon Dieu nous envoie un médecin, peut-être qu'Il s'attend qu'on Lui bâtisse une église à la mesure de nos besoins, vous pensez pas?

Une rumeur parcourut l'assistance. Un jeune homme se leva et prit la parole. C'était le nouveau président de la commission scolaire, Onésime Pelchat:

– Moi, plusieurs le savent, j'ai toujours été parmi ceux qu'on appelle les tièdes. En faveur de la construction d'une église neuve mais pas chaud pour la bâtir tout de suite. Mais là, je passe du côté des partisans du projet, un projet rapide.

– Mon rôle, c'est pas d'essayer de vous influencer au sujet de l'église, reprit Honoré, c'est de vous faire part d'une nouvelle qui m'était transmise par le député Béland pas plus tard qu'au début de la semaine. J'attends une lettre de confirmation ces jours-ci. Un médecin diplômé et compétent est prêt à venir s'installer dans notre paroisse; il s'agit du docteur Drouin. Ça, je pense que personne est contre aussi bien parmi les francs-tenanciers que parmi les colons. Comme on dit des fois: c'est l'unanimité unanime sur la question...

La voix d'Honoré se fit rassurante, encourageante et optimiste. Il parla de l'expansion de Saint-Honoré, de la probabilité de voir la population grimper à 2500 voire 3000 âmes dans le premier quart du prochain siècle. Rien de ce qu'il dit ne toucha directement à la construction de l'église, mais tout visait à dresser la table pour qu'on s'ouvre au projet et qu'on le supporte avec ferveur et résolument.

– Comme vous voyez, même si je suis, bien sûr, en faveur de la construction d'une église, je comprends les arguments des dissidents. Et c'est pourquoi je ne vous en parle pas. Mais, je connais quelqu'un parmi vous – et vous aussi – qui a travaillé sur un chantier d'église pour ainsi dire et peut-être qu'il a quelque chose à nous en dire. Monsieur Allaire, vous avez travaillé à l'érection de l'église de Saint-Henri dans le temps, auriez-vous quelque chose à nous conter à ce sujet.

Édouard qui n'avait pas pris position publiquement en faveur de la construction, se leva et raconta une anecdote qui en fit frémir plus d'un. Il narra avec talent l'événement où un prêtre, l'abbé Côté, avait failli se faire «casser la tête» par une pierre tombée de haut. C'était là une manière concrète de faire savoir à tous que le Seigneur, s'il bénissait les constructeurs, bénissait aussi la construction.

Puis Honoré parla de progrès, lui qui suivait de près tous les avancés dans tous les domaines.

– La venue d'un docteur, c'est un progrès pour une paroisse, un grand progrès. Comme l'électricité et le téléphone qu'on aura nous aussi un jour ou l'autre. Vous savez tous ce qu'est le téléphone, eh bien dans un avenir prochain, toutes les maisons de la paroisse pourront en être gréées si désiré. C'est pas rien ce qui s'en vient au vingtième siècle que monsieur Laurier appelle le siècle du Canada. Les machines automobiles, ça s'en vient aussi. Monsieur Ford au Michigan construit des quadricycles depuis deux ans. C'est un véhicule fait à partir de deux bicycles et muni d'un moteur qui le fait avancer tout seul. Auto... mobile, c'est ça que ça veut dire. Il s'en fait en Europe, aux États. Mon beau-frère Jos Allaire nous en parle dans ses lettres. Je vous parle du progrès matériel, mais il y a aussi le progrès spirituel. Mais ça, c'est plus à monsieur le curé à vous en parler en chaire dans ses sermons...

Honoré poursuivit pendant une dizaine de minutes, se gardant de glisser un seul mot à propos de l'église, sachant fort bien que le progrès demandait un nouveau temple à cette paroisse à si rapide développement.

Les assistants quittèrent l'assemblée satisfaits. Ils avaient du bois pour se chauffer. En tout cas pour un temps car la dissidence dormirait seulement quelques semaines sous les cendres. Pendant ce temps viendrait s'installer dans une maison à deux étages située de l'autre côté du chemin, en biais avec la maison rouge, le nouveau médecin.

∞∞∞

Vers l'est, au-delà du petit boisé qui occupait le morceau de terre cédé à la fabrique par Prudent Mercier en vue de la construction de l'église se trouvaient des maisons bien alignées de chaque côté de la rue et l'une d'elles, pas bien loin, était propriété de Louis Champagne qui y vivait avec sa famille. On s'inquiéta chez les Grégoire cet automne-là quand l'épouse de Champagne ouvrit un magasin de chapeaux. Et si on s'avisait d'ajouter des lignes autres que des coiffures pour dame, on pourrait se retrouver dans quelques années avec non pas un magasin général mais bel et bien deux.

« *On va retoucher à nos plans et agrandir le projet,* » déclara simplement Honoré malgré les réticences de la très prudente voire frileuse Émélie.

Toutefois, elle n'opposa pas une volonté farouche aux ambitions de son mari, trop occupée qu'elle était par les tâches au magasin et les difficultés que son corps lui donnait de ce temps-là.

Ce qui était une habitude commençait à ressembler à une tradition : en octobre, Émélie était de nouveau enceinte. Un nouvel enfant naîtrait en 1899 après la cascade aux deux ans qui avait fait surgir dans la maison Alfred en 87, Éva en 89, Ildéfonse en 91, Alice en 93, Henri en 95, Pampalon en 97. Réglé comme du papier à musique, ce couple fertile de 33 ans!

– Suis dans un état intéressant, confia-t-elle à mi-voix à madame Restitue qu'elle recevait dans son salon tandis que Jean Jobin, le commis, s'occupait du magasin.

– Encore?

– Septième. Cette fois, j'ai des problèmes plus qu'aux autres. Nausée, vomissements...

Restitue lui suggéra d'aller voir le médecin:

– C'est pas pour rien qu'on en a un. Vous avez les moyens de te faire suivre.

– On a tellement l'habitude de se débrouiller qu'on pense jamais qu'on a un docteur asteur. Je crois bien que je vais y aller aujourd'hui même...

Ce qu'elle fit au milieu de l'après-midi.

Le docteur Drouin vint lui ouvrir comme il le faisait pour tous ceux qui frappaient à la porte. D'autres par contre, entraient dans la maison comme dans un moulin. Et c'était bien accepté aussi par lui.

Il y avait devant elle un personnage déjà familier vu qu'il venait tous les jours au bureau de poste et au magasin, qu'elle pouvait l'apercevoir quand il passait devant la maison pour aller prendre une marche le soir ou bien quand il se rendait à la chapelle, ce qui lui arrivait fréquemment mais sans la régularité de la routine.

– Bonjour, madame Grégoire. Entrez!

– Bonjour docteur.

Il la conduisit de suite dans son bureau, ouvrit à sa grandeur la porte et lui céda le passage en homme bien élevé. Pour masquer son malaise, elle échappa une phrase qui ne lui ressemblait guère:

– Comment aimez-vous notre belle paroisse de Saint-Honoré, monsieur le docteur?

– Beaucoup de monde à soigner. Il vient au moins deux, trois personnes tous les jours quand je suis au bureau. Et on vient me chercher au moins deux fois par semaine pour me rendre au chevet d'un malade ou pour une... naissance. Mais votre question, je le devine, n'avait rien à voir avec ma profession et plutôt avec les gens qui habitent ici, les Saint-Honoréens. Ce sont des gens qui se tiennent debout avec, pour effet secondaire, qu'ils ne sont pas toujours d'accord entre eux...

– Comme avec le projet d'une église.

– En effet! Asseyez-vous, madame Émélie... vous permettez que je vous appelle par votre prénom?

– Sûrement!

Elle prit place devant le bureau tandis que le docteur allait s'asseoir derrière.

– Aussi, il y a beaucoup de gentillesse. Mais les gens ont intérêt à se montrer gentils avec leur médecin, n'est-ce pas?

Et l'homme eut un éclat de rire très vif, sonore et frappant qu'elle ne lui connaissait pas encore. De grandeur moyenne, mince, cheveux noirs ondulés, le docteur qui présentait un visage plutôt austère quand il gardait son sérieux, se gagnait toutes les sympathies quand il souriait le moindrement. À la manière d'Honoré, songea Émélie.

Il poursuivit:

– Et qu'est-ce qui vous amène à mon bureau, madame Grégoire?

– Nausées, vomissements...

– Vous êtes enceinte.

Cet énoncé sans ambages surprit la patiente. Autant continuer à parler net:

– Septième fois et jamais j'ai eu ces maux-là.

– Et peut-être que vous ne les aurez jamais plus ensuite. C'est comme ça, la nature. Mais on peut soulager ces petites misères de nos jours. La médecine a fait des progrès énormes ces dernières années.

Le docteur savait que la première condition pour bien soigner une personne était d'établir avec elle plus qu'un lien de confiance, soit un solide pont de confiance. Pour ça, il ne devait pas prendre quatre chemins pour dire les choses et surtout, il devait se montrer sûr de lui. La moitié de la guérison se trouvait dans l'attitude du médecin, croyait-il. Et si l'état d'un patient empirait voire l'emportait dans un monde meilleur, seule la médecine devait être prise en cause, pas le médecin.

– Mais elle a encore du chemin à faire et on ne peut pas tout guérir ni même tout soulager. Je vais vous donner quelque chose que vous prendrez en vous levant et en vous couchant. Bon… et avez-vous d'autres problèmes de santé ?

– Pas moi, mais mon mari. Il se plaint souvent du mal de jambes. Mais il viendrait pas vous voir rien que pour ça, lui.

– Faites en sorte qu'il les repose, ses jambes, de temps en temps. Un juste milieu : il faut leur donner de l'exercice, mais pas les fatiguer à l'extrême, nos jambes et nos pieds. Et vous, les vôtres ?

– Solides comme le plancher.

– Varices ?

– Des petites.

– Jamais fait de phlébites ?

– Après un accouchement, je me lève au plus vite pour que le sang circule.

– La médecine soutient que vous devriez rester couchée pendant au moins trois jours. Mais le médecin que je suis pense que vous avez peut-être raison.

Il leva les bras :

– Des fois, le médecin est en avant de la médecine, vous savez, Émélie.

– En tout cas, mes jambes me supportent comme il faut, même si j'ai pris du poids ces dernières années.

– À la grandeur que vous avez, ça paraît pas tant que ça. C'est rare, une femme de votre taille. Vous devez faire dans les cinq pieds et sept... et huit?...

– Et neuf.

Le docteur s'écria après un éclat de rire à l'étonnement:

– Cinq pieds et neuf? C'est vraiment exceptionnel même si de nos jours, les femmes en général sont un peu plus grandes qu'autrefois.

Le reste de la visite se passa en semblable petite conversation tandis que le médecin préparait le médicament. On parla du magnifique automne qui allumait le village de toutes ses splendeurs, de la beauté des arbres et du tapis de feuilles qu'ils tissaient à leur pied. Et d'une nouvelle qui amusait fort les gens depuis quelques semaines: le référendum fédéral sur la prohibition. Une mesure que le Québec avait massivement rejetée et trouvait ridicule. Émélie se leva pour conclure:

– Mon mari prend jamais de boisson alcoolique, mais il a voté contre le projet. Il dit que le cognac est utile pour soigner le cœur et que c'est pas la prohibition qui empêcherait les ivrognes de boire.

– Je suis de cet avis et j'ai voté comme lui. D'ailleurs, nous en avons parlé, monsieur Grégoire et moi. Au fait, quand vont commencer les travaux de construction de votre nouveau magasin?

– Ça devait pour l'année prochaine, en 1899, mais ça pourrait retarder d'un an ou deux. Honoré veut bâtir en même temps que l'église sera bâtie. Il dit que le bon Dieu va bénir du même coup les deux bâtisses.

– Et qu'est-ce que vous en pensez?

– Je pense qu'il a raison.

– Et moi de même.

– Honoré veut aussi utiliser le même type de matériaux pour le magasin et notre résidence que ceux qui seront utilisés pour l'église et la sacristie. Comme ça, toutes les chances vont être de notre côté.

Au moment de sortir après les salutations d'usage, Émélie tomba nez à nez sur la galerie avec Odile Blanchet, l'épouse de Napoléon Martin. Le docteur les laissa jaser après avoir discrètement refermé sa porte en disant à l'arrivante de frapper quand elle serait prête à entrer. Ou bien d'entrer simplement sans frapper.

Émélie garderait toujours un merveilleux souvenir de cette jeune femme à la fois joyeuse, dévouée et responsable qu'elle avait eue comme aide domestique quelques années auparavant et même à l'occasion après son mariage. Une soie, répétait Honoré à son propos. Mise au parfum par une confidence de son père qu'une idylle s'était nouée entre la servante et Marcellin Lavoie, le commis d'alors qui s'était expatrié après son grave accident au moulin de Théophile Dubé, Émélie n'en avait jamais soufflé mot à quiconque sauf à son mari, un être tout aussi discret qu'elle-même.

Odile lui révéla à mi-voix qu'elle portait un enfant. Émélie lui fit part du même secret.

– J'voudrais pas en avoir autant que vous, madame Grégoire, je serais pas capable, je m'en sens pas la force.

– Tu sais, on les a un à la fois. Après un, c'est un autre.

Odile regarda vers le cimetière en face, soupira :

– Non, c'est certain que j'aurais pas la force.

Émélie fut atterrée par ce propos déprimant et cet air désabusé. Odile, toujours si pimpante, ravie chaque jour par des riens, grande amie des tout-petits et des plus grands aussi, ressemblait à quelqu'un qui appelle la mort comme l'avait fait sa sœur Marie les derniers mois de sa vie. Ce lien trop fort avec Marcellin Lavoie demeurait-il présent dans le cœur de la jeune femme et minait-il son esprit malgré le temps qui passe ? Ou bien Napoléon, comme trop d'hommes, se faisait-il trop dur envers elle ?

Le soleil illuminait le cœur du village, mais le vent tourbillonnait dans les feuilles mortes qui formaient des laizes colorées parmi les tombes du cimetière.

– Ça va bien à la maison ?

– Ben… ouè…

– Pas plus que ça ?

– Tout est comme il faut. Poléon est un bon garçon. On vient à bout des travaux pis le dimanche, on se repose.

– T'as tout ce qu'une femme peut espérer de nos jours.

Odile soupira :

– On vit pauvrement.

– Ce qui compte, c'est vivre pleinement, qu'on soit pauvre ou moins pauvre. Surtout faut pas vivre dans le passé. Vivre aujourd'hui et rêver à demain. Hier, c'est fini.

– C'est ma santé qui…

– C'est pareil pour moi…

Émélie parla de ses maux, à peu près les mêmes dont souffrait l'autre. Elle la réconforta, lui dit de venir au magasin jaser avec elle tant qu'elle voudrait. Peu à peu, Odile retrouva le sourire. Celui qui naît quand on se sent moins seul.

∞∞∞∞∞∞

Chapitre 11

En cette dernière année du siècle régnait partout et en toutes choses une grande fébrilité. D'aucuns parlaient de la fin du monde imminente. D'autres, plus optimistes, comme Honoré Grégoire, prédisaient pour tous une moisson d'or au vingtième siècle.

À Chicago, New York et autres grandes villes américaines, on lançait vers le ciel des maisons si hautes qu'il fallut leur donner un nom nouveau extrait du langage spontané d'un enfant: gratte-ciel. La petite fille d'un ingénieur aurait dit que les édifices en hauteur grattaient le ciel et picoraient les nuages. Un journaliste avait rapporté la chose et l'expression remplaçait aisément dans le langage populaire cette appellatif bien peu imagé de «Office building» donné depuis les tout premiers à ces constructions que bien des Européens trouvaient insensées.

Honoré en parla abondamment aux réunions d'hommes tenues au magasin durant l'hiver et auxquelles se joignait à l'occasion le docteur Drouin. Quand elle se trouvait dans les environs immédiats, Émélie parfois levait la tête et la secouait doucement en s'amusant des grandioses propos de son mari. Honoré pouvait en nommer, de ces «gratte-ciel qui picoraient les nuages»: le siège de la *Union Trust Company* à Saint-Louis, le *Park Row Building* à New York, le siège de la compagnie «*Assurance New York*» à Chicago.

Mais ce qui excitait davantage les gens des vieux pays, c'était la prochaine exposition universelle qui se tiendrait à Paris l'année suivante. Le Canada y participerait en des bâtiments consacrés aux colonies anglaises et situé dans le parc du Trocadéro.

Aux soirées de bavardage, les plus instruits écoutaient mieux ou participaient à l'échange tandis que les autres restaient derrière l'écran de fumée de leur pipe afin de cacher leur ignorance. Et ils rêvaient à leurs lendemains. Toutefois, le 11 mars, ce fut une assemblée d'au moins trente personnes, occupant le moindre espace libre du magasin et du bureau de poste. On savait qu'une pendaison publique de deux personnes, un homme et une femme dont les noms étaient maintenant connus dans tout le pays, avait eu lieu la veille au matin à Sainte-Scholastique au nord de Montréal. Et l'on voulait assister au film de l'événement par la bouche des lecteurs de journaux dont Jean Jobin, Onésime Lacasse, le docteur Drouin, Théophile Dubé et, en tête de liste, Honoré Grégoire. Des femmes étaient venues avec leur mari, sachant d'avance quel serait le propos. Et parmi elles, Séraphie Mercier qui accompagnait son époux Grégoire Grégoire. Il y avait aussi Célanire Jobin et son époux Onésime Pelchat de même que Desanges Carrier, la mère de Jean Jobin, ainsi que son épouse Délia Blais.

D'autres femmes se trouvaient avec Émélie dans son salon. On en avait laissé la porte ouverte pour entendre les propos macabres anticipés vu l'événement de conclusion d'une affaire abominable survenue à Saint-Canut en novembre 1897. Un dénommé Isidore Poirier y avait été égorgé. Son épouse, Cordélia Viau, et celui qu'on croyait son amant, Samuel Parslow, avaient été soupçonnés du meurtre puis mis en accusation, jugés et condamnés à mort. La dernière scène du drame s'était jouée la veille alors que le bourreau Radcliff avait fait passer de vie à trépas le couple maudit devant une foule avide et excitée que cette pendaison avait rendue ivre de sensations fortes.

C'était samedi soir. Chacun avait pris prétexte d'effets à se procurer pour se rendre au magasin et en profiter pour assister aux placotages des hommes. Par chance, on avait dehors, à l'arrière, une cage de madriers jamais utilisés : des hommes allèrent en prendre quelques-uns, et avec des bûches, ils fabriquèrent des bancs de fortune de sorte que tout le monde put s'asseoir à l'intérieur. Alfred et trois de ses amis, Alfred Dubé, Napoléon Lambert et Cyrille Beaulieu, s'étaient faufilés et cachés au grenier de la maison rouge. Couchés à plat ventre les uns à côté des autres, le cœur battant, la tête près de la trappe entrouverte, ils attendaient qu'on prenne la parole en bas.

Entre-temps, Émélie, Obéline, Restitue et trois autres femmes échangeaient entre elles au salon. S'y trouvait aussi, et cela tenait presque du miracle, la si réservée Amabylis Quirion, l'épouse indienne d'Augure Bizier qui, lui, avait pris place quelque part dans la maison rouge. Lucie Foley quant à elle n'avait pas accompagné son époux. Elle avait trop à faire à la maison où un autre bébé, Wilfred, venait de débarquer avec ses cris et ses pleurs qui n'avaient rien d'une chanson. Odile aussi était là, qui, tout comme Émélie, en arrivait à son sixième mois de grossesse. Elles s'étaient parlé d'un prénom, chacune pour son enfant. Pour Odile, si c'était un garçon, il s'appellerait Albert comme l'époux de la reine Victoria mort en 1861, et si c'était une fille, elle porterait le nom d'Èveline. Émélie pour sa part, dans un nouvel élan religieux comme il lui en prenait souvent, avait opté pour Bernadette en l'honneur de Bernadette Soubirous ou bien Léon en hommage au pape Léon XIII. À la nature maintenant d'achever son travail vers un sexe ou vers l'autre…

Une autre femme se trouvait là, qui avec son mari, fréquentait de plus en plus régulièrement Émélie et Honoré dont elle était d'une certaine façon la cousine « de la fesse gauche » ainsi qu'on se plaisait à le dire à tout venant. C'était Octavie Labrecque, épouse d'Anselme Grégoire, lui-même le fils de Grégoire Grégoire, ce demi-frère d'Honoré par qui la vie d'Émélie et de son époux avait pris un tournant majeur vingt ans auparavant en favorisant leur rencontre.

Honoré s'adressa aux gens qui se turent aussitôt :

– Mes amis, c'était pas organisé, mais c'est arrivé comme ça : on a pas mal de monde et c'est pour ça qu'au lieu de parler entre hommes comme on le fait de coutume, on va s'adresser à vous autres à voix haute. Autrement, ça servirait à rien. Je vous souhaite la bienvenue à cette rencontre improvisée, imprévue. La seule faveur que je vous demande, c'est de pas trop fumer. Autrement, l'odeur du tabac imprègne pas mal fort les tissus à la verge, les rideaux, notre linge de corps, tout ce qui est pas fait avec des matériaux durs.

Onésime Lacasse se leva et fit un signe pour obtenir la parole, ce qu'Honoré lui accorda aussitôt. Il dit de sa voix la plus suave :

– Je propose, par respect pour madame Émélie et monsieur Grégoire, que chacun s'abstienne de fumer en dedans. Ça fera pas mourir personne pis les autres vont pas étouffer dans la boucane. Qu'est-ce c'est que vous en dites, mes bons amis ?

On l'applaudit. Les quelques pipes fumant encore se turent bruyamment dans les crachoirs. Honoré reprit :

– On a eu le temps, monsieur Jobin, monsieur le docteur et moi-même de se diviser sommairement le propos. Moi, je vais vous résumer l'affaire Cordélia Viau. Par la suite, notre ami Jean Jobin va nous dire à sa manière ce qui s'est passé hier matin à Sainte-Scolastique jusqu'à l'exécution des deux criminels. Et pour mettre la cerise sur le gâteau, – manière de parler bien entendu – notre bon docteur Drouin racontera ce qui s'est passé là-bas **après** l'exécution. Si vous avez des questions, quelqu'un saura probablement la réponse et on vous la donnera. Écoutez, c'est pas une pièce de théâtre qu'on va vous présenter, mais quasiment. Vous êtes prêts à écouter comme il faut ?

Des voix approbatrices furent entendues de toutes les directions. Puis Honoré entreprit le récit de l'affaire Cordélia Viau.

– Le dimanche 21 novembre 1897, un menuisier de Saint-Canut a été trouvé égorgé dans sa résidence. Son nom : Isidore

Poirier. L'homme qui s'adonnait à la boisson s'est enivré après la messe, ce jour-là. Il passa l'après-midi seul à la maison. Sa femme au nom de jeune fille de Cordélia Viau, s'était rendue aux vêpres en la compagnie d'un certain Sam Parslow, un visiteur assidu de la famille. Le soir, vers cinq heures, Cordélia est revenue à la maison. Elle a pris un coup avec son mari puis elle a fait atteler sa voiture par le dénommé Parslow pour se rendre visiter son père à six milles de là. Elle a passé la nuit chez son père et est revenue tôt le matin suivant en la compagnie de monsieur Bouvrette, un forgeron qui demeure pas loin de chez elle. Ils ont frappé à la porte sans obtenir de réponse. Bouvrette est entré par une fenêtre. Il a trouvé le corps de Poirier en travers du lit, ensanglanté et terriblement mutilé à la gorge. Comme si on lui avait scié le cou…

Une rumeur aux allures de frisson parcourut l'assistance. Honoré en profita pour se racler la gorge. Le meilleur était à venir :

– Cordélia n'a pas voulu entrer de peur de se sentir mal, mais elle a regardé par la fenêtre. Bouvrette lui a appris la funeste nouvelle et l'a ramenée avec lui avant d'alerter les autorités.

Alors que le conteur prenait une brève pause, quelqu'un en profita pour glisser une question :

– Conte-nous, Noré, comment c'était dans la chambre du mort Poirier.

Honoré crut que Hilaire Paradis venait de parler, mais il pouvait aussi s'agir de Napoléon Martin. Quoi qu'il en soit, l'important n'était pas de savoir qui avait questionné, mais de répondre. Ce qu'il fit en se référant à un article de journal :

– Tout était en désordre dans la chambre. Poirier était étendu en travers de son lit, les jambes pendantes. Il était en bras de chemise et son chapeau en feutre rond était sous sa tête, tout ensanglanté. Sa chemise était couverte de sang coagulé – ce qui fait dire qu'il a été tué dimanche en soirée – et les oreillers, le couvre-pied et le tapis étaient imbibés de sang. Il avait la gorge ouverte, et portait à la figure deux blessures assez profondes. À son côté, sur son oreiller, était posé un couteau à boucherie encore maculé de sang et un mouchoir rouge sur lequel se détachaient des taches de sang coagulé. Il y avait dans les jambes toutes les traces d'une lutte désespérée, une lampe cassée, une tablette de bureau de toilette brisée, le plancher, qui est verni, égratigné par les chaussures à clous, du sang sur le tapis et même sur le mur…

Dans le salon d'Émélie, la femme indienne, de rouge et de bleu vêtue, hochait la tête en regardant en alternance l'hôtesse des lieux et Odile Martin. Quand Honoré fit son arrêt, elle marmonna :

– Vous devriez pas écouter ça, vous autres qui portez un enfant. Ça portera pas chance, ça portera pas chance…

Étant donné qu'Amabylis parlait si peu, si rarement, sa voix, même faible, provoqua le frisson chez Émélie. Elle demanda, et alors Odile comprit le sens de ce qui avait été dit par la femme Bizier :

– C'est rien qu'une histoire, Amabylis. Qu'est-ce qui pourrait arriver à nos bébés, Odile et moi ?

– C'est une histoire vraie. Les âmes des défunts… les trois qui sont morts…

– Qui ? Poirier et les deux qui ont été pendus hier ?

– C'est ça… Ces âmes-là s'approchent si on parle d'elles pis c'est pas pour nous faire du bien. Sont dangereux pour des enfants qui sont pas encore venus au monde. Écoutez pas, écoutez pas…

– Mais, Amabylis, on est ici à Saint-Honoré, à des milles et des milles de Sainte-Scolastique, là où c'est que les deux assassins ont été pendus hier.

– Par la pensée, vous êtes là autant que ceux qui étaient là hier. Écoutez pas, écoutez pas…

Alors la femme indienne sortit du salon puis de la maison rouge par la porte arrière. Elle se fit si discrète que personne ne s'en rendit compte, à part les dames du salon.

Honoré poursuivait :

– Voici comment a dû se passer le drame. – Là, je vous conte ce que les journaux disaient en 97, une journée ou deux après la mort horrible de Poirier. – Quelqu'un s'est introduit dans la maison après le départ de la femme Poirier et y a trouvé Poirier dans un état d'ivresse avancé. Madame Poirier prétend qu'elle avait laissé les clefs à son mari avant de partir, mais ces clefs n'ont pas été retrouvées. On est porté à croire que c'est Poirier lui-même qui est allé ouvrir la porte à l'assassin. Lui et sa victime seraient alors entrés dans la chambre à coucher, où a été trouvé le cadavre, pour prendre un verre de whisky. Une bouteille contenant encore un peu de whisky a été trouvée sur le plancher au pied de la victime. Armé d'un couteau, ce qui laisse croire que c'était un crime prémédité, l'assassin s'est jeté sur Poirier et a réussi à le faire tomber sur le lit. Le défunt, dégrisé par l'attaque, a essayé de se défendre. L'intérieur de sa main gauche était entaillé, ce qui veut dire qu'il aurait serré la lame avec sa main…

Une voix venue du fond de l'ancienne cuisine lança :

– Parle plus fort, Noré !

– C'est bon, Hilaire !…

Et le conteur devint lecteur, qui se pencha et parcourut des yeux une découpure de journal qu'il approcha tout près du globe de la lampe posée sur le comptoir, pour être capable de lire couramment sans se reprendre ni errer :

– L'assassin, après avoir maîtrisé sa victime, a dû, ni plus ni moins, lui SCIER LE COU car le couteau est mal aiguisé et le cou est aux trois quarts tranché. La blessure est horrible à voir. La victime est étendue sur le lit dans une mare de sang coagulé et comme sa tête est rejetée en arrière, la blessure est béante, et laisse voir les artères entièrement coupées…

– Ça doit faire mal, se faire maganer le cou de même ! s'écria une voix joyeuse dans la pénombre.

– Un fait à remarquer, c'est qu'on a trouvé le couteau sur un oreiller, à la gauche du défunt. L'assassin a pensé qu'on croirait à un suicide probablement. Mais c'est peu vraisemblable. Le défunt tenait dans la main gauche un mouchoir et de plus, il n'est pas gaucher... L'arme est un couteau de quatorze pouces...

– C'est ça que je prends pour faire boucherie, lança une voix que certains reconnurent comme étant celle de Philippe Lambert.

– Le défunt, continua Honoré, avait 46 ans. Il travaillait à l'église de Saint-Jérôme et revenait chez lui à Saint-Canut tous les samedis. Les époux Poirier ne faisaient pas un très bon ménage... Mariée depuis huit ans, la femme Poirier a 30 ans. Elle a déclaré à un journaliste que son mari avait manifesté l'intention de se suicider. Et elle a dit aussi qu'il était un ivrogne, un paresseux qui ne gagnait pas assez pour les dépenses de la maison: pourtant, toutes les personnes à qui nous avons parlé démentent cette assertion et prétendent que Poirier était estimé de tous tandis que sa femme ne jouissait pas d'une grande considération, même si elle était organiste de la paroisse de Saint-Canut...

En haut, près de la trappe, Alfred Dubé glissa son doigt sous le cou d'Alfred Grégoire et fit le mouvement de couper. Les quatre garçons recevaient par la fenêtre donnant sur le cimetière l'éclairage de la lune pleine. Napoléon Lambert voulut savoir pourquoi les deux Alfred s'étouffaient de rire :

– C'est quoi que vous faites ?

– J'ai scié le cou à Freddé.

– Ah, écoutez donc, ordonna Cyrille Beaulieu, le plus âgé et le plus sérieux des quatre amis.

Honoré parla ensuite de l'enquête, de la mise en accusation, du procès. Quatre jours après le crime, Cordélia et Samuel avaient été arrêtés et emprisonnés. Puis la femme Poirier avait accusé Samuel du crime, révélant qu'il avait souventes fois menacé de tuer son mari. Le lendemain, c'était au tour de Parslow d'incriminer Cordélia et d'affirmer qu'elle avait participé au crime.

– Le dénouement du procès de la femme Poirier a eu lieu le 15 décembre. Tout un cadeau de Noël pour Cordélia. Le procureur de la Couronne, Me Mathieu, a convaincu le jury qui a délibéré 95 minutes avant de rendre un verdict de culpabilité. Ensuite, ce fut la sentence que je demande à notre ami Jean Jobin de vous lire comme s'il était le juge Taschereau qui l'a prononcée.

Honoré tendit une autre découpure de journal à Jobin qui se pencha à son tour pour lire à la lueur de la lampe :

– Vous êtes condamnée à retourner dans la prison communautaire de ce district et à y être détenue dans un lieu sûr et séparé de tous les autres prisonniers jusqu'au 10 mars prochain, et là et alors, dans l'enceinte des murs de cette prison, à être pendue par le cou jusqu'à ce que mort s'ensuive ! Et que Dieu ait pitié de votre âme !

Une voix dans le noir demanda :

– Pis c'est quoi qu'il est arrivé avec Parslow d'abord que c'est lui qui a égorgé Poirier ?

Honoré répondit :

– Parslow était enfermé, mais son procès était pas encore commencé. Il a dit à un journaliste que la condamnation de Cordélia était pas de bon augure pour lui.

– Augure, blagua Hilaire Paradis, si Parslow a parlé de toé, tu seras pas chanceux dans la vie.

– Plus malchanceux que je l'ai été, ça se peut pas, répondit Bizier du tac au tac.

– Faut pas rire avec ça ! dit Honoré avec le plus grand sérieux.

Les hommes cachaient leurs émotions derrière des plaisanteries, mais ne parvenaient pas à dérider la plupart des éléments féminins de l'assistance qui étaient figés, pétrifiés dans l'horreur. Peu d'entre ces dames avaient jamais entendu pareil récit atroce. La pire histoire sans doute qui parcourait les campagnes depuis un siècle et demi était celle de la Corriveau pendue sans preuves solides de son crime, et suspendue dans une cage de fer à Lévis au début du régime anglais.

Mais si on connaissait maintenant les détails du crime de St-Canut, on ignorait ceux de la pendaison de la veille. Honoré s'adonna à un exercice de quasi provocation :

– Écoutez, ce qui vient est pire encore. C'est le récit de la pendaison d'hier. Allez-vous pouvoir le supporter ? Sinon, vous pouvez aller marcher dehors, c'est pas si froid. Ou entrez dans la chapelle et priez pour l'âme de Cordélia et celle de Samuel... sans oublier celle de leur victime Poirier...

Il fit une pause. Un peu plus et les ondes des cerveaux qui pourtant voyagent sans bruit, auraient rompu le silence de mort qui planait sur l'assistance du magasin. Le seul bruit des environs pouvait s'entendre à l'extérieur de la maison rouge, en avant, près du cimetière où marchait lentement Amabylis qui avait fini par s'en aller du hangar arrière. Un second bruit s'ajouta au sien : celui d'une porte qui s'ouvre puis se referme doucement. Cela venait de l'autre côté de la rue. Quelqu'un entrait-il dans la chapelle ? L'Indienne qui avait fine oreille ne se retourna pas pour voir au clair de lune et à celui de lanternes suspendues aux poteaux de la galerie du magasin. On s'approcha d'elle par l'arrière. On parla. C'était le curé Feuiltault. Sa voix était en harmonie avec un éclairage plutôt réduit mais assez important pour que les personnes se reconnaissent dans la pénombre :

– Madame Bizier, vous n'êtes pas avec les autres à l'intérieur, à écouter les gens parler de la pendaison d'hier ?

– Je prends l'air.

– Vous n'êtes pas malade toujours ?

– Non, monsieur le curé. Juste... besoin d'air frais.

– Et il est très frais : c'est une nuit du début mars, pas de juillet. Surtout que le ciel est dégagé.

– Suis ben habillée.

– Si vous... désirez retourner à l'intérieur, je vous accompagnerai. J'aimerais savoir ce qui se dit là.

– J'avais pas envie de rentrer.

– Ah oui ? Et comment ça puisque vous n'êtes pas souffrante et qu'il fait froid dehors ?

– Sont à la veille de pendre Cordélia Viau pis Samuel Parslow: j'aime autant pas voir ça.

Le prêtre songea à de la superstition indienne. Il avait pour devoir de lutter contre, aussi, insista-t-il. Il toucha la femme au bras :

– Venez, on va entrer ensemble. Tout va bien aller. Tout va bien aller.

Il l'entraîna sur la galerie puis ouvrit la porte et poussa gentiment Amabylis devant. On les vit apparaître ; les souffles retenus se relâchèrent. Avec le curé dans l'assistance, il serait légitime d'écouter : les fantômes de Cordélia et Samuel devraient se tenir loin de là.

– Bonsoir, monsieur le curé ! s'exclama Honoré. Venez vous asseoir avec nous autres. Tenez, j'ai une place ici, derrière le comptoir.

– Je n'ai pas été invité, mais je me présente quand même.

– C'est pareil pour tout le monde. La réunion s'est faite d'elle-même. Vous savez qu'on se réunit une fois par semaine pour jaser entre hommes. Les participants sont venus plus nombreux et des femmes les ont accompagnés. On appelle ça un mouvement spontané. Vous pensez bien, monsieur le curé, que si c'était une rencontre officielle, on vous aurait invité le premier.

Le prêtre mit ses petits souliers, redressa un épi de sa chevelure frisée :

– Ah, mais je comprends tout ça ! J'ai plaisanté en vous disant que j'avais pas été invité. Le curé n'a pas à être invité à tout ce qui se fait dans la paroisse. Et puis, je me doute bien que le sujet du soir doit être quelque peu macabre.

Une voix masculine lui répondit :

– C'est les pendus de Sainte-Scol...

– Ah oui, le couple qui a assassiné ce pauvre menuisier. Dieu ait leur âme.

Il prit place. Honoré reprit la parole en s'adressant d'abord au curé :

– On a rappelé les détails de l'assassinat que vous avez dû lire dans les journaux. Et là, c'est au tour de monsieur Jobin de nous faire le récit de la... ben... du châtiment.

Puis il s'assit à côté du prêtre.

Amabylis quant à elle retourna discrètement au salon d'Émélie où elle se glissa sans bruit et lentement comme pour ne déranger personne. Émélie l'accueillit à mi-voix :

– Avec monsieur le curé ici, il peut rien nous arriver, ni à nos futurs bébés.

– Ça doit, fit simplement l'Indienne sans conviction.

Alors Jean Jobin procéda au récit de la pendaison en partant du matin même de l'exécution, un récit émaillé de ses propres réflexions parfois :

– Le titre dans le journal, c'est : TERRIBLE LEÇON à Sainte-Scolastique. Sam Parslow et Cordélia Viau paient leur dette à la société...

– Qui paie ses dettes s'enrichit ! lança la voix d'Hilaire Paradis.

Il n'obtint que des « tais-toé donc » et des « ah, fatikant »... Même Théophile Dubé le tança :

– Hilaire, t'as toujours les doigts où c'est que t'as pas d'affaire, toi.

Cette phrase prémonitoire donna le frisson au farceur qui devait se taire le restant de la soirée.

Jobin poursuivit :

– Paraît qu'il y avait du monde là sans bon sens. Les hôtels étaient bondés. Pire que dans le temps des élections. Le diable était aux vaches : ça chantait, ça jouait aux cartes... On dit qu'à l'hôtel Lacombe, avant la pendaison, des beaux drôles exécutaient des « *Liberas* » et des « *Requiems* » invraisemblables sur l'orgue de la malheureuse Cordélia. *Faut croire que l'instrument a été acheté par l'hôtelier l'année passée...*

– C'est pas correct, ça, souffla Émélie à l'oreille d'Obéline.

Obéline qui était appuyée au chambranle de la porte du salon répéta la phrase pour que tous entendent, et elle en remit:

– C'est pas correct, ça. On doit plus de respect à des gens qui vont mourir. Peut-être que leur crime est déjà pardonné par le bon Dieu.

– Je suis bien d'accord avec mademoiselle Racine, dit à voix forte le curé. La grâce du pardon est grande; mieux, illimitée.

Jobin reprit la parole:

– Cordélia Viau a remis la lettre qui suit à son avocat, Me Dominique Leduc... Je la lis mot pour mot... «*Je vous remercie du plus profond de mon cœur de tout ce que vous avez fait pour moi. Priez pour moi, votre malheureuse dame Cordélia Viau.*» – Il est dit que madame Viau a donné plusieurs autographes à ses visiteurs à la prison. – Parslow refuse de voir des visiteurs. Il prie. Son appétit a disparu. Le révérend qui assiste les condamnés trouvait peu convenable d'exposer côte à côte les accusés sur la potence et il a obtenu qu'une séparation soit faite. Une couverture de laine grise tendue dans un cadre de bois a alors été fixée à la potence. On a dû aussi pratiquer une excavation de deux pieds sous la potence, parce que le bourreau prétendait que l'échafaud n'était pas assez élevé... Cinq heures du matin, Cordélia s'agenouille, entourée de ses parents, à l'extrémité du corridor, situé à droite du petit autel où doit se consommer le saint sacrifice. Sam vient prendre place à l'extrémité du corridor de gauche. Ils ne peuvent se voir vu que le mur forme un angle droit... Imaginons-les un moment... et prions pour eux...

– C'est en effet ce qu'on peut faire de mieux, statua le curé Feuiltault dont l'œil brillait grâce à la lueur de la lampe sur le comptoir.

– Le déjeuner asteur... Cordélia a pris un café, un peu de fromage et un biscuit. Sam a pris une seule tasse de café puis a ingurgité trois grands verres de brandy. *Faut croire que c'est plus facile de se faire pendre quand on a bu un bon coup, mais c'est pas une raison pour louanger l'ivrognerie.*

Le ton fit comprendre à l'assistance que Jobin venait de plaisanter. Philippe Lambert rit à gorge déployée et on s'amusa de l'entendre rire.

– Durant ce temps-là, au dehors, la foule s'entassait aux abords de la prison, couvrant les toits avoisinants, grimpée dans les arbres, juchée sur les bâtiments, perchée sur les clôtures. Les portes du palais subissaient un véritable siège. Les gardes avaient tout le mal du monde à maintenir l'ordre… Parlons des préparatifs… Le bourreau Radcliff pénétra dans la cellule de Cordélia Viau armé d'une forte courroie de cuir. Il lui annonça que le moment fatal de l'expiation avait sonné… *Comme si elle s'en doutait pas…* Et il ligota solidement la malheureuse. Elle fut ensuite conduite en face du couloir menant à la cellule de Parslow. De même que sa compagne, il fut ligoté, sans rien dire. À sept heures et quarante-six minutes, les deux suppliciés sont réunis au sommet de l'escalier conduisant à l'étage inférieur. *On peut imaginer les regards qu'ils se sont lancés, peut-être même les mots…*

– Des complices, des complices, glissa une voix sourde venue d'on ne savait où.

– Et le funèbre cortège se met en branle. Trois prêtres, messieurs les abbés Meloche, Colin et Contant accompagnent les condamnés, récitant des psaumes, les derniers que devaient entendre les deux infortunés. Au-delà de cinq cents personnes entouraient l'échafaud, pendant que de sourdes clameurs s'élevaient de l'extérieur où plus de deux mille personnes s'agitaient dans l'attente de la nouvelle fatale. Quelques-unes des plus enragées s'armèrent d'une énorme poutre et tentèrent de faire sauter la grande porte d'entrée solidement barricadée à l'intérieur…

Au fond du salon d'Émélie, Odile s'était approchée de la femme Bizier aux fins de savoir pourquoi elle refusait d'écouter les récits des hommes. Amabylis était assise, prostrée, immobile dans une position qui était bien plus celle de la résistance que de la détestation ; l'autre prit place à moitié assise à son côté et lui dit à mi-voix :

– T'as peur pour mon bébé pis celui de madame Émélie ? Pourquoi ça, Amabylis ?

– Les esprits rôdent. Ils cherchent les sans-défense.

– Pour les posséder ?

– Oué.

– Mets ta main sur mon ventre, veux-tu ?

Amabylis garda le tête droite. Odile lui prit la main et la colla à son sein. L'Indienne frissonna mais ce contact parut la décompresser. Elle parla :

– C'est une petite fille.

– Ah oui ? Dans ce cas-là, elle va s'appeler Èveline.

– Je peux la protéger des fantômes… si tu veux.

– Certain que je veux, certain…

– Mais…

– Mais quoi ?

– Toute sa vie, elle devra se battre.

– Se battre ?

– Contre un démon.

– Quel démon ?

– Le démon… de la chair.

– Pour quelle raison elle plus qu'un autre enfant, qu'une autre petite fille ?

– Parce que les fantômes l'ont déjà visitée. Ils sont là, je les sens. Mais je les chasse. Ils vont laisser des traces. Je les chasse. Je les chasse…

Et l'Indienne entra dans une transe hypnotique. Sa voix à peine audible et seulement pour Odile et le bébé qu'elle portait entama une languissante mélopée.

Près de la porte, Émélie était tout intérêt pour se qui se racontait dans le magasin et elle ne fut pas témoin de ce qui se passait au fond du salon. Jobin poursuivait son récit de la pendaison de Cordélia et Samuel :

– À sept heures cinquante, Radcliff monte sur l'échafaud étroitement gardé, surveillé par quatre gardes de la prison de Montréal… *Radcliff, mes amis, c'est un homme de six pieds et quatre pouces, maigre comme un vélocipède, blême comme la mort, austère, effrayant : j'en ai eu le gros frisson dans le dos quand j'ai lu la description de sa personne physique. On dirait qu'un démon l'habite. Mais la société a besoin des bourreaux. C'est lui le pire d'avoir choisi ce métier de l'horreur. Peut-être qu'à sa mort, tous ceux qu'il a fait passer ad patres vont venir le chercher pour l'emmener… en enfer avec eux autres… En tout cas… je continue…* Il apporte les bonnets noirs et les courroies de cuir qui serviront à lier les jambes des suppliciés. Il jette le tout négligemment à côté de la troupe. Puis il examine le câble, s'assure du nœud coulant, le dispose de façon particulière, examine le fonctionnement du mécanisme, tout cela avec un calme imperturbable. La foule entassée au pied de la potence le regarde faire, ne sachant trop si elle doit prendre cet homme en horreur ou en pitié…

– En horreur, en horreur, lança une voix méconnaissable.

Des voix approbatrices se firent entendre à sa suite. Jobin reprit :

– Tête nue, vêtus tous deux des habits qu'ils portaient dans leur cellule, Cordélia d'abord, Sam ensuite, émergent des murs de la prison qui ont été témoins de bien des larmes, de bien des sanglots, de bien des histoires sanglantes. Deux gardes toujours marchent à côté d'eux, prêts à soutenir l'un d'eux s'il vient à défaillir avant d'avoir atteint le but suprême. Sans arrêt, sans émotion apparente, rigide en sa robe de deuil simple, les cheveux retenus sur la nuque par un ruban de soie, Cordélia met le pied sur la marche et gravit les six premiers gradins. Ses yeux sont fixes, de cette fixité empoignante où l'on constate que le regard embrasse tout et ne voit rien…

Amabylis acheva son chant lancinant. Il parut à Odile que le bébé bougeait dans son ventre. Et elle-même se sentait soulagée d'un poids.

– Les esprits sont partis, marmonna l'Indienne.

– Pour toujours ? fit la crédule Odile.

– Mais les traces sont restées…

Jobin parlait encore de l'autre côté et à part Odile et Amabylis, il obtenait l'attention de tous.

– Rien peut-être qu'un dernier songe irréalisable qui paralyse les facultés mentales au point de faire oublier la notion du temps et même des choses. Parslow suit sa complice. Son corps est moins droit et il franchit lui aussi les gradins sans aide apparente. Cordélia franchit rapidement les quatre autres gradins et se place à gauche de la potence, la figure tournée au mur. Sam s'est placé à droite, la figure de côté, les mains jointes, tremblantes… Ils sont de part et d'autre de la couverture de laine suspendue, dos à dos…

Odile pensa qu'il vaudrait peut-être mieux faire part à Émélie de l'action de l'Indienne sur elle, sorte d'exorcisme visant à protéger le futur enfant. Mais elle avait bien connu la jeune femme d'Honoré et savait à quel point Émélie réprouvait la superstition, elle qui pourtant avait presque sacralisé, divinisé certains objets souvenirs comme sa croix de bois, le coffret de sa mère, la blonde mèche de cheveux de Georgina, le chapelet de sa sœur Marie. Elle crut bon faire la suggestion non point à son ancienne patronne, mais plutôt à l'Indienne elle-même.

– Tu devrais faire pour madame Émélie comme pour moi.

– Elle m'a pas crue tantôt, elle me croira pas plus asteur.

Odile se referma sur elle-même, se demandant quelle profondeur auraient ces traces laissées sur son futur bébé par le passage en esprit du couple maudit.

Jobin arrivait au moment crucial, à l'apothéose de son récit lugubre :

– Le bourreau passe rapidement les bonnets, enfile la corde autour de chacun des cous. Une dernière exhortation, un dernier cri d'appel vers Dieu de la part des prêtres, une dernière poignée de mains aux malheureux de la part du bourreau et…

Le conteur s'arrêta. Les souffles s'arrêtèrent dans tout le magasin. Il parut à d'aucuns que toutes les flammes des lampes se figèrent pendant un court instant. Amabylis enveloppa son cou de ses deux mains et son visage se crispa. Debout, bras croisés, à côté de la porte du salon, Émélie riva son regard sur Honoré qui avait le sien, comme le curé et tous ceux qui pouvaient l'apercevoir, sur Jean Jobin qu'une force étrange semblait retenir dans l'interdit. L'enfant qu'elle portait bougea dans son sein. Elle ressentait la même angoisse que durant ces heures où elle avait mis un baume sur les horribles brûlures de sa petite sœur Georgina en train d'agoniser sous ses yeux.

– … et un coup SEC…

Jobin dut s'arrêter encore. Cette fois, il hochait la tête, se touchait à la gorge, ravalait. Puis il reprit, la voix écrasée :

– … un coup indéfinissable annonce aux spectateurs énervés que tout est fini, que la société est… est… V… VENGÉE.

Tous les assistants changèrent de position pour se défaire d'une crispation que le récit troublant avait fait naître en eux et s'y installer comme si les phrases avaient été du ciment liquide lancé dans toutes les régions du corps par un cœur à moitié étranglé.

– La foule se rua sur l'échafaud, déchirant brutalement les tentures noires destinées à cacher aux spectateurs les dernières crispations des suppliciés. L'abbé Meloche fut forcé de s'adresser à la foule et de la rappeler à la décence, en face d'un événement aussi terrible…

Jobin se racla la gorge, secoua la tête, reprit :

– Voilà, ma part du récit est terminée. Je vais céder la parole au docteur Drouin qui… vous racontera la suite. Peut-être qu'avant, nous devrions tous réciter le *De profundis*... Monsieur le curé, consentez-vous à le faire ?

– Absolument !... *De profundis clamavi ad te, Domine: Domine, exaudi vocem meam...*

Personne à part Honoré et le prêtre ne connaissait la signification des phrases, mais on savait que c'était le psaume par excellence pour accompagner les défunts dans leur éternité.

Ensuite l'attention de tous fut accordée au docteur Drouin à qui le troisième tiers du récit de l'événement, sans doute la partie la plus apte à semer l'épouvante, avait été confié par Honoré et son bras droit du soir, Jean Jobin.

– Mes amis, fit le docteur en guise d'introduction, rien n'est plus épouvantable que la mort par pendaison. Tout d'abord, on ne pend que les gens en bonne santé et qui, pour cette raison, n'ont guère envie de mourir. Et puis l'agonie est longue, très longue, tandis que le corps et l'esprit du supplicié cherchent à se libérer sans y parvenir, le corps ayant les membres ligotés, le cou solidement attaché, et l'esprit étant prisonnier d'un corps mourant...

– En tout cas, on est mieux de pas essayer ça, dit une voix dans le noir.

Le docteur échappa un éclat de rire à deux notes qui vint ajouter un élément insolite à la scène lugubre évoquée.

– Après l'exécution, les médecins sortent de l'échafaud et déclarent que le pouls de Cordélia a pris six minutes et trente secondes à s'arrêter et que celui de Sam Parslow en a pris douze et deux secondes. La cour s'évacue lentement après que tous sont allés jeter un coup d'œil sur les deux cadavres qui se balancent au bout de leur câble. La cour vidée, le bourreau Radcliff décroche les suppliciés, leur enlève le bonnet, leur essuie, avec son mouchoir, l'écume qui sort de la bouche et le sang qui sort du nez. Les deux cadavres sont placés sur des tables dans la cour à côté de la potence. Cordélia Viau a la colonne vertébrale disloquée, ce qui a amené la mort plus vivement qu'à Parslow, qui a eu la colonne brisée. Les deux figures sont horriblement tuméfiées et enflées. Sam a un œil grand ouvert. Cordélia a les deux yeux clos et la bouche ouverte. Tous deux ont le cou horriblement tordu… – *On voit que les souffrances des suppliciés furent atroces.*–

Une lamentation surgit alors du néant et fut entendue dans tout le magasin qui le moment d'avant avait fait silence de mort sur une pause du docteur. Elle alluma nuques et dos d'une chair de poule digne des grands froids d'hiver. Même Émélie ne devait pas y échapper; toutefois, c'est elle qui la première, comprit que l'origine de cette voix n'avait rien de surnaturel, du moins en apparence, puisque c'était Amabylis qui venait d'entrer dans un état de transe encore plus profond que le précédent lors de son intervention en faveur du fœtus de Odile Martin.

L'interminable cri de douleur semblait venir de l'infini, mais c'est des profondeurs morales de l'Indienne qu'il surgissait. Odile crut que par elle s'exprimait Cordélia Viau. D'autres aussi pensèrent la même chose sans le dire de peur que cela s'avère par leur faute.

Émélie jugea bon désamorcer les peurs:

– Vous inquiétez pas, c'est Amabylis qui est en… prière.

Le curé enchérit:

– Pour ceux qui le savent pas, c'est la manière indienne de prier le Seigneur. Et puis madame Bizier a une grande dévotion envers la vierge Marie. Vous pouvez terminer votre récit, mon cher ami…

Ce qu'entreprit le docteur tandis qu'Émélie faisait sortir les dames du salon à part Amabylis, afin de refermer la porte et d'emprisonner le bruit de sa voix qui parvint tout de même à s'installer derrière la voix du conteur:

– Il est dix heures moins six minutes du matin. Je vous rappelle que c'était hier. On ouvre les portes de la cour de la prison pour laisser entrer les voitures devant conduire les cadavres à Saint-Canut, mais la foule est impétueuse et la police a toutes les peines du monde à la contenir. La première voiture sort ensuite de la cour et la foule se précipite sur les chevaux qu'elle veut dételer afin de s'emparer du cadavre des suppliciés. Après quelques coups de revolver qui ne blessent personne, la police parvient à faire lâcher prise à la populace, et le funèbre convoi se met en route pour Saint-Canut où Sam Parslow a été immédiatement enterré après un libera qui lui a été chanté à midi... – *Bon, disons que c'est un peu comme ça que ça finit. Cordélia sera enterrée à son tour et la vie en société reprend son cours normal... Il y a une chose qu'il faut déplorer et je vais terminer par ça : c'est l'attitude des gens devant cette horrible fin de deux personnes humaines comme eux. Voici un court résumé de ce comportement, mes amis.* – Dans toute la ville, depuis ce matin, ce sont des hurlements dans tous les hôtels, on danse, on crie, on fume et l'on boit comme si un nouveau député avait entrepris de donner à ses électeurs l'idée de la générosité de son gouvernement...

– Peut-être qu'on aurait dû voter pour la prohibition, lança Onésime Lacasse. Mais faut dire que c'est pas la faute de la boisson, c'est la faute de ceux qui boivent.

– Par bonheur, c'est pas notre cas, en tout cas, pas à soir, dit Honoré qui se leva pour remercier Jobin et Drouin.

Pour dérider l'assistance et dégager les respirations, il dit ensuite :

– Mesdames, ça veut dire qu'il faut pas égorger votre mari même si des fois, ça vous le dirait de le faire.

Il obtint deux ou trois petits rires, une douzaines de raclements de gorge et bien des murmures.

– Personne a posé de questions pendant que le docteur, moi-même ou Jean Jobin parlaient, mais si vous en avez asteur que l'histoire est finie...

– J'en aurais une pour le docteur Drouin, dit Onésime Pelchat, quand un corps tombe pis que le cou est brisé par la corde, y a-t-il encore de la souffrance pour le supplicié ? Le sang dans le nez, l'écume, l'enflure...

– Difficile à dire : pas un est revenu d'une pendaison pour nous conter comment ça se passe...

Et le docteur eut un éclat de rire.

Émélie entendit le silence revenu dans le salon; elle rentra et referma la porte pour s'y retrouver seule en présence de l'Indienne qui s'était assise sur le plancher, avait croisé les bras devant elle, gardant le dos et la nuque droits, et fixait un point inexistant à la manière de Cordélia dans le récit de Jobin.

– On dirait que c'est une dure soirée pour toi, Amabylis.

Au bout d'un long silence, l'Indienne ouvrit les yeux et tourna doucement la tête vers la femme enceinte.

– As-tu eu… des visions? demanda Émélie.

À ce moment, la porte s'ouvrit; Honoré entra discrètement. Odile venait de lui dire un mot sur l'état de la femme Bizier; il lui avait paru que son devoir l'appelait dans le salon aux côtés de sa femme afin d'aider si possible l'épouse d'Augure.

– J'ai pas vu… j'ai senti des… présences surnaturelles…

– Aimerais-tu que je fasse venir monsieur le curé pour t'aider?

– Non… non… ça sera pas nécessaire.

– Tout va correct? s'enquit Honoré à mi-voix.

– Ça lui a fait vraiment peur, cette histoire de Cordélia, on dirait.

– Pas à toi, Émélie?

– Ben… non, pas spécialement. Elle dit que de parler d'eux autres, ça attire leur esprit parmi nous.

– Qui ça, eux?

– Ben… Cordélia, Samuel et même Isidore Poirier.

– Pis qu'est-ce que ces fantômes peuvent nous faire de mal?

– Moins à nous autres qu'à l'enfant que je porte.

– On a nos bons esprits pour nous défendre des mauvais: ta mère, Georgina, Marie, le petit Jimmy Foley…

– T'as raison, Honoré.

L'Indienne qui allait toucher le ventre d'Émélie, en fut retenue par leur échange. Elle se leva et annonça son désir de rejoindre son époux Augure dans le magasin.

Amabylis ignorait malgré tout que l'enfant d'Émélie serait une fille qui porterait le nom de Bernadette et qu'elle subirait un bien triste sort. Et que peut-être une malédiction familiale serait le prix à payer pour cette soirée noire où on avait trop parlé des morts de la veille pour ne pas attirer leur vengeance sur les Grégoire… Peut-être…

Quant à Odile, la fatalité s'attacherait à ses jours en attendant son heure. Mais grâce à l'Indienne, elle donnerait naissance à une enfant en pleine santé, qui porterait le prénom d'Èveline. Les traces laissées en cette petite fille par l'esprit de Cordélia se feraient sentir bien longtemps ensuite, bien longtemps…

∞∞∞∞∞∞∞∞∞∞

Chapitre 12

Le meneur des dissidents se présenta aux élections municipales cette année-là. Il l'emporta de justesse. Et Romuald Beaudoin devint maire en remplacement de Ferdinand Labrecque qui promit à ses commettants de revenir sur les rangs la prochaine fois. Le nouvel élu comprit qu'il n'était pas de l'intérêt de la municipalité ni du sien de changer de secrétaire et Jean Jobin, jeune homme de bonne composition qui savait ne se faire que des amis, conserva son poste malgré la candidature de Barnabé Tanguay visant à le remplacer.

Le premier geste de Beaudoin fut de commander un recensement municipal, registre dans lequel on compila non seulement des chiffres de population mais aussi de biens, d'arpentage approximatif etc. On dénombra 1844 citoyens dans Saint-Honoré. Le maire devait l'annoncer lui-même à la prochaine assemblée du conseil tenue dans la sacristie. Le curé qui lui-même détenait le registre paroissial et n'avait aucun besoin des résultats du recensement pour tout savoir de la démographie de Saint-Honoré, y assista de même que les citoyens les plus influents dont Honoré Grégoire, Théophile Dubé, Onésime Lacasse et le docteur Drouin.

– Vous devez vous rendre compte par vous-même, monsieur Beaudoin, qu'il nous faut une église, commenta le prêtre quand le chiffre de la population fut révélé officiellement par la bouche du maire.

Contre toute attente, Beaudoin vira sa veste à l'envers et tourna le dos aux dissidents. Calcul politique qui lui assurerait sa réélection dans deux ans, se dit-il. Mauvais calcul car les dissidents le prendraient mal et lui montreraient alors le chemin de la sortie.

– Écoutez, faut ben voir ce qui est. C'est officiel : une paroisse de proche deux mille âmes doit avoir une église moderne, une vraie église comme à Saint-Évariste.

On l'applaudit.

Dès lors, la campagne de financement cessa de battre de l'aile et prit un envol digne d'une montgolfière. Il serait annoncé dans les semaines à venir à la fois par le maire et par la chaire que les travaux de construction débuteraient dès 1900. Le contrat fut même accordé à une compagnie de Saint-Damien du nom de J. Alyre Métivier. Mais il manquait encore l'assentiment de l'archevêché de Québec. On le demanda dans les formes. Un retard à l'obtenir pourrait retarder le début de la construction d'une année. On espérait que cela ne se produise pas…

∞∞∞

Saint-Georges aussi cette année-là se donna un nouveau maire en la personne du docteur Georges Cloutier et là-bas, leur dossier concernant une église neuve, revint en force dans le décor. Et débloqua…

C'est le docteur Drouin qui rapporta cette nouvelle au bureau de poste un jour d'automne.

– C'est ça, le progrès ! commenta Honoré, qui travaillait à la distribution du courrier dans des cases, sans pour autant s'arrêter de jaser comme si son côté féminin avait pris le dessus en ces moments-là pour lui permettre d'accomplir deux choses à la fois et de porter son attention à plus d'un sujet dans le même temps.

– Tu as lu dans le journal, mon cher Honoré, au sujet du premier[1] automobile à Montréal ?

1. À cette époque, le substantif automobile était du genre masculin… comme bien autre chose…

– Ça va vous prendre ça, mon cher docteur, pour voir vos malades dans les rangs.

– Les chemins sont pas assez bons. Il manque des ponts dans des rangs comme les deux 6 et les deux 4. Une machine automobile, ça pourrait me servir que l'été et un peu l'automne. Mais quand ça va briser, qui c'est qui va réparer?

– C'est les forgerons qui vont devoir apprendre la mécanique des moteurs. J'en ai déjà parlé à Joseph Foley, mais…

Honoré n'était pas seul à travailler au bureau de poste; une jeune fille de 10 ans le secondait. Et même qu'elle parvenait à classer davantage de courrier que son père dans une période de temps. Éva interrompit les deux hommes et montra une lettre à son père:

– Ils ont pas marqué au soin de qui c'est.

– Bernadette Bougie, lut Honoré. Ça doit être une fille à Honoré Bougie. On a trois familles au même patronyme dans la paroisse.

L'homme se gratta la tête, ce qui déplaça la visière qu'il portait. Émélie entra dans la pièce de la poste et s'amusa à ses dépens:

– Honoré, t'as l'air d'un fonctionnaire égrianché avec ta visière mal emmanchée sur ta tête…

– T'es pas mieux, t'as l'air de la femme d'un… fonctionnaire égrianché.

Le docteur Drouin échappa son rire proverbial.

– Vous savez ce qu'il va falloir au bureau de poste, dit Honoré en s'adressant à la fois à sa femme et à Drouin? Une copie du livre du recensement municipal. En résumé, c'est sûr. Ou un résumé du registre paroissial. On peut pas avoir dans la tête le nom de tous les enfants de toutes les familles de la paroisse. En plus qu'il en vient au monde à la douzaine chaque année dans tous les rangs.

– Demande au curé pour transcrire le registre.

– Qui c'est qui va faire ça? Un ouvrage de moine de même…

– Moi! dit Éva de sa voix flûtée.

Si le nom d'un enfant lui était venu en tête, c'est à Alfred que l'homme aurait pensé, mais voici que la proposition de sa fille lui rappelait qu'une personne de sexe féminin a les mêmes aptitudes et talents qu'un garçon, si la force musculaire n'est pas en cause. Il sourit, regarda Éva qui avait penché la tête de côté et attendait sa réaction:

– Et si le travail est bien fait, je vais te donner un beau... un beau cinq piastres.

Éva en fut enchantée, moins pour l'argent à toucher que pour la valeur émotionnelle de la récompense. Elle travaillerait comme une fourmi, des jours et des jours, des soirs et des soirs, à transcrire le registre si, bien sûr, le curé accédait à la demande de son père. Les noms seraient transcrits par ordre alphabétique et le registre aurait sa place dans le bureau de poste pour servir à l'occasion comme il pourrait servir en ce moment avec cette lettre à Bernadette Bougie. Par la suite, à chaque naissance, à chaque baptême, elle mettrait le livre à jour.

Elle fredonna légèrement tout le temps qu'elle passa ensuite au bureau tout en écoutant l'échange entre les deux hommes au sujet de l'automobile.

– Paraît que les cochers de fiacres et les passants étaient tout excités de voir ça aller.

– On dit que la machine sera «betôt» d'usage général.

– D'après moi, ça sera pas avant dix, quinze ans.

– D'après moi, ça sera ben avant.

– Y a un dénommé Corriveau et un dénommé Dandurand qui ont acheté les droits d'exploitation pour tout le Canada.

– C'est mû par la vapeur générée par la gazoline.

– La machine vue dans les rues pèse environ 600 livres.

– Ils disent que tu peux aller partout avec ça, même là où il n'y a pas de pouvoir électrique.

– Avec un réservoir à gazoline de six gallons, tu peux faire 100 milles sans remplir.

– Faut ben dire que ça coûte assez cher au mille quand même.

– Un centin. Ce qui veut dire une piastre par remplissage du réservoir. C'est pas donné.

Chacun avait lu le même article de journal et on se relançait pour le plus grand bonheur de chacun et d'Éva, mais pour le sourcil sceptique d'Émélie. Pour elle, l'avenir, c'était la construction d'un nouveau magasin. Avec les gros chars qui s'arrêtaient deux fois par jour à quatre milles de Saint-Honoré, quel besoin avait-on maintenant de cette nouvelle invention qui pouvait à peine transporter une ou deux personnes ?

Elle cessa d'écouter et retourna à ses affaires de l'autre côté sans avoir dit le moindre mot à part sa joyeuse insulte à l'arrivée.

– Bonne journée là, madame Émélie, lui lança le docteur quand il la vit disparaître dans l'ombre du magasin.

– Merci et vous de même, répondit-elle par devoir de politesse.

Puis entre les deux hommes, il fut question d'une autre invention, celle-là peut-être bien plus utile à la race humaine que l'automobile. Il s'agissait des rayons X. Quatre ans plus tôt, le physicien allemand Röntgen radiographiait la main de sa femme, qui portait une bague. La nouvelle fit sensation dans le monde, autant médical qu'ordinaire. Et voici que l'hôpital Notre-Dame de Montréal venait de faire l'acquisition d'un appareil à rayons X dit machine de Röntgen.

– Ils vont pouvoir situer un corps étranger à travers les chairs et les os : un projectile par exemple.

– Et j'ai lu: même des taches sur les poumons comme celles causées par la tuberculose.

– Plus vite un malade est soigné, meilleures sont ses chances de guérison.

– Sont rares ceux qui guérissent de la consomption.

– Moins qu'on pense, moins qu'on pense…

Il fut ensuite question de l'inauguration du pont Victoria, un événement qui faisait pression sur le gouvernement de la province afin que l'on érige enfin un pont à Québec sur le fleuve Saint-Laurent.

Chacun y alla de ses prédictions et cette fois, Honoré se laissa tromper par son optimisme de bâtisseur et il prédit la chose pour 1903. Le docteur suggéra plutôt 1906, 1907 et l'avenir lui donnerait raison… en partie.

Enfin, sa visite au bureau de poste devait se terminer sur un projet de voyage à Saint-Georges qu'il proposa à Honoré pour le dimanche à venir. On irait y voir à l'œuvre l'unique Louis Cyr, l'homme le plus fort du monde et de tous les temps, et qui en était maintenant au faîte de la gloire mais aussi au commencement de son déclin.

Honoré se montra favorable à l'idée pourvu qu'on s'y rende avec sa voiture à poches et ses deux chevaux, ce qui permettrait à une douzaine de personnes de faire route avec eux. Et il réserva deux places à part la sienne : celle de ses deux fils Alfred et Ildéfonse. Au docteur qui proposait de charger un écu aux passagers, Honoré s'opposa fortement :

– Pas question ! Ce sera une gracieuseté du magasin H. Grégoire.

– Mais madame Émélie, elle ?

– Sa vie, c'est le magasin… et la famille, c'est certain. Tant qu'à Louis Cyr et ses exploits, elle s'en moque comme de ses premières bottines. Faudrait la payer cher pour qu'elle vienne avec nous autres.

∞∞∞

Ce dimanche, l'on prit la route aussitôt après la messe par temps de grand soleil et de crudité automnale. Tous étaient à jeun, mais tous avaient une boîte contenant de la nourriture. À Saint-Benoît, on s'arrêterait pour manger. Il y avait douze hommes et enfants assis dans la voiture sur les planches, à se faire secouer par les ornières du chemin, surtout dans sa première partie, avant de tourner vers le nord dans le rang 6, à un mille des limites du village. Honoré finalement avait décidé de n'utiliser qu'un cheval en se disant qu'aucun lieu du parcours ne risquait à ce temps de l'année d'embourber les grandes roues cerclées de fer.

La surprise des gens qui regardèrent passer la voiture fut grande d'y voir parmi les occupants le curé Feuiltault. On savait où allait l'attelage et pourquoi il se rendait à Saint-Georges. La nouvelle avait fait le tour de la paroisse. Et puis Honoré et le docteur Drouin n'avaient pas été les seuls à initier une virée à Saint-Georges. D'autres les précédaient et quelques-uns les suivraient.

Alfred et Ildéfonse étaient heureux comme des princes. Comme ils en auraient à raconter à leurs amis à l'école! Voir Louis Cyr, c'était mieux que de voir le pape. En tout cas bien plus excitant. Alfred à 12 ans possédait la force de certains hommes faits, peut-être pas les plus musclés, mais du moins d'aucuns parmi les autres. Il apprendrait comment faire pour soulever des poids lourds à voir faire, non pas que Louis Cyr, mais d'autres. On disait en effet que l'homme fort de St-Jean-de-Matha avait lancé un défi à tous les fiers-à-bras de la Beauce et que d'aucuns tâcheraient de relever le gant. On disait aussi que Cyr n'était plus ce qu'il était cinq ans plus tôt et qu'un surplus adipeux réduisait sa force musculaire. Bref, qu'il n'était plus l'homme imbattable de naguère.

Ildéfonse était ravi quant à lui par l'expérience vécue ce jour-là. Il avait le privilège de faire un voyage avec une douzaine d'hommes ou presque et explorerait un nouvel univers qu'à 8 ans, il ne connaissait pas encore. Et puis voir de ses yeux une telle célébrité marquerait sa mémoire pour le reste de sa vie sans aucun doute.

Honoré et le docteur Drouin occupaient une banquette sise à l'avant de la plate-forme. Le curé avait décliné l'offre de s'asseoir devant, en tout cas pour un bout. Il se montrait peu loquace et préférait écouter. Parmi les occupants se trouvaient des hommes de tous les âges entre 20 et 60 ans: Hilaire Paradis, Onésime Pelchat, Prudent Mercier fils de Prudent, Georges Blais fils d'Augure, les frères Dubé, Joseph et Théophile, Napoléon Martin et Joseph Beaudoin. Alfred avait invité son ami Napoléon Lambert à les accompagner, mais l'adolescent n'avait pas obtenu la permission de ses parents. On avait un peu honte de lui parce qu'il était borgne. Même qu'on l'avait retiré de l'école pour qu'il travaille et gagne quelques sous comme aide chez les jeunes cultivateurs qui n'avaient pas encore d'enfants assez grands pour les épauler dans leurs rudes travaux.

L'arrêt pour prendre un repas fut de courte durée ou bien on aurait pu manquer une partie du spectacle et l'on fut bientôt dans le chemin côteux séparant Saint-Benoît de Saint-Georges. Les conversations allaient bon train et dans toutes les directions. Il semblait qu'on avait mis en veilleuse les anecdotes concernant les hercules de la région. Sauf qu'à la traversée d'un ruisseau, la voiture trop chargée s'enlisa jusqu'aux essieux dans du sable boueux. L'on descendit pour alléger. L'on poussa pour dégager. Le cheval tira de tous ses traits de chaîne : l'un cassa. Comment se sortir de là sans la force complète et égale des deux côtés d'un cheval sinon à force de bras. Il aurait fallu Louis Cyr qui pousse à l'arrière ou qui tire devant. On avait Honoré qui laissa les guides au docteur et se rendit mettre l'épaule à la roue après que les tentatives des hommes eurent échoué et que tous maintenant ahanaient. Cela réussit et l'on fut aussitôt sur un chemin solide. Honoré coupa une partie de guide qu'il transforma en trait et attacha à l'attelle de ce côté. On pouvait repartir.

– Vous devriez vous mesurer avec Louis Cyr, mon cher Honoré, lança alors le curé.

– Ça, c'est vrai, approuva Onésime Pelchat. On te voit souvent porter des 100 de fleur à bout de bras.

Honoré protesta :

– Ça prenait pas grand-chose pour nous sortir de là. J'ai même pas forcé.

– C'est ça, être fort, dit le docteur, c'est de pas s'apercevoir qu'on l'est.

Et d'autres ajoutèrent leur voix.

– Fafine pas, Noré… Fafine donc pas…

– Moi, me mesurer à Louis Cyr ? Êtes-vous tombés sur la tête, mes amis ?

– Si tu fais rien qu'égaler la moitié de sa force, ça serait un honneur pour la paroisse, fit Hilaire Paradis.

Il fut applaudi.

Honoré se disait qu'il n'avait rien à perdre en perdant contre l'athlète qui avait fait baisser pavillon aux personnages les plus robustes au monde, en Europe, aux États-Unis et au Canada, les Michaud, Matthes, Miller, Pennell et même le Cyclope, tous des champions détrônés par Cyr. Qui pourrait rire de lui parmi ceux qui n'oseraient jamais le faire ? Peut-être, mais comment réagiraient Alfred et Ildéfonse quand ils le verraient si dépourvu comparativement au mastodonte Louis Cyr ? Comme s'il avait deviné sa question, Ildéfonse y répondit quand il dit à son grand frère :

– Essayer, c'est ça, être fort, hein, Freddé ?

– O.K, fit Honoré qui avait entendu. Mais le premier qui rit va revenir à pied de Saint-Georges.

On l'applaudit.

La démonstration de force aurait lieu sur les terrains de l'église, près de la rivière Chaudière, sur une place surplombant l'eau tranquille et noire. Déjà beaucoup de spectateurs étaient arrivés qui entouraient l'enclos où se dérouleraient les épreuves de force. On venait à pied, on venait à cheval, on venait en voiture. On venait de l'est par le nouveau pont David Roy car le précédent avait été emporté par la débâcle de 1896. Les attelages s'arrêtaient où ils le pouvaient, venus de Saint-Benoît, Saint-Martin, Saint-Éphrem, Saint-Méthode, Saint-Évariste et jusque de Lambton. Beaucoup d'hommes étaient de Mégantic. Le train les avait amenés jusqu'à la gare de Saint-Éphrem et de là, ils avaient loué des voitures pour faire le reste du trajet en passant par Saint-Benoît.

La chance sourit à Honoré qui trouva un anneau de fer libre fixé à un hangar de forge de l'autre côté de l'église. Le groupe des Saint-Honoréens resta uni et l'on ne tarda pas à parvenir aux environs de l'enclos où l'on put apercevoir une estrade d'environ un pied de hauteur qui permettrait à tous de mieux voir l'athlète et qui permettrait à Cyr de jeter à tout un chacun des regards triomphants ou défiants.

La foule s'agrandit à vue d'œil derrière eux. L'on se félicita de n'avoir pas perdu de temps pour venir. Le soleil plombait en biais ; ses rayons traversaient l'air frais pour le rendre supportable voire agréable. Les arbres dégarnis espéraient de toutes leurs branches qu'un épais manteau d'hiver les recouvre et les réchauffe. Alfred et Ildéfonse restèrent ensemble à écouter les grands deviser sur n'importe quoi. Une lumière fébrile courait d'un visage à l'autre. Arriva enfin l'heure du spectacle. Ce fut un homme flanqué d'un porte-voix et vêtu d'un habit à couleurs criardes plus un chapeau haut-de-forme qui, depuis un hangar brun s'amena devant la foule et réclama l'attention. Il se mit debout devant plusieurs poids et haltères déjà installés sur l'estrade et que maints curieux avaient tâtés voire manipulés pour en jauger la pesanteur.

– Mesdames et messieurs…

Honoré prit soudainement conscience que plusieurs femmes assistaient au spectacle ; il eut une pensée pour Émélie. Mais il savait qu'elle était bien plus heureuse parmi les étalages du magasin qu'à travers une foule hurlante et mouvante, une foule qui prendrait ses désirs pour des réalités en passant par les bras de Louis Cyr.

– … bienvenue au spectacle de l'homme le plus fort du monde.

Il obtint des bravos et des cris de joie.

– Tout d'abord, je vais vous le présenter. Louis Cyr est âgé de 36 ans. Il est né en octobre 1863…

– C'est deux ans de plus que moi, souffla Honoré à son fils Alfred.

– Son vrai nom, c'est Noé-Cyprien Cyr, mais quand il a vécu avec sa famille aux États-Unis, il a changé pour Louis, un nom qui est plus facile à dire en anglais…

On applaudit un peu. On approuva.

– C'est à force de voir travailler les muscles du forgeron Trudeau de son village que notre ami, au cours de son enfance, a voulu devenir fort comme un ours. Son grand-père le conduisait à la forge une fois par semaine au moins… Le père de Louis : un bon cultivateur comme beaucoup parmi vous…

Une rumeur de mots affirmatifs parcourut la foule.

– Mais Louis… on va l'appeler Louis, c'est plus facile que Noé-Cyprien… Louis bûchait dans le bois. Mais avant ça, laissez-moé vous conter… à 12 ans, il a vu un homme assis sur une souche au bord du bois, la cheville foulée, enflée de même… L'homme lui a demandé d'aller chercher de l'aide. Mais Louis a pris le bonhomme d'au moins 170 livres sur son dos et il l'a porté jusqu'à son cheval mille pieds plus loin. L'homme s'appelait Irénée Gagnon ; il a engagé Louis pour travailler pour lui.

L'annonceur qui était aussi l'organisateur du spectacle avait pour nom Georges Denis. Lui et Louis s'étaient connus du temps où tous deux travaillaient au sein de la police de Montréal. Il avait beau parler avec autorité, d'une voix amplifiée par son instrument, on commençait à murmurer dans l'assistance. Car on voulait voir le champion, pas entendre un crieur raconter les détails de sa vie. Mais voilà qui faisait partie intégrante d'un spectacle soigneusement planifié. Il fallait allumer la foule, lui faire désirer le moment où l'homme fort apparaîtrait afin qu'alors, chauffée à blanc, elle ne demande plus qu'à se déchaîner. Puis le champion du monde tiendrait son public en haleine pendant les deux heures de sa prestation glorieuse.

– Louis a vécu avec sa famille à Lowell, Mass. Là-bas, il travaille dans une usine puis sur une terre appartenant à un certain Dan Bawdy. Bon… du temps qu'il était aux États, Louis a participé à un concours d'hommes forts à Boston. Il a été le seul à être capable de soulever un cheval. C'était l'épreuve finale entre un Écossais, un Irlandais et Louis. Les deux autres ont manqué leur coup.

– Où c'est qu'il est, Louis Cyr? On veut le voir…

Une voix puissante venait au nom de la foule de réclamer la présence immédiate du personnage célèbre. Il ne s'agissait pas d'un moment d'improvisation et plutôt d'une phrase préparée d'avance afin que les assistants trépignent un peu plus.

– Vous avez hâte de voir Louis Cyr, mes amis, eh bien vous allez le voir dans quelques instants. Encore quelques mots de présentation et il va… apparaître.

On se doutait que l'homme fort attendait dans le hangar d'où le crieur était sorti quelques moments plus tôt. Denis ne devrait pas trop étirer le temps ou bien on se ruerait sur la bâtisse afin de débusquer Cyr pour le mettre à l'ouvrage à ses haltères sur scène.

– Des exploits, en voulez-vous, en v'là…

Et l'homme sortit une liste de sa poche, lut:

– Berthierville, 1888, il soulève une plate-forme de 3536 livres… Saint-Henri, 1889, il soulève d'un seul bras au-dessus de sa tête 265 livres. Joliette, 1890, 490 livres d'un seul doigt… Pis c'est pas des folies en l'air, ça: y avait des juges et des témoins.

Le foule applaudit. Denis continua:

– 1891, Montréal, il bat à plate couture les deux hommes d'Europe qui se prétendent les plus forts du monde: Sandowe et le Cyclope… 1896, Chicago, il pulvérise le record du Suédois August Johnson. Des records, des records, des records… mais vous avez assez attendu, mesdames et messieurs, et je vous présente sans plus tarder le seul, l'unique, le grand… LOUIS… CYR…

Tous les regards se tournèrent vers la porte du hangar et pourtant, rien ne s'y produisait. Et on attendait… Puis quelqu'un cria:

– Il est là-bas…

En fait, Cyr s'était mis en attente dans la sacristie avec la complicité du curé et sur un signe de son organisateur de tournée, il en émergea tel un demi-dieu de la « mythologie catholique ». Peu vêtu malgré la fraîcheur de l'automne, bras dénudés et partie des jambes également. Plusieurs visages s'allongèrent. Ils n'avaient pas devant les yeux cette légende dont on parlait tant, un géant de 250 livres tout de muscles et capable de battre n'importe qui au lever de poids, mais un véritable bison de 350 livres dont la musculature hélas! était enterrée d'une épaisse couche de graisse. Néanmoins la grande image qu'on avait de lui restait si vive en l'esprit et le cœur de chacun qu'elle ne tarda pas à obnubiler celle offerte par la réalité. Un tonnerre d'applaudissements mêlés de hourras et de bravos éclata tandis qu'un groupe de femmes entonnait « *Il a gagné ses épaulettes...* »

Cyr qui souffrait atrocement des jambes ne le laissait aucunement paraître et il ne tarda pas à lever les bras en guise de salutation de la foule, une autre foule dont il était l'idole. Les trois Grégoire, père et fils, hurlèrent leur joie eux aussi. Mais Honoré se rendit compte de l'état lamentable du géant tout comme il avait perçu la maladie grave du père Pampalon quelques années auparavant. Et il se dit que peut-être il ne ferait pas si mauvaise figure à compétitionner avec lui après tout.

– Mesdames et messieurs, cria Denis, je sais que d'aucuns parmi vous ont décidé de relever le défi en se mesurant avec Louis Cyr. Je vous prie de vous présenter sur la scène en avant.

Honoré s'adressa à ses fils :

– J'y vas, mais pensez pas que votre père est capable de battre Louis Cyr. Comme l'a dit monsieur de Coubertin aux Jeux olympiques : l'important, c'est pas de gagner, c'est de participer.

L'homme lut de la fierté dans le regard de ses gars. Il se rendit en avant le cœur léger. Jamais il ne se serait cru capable d'une folie pareille, mais voici qu'il s'apprêtait à la commettre en s'amusant.

Ils furent bientôt une douzaine d'aspirants sur l'estrade et le crieur questionna chacun pour savoir son nom et le présenter à la foule ainsi que pour dire d'où il venait. Au tour d'Honoré, il lança :

– Mesdames, messieurs, il vient de la plus jeune paroisse de la Beauce, il a 34 ans, il est marchand général de son métier, il s'appelle Honoré Grégoire.

On l'applaudit chaudement comme chacun des autres et Cyr lui serra la main. Puis s'enclencha le spectacle de levers de poids par l'athlète seulement. Le crieur annonçait la quantité de livres de l'haltère soulevé, le style soit un dévissé, soit un développé lent, un développé à l'épaule, à la verticale, d'une seule main, soit un bras tendu, ou encore un soulever du dos ou un lever à l'aide d'un harnais spécial, et il émaillait son propos en citant des exploits du passé. À moins de posséder l'habitude des chiffres comme Honoré, on ne se rendait pas compte que la prestation du jour faisait pâle figure à côté des records du géant. Cyr n'aurait jamais accepté que l'on mente au public sur la valeur réelle des poids utilisés, mais Denis avait le don de semer la confusion dans les esprits de sorte que sans accroc à la vérité, il parvenait à créer en chacun l'illusion des tours de force antérieurs.

Si bien que cinq des hercules locaux se désistèrent pendant le spectacle, avant même de se mesurer à l'athlète de St-Jean-de-Matha. Puis ce fut la compétition. Une sorte d'instinct des hommes fit que l'organisateur désigna Honoré comme premier concurrent. Malgré l'affaiblissement de Louis Cyr, il n'y eut aucune commune mesure entre ce que les deux hommes soulevèrent. En fait, l'athlète multiplia par trois le nombre de livres utilisées dans chaque épreuve. Mais Honoré fut tout autant applaudi pour sa gentilhommerie, ses bravos qu'il adressait au géant. Son rôle de faire-valoir, il le comprenait et le jouait à la perfection. Cyr le remercia à sa façon à l'aide du porte-voix:

– Mes amis, si ce jeune homme n'a pas la force d'un champion du monde, il possède un courage énorme. Et comme on pourrait dire, avec un courage de même, un homme peut soulever une montagne. Merci d'avoir eu le courage de m'affronter, mon ami Honoré…

Cyr remit le porte-voix à Denis et serra une dernière fois la main d'Honoré qui se retira dans la dignité, marchant droit à travers la foule et recevant des claques de félicitations aux épaules. Il retrouva ses fils. Et reçut une magnifique récompense de la part d'Ildéfonse:

– Je le savais que c'est vous le plus fort.

– Non, c'est Cyr.

– Nous autres, on trouve que c'est vous.

– T'as vu, Cyr est trois fois plus fort.

– Ça, c'est avec ses bras, dit Freddé qui éclata de rire.

La suite des événements fut tout aussi heureuse. Louis Cyr fut apprécié de tous. Ce serait son tout dernier spectacle avant sa retraite forcée pour cause de maladie. Les spectateurs venus de Saint-Honoré retournèrent chez eux la joie au cœur et feraient à leur marchand général une réputation de grande force physique dont Honoré se défendrait longtemps avec véhémence mais sans le moindre succès.

Il arriva souvent par la suite à Émélie d'appeler son mari «mon beau Louis Cyr», ce qui n'enchantait guère Honoré…

L'événement de Saint-Georges avait suscité en Ildéfonse une grande et durable admiration pour son père…

∞∞∞∞∞∞∞∞

Chapitre 13

La nuit noire et secrète avait recouvert la terre canadienne d'un grand tapis blanc et mœlleux qui parut bientôt au grand jour. Les gens qui se croisèrent dans le village ce matin-là parlèrent tous de la « bordée de la dame » soit une abondante chute de neige tranquille qui, selon leurs dires, se produisait chaque année aux abords du 8 décembre, date choisie par Rome pour célébrer l'Immaculée Conception de la vierge Marie. C'est en fait le 8 décembre 1854 que le dogme avait été officiellement proclamé par Pie IX et il était tombé 8 pouces de neige ce jour-là, d'où la naissance d'une tradition orale quant à l'incontournable « bordée de la dame ». Les deux croyances étaient devenues indissociables quand la Vierge Marie vint dire au monde en début de 1858, par la voie de Bernadette Soubirous : « Je suis l'Immaculée Conception ! »

Une grosse masse noire et bruyante apparut dans la courbe que traçait à quelques centaines de pieds de la gare la ligne de chemin de fer. Puis le train siffla. Un homme debout sur le quai se frappa l'une contre l'autre les deux mains recouvertes de mitaines de laine. Ce n'était pas à cause du froid car le matin se faisait plutôt « frais-tirant-sur-le-doux » pour cette époque de l'année, mais par un effet de satisfaction personnelle. Il agissait comme postillon de la reine et en même temps comme transporteur de marchandise pour Honoré Grégoire. Deux fois par jour, il faisait la navette entre la maison rouge et la gare de Saint-Évariste, emportant dans sa voiture non seulement les sacs de courrier entrant et sortant, les stocks commandés chez les grossistes de Québec par Émélie mais aussi, à l'occasion, des passagers des «gros chars» en partance pour Québec, Mégantic ou ailleurs ou bien revenant de quelque part.

Il avait pour nom Marcellin Veilleux. Grand, sec, dos voûté, roupie au nez, il donnait l'air de quelqu'un malade de consomption, mais jouissait d'une bonne santé relative. Issu de Beauceville, établi à Saint-Honoré pour y cultiver une terre pas très fertile, il avait trouvé du «gagne» auprès du marchand à qui il était dévoué corps et âme.

Le train siffla encore.

Deux dames en noir attendaient sur le quai. Elle se rendaient aux funérailles d'un parent à Mégantic et en avaient touché un mot près de lui qui aimait tout savoir, tout écouter, tout rapporter à Honoré. Mais ces femmes-là, il ne les connaissait pas et avait échangé deux mots avec elles sur le seul propos du temps neigeux qu'il avait fait et du ciel que les aurores avaient dégagé.

Le train siffla pour la troisième fois. Une lamentation d'abord puis une explosion de sa puissance formidable. La vibration provoquée par les roues d'acier se répercuta de la voie aux madriers du quai. Chaque fois, le jeune homme était impressionné par ce monstre de fer noir qui suait et crachait de la vapeur blanche. Il eût voulu le maîtriser tel un ingénieur ou du moins le commander tel un serre-frein. Et quand il reprenait la route, la voiture remplie d'effets, il imaginait que son cheval était un mastodonte sur rails.

Ce jour-là ne fut pas tout à fait comme les autres. Un passager inconnu descendit du wagon à voyageurs. Autour de 30 ans et sûrement très fort, jaugea Marcellin. Grand, bien bâti, bel homme, valise noire à la main, il explora les environs du regard, repéra le postillon et se dirigea vers lui.

– Gageons que vous vous rendez à Shenley.

– C'est ben ça… quand je vas avoir ramassé les sacs de malle pis peut-être de la marchandise dans les wagons de là-bas.

Le wagon à voyageurs n'était pas à sa place habituelle ce matin-là, soit à la fin du convoi, juste avant la voiture de queue dite le «tender». Il fallait donc que Marcellin attende que les passagers soient descendus ou montés et que le train avance de quelques wagons pour récupérer les stocks du magasin Grégoire s'il s'en trouvait puis les sacs de courrier comprenant lettres, journaux et colis.

– Pensez-vous avoir une place pour moi?

– J'ai toujours de la place pour un voyageur. Vous allez à Shenley?

– Je vous l'ai dit.

– Ça sera pas long si les chars avancent tusuite…

– Je vais aller vous attendre à l'intérieur.

– C'est comme vous voulez.

– Votre nom, c'est?

– Moé, c'est Veilleux, Marcellin Veilleux. Pis vous?

L'autre sourit sans répondre. Il tourna les talons en entra dans la gare sans rien ajouter.

Un quart d'heure plus tard, il montait dans la voiture du postillon et l'on se mit en route pour un trajet qui durerait une heure. Veilleux avait choisi une voiture d'hiver sur lisses vu l'épaisseur de neige au lever, mais le temps du jour faisait rapidement fondre ce tapis et par endroits, le cheval devait tirer dans la boue du chemin. Il fut d'abord question de ces choses du quotidien dont le propos permet de cacher le principal et ce qu'on ne tient pas à dire de soi. Mais Veilleux avait la question aisée:

– Ton nom, c'est quoi, déjà?

– Je vous l'ai pas dit.

– Ah, t'es pas obligé de me le dire non plus. T'as pas l'air d'un bandit de grands chemins avec ton beau manteau noir à col de fourrure pis ton chapeau de mouton rasé. On dirait un notable. Un notaire, un avocat, un docteur, quelque chose de même.

– Suis commis-comptable.
– Me suis pas trompé beaucoup. Un monsieur…
– En faut dans tous les métiers.
– C'est comme vous dites.
– Vous travaillez pour monsieur Grégoire ?
– Je charrie la malle pis la marchandise.
– Voiturier.
– C'est ça. Pis postillon.
– C'est drôle, j'vous connais pas du tout.
– Si tu viens d'ailleurs, tu peux pas me connaître.
– J'ai vécu à Shenley jadis.
– Moé, ça fait rien que trois ans. Avant, j'étais à Beauceville…
– C'est donc pour ça… Moi, j'ai vécu à Shenley ça fait un bon sept ans, autour…
– Tu serais pas l'ancien commis à Noré toujours ?
– C'est ça.
– Tu t'appelles Marcellin comme moé ?
– Comme vous.
– Mais il doit te manquer un bras comme ça ?

Lavoie sortit son bras valide et tira sur la manche de son bras manquant enfouie dans sa poche de manteau :

– Voyez : vide.
– Ah ben baptême, les Grégoire ont souvent parlé de toé. Viens-tu te chercher de l'ouvrage par icitte ?
– Non, en visite pour quelques jours.
– Où c'est que tu vas rester ? Ah, c'est pas de mes affaires pantoute, mais…
– Y avait monsieur François Leblanc qui tenait hôtel si je me rappelle comme il faut.
– Ben oui, c'est la bonne place pour toé.

Il fut ensuite question d'Édouard Allaire. Le visiteur fut heureux d'apprendre que l'homme vivait toujours sur sa terre du rang 9 et se portait bien.

– J'ai vécu là quelque temps à la fin de mon séjour par ici.

– Ça, je le savais pas.

– Vous connaissez Napoléon Martin?

– Certain, on est pas loin. C'est plus haut… une des premières terres de Shenley sur la côte.

– Marié à Odile Blanchet?

– Ben… oué, j'pense que c'est de même que sa femme s'appelle.

– Des enfants?

– Une fille ou deux… Madame Grégoire le sait ben mieux que moé.

– C'est sûr, Odile a travaillé pour les Grégoire de mon temps.

– C'est pour ça que tu la connais ben comme il faut.

Lavoie regarda au loin et dit sur le ton du mystère:

– Oui, ben comme il faut. Une bonne personne. Travaillante. Pétillante. Du cœur.

L'homme soupira, se tut, regarda les champs, le ciel qu'un matin pur illuminait après une nuit profonde et chargée, puis il interrogea l'autre sur lui-même. Veilleux lui dit qu'il était le père de quatre enfants dont deux seulement survivaient: Omer, 6 ans et Philias, 1 an.

– Faut y voir pour gagner son sel.

Veilleux avait fait un coq-à-l'âne que l'autre trouva contrariant. Il revint à parler d'Odile Blanchet devenue Odile Martin, et il le fit sur le ton de celui qui reste à l'intérieur de lui-même à ne chevaucher que sa propre pensée:

– Sans mon accident au moulin, peut-être que je l'aurais mariée.

Étonné par cette confidence, Veilleux ne savait quoi dire. Il clappa pour que le grand cheval rouille presse un peu son pas tranquille.

– J'ai pris du retard à matin, j'veux pas que Noré me chante pouilles.

– On peut quasiment dire que je l'ai fréquentée, reprit Lavoie laconiquement.

– Qui ?

– Ben… Odile Blanchet.

– C'est qui déjà, ça ?

– La femme à Napoléon Martin.

Lavoie commençait à se sentir agacé par la façon de parler de Veilleux qui sautait d'un sujet à l'autre comme une poule que l'on pourchasse fait des bonds imprévisibles.

– Sa maison est là-bas en haut de la côte, on commence à la voir d'icitte.

Et le voyage se poursuivit dans un quasi silence. Le visiteur repassait en sa mémoire divers souvenirs de son séjour à Shenley, ses amitiés d'alors, et ses inimitiés dont celle entre lui et le curé Fraser.

Soudain, le visage de Veilleux s'éclaira :

– J'y pense… mais y a un morceau de toé qui se trouve encore par chez nous.

– En effet, le bras que j'ai perdu fut enterré dans votre cimetière. Une idée du curé Fraser.

– C'est pus lui, asteur, c'est le curé Feuiltault. On est à la veille de bâtir d'église. Une plus grosse qu'à Saint-Évariste à ce qu'il paraît.

– Quand donc ?

– Les travaux, ça va commencer le printemps prochain, au plus tard en 1901. Le contrat est donné. Manque l'approbation de l'archevêché.

– Intéressant. La religion catholique se développe tout partout sans jamais s'arrêter.

– Ben… c'est la seule vraie religion. Les autres, c'est rien que du bois pour l'enfer.

– Vous croyez une chose pareille sincèrement ?

– Quoi ? Pas toé ?

– Non.

– Explique-moé.

Lavoie qui faisait toujours partie du mouvement religieux *Les Étudiants de la Bible* préféra taire son appartenance à un groupe hors de l'Église catholique. Mais peut-être que ce Veilleux ne l'ignorait pas vu qu'il habitait Shenley où la chose s'était sue jadis.

– Y a du bon monde chez les protestants.

– Ça doit ben. Quant à ça…

Lavoie changea de direction dans son propos :

– Vous allez me laisser chez Martin. J'aimerais voir Napoléon : on travaillait au moulin ensemble.

– Tu lui as sauvé la vie pis ça t'a coûté un bras.

– Vous savez ça ! dit Lavoie étonné.

– Ça s'est parlé souvent : une grosse affaire de même.

De nouveau, l'échange fut à bâtons rompus jusqu'au moment de s'arrêter devant la demeure à deux étages des Martin. Au pied de l'escalier, les poteaux de galerie étaient recouverts d'un chapeau de neige pointu. Lavoie rentra en lui-même à la recherche d'un passé joyeux et se revit en train de faire du toboggan sur le cap à Foley en la compagnie des enfants Grégoire, du petit Napoléon Lambert et de la belle Odile. Son regard brilla. Il prit une profonde respiration et l'air frais lui parut régénérer toute sa substance.

À l'intérieur, Odile était en train de pétrir du pain sur la table de cuisine. Un morceau de gazette empêchait la farine de s'incruster dans les lignes du bois du dessus, et avec patience, la jeune femme empoignait un chignon de pâte et le repliait sur lui-même puis l'enfonçait de son poing fermé, le tapait ensuite de sa main ouverte et recommençait le même manège jusqu'à sentir la chose gonflée comme un sein près d'allaiter.

Napoléon avait quitté la maison une heure plus tôt pour aller dans le haut de la terre y terminer le labour d'une planche et ramasser de la petite roche quand le soleil aurait fait fondre la neige de la nuit. Èveline dormait dans son ber blanc pas loin de la table. L'heure de son boire ne reviendrait que plus tard et elle dormait à poings fermés. Rien en son visage n'aurait permis de penser que des esprits aient pu laisser en elle des traces; mais quand elle tétait sa mère, c'est avec avidité qu'elle le faisait…

Odile entendit un bruit venant de l'extérieur en avant. Ce ne pouvait être son mari déjà de retour des champs. Elle passa devant le berceau du bébé et se rendit à la porte. À mesure qu'elle s'approchait, une silhouette sombre apparaissait qui n'évoquait rien de particulier en elle. Ce pouvait être quelqu'un ayant affaire à son mari et qui croyait que la neige l'aurait retenu à la maison. Ou bien un quêteux de grands chemins comme il en passait par les portes chaque saison. Elle ne pencha pas la tête pour identifier le visiteur et ouvrit sans attendre. Et resta bouche bée. Sidérée. L'homme ne dit que deux mots:

– C'est moi.

Il avait au visage un léger sourire et dans le regard une émotion plus bleue que le ciel.

La main tremblante, Odile tenta de redresser une mèche de cheveux rebelle. Sa main toucha son front et y laissa la trace de la farine qu'elle manipulait l'instant d'avant.

– C'est…

– Je peux entrer? Je passais devant avec le postillon. Je vas faire le reste du trajet à pied tantôt.

– Ben…

Elle ne parvenait pas à dire et devait essayer de faire passer son état d'âme par les gestes d'accueil sans y parvenir tant son être vibrait dans ses moindres fibres.

– T'es… revenu des États…

– Je m'en vas vous conter ça.

Le «vous» suggéra à la jeune femme qu'il songeait alors à son mari et elle-même.

– Poléon est dans le haut de la terre. Je l'attends pour midi, pas avant.

– Je l'aurais cru à la maison, si de bonne heure le matin.

– Il passe neuf heures.

– Quant à ça…

Il entra, déposa sa valise par terre. Elle referma la porte. Il se tourna à demi et leurs gestes les mirent un en face de l'autre. Leurs yeux se rencontrèrent. Longuement. Profondément. L'homme porta son pouce à sa bouche, le mouilla de sa salive et il toucha le front de la jeune femme pour essuyer la trace blanche que son labeur y avait laissée. Emportée par un ange ou bien un démon, elle ne put s'empêcher de s'emparer de la main qui l'avait effleurée, la retint. Le regardant encore plus intensément, elle porta le pouce à sa bouche et en lava les souillures avant de le lui redonner. Bouleversé, frissonnant, il parvint à bredouiller :

– Comment… comment vas-tu, Odile ?

– Je savais qu'un jour, tu reviendrais.

– C'est pas pour rester.

– Il serait trop tard de toute façon.

– On dit qu'il est jamais trop tard.

Elle murmura :

– Quand on peut plus défaire ce qui est fait, c'est trop tard, mon ami, c'est ben trop tard.

Il essuya ses pieds sur un petit tapis tressé multicolore qui servait de paillasson d'intérieur.

– Tu veux que je me déchausse ?

– Entre comme ça : c'est que de la belle neige. Je vais prendre une guenille pour assécher tes chaussures. Viens, viens t'assire dans la cuisine.

– J'ai su que t'as des enfants.

– Quand on se marie, c'est pour avoir des enfants.

Et elle le précéda dans la cuisine où elle tira une chaise de la table pour lui.

– Je vas chercher une guenille propre, attends.

Il prit place. Elle trouva vite ce qu'elle cherchait et revint.

– T'as un jeune bébé dans le berceau ?

– Tu l'as vu ?

– Pas encore, mais j'imagine.

– Je vas t'essuyer les pieds pis je vas te le montrer.

– Fais comme tu veux.

Elle s'agenouilla devant lui et lui demanda de croiser la jambe, ce qu'il fit. Alors elle essuya avec soin, délicatesse et dévouement la chaussure droite puis la gauche pendant que le visiteur la laissait faire sans dire et qu'elle agissait dans un total mutisme. Comme si en ce moment qu'elle étira à souhait, ils revivaient tout ce qui les avait unis naguère quand elle travaillait chez les Grégoire et lui de même.

Quand elle se releva, il demanda:

– Madame Émélie, elle a plusieurs enfants maintenant?

– Est rendue à sept. La dernière, Bernadette, est venue au monde quasiment en même temps que ma petite à moi. Veux-tu la voir, la mienne?

– Comment elle s'appelle?

– Èveline.

– Certainement!

– Viens icitte.

– T'en as un ou deux autres?

– Une qui est en haut dans une chambre: malade un petit peu.

L'homme se leva, s'approcha doucement du ber, se pencha légèrement:

– Èveline, as-tu dit?

– C'est ça, oui.

– Elle a beaucoup de toi. Elle…

– Quoi?

– Elle a quelque chose de spécial, je sais pas…

Le front d'Odile se rembrunit:

– Quelqu'un m'a dit que des esprits laisseraient des traces en elle. Ça, c'était quand je la portais.

– Qui a dit une chose pareille?

– Une Indienne.

– Amabylis, ça doit ?

– Comment tu l'as deviné ?

– Ben c'était la seule Sauvage de la paroisse quasiment dans ce temps-là.

– Elle aimerait pas se faire appeler Sauvage de même.

Il hocha la tête :

– C'est rien qu'entre nous autres. Mais j'ai pas dit ça pour la dévaluer.

– C'est que t'en penses ? Crois-tu qu'elle pourrait mourir jeune ou traîner des maladies ? Avoir des accidents ?

– Pourquoi elle t'a dit une chose pareille ?

Odile raconta l'événement du mois de mars, résuma cette rencontre du magasin où beaucoup de gens avaient écouté le récit du crime, du procès et de la pendaison de Cordélia Viau et Samuel Parslow. Et parla de la réaction d'Amabylis, de ses craintes, de ses transes d'alors.

– Qu'est-ce que t'en penses ? Les gens disent que c'est de la superstition, mais ça leur fait peur. Mais toé, t'es pas un catholique, t'as peut-être une autre idée là-dessus ?

– Les esprits mauvais rôdent, ça, c'est certain. Des gens vont les sentir mieux que d'autres : ça, c'est vrai aussi. Que la petite doive lutter contre un démon de la chair, ça se peut également. Mais dis-toi que si elle y parvient, elle aura une place de choix dans le Royaume après sa mort.

– Elle va survivre ?

L'homme leva la tête. Ils se regardèrent intensément. Une sorte de frisson prémonitoire le parcourut. Il dit :

– Elle ? Bien sûr que oui ! Elle va se rendre à bout d'âge.

Il garda pour lui une pensée sombre : celle entre la mère et la fille qui aurait peut-être une vie écourtée, c'était Odile elle-même.

– Tu me rassures.

– La petite Bernadette à madame Grégoire, comment elle va, elle ?

– J'ai pas entendu dire qu'elle allait pas ben comme il faut.

– Tu vois que l'Indienne était peut-être dans un mauvais jour quand elle s'est transformée en prophète de malheur…

Il parla en s'éloignant du lit de l'enfant pour retrouver la chaise qu'il occupait à table. Odile alla s'asseoir derrière la pâte à pain.

– Si tu veux pas que le pain soit rassis, tu ferais mieux de continuer le pétrissage de la pâte.

– Pis ensuite, je vas faire à manger.

– Pas pour moi en tout cas.

– Quoi, tu vas pas rester à dîner ? Poléon va revenir…

– Je reviendrai un autre jour. Ben… si tu veux…

– Tu veux rester avec nous autres pour un bout de temps ?

– Je vas repartir après le jour de l'An.

– Pour les États ?

– Non, pour Québec. Je vis à Québec depuis un an. Les États, j'aimais pas ça plus qu'il faut.

– Tu fais quoi à Québec ?

– Commis-comptable. Quand on a rien qu'un bras, on fait ce qu'on peut faire. Mais j'aime ça, ce métier-là. Je travaille pour un grossiste. On vend à Honoré Grégoire, mais il sait pas que je suis là-bas.

Odile pencha la tête et riva ses yeux au plancher :

– T'as pas eu envie de me donner de tes nouvelles depuis que t'es parti ?

– Envie, oui, mais comme je savais que je reviendrais pas pis comme je savais que tu t'étais mariée à Napoléon comme je le souhaitais, j'avais pas de raison d'entretenir un feu qu'il fallait laisser mourir à jamais.

Elle murmura :

– Tu penses que ce feu-là va s'éteindre ? Moé, je le pense pas. Ça s'éteindra jamais.

– Tout feu finit par s'éteindre ; même celui du soleil va mourir un jour. Y a que le feu de Jéhovah Dieu qui ne s'éteindra jamais.

– Tu reviens par icitte pour faire quoi au juste ? Pour brasser les cendres du feu ? C'est déjà fait depuis que t'es rentré dans la maison tantôt.

– Un feu, des fois, vers la fin, on le brasse un peu pour qu'il reprenne vie et ensuite s'éteigne plus vite pour de bon.

– Es-tu marié, Marcellin ?

– Non.

– Fiancé ?

– Non plus. Et j'ai personne dans ma vie.

– T'as eu quelqu'un là-bas ?

– Pas vraiment.

– Pis t'as fait quoi aux États ?

– J'ai travaillé pour le mouvement religieux auquel j'appartiens. Des travaux à la mesure d'un manchot comme j'en suis un.

– J'aime pas t'entendre parler comme ça. On dirait que tu te trouves moins bon parce qu'il te manque un membre.

– On a beau se dire que non, c'est malgré soi.

– Tu l'as sacrifié, ton bras, pour sauver la vie d'un autre.

– Quand j'ai posé mon geste, j'ignorais que j'y perdrais un bras. Est-ce que je l'aurais posé si j'avais su ? Je me suis souvent posé la question.

– Suis sûre que oui. C'est surtout à cause de ça que tout le monde dit que t'étais un monsieur d'homme…

Il se fit une pause. Le visiteur soupira :

– Bon, je vais poursuivre ma route.

– Je vas te reconduire au village si tu veux.

– Faudrait que tu prépares les enfants et tout : non. Je vais marcher. Je marche beaucoup chaque jour et grand bien me fasse.

Il se leva et se dirigea lentement vers la porte. Elle dit :

– Je vas faire savoir à Poléon que t'es venu. Il va être content. Il va vouloir te voir au plus coupant.

– C'est certain que je vas revenir faire mon petit tour avant de repartir pour Québec.

– J'y compte ben.

– Il te traite comme il faut, Napoléon?

– J'me sens pas asservie pantoute icitte.

– C'est ça le plus important.

– T'es sûr que tu veux pas rester pis partager une bonne platée de soupe aux pois avec nous autres? Ou ben un croûton de pain avec une lichette de sirop d'érable?

– Je vas revenir, Odile, je vas revenir.

– C'est comme tu veux.

Il se tourna vers elle pour dire:

– J'aimerais ça, te serrer dans mes bras comme quand on allait à la roche à Marie.

– Ce qui nous ferait grand bien tout de suite nous ferait grand mal ensuite.

– Moi, j'en voudrais bien payer le prix.

On entendit gazouiller Èveline. Elle ne se plaignait pas. Il semblait qu'elle participait à la scène par un côté caché de sa petite personne. Était-ce là la manifestation de la trace laissée en elle par le fantôme de Cordélia? Le son de sa voix eut un effet sur sa mère qui ne sut résister à la tentation et courut se blottir dans les bras de celui qu'elle avait tant aimé jadis et qui resterait à jamais présent dans sa substance profonde.

Les deux cœurs battirent à l'unisson pendant plusieurs minutes. Puis le moment de se séparer vint. L'homme reprit sa valise et sortit sans dire un seul mot. Odile se fit tout aussi discrète…

∞∞∞∞∞∞∞∞

Chapitre 14

Le premier endroit où Lavoie devait se présenter au village serait le magasin général. Et la première personne qu'il y aperçut fut Émélie qui, déstabilisée par l'étonnement, ne le reconnut pas au premier coup d'œil vu une certaine pénombre qui régnait toujours à l'intérieur de la maison rouge.

En souriant légèrement, il s'approcha du comptoir derrière lequel se trouvait la jeune femme, salua :

– Madame Émélie, comment allez-vous ?

Le son de cette voix ne pouvait la retenir plus longtemps dans la confusion :

– C'est toi, Marcellin ?

Aussitôt, elle jeta un œil sur son bras. Il agita son épaule pour montrer le vide qui régnait dans la manche de son manteau.

– En tout cas ce qu'il en reste. Et… comment allez-vous ?

Il tendit la main qu'elle serra avec bonne humeur.

– Bien. Très bien. Et toi ?

– Suis venu en visite. Monsieur Honoré est là ?

– Parti livrer de la fleur au Grand-Shenley, mais sur le point de revenir, ça doit.

En un seul coup d'œil, le visiteur mesura les changements physiques survenus en elle depuis son départ. Visage, épaules, hanches plus en chair. Les rides du labeur marquaient ses tempes et des fils d'argent couraient dans sa chevelure lisse jusqu'au chignon sur la nuque. Et cette nostalgie mystérieuse qu'elle avait toujours dans le regard semblait avoir cédé sa place à une fatigue de l'esprit.

– Toujours aussi vaillante?

– Ça prend quelqu'un pour s'occuper du magasin comme il faut. On a un commis mais pas à temps plein.

– Qui donc?

– Jean Jobin. Il est aussi le secrétaire municipal.

– Je me souviens très bien de lui. Un jeune homme intelligent, érudit. Il venait s'instruire aux soirées de la boutique de forge de monsieur Foley... J'ai su que... la famille s'est agrandie?

– Par qui as-tu su ça?

– Odile. Suis arrêté chez elle en passant.

Émélie mit sa tête en biais et sourit d'un seul côté du visage:

– On a eu chacune une petite fille dans les mêmes jours au mois de juin. La mienne s'appelle Bernadette. C'est Alfred qui en a été le parrain... pis Éva sa marraine. Bon, j'sais pas pourquoi je te dis ça.

– Non, non, c'est bien.

– Toujours aux États, toi?

– Non, à Québec.

Et chacun traça pour l'autre les grandes lignes des événements ayant jalonné sa vie depuis le départ du jeune homme pour la terre promise américaine. Émélie avait toujours ressenti un certain trouble intérieur devant ce personnage, peut-être en raison de son mystère et sûrement en raison de ses attraits physiques, et cette fébrilité l'atteignait encore dans quelque recoin interdit de son cœur. Une étrange vibration qui dispense plaisir profond et inquiétude à l'avenant.

Il dit qu'il passerait trois semaines à Shenley, qu'il pensionnerait chez madame Lemay, qu'il viendrait au magasin. Ne s'étonna pas de voir le bureau de poste faire maintenant partie de la vie des Grégoire pas plus que de leurs projets de construction imminente d'un grand magasin général moderne.

Mi-sérieux, mi-joyeux, il dit :

– D'aucuns disent que la fin du monde va se produire au tournant du siècle : ça vous inquiète pas ?

– Des niaiseries, ça. Pourquoi c'est faire que le bon Dieu anéantirait la terre ?

– À cause des péchés des hommes ? répondit-il sur le ton de l'interrogation.

– Le péché, c'est pas d'aujourd'hui, ça. C'est depuis Adam et Ève.

– Nous voici dans une grande discussion métaphysique, et je vous empêche de travailler.

Et pourtant, Émélie avait taillé trois pièces de tissu depuis que le visiteur se trouvait là. Il lui connaissait bien cette habitude de parler tout en travaillant et voilà qui l'aida à se reconnaître en terrain familier.

– Je travaille autant.

– Quand même, je vais aller me louer une chambre à l'hôtel.

Il se pencha et reprit sa valise. Elle dit :

– Tu dois savoir que mon père va très bien. Il cultive pas fort sa terre, mais, comme on dit, il vit de ses rentes. Je voudrais qu'il vende pour venir vivre au village, mais il refuse. Il dit que son temps est pas encore venu.

– Peut-être qu'il sent des choses que d'autres sentent pas venir.

– Comme quoi ?

Il se fit énigmatique :

– Des gros changements.

– Serais-tu comme Amabylis ? Les esprits te parlent ou quoi ? Paraît qu'aux États, y a un magicien, monsieur Houdini, qui parle avec les esprits de l'au-delà. Tu serais pas allé à son école toujours ?

– C'est du spiritisme et c'est interdit par la Bible.

– Pas du spiritisme, du spiritualisme. J'ai lu tout ça dans les journaux. Sais-tu, y a des réunions de « placoteux » chaque semaine ici au magasin... l'été, c'est à la boutique de forge comme tu t'en souviens, et l'hiver, c'est ici... tu pourrais venir nous parler de ça.

– Nous, ça veut dire que vous assistez ?

– D'autres femmes avec moi. Nous autres, on s'enferme dans mon salon là et on écoute les hommes aux portes.

– C'est de ça que m'a parlé Odile. Paraît que vous auriez fait une sorte de soirée de spiritisme pour communiquer avec les fantômes de Cordélia Viau et Samuel Parslow.

Émélie eut une réaction exceptionnelle : elle éclata de rire. Ce qui amenuisa l'inquiétude du visiteur.

– C'est pas ça du tout ! C'est que trois hommes ont raconté l'histoire de Cordélia. On était une trentaine ici dans la place. Mais l'Indienne croyait que ça pourrait attirer les esprits mauvais dans la maison rouge. Personne n'a invoqué les esprits, voyons ! Odile a dû mal se faire comprendre.

– Par les temps qui courent, il faut grandement se méfier de tout.

– Serais-tu devenu un prophète de malheur, Marcellin ?

– Au contraire, de bonheur… prophète de bonheur… pour tous ceux qui sont prêts à partir si la fin arrive.

– Tu crois vraiment que la fin du monde nous pend au bout du nez ? Quand ? Dans la nuit du 31 décembre ? On se rendra pas au vingtième siècle ? Tout va s'arrêter au dernier jour de l'année 1899 qui s'achève ?

– Nos exégètes nous disent que c'est écrit en filigrane dans la Bible.

– En filigrane ? demanda Émélie qui ne connaissait pas le sens du mot.

– En sous-entendu. Il est écrit dans la Bible que l'homme vivra mille ans et plus.

– Et plus, ça pourrait vouloir dire : dix mille, vingt mille ans.

– Non, sinon il serait écrit dix mille ans et plus.

– Dans ce cas-là, mille ans et plus, ça veut dire qu'on peut se rendre en 1999. Donc il nous reste cent ans à peupler la terre en tant que race humaine.

– Ça pourrait être comme ça, mais le problème, c'est…

– C'est ?

– C'est que l'on commence… ou commencerait le vingtième siècle.

– On n'aura pas le temps de le finir qu'on va être mort de toute manière.

– On en reparlera.

– Surtout, on reparlera d'autre chose.

L'homme soupira devant tant d'ignorance, mais il avait pitié des catholiques qui suivaient leurs dirigeants de manière aveugle. Lui croyait dur comme fer que surviendrait un cataclysme à la fin du mois et c'est la raison pour laquelle il était revenu, afin que soient préparés ces gens qu'il avait côtoyés et bien aimés dans le passé. Et parmi eux, Émélie qui tout comme Odile avait occupé une place spéciale dans son cœur… D'un autre côté, il ne voulait surtout pas les offenser, les effrayer démesurément et se faire détester. Qu'il est compliqué d'aimer son prochain quand on est un Étudiant de la Bible ! songeait-il souvent.

Il salua et se rendit chez madame Lemay qui tenait hôtel dans une maison voisine de celle du docteur Drouin. Elle accepta de le pensionner le temps qu'il voudrait moyennant cinq piastres par semaine, ce qu'il consentit à lui verser sans protester, car le prix était raisonnable et surtout parce qu'il se disait qu'il n'aurait peut-être plus du tout besoin d'argent passé ce mois de décembre et ce dix-neuvième siècle.

Il n'en dit pas trop quand la femme le questionna sur lui-même et le but de sa visite. Elle pourrait le rapporter au presbytère et le curé ne tarderait pas à le persécuter. Lui et les gens de son mouvement avaient l'habitude de la farouche opposition de l'Église catholique à leur endroit. Il se souvenait s'être fait surveiller, traquer par l'abbé Fraser dans le temps. Et cet autre prêtre, l'abbé Feuiltault dont Émélie lui avait glissé un mot, n'aurait sans doute pas la tolérance plus facile à son endroit.

ꝏꝏꝏ

Parce qu'il allait et venait dans le village tout de noir vêtu, si ce n'est sa chemise blanche, on ne tarda pas à dire de Marcellin qu'il était un pasteur protestant et donc un ennemi du catholicisme. Mais sa personnalité attachante l'exemptait de subir les quolibets ou insultes auxquels un autre que lui aurait eu droit.

En tout premier lieu, il eut un entretien avec Honoré au bureau de poste. Puis se rendit chez Édouard Allaire, jasa longuement avec cet homme qui l'avait hébergé naguère en un temps contrariant. Alla s'asseoir sur la roche à Marie près de la rivière aux eaux froides. Retourna chez les Martin et placota à satiété avec Napoléon tandis que sa femme les servait sans rien dire autrement que par des regards que ni son mari ni le visiteur ne purent lire, affairés qu'ils étaient à se parler du passé et de l'avenir.

Napoléon se montra sceptique comme la plupart des gens devant les annonces du pire pour la dernière nuit du siècle dont l'ombre quand même incertaine se profilait dans toutes les pensées déjà au-delà des obligations quotidiennes.

Honoré Grégoire s'en était carrément amusé, lui. Et le curé faisait le mort, ignorant même la présence de cet étranger dans la paroisse. Le projet de construction d'une église était si grand, si exigeant, si beau, que ses ouailles et lui-même n'avaient aucun temps à consacrer aux pronostics de ce croque-mitaine de visiteur.

Marcellin passa la fête de Noël et les jours suivants chez Édouard Allaire, ce qui consola son hôte pour l'absence de son fils Jos qui avait annoncé sa visite par lettre en novembre pour ensuite l'annuler milieu décembre. Mais pas plus là qu'ailleurs, il ne parvint à persuader quelqu'un de l'orage annoncé. Même que le sexagénaire sema le doute dans son esprit à propos du mouvement religieux dont il faisait partie. Édouard se montra bon pédagogue, qui jamais ne heurtait les idées de son invité, qui ne se faisait pas indulgent envers la religion catholique, devinant que Marcellin avait subi un grave préjudice de la part d'un prêtre déjà, ce qui l'avait détourné de la religion de son enfance.

Émélie approuvée par Honoré décida de servir un repas au midi du jour de l'An. Outre les Grégoire eux-mêmes, au nombre de neuf, il y aurait son père Édouard, Marcellin qui accepta l'invitation, le curé Feuiltault, Odile et Napoléon Martin de même que Obéline Racine. Quinze personnes en tout, ce qui incluait la petite Bernadette âgée d'à peine six mois. En plus, il y aurait pour seconder Émélie son aide domestique Delphine Carrier.

La soirée du 31 décembre alluma le ciel de milliards de petits lumignons. Tandis que l'esprit d'Édouard voguait déjà au-dessus d'une terre fertile dans les vastes territoires oniriques, Marcellin, assis dans l'escalier où Marie s'était si souvent tenue et jusqu'au moment même de sa mort, regardait la voûte étoilée, interrogeant sa foi, interpellant même en tout respect son Créateur. Le calme sidéral lui semblait si profond: comment pourrait-il survenir de l'infini un corps céleste, astéroïde ou comète, capable de détruire la terre et ses habitants? Si un tel objet venait, déjà l'œil humain l'aurait repéré. Et si au lieu de chercher, comme les exégètes, dans les mots et les phrases de la Bible, il se tournait plutôt vers le cœur des hommes. Édouard Allaire toute sa vie durant avait semé dans la terre et dans les cœurs afin que germent l'avoine et les bons sentiments, pourquoi un tel homme serait-il anéanti à cause de ses péchés? Quels péchés? Il avait aimé sa femme, ses enfants, avait souffert la perte de la plupart, il avait aussi aimé une autre femme – Marcellin le savait par les confidences du veuf – mais d'une manière saine et sublime: comment le lui reprocher et qui donc lui jetterait la pierre? Quel crime cet homme avait-il commis pour mériter un châtiment quelconque? Puis le rêveur songea à Émélie, aux tragédies qui avaient parsemé son jeune âge, à son courage, à sa vaillance; il pensa à Honoré, à sa bonne humeur et sa générosité, sa sensibilité cachée. Il pensa aussi à tous ces gens qui faisaient leur possible pour survivre, travaillant d'une étoile à l'autre comme des fourmis et ne manquant jamais une occasion d'aider les autres. Et il lui parut que trois grandes lettres de feu s'inscrivaient dans le ciel noir piqué d'étoiles: *aime ton prochain*. Non, ces lettres ne laisseraient aucun astéroïde les traverser pour détruire la terre: c'est elles qui détruiraient le météore menaçant dirigé peut-être par Satan lui-même.

Malgré tout, le jeune homme priait. Car on lui avait tellement enseigné l'imminence de la fin, qu'il parvenait mal à effacer de son esprit ces idées si éloignées de l'amour, le vrai, celui qui élève et qui construit la vie.

Puis il se souvint de ce qu'on lui avait raconté à propos de Marie Allaire. Plusieurs lui en avaient parlé du temps qu'il vivait à Shenley et parmi eux, Édouard, Émélie, Honoré, Amabylis et Georges Lapierre, celui qui avait tant aimé la jeune femme tuberculeuse. Combien de soirées avait-elle passées là même, à regarder le ciel infini, à chercher un sens à la vie et surtout à la mort? Les exégètes de son mouvement soutenaient qu'un défunt n'est que mort et que son esprit demeurera dans le vide de la mort jusqu'au jour de la résurrection des corps, mais qui pouvait prouver qu'ils disaient la vérité? D'autres qu'eux se réclamaient aussi de l'inspiration divine et pourtant, prétendaient le contraire. Et si les âmes des défunts avaient leur existence juste à côté de la vie, dans un monde invisible, là, tout près?

L'horloge dans la nuit de l'intérieur sonna les onze coups afin d'ouvrir la dernière heure de ce siècle. C'était un dimanche soir. S'il devait se produire un cataclysme universel, rien encore ne l'annonçait. Ou bien pourrait-il s'agir comme d'aucuns l'avaient avancé d'un rayon mortel venu de l'espace, une sorte de titanesque rayon X capable de tout brûler, de tout effacer et de transformer la planète en un vaisseau fantôme où tout ne serait plus que désert et néant. Une lumière vive l'espace d'une simple seconde au dernier instant de 1899 et tout serait anéanti…

Mais le croyait-il au fond de lui, qui jonglait tant avec le doute depuis quelque temps ? Et qui était allé jusqu'à prédire une longue vie à la petite Èveline Martin ? Comment aurait-il pu laisser parler une sensation prémonitoire issue de son être profond s'il avait cru de manière absolue en les idées à catastrophe des exégètes de son mouvement ?

Il ferma les yeux et son esprit fut emporté dans un monde évanoui que l'automne 1887 avait emmené dans son envol vers l'éternité. Quelqu'un était assis là, à côté de lui. Une jeune femme. Un visage blafard. Des yeux cernés. Un regard triste. Mais tendre. C'était Marie sur le point de rendre l'âme. C'était Marie que sa mère et sa sœur venaient chercher pour la conduire dans leur monde éthéré. Amabylis lui avait raconté les rencontres que la jeune malade avait eues, la première dès son arrivée à Shenley en 1880, avec les disparus de sa famille proche. Édouard avait confirmé les dires de l'Indienne. Ce que l'on ignorait, c'est si la moribonde avait vu sa petite sœur Georgina et sa mère Pétronille au moment de son départ. On savait que Marie avait fait une pleurésie hémorragique là même, dans l'escalier, et que son pauvre corps avait chuté au pied où on l'avait trouvé baignant dans son sang, et son âme partie dans un ailleurs de mystère et de paix éternelle.

L'homme entendit dans sa rêverie une voix d'or qui récitait des *Ave*. Il sut que c'était celle de Marie Allaire. Émélie lui avait dit que sa sœur priait des heures et des heures chaque jour que le bon Dieu amenait. Et chaque mot qu'elle disait amenuisait son angoisse, devant cette fin d'un temps, qui cessa d'en être une peu à peu. Et les minutes coulèrent en lui accompagnées d'une tranquillité incomparable.

Ce serait l'horloge qui le sortirait de cette douce somnolence quand elle sonna le premier coup de minuit. L'homme rouvrit les yeux, entendit les autres coups en regardant le ciel immuable. Marie n'était plus à son côté, mais il crut qu'elle était vraiment venue lui prendre la main pour lui faire traverser paisiblement la fin d'un siècle. Insondable faveur du ciel.

Il resta une demi-heure encore à regarder les étoiles, mais sans réfléchir, juste à se bien sentir. Puis il gagna sa chambre et son lit.

On était le 1er janvier 1900 et la première heure de cette journée mémorable réservait à ce jeune homme de bonne foi une paix plus grande encore, celle d'un sommeil de bienheureux. Le sommeil du juste, disait la Bible…

∞∞∞∞∞∞∞

Chapitre 15

Il fallut faire des prouesses pour loger tout le monde à table en même temps. Et ce, sans nuire à Émélie et Delphine dans leur service. Mais l'on y parvint en plaçant les deux plates-formes servant de table à angle droit dans un des coins de la cuisine. En fait, elles ne se touchaient pas et Honoré occupait l'espace entre les deux. Avantage de cette disposition : chacun pouvait aisément voir tout le monde. Les enfants occupèrent la partie la plus proche du poêle et les adultes celle, plus froide, près de la porte donnant sur la passerelle entre la résidence et le magasin.

Vaisselle et ustensiles attendaient qu'on mette sur la table le chaudron contenant un généreux ragoût de pattes qui attendait dans le réchaud, soit le pont supérieur du poêle à trois ponts de marque *Le Bijou* qui faisait le bonheur des cuisinières par son efficacité et à cause du temps sauvé lors de la cuisson des aliments.

Manteaux empilés jonchaient le lit d'Émélie, mais les arrivants gardaient leurs bottes aux pieds de sorte que le plancher de bois portait des cernes d'humidité que le ronflement du poêle aurait tôt fait d'assécher.

Deux enfants étaient encore en chaise haute : Pampalon et Bernadette. Éva avait pour tâche de veiller sur eux deux. Elle les ferait manger. Si Bernadette devait se mettre à pleurer comme ça lui arrivait plus souvent que la normale, elle s'en occuperait.

– Oublie pas que monsieur le curé va être là. Il est pas accoutumé, lui, aux bébés qui pleurent.

– Quand il les baptise, maman, les bébés pleurent.

– C'est vrai, Éva, mais c'est pas un baptême, c'est le repas du jour de l'An midi.

Éva avait tout préparé avec minutie. Tétine en caoutchouc, bouteilles de lait pour les deux enfants car si Émélie allaitait encore Bernadette, il lui était aussi donné le biberon afin que son alimentation soit suffisante. Et Pampalon aurait droit à de la nourriture solide aussi. Son rôle de petite mère, Éva le prenait avec le plus grand sérieux et cette tâche la valorisait à ses propres yeux et ceux de ses parents.

Alfred et Ildéfonse avaient été placés tout près de la table des grands. Ils prêtaient oreille aux propos des adultes, ce qui les faisait grandir bien au-delà de leurs 12 et 8 ans. Et Alice avait reçu pour tâche de s'occuper de son petit frère Henri. Les liens familiaux étaient clairs et bien organisés.

Honoré et le curé occupaient chacun une extrémité de la table des adultes. Le prêtre était flanqué de Marcellin à sa gauche et Édouard à sa droite. Quant à Honoré, il avait d'un côté Obéline Racine et de l'autre Odile Martin. Il s'en déclara enchanté:

– Mes amis, je sais pas pour qui Émélie me prend, mais regardez, elle a mis de chaque côté de moi des fleurs du jardin en les personnes de nos chères Odile et Obéline.

Toutes deux le prirent avec un sourire et une rougeur au visage. Le curé y mit son grain de sel:

– Si madame Émélie vous a donné deux roses, mon cher Honoré, moi, elle m'a donné deux épines.

Et ce fut un éclat de rire général. Quand le curé blaguait, on riait davantage. Il ne s'était passé aucune altercation entre Marcellin, le non catholique et le prêtre très catholique. Mais on sentait qu'il arriverait quelque chose avant la fin du repas. Le feu semblait couver sous la cendre. Les Grégoire ne s'inquiétaient pas outre mesure: ils sauraient bien calmer les esprits advenant des propos trop risqués.

L'abbé Feuiltault reprit la parole :

– Les enfants, avez-vous hâte de déballer vos étrennes ?

Il reçut des « oui, monsieur le curé » entremêlés en guise de réponse.

– Vous êtes chanceux, c'est pas tous les enfants qui ont des étrennes comme vous autres au jour de l'An. Ça montre que vous avez de bien bons parents.

Delphine et Émélie demeuraient debout, en attente d'un geste d'Honoré qui ne saurait venir avant la bénédiction paternelle qu'il avait pour charge de demander à Édouard, le plus âgé des pères à cette table où il ne se trouvait en fait que trois papas soit Honoré et son beau-père ainsi que Napoléon Martin.

– Qui c'est qui garde tes enfants, Odile ? demanda Obéline à la jeune femme qui se trouvait face à elle de l'autre côté de la table.

– Mes parents. Ils aiment ben ça, les garder.

Le curé profita des propos épars courant sur la table pour se pencher un peu du côté de Marcellin et lui parler :

– On m'en a beaucoup dit à votre sujet, monsieur Lavoie. Il paraît que vous avez fait une petite peur à d'aucuns dans la paroisse avec vos histoires de fin du monde annoncée pour la nuit passée.

– La peur est le commencement de la sagesse.

– En effet ! Mais la peur irraisonnée est stérile et mauvaise finalement.

– Je croyais en ce que je disais.

– Et… vous ne le croyez plus ?

– Non, pas aujourd'hui.

– Là, vous m'étonnez, mon cher.

Lavoie vit qu'Édouard prêtait oreille. Il dit en le désignant des mains ouvertes, paumes vers le ciel :

– C'est peut-être l'influence d'un bon catholique comme monsieur Allaire ?

– Sans compter l'évidence, enchérit le curé.

Honoré demanda l'attention de tous :

– Monsieur le curé, mes amis invités, aujourd'hui, c'est le jour de l'An, on pourrait même dire le jour du siècle. On s'est échangé des vœux quand vous êtes arrivés et une autre tradition importante est celle de la bénédiction paternelle. Je demanderais au père le plus vénérable parmi nous, soit monsieur Allaire, de nous donner sa bénédiction.

Édouard protesta:

– Non, Honoré, c'est à toé de nous bénir. T'as sept enfants icitte présents, pis moé rien qu'un. C'est à toé de nous donner ta bénédiction. Accoutume-les à toé...

– Ben non, monsieur Allaire, ben non, c'est à vous...

– Non, à toé, Noré.

Lavoie intervint:

– Étant donné que monsieur le curé est le père spirituel de tous les paroissiens, demandez-lui donc de nous bénir.

L'abbé Feuiltault lança un regard d'incrédulité vers celui qui faisait une telle proposition. Tous approuvèrent qui par un applaudissement, qui par un mot, qui par un signe de tête et le curé s'en trouva déstabilisé:

– Ben... écoutez, la bénédiction du jour de l'An, c'est par un père de famille.

Honoré intervint:

– C'est justement: comme le dit Marcellin, vous êtes le père de la grande famille paroissiale.

Cette scène en rappelait à Émilie une autre semblable survenue du temps du curé Quézel, ce qui la faisait sourire. Édouard lança à voix forte par-dessus la rumeur:

– Applaudissez monsieur le curé tout le monde, pour qu'il accepte de nous bénir.

Ce qui fut fait. Alfred y alla même de coups de cuillère sur la table, imité en cela par le petit Henri mais pas par Ildéfonse que la chose scandalisait et qui regardait sa mère en se demandant si elle interviendrait pour que cesse le détestable vacarme. Alice criait sa bonne humeur. Pampalon riait sans savoir pourquoi et rien que d'entendre le bruit et les voix entremêlés. Napoléon Martin fit comme Alfred et, au grand dam d'Émélie, Honoré lui-même entra dans la danse, au grand plaisir de ses deux fils bruyants.

Le curé passa sa main sur une mèche de ses cheveux toujours rebelle puis les ouvrit, paumes en avant, pour faire calmer chacun.

– Je pose une condition pour vous bénir: vous allez tous rester assis à table. Vous allez vous agenouiller, mais seulement dans votre cœur. Ma main sera celle d'Édouard, d'Honoré, de Napoléon et de Dieu le Père réunies en une seule. En conséquence, je vous bénis tous au nom du Père, du Fils et du Saint-Esprit. Que cette année 1900 vous apporte le meilleur, qu'elle soit sainte et fructueuse et que nous puissions tous assister à la messe du jour de l'An 1901 dans notre nouvelle église. Et que la famille Grégoire puisse alors se réunir et fêter la nouvelle année dans une nouvelle maison et un nouveau magasin comme leurs grands projets le laissent prévoir…

Le bébé se mit à pleurer. Éva s'empressa de tremper une tétine dans le sirop et la lui donna. Bernadette grimaça un temps puis se tut et téta l'illusion.

Le prêtre reprit:

– De la santé, du bonheur et surtout de la dévotion envers Notre-Seigneur et la sainte Vierge Marie.

Ce disant, il regarda Marcellin dont il savait que le mouvement niait la sainteté de la mère de Jésus; il reçut une réponse muette fort sympathique. Voilà qui continuait de l'étonner. Que se passait-il donc chez cet Étudiant de la Bible qui avait renié la religion catholique de sa naissance?

Le prêtre eut alors la surprise de sa vie. Émélie et Honoré de même. Lavoie se leva et réclama l'attention que seuls quelques murmures d'enfants empêchèrent d'être complète.

– Monsieur le curé, madame Émélie, monsieur Honoré, mes amis et même les enfants là-bas, j'ai quelque chose à vous dire. Et ce n'est pas bien compliqué. J'ai…. simplement retrouvé… la foi catholique. Et la brebis égarée que j'étais demande à revenir au bercail si l'on veut bien de mon retour. J'ai compris ces derniers jours que je faisais fausse route et je veux retrouver le droit chemin.

Il fit une pause. Tous restèrent bouche bée, surtout le curé. Marcellin en regarda plusieurs avant de poursuivre :

– Je me demande si Marie, la sœur de madame Grégoire, n'y fut pas pour beaucoup dans cette… conversion. Hier soir, je me suis assis là où elle s'assoyait souvent dans l'escalier chez monsieur Allaire et il me semble qu'elle est venue me visiter. J'ai réfléchi avec les yeux du cœur et ce matin en me réveillant, j'ai su ce que je devais faire. Et j'ai décidé de le faire parmi vous tous. Ce ne fut pas la fin du monde la nuit passée, mais pour moi, ce fut la fin d'un monde et une renaissance. Je suis venu pour convertir Saint-Honoré et au bout du compte, c'est Saint-Honoré qui m'aura ramené à la seule vraie foi. Merci à vous tous.

L'œil allumé par l'émotion, l'homme se rassit tandis que le curé prenait la parole à son tour :

– Mes amis, ce qui est ici le plus à propos, c'est de vous résumer la parabole de la brebis perdue. Jésus dit : « *Lequel d'entre vous, s'il a cent brebis, et qu'il en perde une, ne laisse les quatre-vingt-dix-neuf autres dans le désert pour aller à la recherche de celle qui est perdue, jusqu'à ce qu'il la trouve ? Lorsqu'il l'a trouvée, il la met avec joie sur ses épaules, et, de retour à la maison, il appelle ses amis et ses voisins, et leur dit : Réjouissez-vous avec moi, car j'ai trouvé ma brebis qui était perdue. De même, je vous le dis, il y aura plus de joie dans le ciel pour un seul pécheur qui se repent, que pour quatre-vingt-dix-neuf justes qui n'ont pas besoin de repentance.* »

Marcellin revient parmi le troupeau catholique. Qu'il soit le bienvenu dans notre grande famille universelle. Je vais voir personnellement à faire lever l'excommunication dont il a été l'objet en tant que membre des *Étudiants de la Bible* dès qu'il aura confessé ses péchés. Et je lui demande maintenant, s'il le veut bien, de serrer la main de tous et chacun ici, même les enfants. Est-ce que c'est trop demander, mon ami?

– Loin de là, monsieur le curé, loin de là.

Le premier qui la lui serra fut le curé lui-même. Puis Émélie qui s'était approchée et souriait plus que de coutume. Édouard fit de même. Odile, Napoléon, Honoré eurent leur tour. Il se passa quelque chose quand ce fut Obéline. Elle avait été folle de lui dans le temps. Et demeurait célibataire à la mi-trentaine. Leurs mains se touchèrent; un courant les traversa. Il le sentit. Elle le sentit tout autant. Ce n'était pas le coup de foudre, loin de là. Et puis le jeune homme gardait un si grand attachement pour Odile présente dans la pièce qu'il n'aurait rien laissé paraître de son trouble intérieur à cause d'Obéline. Et son autre sentiment si bien enfoui qu'il ne se l'était jamais avoué...

Les enfants montrèrent de la joie et de la fierté de se voir considérés comme des adultes. Ils se comportèrent comme tels. Alfred le premier serra la main tendue et se permit un mot:

– Félicitations!

– Merci.

Ildéfonse répéta le mot de son frère.

Éva ne dit rien, mais se leva de sa chaise et plia vivement les genoux dans ce geste dont on disait qu'il était celui d'une jeune fille bien élevée saluant un personnage important comme par exemple la reine Victoria.

Et le jeune homme se rendit jusqu'à la chaise haute de Pampalon dont il pinça gentiment les joues. Puis il se pencha pour embrasser le front de la petite Bernadette. En se relevant, il eut un drôle de pressentiment à son sujet. Comme si la petite ne devait pas survivre bien longtemps. Un enfant sur quatre ne se rendait pas à l'âge adulte en ce temps-là, mais les enfants Grégoire avaient de la chance: deux parents à forte santé, une certaine aisance familiale qui permettait d'acheter des remèdes et d'aller voir le docteur au besoin, une nourriture de meilleure qualité, de l'eau de source venue de l'aqueduc Labrecque, pure et bonne à boire, sans jamais être la cause de maux intestinaux. Et puis l'omniprésence d'une aide domestique qui permettait une surveillance plus accrue et plus efficace de chacun pour ainsi éviter des accidents ou apporter des soins suivis en cas de maladie.

– Voilà, c'est fait, monsieur le curé.

– Non, pas tout à fait, mon ami. T'as oublié mademoiselle Delphine.

La servante était restée bras croisés près du poêle en attendant. Jeune personne de 17 ans, elle camouflait sa timidité naturelle sous un visage jovial.

– Bien sûr que non ! Je la gardais pour le dessert, voyons. Et j'en profite pour lui souhaiter une bonne et sainte année avec un petit bec à pincettes.

Ce qui fut fait. La jeune fille eut un rire vif à deux éclats. Puis croisa de nouveau ses bras. Elle qui travaillait fort chez les Grégoire aimait les servir. Ils lui étaient reconnaissants de bien des manières et jamais, comme cela était trop fréquent chez les bourgeois de ville, ne l'humiliaient ou ne lui poussaient dans le dos pour augmenter la cadence. Au contraire, Émélie ne cessait de lui répéter de prendre du temps au besoin pour s'asseoir et se reposer avant d'entreprendre une nouvelle tâche. Bien nourrie, bien logée, bien rémunérée, on lui demandait en revanche de la bonne humeur et le respect des enfants. Si une correction s'avérait nécessaire, il appartenait à Émélie et Honoré seuls d'en décider. Et de l'administrer : chose rare.

Lavoie retourna prendre sa place. Le prêtre lui dit que ce jour de l'An serait mémorable. Il voulut en savoir plus sur le mouvement auquel appartenait Marcellin, mais celui-ci préféra s'abstenir d'en parler. Il se contenta de dire :

– C'est terminé : je veux oublier.

Le repas terminé, on passa à la distribution des étrennes. Le curé Feuiltault fut demandé pour donner à chaque enfant son cadeau mais se désista en faveur de Marcellin, la brebis retrouvée.

Ce fut un jour de l'An de bonheur pour la plupart des assistants à la fête. Seule Odile ressentit de la tristesse, un mélange de nostalgie et de son sentiment sacrifié aux charmes à jamais envolés. Au moment de son départ avec Napoléon, sachant qu'elle ne reverrait sans doute plus Marcellin, une lame lui traversa le cœur. Elle cacha son état d'âme derrière une chaleur qui lui était coutumière jadis.

Le curé donna rendez-vous à Marcellin pour le lendemain afin de préparer avec lui une lettre destinée à l'archevêché à propos de l'excommunication. Puis il s'en alla, enchanté de ce repas.

Émélie invita Obéline et Marcellin à la suivre au magasin aux fins, exagéra-t-elle, de leur montrer quelque chose d'important dans son salon. Ce n'était qu'un miroir en hauteur qui permet de se voir de la tête aux pieds et cela servait aux dames qui utilisaient le salon pour de l'essayage de linge manufacturé.

– Je vais vous laisser un moment pour aller mettre une attisée dans la fournaise. Fait pas chaud dans le magasin.

Ce n'était pas si froid, mais elle avait remarqué de l'intérêt mutuel entre ces deux-là. Et les laissa dans le salon pour se rendre dans le bureau de poste où se trouvait la trappe menant à la cave. Elle mettrait tout son temps pour chauffer la fournaise, un appareil qu'il avait fallu installer l'année où l'on avait accueilli le bureau de poste à la demande de l'inspecteur fédéral.

Obéline parla de son occupation, lui de la sienne. Ils échangèrent peu sur les États mais beaucoup sur Québec où elle s'était rendue à au moins dix reprises depuis la venue du train à Saint-Évariste.

– Vous devriez venir faire la classe en ville. C'est mieux payé et vous vivrez parmi les commodités d'aujourd'hui.

Elle sentait dans ce propos plus que les mots prononcés. Et ne s'objecta pas à l'idée. Il lui dit de le visiter quand elle se rendrait là-bas, Elle ne s'objecta pas non plus à cette autre idée.

Il ne partirait pas de Saint-Honoré deux jours plus tard sans s'être rendu à l'école d'Obéline pour lui adresser depuis l'extérieur des salutations de la main. Elle en fut toute retournée et répondit par un geste un peu figé par l'émotion…

Et c'est ainsi donc que Marcellin Lavoie, Étudiant de la Bible, venu transformer un village regagna la ville transformé lui-même… Il venait de défoncer le siècle à vitesse vertigineuse, bien plus vite qu'un astéroïde en route pour détruire la terre…

∞∞∞∞∞∞∞∞∞∞

Chapitre 16

Certain que la construction de l'église débuterait incessamment, Honoré Grégoire réunit dans sa cour arrière et ses hangars toutes les fournitures requises pour bâtir le magasin et la résidence attenante projetée. Ainsi, il n'y avait plus de retour en arrière possible. Il ne manquait plus que la tôle bosselée dont le contracteur Métivier venu à quelques reprises à Shenley avait fait description et dit qu'elle constituerait le revêtement extérieur final de la grande bâtisse à l'exception du clocher, de la flèche et des cheminées extérieures. Honoré sut que le grossiste qui fournirait cette tôle était celui-là même où travaillait Marcellin Lavoie. Un si bon contact ne saurait nuire.

Mais l'Église catholique, elle, fonce lentement vers l'immensité de l'avenir, comme un gros paquebot peu pressé par le temps sur une mer infinie. L'archevêque du diocèse de Québec, Mgr Louis-Nazaire Bégin écrivit au curé Feuiltault et lui dit que pour diverses raisons, il ne donnait son accord sur l'ouverture du chantier que pour 1901 seulement, pas avant. Premier problème, souleva-t-il, vous n'avez pas réuni assez d'argent dans vos campagnes de souscription et la dette de la fabrique serait trop élevée par la suite. Deuxième inconvénient: il faut d'abord procéder à une érection canonique et même civile de la paroisse. Et ça, il s'y associerait personnellement dès 1900.

Une décision assommante pour le curé Feuiltault qui néanmoins la présenta aux fidèles comme une décision réfléchie, de même qualité que toutes celles de son supérieur ecclésiastique. Honoré Grégoire qui suivait de fort près le dossier de la construction de l'église et lui était en quelque sorte associé moralement, ne fut pas dupe quand il entendit le curé annoncer la nouvelle en chaire. Et sitôt après la messe de ce dimanche de mai, il se rendit au presbytère où l'abbé le reçut dans son bureau.

– Je devine de quoi vous venez me parler, Honoré. Vous êtes déçu du retard à bâtir l'église.

Le marchand soupira:

– C'est bien peu dire. Construire les deux de pair, pour ma femme et moi, ça aurait été une bénédiction.

– C'est comme je l'ai dit en chaire, nous n'avons pas encore assez d'argent. La dissidence est sourde mais toujours là. À Saint-Georges, ils l'ont balayée dehors. Nous autres, on l'a balayée sous le tapis seulement et elle est toujours à l'intérieur de nos murs. Monsieur Beaudoin, notre maire, a eu beau retourner sa veste l'an passé, sa présence à la tête de la municipalité, vu qu'il fut un ardent dissident, garde vivace, en plusieurs l'idée de retarder de cinq ou dix ans l'érection d'un temple paroissial. Ils disent sous cape que le bon Dieu ne demande pas tant à des gens aussi pauvres qu'eux. Pourtant, nous avons la plus grosse paroisse agricole de tout le comté de Beauce et ça, vous le savez, Honoré. Je suis découragé...

– J'ai deux solutions à proposer, annonça le jeune homme, l'œil brillant et optimiste.

– Vous? Deux solutions? Et moi, le curé, aucune?

– Suis bien mieux placé que vous dans les circonstances pour penser à ça.

Le prêtre retapa sur sa tête sa mèche rebelle trop frisée et se recula sur sa chaise en croisant les doigts sur son ventre noir:

– J'écoute religieusement.

– J'aurais une somme intéressante à donner à la fabrique pour l'achat de la sacristie. La nouvelle église en aura une très grande.

Au lieu d'attendre, j'aimerais qu'on me vende tout de suite la vieille sacristie. Je vais la déménager pour en faire un entrepôt à marchandise, entre autres de la dynamite qui demande, vous le comprenez, un lieu sec et surtout béni par le ciel.

– Le montant, ça veut dire ?

– Disons… quelques centaines de piastres.

– Intéressant. Pas besoin de la démolir.

– Je l'achète sur place et je la fais déménager au milieu de l'été dans le plus gros du chantier du magasin. Deuxièmement, je peux m'arranger pour faire réclamer une élection municipale devancée. Avec un nouveau maire, quelqu'un qui a toujours été favorable à la construction, on pourrait demander aux francs-tenanciers un autre coup de cœur.

– Comme qui ?

– Je pense à quelqu'un qui est un homme de bonne composition, qui s'entend avec pas mal de monde et…

– Ça, c'est toi-même vraiment, mon cher.

Honoré protesta d'un hochement négatif de la tête et du son de sa voix :

– Non, monsieur le curé, avec mon chantier, j'ai aucun temps à consacrer à la mairie ou comme conseiller municipal. Aucune fonction publique pour moi tant que ma femme et moi, on sera écrasés d'ouvrage comme ça l'est et comme ça s'en vient. J'ai été président de la commission scolaire en 1893 à la demande expresse du curé Fraser qui l'était avant moi, mais en 1896, j'ai abandonné. Ah, j'ai fait bâtir plusieurs écoles et j'ai fait avancer l'instruction par ici, mais j'avais pas le temps de m'en occuper comme j'aurais voulu.

– Je comprends ça, je comprends ça, mais qui ça serait, selon toi, l'homme-clé pour aller à la mairie ?

– Je vous laisse deviner.

– Théophile Dubé ?

Honoré eut un mouvement négatif du visage :

– C'est un homme instruit, mais il a son moulin et il construit des maisons. C'est lui qui va bâtir mon magasin.

– Jean Jobin ?

– Jean, c'est le meilleur secrétaire municipal qu'on peut avoir. C'est là, sa place, et pour longtemps j'espère.

– Vous me faites languir, Honoré.

Le prêtre allait souvent du tutoiement au vouvoiement avec Honoré et même son épouse Émélie. Tout dépendait du sentiment du moment soutenant sa phrase, sa question, son commentaire.

– C'est pas mauvais que je vous fasse languir : ça me permet d'avoir votre idée à vous sur les meilleurs hommes parmi ceux qui sont favorables au chantier d'une église neuve.

– Alors continuons de jouer le jeu… Je dirai… Anselme Grégoire, le fils de ton frère… en fait demi-frère.

– Anselme : il refuserait.

– Joseph Foley.

– C'est pas un homme de commandement.

– Prudent Mercier.

– Trop âgé.

– Comme on dit : je donne ma langue au chat.

– Encore un ou deux noms et je vous dis mon choix.

– Ferdinand Labrecque…

– Trop déçu d'avoir été battu par Romuald.

– Un dernier, mais j'aurais dû y songer avant : Onésime Pelchat.

– En plein dans le mille. C'est lui, notre homme. Il va passer comme une balle. Avec lui, la municipalité et la fabrique, ça va aller de pair, la main dans la main. Et comme vous avez la main haute sur la fabrique…

Le prêtre se gratta la tête puis s'avança et posa ses bras croisés sur son bureau :

– Quel âge que t'as Honoré ?

– 35 ans. Au mitan de ma vie comme on dit. Mais… j'ai un bout de fait.

– C'est à cause de ton jeune âge que je te tutoie, mais c'est en raison de ta valeur que je te vouvoie.

– Parlez-moi comme il vous convient.

– Je te laisse travailler du côté politique, c'est ton fort. Et moi, je vais réunir les marguilliers au plus tôt pour leur parler de la vente de la sacristie. Dimanche, au plus tard, je vais annoncer en chaire sa mise en vente. Les soumissionnaires seront priés de déposer leur offre dans les trois jours suivants. Je ne vois pas qui pourrait miser dessus.

– C'est embêtant… peut-être Théophile Dubé pour le bois à récupérer. Ou Rémi Labrecque qui pourrait vouloir la transformer en maison habitable.

L'on supputa. Honoré était en conflit d'intérêt avec lui-même. Il ne voulait pas payer trop cher pour la bâtisse qui avait de vingt à trente ans d'âge déjà et d'un autre côté désirait que les sommes réunies par cet achat et un coup de cœur de la population dans une nouvelle souscription populaire suffisent à infléchir l'archevêque en faveur de la construction de l'église en 1900 même. Il décida de miser six cents piastres sur la vieille sacristie.

Et l'obtint.

Une tâche venait de s'ajouter à celle du chantier à la veille d'ouvrir, dès que Théophile Dubé serait libéré du plus fort du sciage à son moulin.

Ces jours-là, il passa un photographe itinérant au village. Émélie et Honoré furent d'accord pour que l'on prenne en photo les quatre plus grands de leurs enfants : Alfred, Éva, Ildéfonse et Alice. Elle les réunit dehors après leur avoir fait endosser leur plus beau linge et les confia au jeune homme qui leur fit prendre la pose après avoir installé son appareil face au mur de la maison. Deux chaises droites et un banc bas avaient été apportés par les enfants à la demande du dénommé Martineau. À droite (pour le photographe) prit place Éva dans sa robe bleue à manches bouffantes. À gauche, il fit asseoir Alice qui croisa une jambe sous sa robe blanche à frisons. Et entre les deux fillettes, Ildéfonse s'installa, jambes croisées, mains superposées sur le genou, regard assuré et blondeur toujours présente sur sa tête, menton carré, volontaire et… pieds nus. Derrière lui, Alfred resta debout en grand frère protecteur, l'air gauche dans son habit du dimanche, les cheveux épais qui lui tombaient en pointe sur le front et le regard tout plein de sollicitude, reflet de sa nature profonde.

– Éva, croisez vos mains sur vous, s'il vous plaît! dit le photographe, un personnage filiforme et pointilleux.

Elle obéit après avoir lissé ses cheveux qui l'étaient déjà et se terminaient à l'arrière par une longue tresse.

À 6 ans, Alice gardait son air de bébé rose. Elle paraissait un peu boudeuse et fusillait du regard l'œil de la caméra. Et de manière encore plus accentuée quand Martineau s'abrita sous son voile noir pour prendre la photo.

Aucun de ces enfants ne ressemblait aux trois autres, comme s'ils étaient issus de quatre familles différentes. Et cela valait non seulement dans leur apparence physique mais aussi dans leur personnalité. Alfred, le bon gars, joueur de tours et ricaneur, docile et patient comme un vieux cheval de trait, respectueux des bêtes et grand ami des chevaux et des oiseaux, fort comme un jeune bœuf et doux comme un agneau, plus proche de son grand-père Allaire que de son père, achevait la première partie de sa vie: une enfance dont il avait du mal à se dépouiller. Bientôt, il quitterait la maison pour le collège où il compléterait son cours commercial bilingue. La volonté de ses parents à cet égard demeurait inflexible. Son cours terminé, il deviendrait le commis du magasin en attendant de prendre la relève comme propriétaire un jour ou l'autre.

Peut-être que les gènes d'un lointain ancêtre soldat donnaient leurs ordres à la personne de Ildéfonse et lui conféraient cette force de caractère qui plaisait hautement à Honoré. Peut-être aussi qu'il y avait plus d'Émélie en lui que de son père. Une force inscrite dans son port de tête. Et quelle intensité dans le regard ! Et d'où pouvaient donc venir ces yeux bleus qui semblaient dégager des rayons X ?

– Si monsieur Ildéfonse veut bien regarder la caméra…

L'enfant tourna lentement la tête, mais la ramena aussitôt en direction de la chapelle de l'autre côté de la rue, ce qui redonna son profil droit à la caméra de Martineau, un appareil qu'on appelait *Kodak*, nom inventé tout comme la pellicule transparente en bobine, par l'Américain George Eastman.

– Et mademoiselle Alice, hein qu'elle est belle quand elle sourit !…

Mais la petite était trop figée par la pose prise pour changer son visage d'un iota, et même qu'elle devint plus boudeuse encore, elle qui riait tant de coutume.

Éva arborait un menton fin qui lui faisait des joues légèrement rebondies. « Petit bout de femme aux yeux sombres et pétillants », elle se sentait mère de famille sans même avoir atteint la puberté. Émélie savait tout ce qu'elle pouvait apporter aux enfants plus jeunes et faisait en sorte qu'elle le donne à tous les jours du bon Dieu. Et pour le bon Dieu et pour la famille ! Certes, elle croisa les mains à la demande du photographe mais garda dans son visage un air de dire: *regardez-moi tout ce que je vais faire quand je vais décroiser les mains.*

– La prochaine fois, dit Émélie, l'air désolé, au photographe quand il lui proposa de faire son portrait et celui d'Honoré. C'est le temps qui nous manque, mon bon monsieur. Faudrait s'endimancher et tout… Revenez quand le magasin neuf sera bâti… dans un an ou deux.

– C'est bon, madame. Vous allez recevoir la photo des enfants avant une semaine d'ici.

– Je vous paie immédiatement.

Martineau affirma :

– Si vous voulez. Beaucoup le font. Et ayez confiance, vous allez recevoir la photographie.

– Si je manquais de confiance, j'attendrais pour vous payer.

– Si la photo est manquée, je viendrai la reprendre.

Il y eut échange de salutations et le photographe quitta le magasin pour aller offrir ses services ailleurs, en l'occurrence au presbytère où en l'absence du curé Feuiltault parti en visite de paroisse, il fut reçu par sa cuisinière et servante, Belzémire Gobeil, une personne dans la cinquantaine, courte et sèche, à lunettes rondes et brillantes.

À part les couples mariés qui s'étaient fait prendre en photo le jour de leur noce, rares étaient ceux qui possédaient une photo d'eux-mêmes. Le visage de Belzémire s'éclaira quand le visiteur fit sa proposition. Elle avait vu par une fenêtre la séance avec les enfants Grégoire et espérait que son tour vienne. Mais elle hésitait vu l'absence du prêtre.

– Si c'est pas aujourd'hui, vous devrez attendre quelqu'un d'autre ou bien vous rendre à Saint-Georges pour avoir votre photographie, madame Belzémire, dit le personnage après le premier échange avec la femme.

– Faut-il que ça soit dehors ?

– Il faut la lumière du jour, le grand soleil du bon Dieu.

– J'ai pas trop une belle robe pour ça.

– Sur la photo, c'est pas la robe qui compte, c'est l'âme.

– Quoi ?

– L'âme qui transcende… disons qui traverse vos yeux et va s'imprimer dans la pellicule. Une belle âme : une belle photo. C'est couru. Les enfants Grégoire : ça va donner une magnifique photographie. Ils ont tous une belle âme.

– Dans ce cas-là… Je veux ben… Je pourrais rester sur la galerie du presbytère disons…

– Non, ou alors je serais à contre-jour. Vous allez vous mettre devant le magasin…

– Vous voulez dire la maison rouge ?

– C'est ça… ou bien le cimetière.

– J'aimerais quasiment autant devant le cimetière.

– Alors venez, madame Belzémire.

Elle traversa la rue avec lui. Ils se rendirent devant l'entrée du cimetière, en ligne droite avec la porte de la maison du docteur.

– Le soleil est encore un peu fort ; va falloir attendre un peu qu'il baisse. Autrement, vous aurez le visage trop blanc sur le portrait.

– Assez blême de même ! dit-elle avant de rire vivement sur deux notes.

Tandis que Martineau installait son appareil dans une moitié de la rue survint un couple en voiture, qui s'arrêta à leur hauteur. L'homme dit :

– On aimerait ça se faire tirer le portrait, nous autres itou.

Le photographe s'enquit de leur identité et de leur lieu de résidence. C'étaient Rémi Labrecque, le ramancheur, et son épouse Philomène Morin. Il leur promit de passer chez eux le lendemain. Ils reprirent leur chemin satisfaits. Belzémire crut que Martineau lui avait menti :

– Vous avez dit que demain, vous seriez parti.

– Jamais dit ça, madame. J'ai dit que c'était votre dernière chance de vous faire photographier par moi. Demain, je continue ma tournée et je ne reviens pas en arrière.

– Scusez-moi, j'avais mal compris.

– Suis un homme méticuleux, madame. Je ne vole personne. Et je ne mens à personne.

Il se racla la gorge, poursuivit :

– C'est une grosse paroisse et je veux aller à chaque porte de chaque rang. Sont rares, les gens qui ont des photos par ici, excepté des photos de noce bien sûr.

Et la séance eut lieu. Martineau fit trois prises. Puis il la suivit au presbytère et reçut aussitôt sa rémunération.

Une semaine plus tard, les Grégoire eurent par la poste la photo des enfants. Mais Belzémire ne reçut que du vent. D'autres qui avaient requis les services du photographe obtinrent ce qu'ils avaient commandé et payé d'avance. Pas elle qui s'en plaignit au curé. À Émilie aussi qui lui conseilla d'attendre encore quelque temps avant d'écrire à cet homme dont elle avait noté l'adresse postale.

Enfin arriva une grande enveloppe brune à l'attention de Belzémire. Elle se dépêcha de l'ouvrir dans le bureau même du curé qui venait de la lui remettre. Et laissa échapper un cri de mort en voyant les résultats de la séance. Vacilla. Blêmit encore davantage qu'elle ne l'était à son naturel.

L'abbé Feuiltault fronça les sourcils d'inquiétude. Il prit les photos que la femme tenait dans sa main et regarda la première tout à son étonnement, puis la deuxième qui faillit le renverser à son tour. Et il s'esclaffa. Au point de contrarier sa servante au plus haut degré, elle qui par respect n'osait trop se fâcher nettement contre lui:

– Qu'est-ce qu'il y a de drôle, monsieur le curé?

– Ah bien… parce que ce n'est pas vous, Belzémire.

– C'est pas moi certain, mais on dirait ben… C'est la faute aux morts, ça. Ils voulaient pas que le photographe pose le cimetière. Je le savais donc…

– Mais non, mais non, c'est juste un procédé d'émulsion ou je ne sais quoi. Un truc de photographe… de la technique.

Martineau avait superposé une de ces épreuves au rayon X qui font voir un squelette humain et une de la tête de Belzémire de sorte que le montage donnait son visage sur un corps complètement décharné, donc en fait l'image des seuls ossements de son anatomie.

Grâce aux bons offices d'un curé moqueur et manquant cruellement de discrétion, l'histoire courut par toute la paroisse et son bruit en fit rire plusieurs. On s'en souviendrait longtemps…

∞∞∞∞∞∞∞

Chapitre 17

L'érection canonique de la paroisse eut lieu, mais l'assentiment de l'archevêque quant à la construction de la grande église ne devait permettre l'ouverture du chantier que l'année suivante.

Lorsque ce fut clairement officiel, Émélie et Honoré s'en parlèrent au magasin devant le portrait grandeur nature de Wilfrid Laurier, le Premier ministre du Canada que la reine Victoria avait sacré chevalier en 1897 en lui attribuant le titre de Sir.

– On peut plus attendre, dit Honoré, faut ouvrir notre chantier à nous.

– On écrira 1901 sur le fronton vu que la bâtisse sera pas entièrement prête avant l'année prochaine.

– Ben bonne idée, ça, ma femme !

– Mes autres idées sont moins bonnes ? ironisa-t-elle.

– Personne au monde a tout le temps des bonnes idées, même lui.

Il désignait Laurier d'un signe de tête.

– En plus que les hommes valides seront pas mal plus disponibles cette année. L'année prochaine, plusieurs vont travailler sur le chantier de l'église.

– C'est pas pour autant qu'on va les payer moins qu'on les aurait payés l'année prochaine.

– Ça, j'en doute pas ! Toi, tu donnerais ta chemise. Une chance que ta femme est là pour veiller au grain.

Il lui empoigna doucement l'avant-bras, sourit et lui dit sur le ton de la certitude:

– L'âme du magasin Grégoire, c'est Émélie Allaire, j'ai jamais prétendu le contraire.

De la sueur perlait sur le front de la jeune femme. Un fort degré d'humidité prévalait ce jour-là et ses vêtements noirs qui la recouvraient toute à part le visage et les mains ajoutaient à son inconfort. Au moins son ventre connaissait-il un répit après sept grossesses d'affilée.

Elle ouvrit les mains:

– Va ben falloir travailler, c'est pas monseigneur Bégin ou le bon curé Feuiltault, qui vont venir faire notre ouvrage à notre place. Encore moins notre saint père qu'on appelle le pape des ouvriers. Mais ses prières…

Il intervint dans l'enthousiasme d'Émélie pour y ajouter le sien:

– Et pas Sir Wilfrid non plus… Manque plus rien que la dynamite et on ouvre le chantier. J'ai averti Théophile Dubé. On commence avec ou sans lui. Rémi Labrecque est engagé. Maxime Bégin, Gédéon Jolicœur… ces deux-là avant les foins pis vont revenir après. Georges Lapierre itou, c'est un jeune homme à ben bons bras. Hilaire Paradis attend un signe pour venir travailler lui aussi. Un peu énervé, mais du cœur à l'ouvrage comme plusieurs autres. Et puis Anselme à Prudent, il s'y connaît en dynamitage. Un autre qui serait bon en dynamitage, c'est le Tancrède Poulin.

– Tu le trouves pas un peu jeune?

– Il est pas loin de 25 ans, le Tancrède.

– Bon, pour le moment, mon ami, c'est toi le maître de chantier.

– Aussitôt que Théophile vient, je lui donne les cordeaux. Mais je serai pas loin derrière.

– T'as besoin.

– Quoi, t'as pas confiance en Théophile Dubé?

– Pleine confiance, mais l'erreur est humaine. Pis surtout pour la maison, je veux que chaque détail soit parfait. C'est la maison qui va nous voir mourir, on va vivre des années dedans... en tout cas tout le temps qu'il nous reste à vivre: je veux une maison à mon goût.

– Et au mien un peu itou, non?

– Oui, monsieur! Ça, je sais que t'oublieras pas...

– Ben... disons un magasin à notre goût à tous les deux; si on s'est entendus sur les plans on va s'entendre sur leur exécution certain.

Elle hocha la tête, soupira et s'en alla derrière son comptoir. Honoré entendit la clochette. C'était Marcellin Veilleux qui en même temps que les sacs de courrier lui apportait une fort bonne nouvelle: il avait sa voiture remplie de dynamite.

– C'est arrivé par les gros chars à matin.

– Tu vas aller entreposer ton chargement dans la sacristie. Ensuite, reviens me voir. Je vas te donner une liste des hommes, journaliers et menuisiers, que je suis prêt à faire travailler demain matin. Le chantier du magasin Honoré Grégoire ouvre dans moins de vingt-quatre heures.

Et le jeune homme prit le ton de l'orateur pour ajouter comme s'il était Laurier sur un hustings:

– Bâtir, bâtir, bâtir, tout le monde parle de bâtir. Ben Honoré Grégoire itou va bâtir cette année...

Il s'en alla dans le bureau de poste et se mit à chanter à tue-tête comme ça lui arrivait dans les grands moments. Émélie qui ne pouvait le voir mais l'entendait par la porte ouverte, sourit un brin en se demandant où il avait pêché sa chanson.

Battez le fer quand il est chaud,
Obstinez-vous à votre tâche
Et sur l'enclume sans relâche,
Sur l'enclume sans relâche,
Battez d'aplomb, battez,
Battez de haut, battez,
Battez le fer quand il est chaud.

Ne dites pas: demain, demain,
Il sera temps, rien ne nous presse!
L'heure au cadran sonne sans cesse.
Mais du réveil nul n'est certain.
Qui sait si nous verrons encore
Les étincelles dans la nuit
Et l'atelier vaste et sonore
S'emplir d'éclairs, s'emplir de bruit?
Battez le fer quand il est chaud.

C'est en amour qu'on doit surtout
Se bien garder de faire grève,
De peur qu'un autre ne l'achève
Forger sa chaîne jusqu'au bout.
Ayez la foi que rien n'arrête,
Grands forgerons de l'avenir,
Pour entreprendre, il faut la tête,
Il faut le cœur pour réussir!
Battez le fer quand il est chaud.

∞∞∞∞∞∞∞∞

Chapitre 18

Théophile Dubé ferma le moulin et fut sur le chantier à Honoré Grégoire avec la plupart de ses hommes le lendemain matin de fort bonne heure. À six heures et demie, tous les ouvriers étaient déjà sur place avec leurs outils et leur boîte à nourriture. Quelques-uns toutefois prendraient leur repas du midi à l'hôtel chez madame Lemay. Le premier geste de leur patron fut de les réunir tous derrière la maison rouge afin de leur décrire les grandes lignes du vaste projet.

Il faisait beau temps, mais il était trop tôt encore pour que l'on puisse être frappé directement par les rayons du soleil que les arbres gardaient au frais derrière leur feuillage.

Les enfants Grégoire, Alfred, Éva et Ildéfonse s'étaient mis en retrait le long du hangar attenant à la maison rouge afin d'assister à cet événement qui serait l'un des plus importants de leur vie : l'ouverture du chantier du magasin.

– Mes amis, on vous a engagés parce qu'on vous considère comme étant les meilleurs hommes qu'on puisse trouver. Vous aurez de l'ouvrage six jours sur sept. Vous serez bien payés. Vous travaillerez suivant vos capacités. Quinze minutes de repos au milieu de l'avant-midi. Notre servante Delphine et mademoiselle Foley viendront vous servir à boire. Même chose au milieu de l'après-midi.

Il reçut des grognements d'approbation.

– Ce que vous allez bâtir, messieurs, c'est un gros magasin moderne avec une maison à même, c'est-à-dire que les deux bâtisses seront collées pour n'en faire qu'une seule en vérité. Mais avant de commencer à bâtir, on a deux entreprises à mener à bien. Un, va falloir déménager la maison rouge, mais dans des conditions bien particulières, c'est-à-dire faire en sorte de n'avoir pas à fermer les portes du magasin pour que la clientèle puisse continuer de s'approvisionner presque normalement.

– Monsieur Noré, on la déménage-t-il ben loin? demanda Hilaire Paradis.

– En plein là où vous êtes, messieurs. Et où je suis moi-même. Comme vous le voyez, c'est du cap sous nos pieds: c'est pour ça qu'on va dynamiter. Une ou deux charges de trois ou quatre bâtons et le tour est joué.

– On en manquera pas, lança Marcellin Veilleux qui, lui aussi, travaillerait sur le chantier entre ses autres tâches accomplies chaque jour pour le compte des Grégoire, et qui savait l'importance du chargement qu'il avait ramené, la veille, du train.

– La dynamite que t'as ramenée, Marcellin, c'est pas rien que pour les besoins du chantier du magasin, c'est pour revente. Plusieurs s'en servent dans la paroisse.

– Marcellin, pensais-tu que monsieur Noré voulait faire sauter le cap à Foley au grand complet? dit Hilaire Paradis, ce qui lui valut l'hilarité générale.

Veilleux haussa les épaules et Honoré reprit la parole:

– Et puis va falloir déménager la sacristie que j'ai achetée comme vous le savez sûrement, puis où se trouve justement la dynamite comme c'est là.

– Une bonne place pour mettre la dynamite, commenta Hilaire, le bon Dieu laisserait pas sauter sa sacristie.

– C'est pus au bon Dieu, objecta Veilleux, c'est la sacristie à Noré Grégoire.

Honoré leva les mains pour qu'on se taise. Il sortit sa montre de sa poche et lut l'heure:

– La sacristie, on va la mettre à côté de la grange, là.

– Par où c'est qu'on va passer avec une grosse bâtisse de même? demanda Georges Lapierre.

– Ça passe en masse entre ma maison pis la maison à Joseph Foley. Le ruisseau d'égout qu'il va falloir chevaucher, on va le rendre plus fort avec des étançons en dessous pis on va rallonger le pontage de vingt-cinq pieds comme il faut.

Parmi les hommes du moulin se trouvait Firmin Mercier. Depuis le temps que son cœur battait la chamade quand il voyait Mary Foley, jamais encore il n'avait osé lui demander pour la fréquenter. Il n'avait même jamais osé lui parler tout simplement. Deux fois par jour, l'été, il passait devant la maison Foley pour se rendre travailler et toujours il espérait la voir par la fenêtre ou autrement, mais il n'était pas souvent comblé par les hasards. Voici qu'il pourrait la voir de près deux fois par jour au cœur de l'avant-midi et de l'après-midi: l'eau qu'elle lui apporterait à boire serait la meilleure au monde…

– Dernière chose, mes amis, et vous devez le savoir: si je suis le paymaster, c'est-à-dire celui qui vous paye vos gages, votre vrai boss, ça va être mon ami Théophile Dubé. C'est lui qui va diriger les travaux en mon nom. C'est un homme de bon commandement, c'est un homme de bonne construction, c'est un homme de bonne composition. Vous allez bien vous entendre avec lui…

– On s'entend ben avec lui au moulin en tout cas, dit Philippe Lambert.

– Ça pourra pas être autrement sur mon chantier. Ceci dit, si quelque chose vous tracasse le temps que vous travaillerez ici, pis que vous pensez que je peux vous aider, gênez-vous pas pour venir me trouver. Surtout, faites ben attention aux accidents. Je veux pas que personne dise au jour de l'An: j'ai perdu un œil, un doigt, je me suis cassé une patte sur le chantier à Grégoire. Si jamais ça arrive, vous aurez droit à cinquante piastres de compensation.

– À ce prix-là, je me passerais ben de trois, quatre orteils, blagua Hilaire Paradis.

– Dernier point: vous ferez attention à mes enfants. Si vous trouvez qu'ils vous nuisent, éloignez-les. Eux autres, c'est pas des petits boss parce qu'ils sont des Grégoire.

Puis il pointa les enfants du doigt:

– Vous comprenez ben comme il faut, là, vous autres. Si vous «venimez» autour pis qu'il arrive quelque chose, c'est pas les hommes qui seront blâmés. Oubliez pas ça.

Alfred fit plusieurs signes de tête affirmatifs. Éva baissa la tête. Ildéfonse croisa les bras.

∞∞∞

Ce jour-là, ce fut Delphine qui apporta à boire aux hommes réunis sur le petit cap, au même endroit qu'au matin, voisin du cimetière, pour rebâtir leurs forces avant d'entamer un autre quart de jour fastidieux. Firmin se demanda si Honoré n'avait pas erré en parlant de Mary Foley à cet égard.

Le jour suivant, le moment de relâche eut lieu ailleurs car déjà l'on était à forer dans le cap afin d'y insérer les bâtonnets de dynamite. Le paillasson de protection requis aux explosions de charges, et prêté par Prudent Mercier, était déjà sur place. C'est donc sur le petit chemin de terre et de foin neuf entre les maisons Grégoire et Foley que se produisit le rendez-vous de la pause. Une table y était déjà, sur laquelle se trouvaient des tasses en fer-blanc. Théophile Dubé actionna à la main une sirène fabriquée à même un soufflet de forge en métal, installée sur la passerelle du magasin et les hommes rappliquèrent depuis les quatre coins extérieurs de la maison rouge qu'on était à soulever déjà à l'aide de crics. Au même moment, Mary Foley transportant deux grandes carafes de verre remplies d'eau s'amena comme l'avait annoncé Honoré la veille. Elle les déposa en attendant les ouvriers qui y furent rapidement, Georges Lapierre le premier qui prit une tasse et se servit avant de s'éloigner pour s'allonger dans l'herbe verte des alentours. Puis les autres. Firmin fit exprès de laisser passer tout le monde avant lui : il arriva le tout dernier à la table. Il prit aussi une tasse et allait se servir quand Mary empoigna la carafe où il restait encore de l'eau pour en verser elle-même dans le récipient du jeune homme. L'intérieur pétrifié, il ne parvint pas à dire un seul mot. Elle dit simplement:

– Ça va bien, Firmin ?

Il répondit par un signe de tête affirmatif et s'en fut aussitôt rejoindre les autres hommes. À 18 ans, il était le plus jeune des ouvriers présents. Et tâchait sans grand succès de se laisser pousser la moustache. Que des poils peu abondants de couleur pâle garnissaient le dessus de sa bouche petite qui avait le don de se souder alors qu'elle aurait dû se montrer active.

Mary regardait passer ce jeune homme tous les jours et même que Memére Foley la taquinait à ce propos. Des agaceries qui comportaient quand même des suggestions. « *Ça va être un bon parti, le petit Mercier.* » « *Il a l'air d'un ben bon garçon, ce p'tit gars-là.* » « *Tu devrais le saluer par la vitre quand il passe devant la maison.* » « *J'pense qu'il s'intéresse à toi, Mary. Je comprends ça, t'es assez belle asteur que t'as tes 17 ans quasiment 18.* »

Toutefois, Lucie, la mère de Mary, n'était pas pressée de voir sa grande fille partir de la maison. Mère de dix enfants dont neuf survivaient et parmi lesquels se trouvaient encore trois jeunes de 5 ans et moins soit Edward, Alice et Wilfred, elle manquait de temps pour tout faire, et surtout manquait d'énergie que la vie avait pompée de sa personne année après année, depuis près d'un quart de siècle.

Mary reprit les carafes et les emporta, se dirigeant vers la maison. Son nez, moins accusé que celui des autres Foley, lui conférait un charme certain et un brin mystérieux. Sa chevelure, lissée sur les côtés, formait un nid de boucles brunes sur le front puis une toque aux courbes entrelacées sur le haut arrière de la tête. Le col de sa robe entourait son cou, ce qui, s'ajoutant au tableau, lui donnait l'air d'une belle dame de Paris, un style par ailleurs qu'elle copiait souvent sur Émélie Allaire, cette voisine à qui elle vouait une profonde admiration.

Un ouvrier assis sur le sol, Tancrède Poulin, donna un coup de coude dans le flanc de Paradis pour mieux dire :

– Coudon, mon Hilaire, tu devrais y faire de la façon, à la fille à Foley.

– Un peu jeune pour moé, ça.

– Pantoute, pantoute… T'as quoi ? 30 ans ?

– 29.

– Pis la petite Foley…

– Elle s'appelle Mary.

– Ben la Mary a pas plus que 17, 18.

– 17.

– 29 avec 17, ça ferait un beau couple de mariés, ça.

Venu subrepticement à portée d'écoute, Firmin entendit l'échange et sentit un aiguillon lui piquer le cœur. Hilaire et Mary : jamais ! Fallait pas. Il se devait d'occuper le territoire, mais son être profond figeait à la seule pensée de la jeune femme.

– Coudon, as-tu déjà sorti avec une fille, Hilaire, toé ?

– Avec trois tu sauras. Trois fois trois. J'veux dire trois fois trois ans.

– C'est quoi que tu veux dire avec ça ?

– Trois filles, 3 ans chaque.

– Ça s'est pas su trop trop.

– Tout se sait pas tout le temps. Les commères du village savent pas tout ce qu'il se passe dans les quatre coins de la paroisse. On est pas en 1880, on est en 1900 pis y a quasiment deux mille personnes par icitte.

– Nomme-moé les, ces filles-là d'abord.

– Tu demanderas à madame Grégoire, elle le sait, elle.

– Madame Grégoire dit jamais rien au sujet de personne. Tout le monde sait ça. Plusieurs vont se confier à elle pis ensuite, elle, c'est la tombe. D'après moé, elle répète même pas à son mari les… comment ils disent ça… les con… fidences que des « gensses » vont y faire.

Passant par là, Honoré les entendit et s'arrêta :

– Ça, vous pouvez en être certains, mes amis. Nous autres, tout ce qu'on sait par le magasin ou ben le bureau de poste, c'est le secret absolu, complet, définitif. Les seuls propos qui peuvent sortir de la maison rouge, c'est ceux qui se disent aux réunions de placotage qui ont lieu l'hiver chez nous au lieu qu'à la boutique à Foley.

– J'disais à Hilaire que la p'tite demoiselle Foley, ça pourrait y faire une bonne femme.

Honoré jeta un œil sur Firmin assis au pied d'un arbre. Leurs regards se croisèrent : ils se comprirent.

– D'après moi, elle est pas libre. Elle a quelqu'un déjà… C'est de valeur pour toi, mon Hilaire.

Et Honoré reprit son pas long et lent vers le magasin.

Théophile actionna la sirène pour rappeler les hommes à l'ouvrage. Tancrède revint à la charge avec Hilaire :

– Avec qui, les trois filles, que t'as sorti ?

– Ben… y a eu… he…

– T'as pas l'air à savoir…

– J'veux les classer dans l'ordre… La première, Odile Blanchet… elle a marié Poléon Martin. Ensuite, j'ai eu… Anastasie Gaulin… est mariée à Elzéar Beaudoin… Pis la troisième ben… Angélina Mercier qui a marié le Georges à Pierre Racine.

– Je pensais qu'elle s'appelait Angéline.

– Ben… Angéline, Angélina, ça dépend qui parle.

Firmin continua d'entendre les propos de Tancrède et de l'autre. Il trouva plein de mensonges dans les prétentions d'Hilaire. Et en fut irrité, lui un jeune homme de vérité. Plus contrarié encore le serait-il quand Paradis tournerait la tête pour regarder intensément du côté de la maison Foley…

À ce moment précis, une sorte de bombe à retardement éclata dans son cerveau. Elle contenait pour explosifs quatre mots, de véritables bâtonnets de dynamite: « *Ça va bien, Firmin?* »

Sa tête bourdonnait tellement quand Mary avait prononcé ces quelques mots, qu'il n'avait su qu'en faire et s'était limité à un signe de tête. Comme si toute parole de réponse eût été dépasser les bornes. Ce n'était pas que civilité de la part de Mary, se disait-il en substance, mais un pas vers l'amitié. Et il n'avait rien dit: de quoi s'en mordre les doigts jusqu'aux coudes. Demain, si c'était elle plutôt que Delphine qui ferait boire les hommes, il lui dirait la même chose, les mêmes mots magiques, magnifiques: « *Ça va bien, Mary?* »

Il le ferait, ça oui, il le ferait. Personne au monde ne l'empêcherait de le faire… Personne, sauf lui-même peut-être.

∞∞∞

– Faudrait donner un petit coup de pouce au petit Firmin Mercier, dit Honoré à Émélie tandis que tous deux se trouvaient au bureau de poste en l'absence de clients.

– Tu veux dire quoi au juste?

– Je l'ai observé comme ça… à la dérobée comme on dit, et j'pense qu'il a un œil sur la Mary Foley.

– C'est pas d'hier, on le savait.

– Mais il se déclare pas, le p'tit gêné qu'il est. On le voit passer tous les jours devant chez Foley, il se tord le cou à force de tourner la tête, mais on dirait que ça le fait marcher encore plus vite. Pis là, ça me surprendrait pas que notre bon Hilaire Paradis essaie de faire les yeux doux à Mary. C'est un gars de 30 ans, il est plus solide sur ses patins que le petit Mercier.

– Hilaire, c'est comme un oiseau sur la branche : sort avec une, sort avec une autre. En fait, pas capable de se brancher.

– J'sais pas… me semble que Firmin pis Mary, ça va ensemble. Sont timides tous les deux. Parmi les meilleures familles de la paroisse. Elle serait bien traitée par lui.

– Aussi… il serait bien traité par elle… Un coup de pouce, tu dis : comment donner un coup de pouce à Firmin, nous autres ?

– Sais pas, on va l'envoyer faire des commissions chez Foley. Tiens, on va lui demander de l'aider à porter les carafes d'eau, à installer la table dehors…

– Mon venimeux d'Honoré, te v'là rendu marieux de jeunes gens pis jeunes filles.

– Si t'es pas d'accord, je m'en occuperai pas.

– Oui, oui, suis d'accord. J'veux pas de mal à Hilaire, mais j'voudrais du bien à Firmin. Comme toi.

– Et que le meilleur gagne, comme aux Jeux olympiques.

– Et que le meilleur gagne !… Mais avec un petit coup de pouce au concurrent le plus faible.

– Toi et moi, Émélie, on fait pas rien que bâtir de magasin quand on s'y met…

Elle haussa une épaule, mais ne sourit pas du visage et seulement de l'intérieur puis regagna son travail non sans avoir regardé au loin par la fenêtre et constaté que l'image offerte n'était plus la même vu le travail des puissants leviers qui continuaient de soulever la maison rouge. Ce qui par ailleurs la rendait mal à l'aise. S'il fallait qu'un de ces crics casse et entraîne les autres, le magasin subirait un véritable tremblement de terre. Mais des hommes comme Théophile Dubé et Rémi Labrecque n'en étaient quand même pas à leur premier déménagement de grosses bâtisses.

Autre crainte: le dynamitage. Des éclats de cap pouvaient aisément crever un mur. Par contre, c'est le hangar arrière qui absorberait les coups si coups il devait y avoir. Et puis les hommes et Delphine de même qu'Honoré avaient tous été solidement prévenus: qu'on ne fasse pas exploser la charge avant de savoir que les enfants soient réunis au même endroit et en sécurité. Et cela valait non seulement pour les petits Grégoire, mais aussi pour leurs amis comme Napoléon Lambert, Cyrille Beaulieu et Ti-Jean Pelchat qui venaient visiter un ou l'autre à l'occasion.

L'explosion eut lieu au milieu de l'après-midi ce jour-là, aussitôt après la pause des hommes à qui Delphine avait servi de l'eau fraîche en abondance. Émélie en personne réunit autour d'elle sa famille dans la résidence qui se trouvait protégée par le magasin sauf si une pierre devait être projetée dans les airs et retomber sur le toit auquel cas le dommage ne saurait être que superficiel, sans risques de blessure pour quiconque se trouvait à l'intérieur.

Le magasin et le bureau de poste avaient été fermés pour un quart d'heure afin que personne ne se trouve trop rapproché des lieux du dynamitage. Théophile commanda à tous les hommes de se réfugier à l'avant de la maison rouge, près du mur. Lui seul et Rémi Labrecque, embusqués chacun derrière un coin du hangar d'entreposage, couchés à plat ventre, assisteraient en quelque sorte à l'explosion. Une explosion sans doute assez forte puisqu'il avait été décidé d'utiliser non pas que quatre bâtonnets de TNT mais plutôt huit afin que l'ouvrage soit fait d'un seul coup et que le terrain soit prêt, après déblayage des gravats, à recevoir les nouvelles fondations de la maison rouge.

Tout était maintenant en place: dynamite dans les trous, paillasson de câble lourd posé, détonateurs et mèche courant sur un lit pierreux jusqu'à mi-chemin entre le cap et le hangar. Il ne restait plus qu'à crier gare, à enflammer la mèche, à crier gare de nouveau, et pour la dernière fois, puis se boucher les oreilles avec les doigts.

L'occasion était en or pour les Grégoire de donner un autre petit coup de pouce à Firmin. À la pause, Honoré l'avait chargé d'aller prévenir les Foley afin qu'ils gardent leurs enfants à l'intérieur.

– Et tu diras à Mary que si demain, elle veut servir l'eau les deux fois, avant-midi et après-midi, ça ferait notre affaire. On va avoir besoin de Delphine toute la journée.

Ce pauvre Firmin fut pris de panique. Il pâlit. Se mit à trembler. Essaya de reprendre le contrôle de son émoi dans l'attente du son de la sirène, signal de reprise des travaux et donc de sa visite chez Foley. Mais l'ordre d'Honoré dit par lui à dessein sur le ton du commandement fut le plus fort. Firmin était homme de vérité mais aussi d'obéissance. Il jeta un œil du côté de la maison Foley puis s'y dirigea sous le regard inquisiteur d'Hilaire Paradis et autres ouvriers qui eux se regroupaient devant la maison rouge dans l'attente de la déflagration comme l'avaient demandé plus tôt Honoré et Théophile aux hommes du chantier.

Firmin frappa doucement à la porte. On lui ouvrit aussitôt. Comme si on l'avait vu approcher. C'était Mary. Elle lui dit d'une voix à l'infinie douceur:

– Bonjour.

– Ben...

– Entre.

– Ben...

– Tu viens chercher de l'eau fraîche?

– Ben... non... n... C'est la dynamite qui... Ben... monsieur Noré fait dire de... que ça va sauter... les enfants... ben... faut les laisser en dedans...

Lucie qui travaillait au comptoir de cuisine à rouler de la pâte à tarte se tourna pour demander:

– C'est que tu nous dis là, Firmin?

À 41 ans, la femme Foley donnait l'air de 60 au moins maintenant. Son visage était ravagé par des rides prématurées et l'écriture de la souffrance. Sans sa robe aux chevilles, on aurait pu apercevoir des chapelets de varices courant sur ses jambes et ses cuisses. Et ses yeux, si éclatants naguère, semblaient avoir brûlé tout leur combustible pour ne laisser autour des orbites qu'un résidu bistré. Peut-être en avait-elle terminé avec les grossesses à répétition. Peut-être pas…

On eût dit qu'elle avait transmis à sa fille Mary l'entière flamme de sa jeunesse pour ne garder en elle et pour elle que la tiédeur de l'âge mûr, ce moment gris d'une vie où il ne fait plus clair sans faire noir encore. Émélie, sa voisine, n'en était pas là, elle, et peut-être que les lueurs de ses jeunes années resteraient toute sa vie dans son regard. Lucie se demandait parfois en se regardant dans le miroir le matin pourquoi elle se faisait si vieille si jeune.

Encore un peu et on l'aurait prise pour la sœur à Memére Foley. Celle-ci qui se berçait au fond de la cuisine, dans une encoignure sombre, intervint pour expliquer à la place du visiteur :

– Ils vont faire sauter le cap pour tasser la maison rouge. Faut garder les enfants dans la maison.

– On peut pas, dit Lucie. Plusieurs sont dehors on sait pas trop où. Philias et Alcid, t'attaches pas ça dans la maison là, en plein été.

– Ça sera d'Edward, Alice pis Wilfred qu'ils veulent parler. Prends pas d'inquiétude, mon gars, et Honoré Grégoire non plus, des accidents à cause de la dynamite, y en aura pas du bord des Foley. Eux autres, ils feraient mieux de voir au petit Henri pis au petit Pampalon surtout qui a le nez fourré partout. Je le vois tout le temps à travers les hommes de chantier : il veut tout voir, tout examiner. Il doit se prendre pour un petit foreman, le p'tit Pampalon. 3 ans, haut comme trois pommes, je vous dis qu'il bouge celui-là.

Dégourdi par le propos de la grand-mère, Firmin trouva moyen de dire à Mary :

– Monsieur Grégoire demande que tu viennes servir l'eau demain toute la journée.

– C'est pas le tour à Delphine ? s'étonna la jeune femme.

– Non… oui… ben Delphine, elle doit emmener les enfants en pique-nique sur le cap à Foley… ben le cap…

Lucie sourit en disant :

– Ben oui, tu peux dire le cap à Foley comme tout le monde. C'est ça, son nom, en tout cas tant qu'on aura la terre, nous autres.

– Oui, c'est certain que je vas y aller.

– Je vas pouvoir t'aider pour les carafes.

– Ça sera pas de refus. Sont pesantes, pleines d'eau. Ça prend des bons bras comme t'as, Firmin.

Chaque mot était reçu par le jeune homme comme une pierre précieuse. Il les enfila dans son cœur pour en faire un collier de haut prix. Et surtout, il parvenait enfin à composer des phrases entières lui-même.

– Bon ben… c'est ça que j'étais venu vous dire…

À ce moment, par la fenêtre ouverte, on put entendre un puissant et interminable ATTENTION lancé à pleins poumons par Rémi Labrecque. C'était juste avant de frotter une allumette sur l'overall de son pantalon puis de se pencher pour enflammer la mèche.

Inquiète de ses frères, Mary fit deux pas vers la fenêtre :

– Tu ferais mieux de rester en dedans, Firmin, on dirait que le coup de dynamite s'en vient.

– J'pense qu'ils viennent d'allumer la ratelle.

– AT-TEN-TION, hurla de nouveau le dynamiteur de toutes ses forces avant de marcher, le pas long, prendre abri à l'arrière de la cloison du hangar.

Émélie entendit la clochette du magasin au même moment ou presque et la seconde d'après, la voix énorme de son mari.

– Tu vas m'ôter ça de la liste de paye : je l'ai sacré dehors. Dehors, dehors, dehors…

Elle lui connaissait des colères, mais n'avait jamais été témoin d'un tel paroxysme. Il venait de jeter un ouvrier à la porte, mais lequel et pour quel motif? Honoré était-il dépassé par les événements? L'ampleur du chantier lui faisait-elle perdre le contrôle de lui-même? Une colère de Grégoire, c'était bien connu. Honoré en avait raconté quelques-unes faites par son père, par ses six frères Esdras, Alfred, Thomas, Antoine, Godefroy et Jean, mais à ce point-là, c'était du jamais vu chez son Grégoire à elle, et Émilie en fut retournée, ne sachant quoi dire, quels mots employer pour lui éviter, qui sait, une crise d'apoplexie.

Il s'approcha du comptoir et frappa à poing nerveux sur le dessus. Elle aperçut son visage rouge comme la maison:

– Éloi Bégin: dehors!

– C'est qu'il a donc fait pour mériter ça?

– J'vas te le dire… il s'en va fumer sa pipe dans la sacristie…

– Les hommes ont le droit de fumer: il est pas tout seul à faire ça.

– Il est tout seul à fumer DANS la sacristie. Ça, c'est interdit… formellement. Y a là de la dynamite pour faire sauter la moitié du village: la chapelle, le presbytère, le magasin. Il met combien de vies en danger, lui, là.

– Mais pourquoi que t'as pas mis un cadenas sur la porte?

– Y en a un justement. Monsieur passe par la chapelle pour s'en aller fumer. C'est dangereux comme le yable. Le pire, c'est qu'il va là…

– Oué, pourquoi il reste pas à fumer dehors avec les autres hommes?

– Parce qu'il boit en plus. Il cache de la bagosse dans la sacristie. Jamais vu une affaire de même. Regarde c'est que j'ai trouvé dans le confessionnal…

Et il sortit un flacon plat de sa poche arrière, le déposa sur le comptoir:

– Ça pue la bagosse à plein nez. Du monde de même, on a pas besoin de ça…

Ce fut alors l'explosion à l'arrière de la bâtisse qui trembla sur ses assises. Émélie ne put se retenir et posa ses deux mains à plat sur son comptoir:

– Pourquoi avez-vous pas dynamité avant de commencer à lever la bâtisse: des plans pour qu'elle tombe des crics.

– Y a des empilades de morceaux de six pouces carrés en douze endroits sous les poutres de base. À mesure qu'on soulève, on étançonne. Aucun danger. Même un tremblement de terre pourrait pas faire tomber la maison. Le danger sur le chantier, c'est... c'était Éloi Bégin...

– Ça va nuire à sa famille.

– C'est ça le pire. Maudit bon à rien qu'il est.

– Mets-en pas trop, là.

– Imagine ça... il va se cacher dans la sacristie, il boit, il fume la pipe, des tisons tombent quelque part pas loin des détonateurs... et boum. Foley saute. On saute. Le curé saute. Le docteur saute. Mercier saute. Si on avait pas ouvert un chantier, Bégin travaillerait ailleurs ou ben sur sa terre, ben qu'il fasse ça. Pas besoin d'un journalier de même.

– Les hommes t'aimeront pas d'avoir fait ça peut-être. Ça me fait de la peine, je dois te le dire.

– C'est Hilaire Paradis qui l'a dénoncé. Il a ben fait en maudit verrat. Les hommes vont comprendre ma colère et applaudir à ma décision.

– Moi, je dis que les détonateurs devraient pas être au même endroit que les bâtons de dynamite.

– Là, t'as ben raison là-dessus. Mais a fallu faire vite. On a reçu la dynamite hier. Ça prenait un lieu sec comme la sacristie. On va régler ça durant l'été. Mais ça excuse pas l'animal à Éloi Bégin... Race d'homme!

– Bon, ben je l'ôte de la liste des ouvriers. On va le remplacer?

– Oui pis vitement!

– C'est pas ce qui manque, les noms d'hommes qui voulaient travailler. J'ai la liste sous le comptoir. Tiens, trouve quelqu'un pour remplacer Éloi Bégin… Tu connais mieux les hommes que moi, Honoré…

∞∞∞∞∞∞∞

Chapitre 19

– Henri, surveille ton petit frère Pampalon!

Mais à si peu que 5 ans, l'enfant à l'esprit d'aventure, oubliait vite la recommandation. Ce que l'on craignait le plus, c'est que l'un d'eux marche sur un clou rouillé, se blesse et contracte le tétanos. On ne connaissait personne encore dans la région immédiate qui en soit mort, mais on savait la chose possible et même réelle. Émélie faisait porter des bottines à tous, mais un clou qui pointe vers le ciel se moque des cuirs. Et puis Ildéfonse avait la manie de courir nu-pieds tout l'été.

– Comme les Sauvages, riait Honoré.

– Les Sauvages risquaient pas de marcher sur des clous infectés, eux autres, commentait Émélie qui n'entendait guère à rire sur le sujet.

∞∞∞

Les hommes eurent tôt fait d'ériger les fondations de pierres qui recevraient bientôt la maison rouge. Vint trois jours plus tard le moment de déménager enfin le vieux magasin. Ce n'était pas une mince affaire puisque la bâtisse avait été construite pièce sur pièce et que son poids en soi plus celui des inventaires devait se situer quelque part aux environs de cinquante tonnes selon les évaluations sommaires du propriétaire. Le pont de bois avait été construit la veille; les poutres de support étaient en place depuis deux jours; et les rouleaux prêts à porter l'imposant fardeau et l'amener au-dessus des fondations.

Trois cabestans attendaient qu'on les vire, câbles d'acier enchaînés aux poutres de support. Il était cinq heures du matin. Une partie des ouvriers était sur les lieux par exception. C'est qu'on voulait rendre la bâtisse à sa place avant neuf heures afin qu'il ne soit pas requis de laisser fermés le magasin et le bureau de poste. Et dès que la maison rouge serait au-dessus ou sur les fondations, une passerelle de bois serait érigée pour les clients. Pour Émélie et Honoré, c'était là une question de principe. Et quasiment d'honneur. On donnerait un bonus aux hommes venus si tôt. Le cœur du village changerait d'aspect en une seule journée – et ce n'était qu'un début – sans pour autant nuire aux activités régulières et quotidiennes.

Firmin Mercier et Hilaire Paradis furent pairés au cabestan central. Eux deux, tels des galériens, tireraient la longue tige de métal par laquelle leur puissance musculaire serait transmise à l'appareil qui la centuplerait.

– Ben content d'être avec toé, dit Hilaire quand on leur eut désigné leur tâche et qu'ils furent assis sur la pièce bien ancrée qui faisait office de banc.

– Jamais fait ça, moé! C'est-il ben dur?

– C'est fait pour du monde… deux paires de bras.

– Pourquoi on prend pas des chevaux?

– Ça tire pas égal: trop vite ou pas assez. Ils appellent ça un travail de précision. Faudrait pas que la maison rouge vire de travers parce qu'un cheval est plus nerveux que les deux autres. En tout cas, c'est ça que Rémi dit.

– Ah!

C'est alors que Paradis fit à l'autre une annonce qui le renversa, le laissa pantois, après l'avoir frappé en plein milieu du plexus solaire.

– Ils t'ont-il dit que je sors avec la petite Foley?

– Ben…

– Eh ben oui ! C'est ma blonde asteur, la belle Mary.

Ce mensonge éhonté faisait partie d'une tactique employée par Hilaire pour décourager Firmin et l'évincer. Il avait perçu l'intérêt mutuel que Mary et le jeune homme timide se portaient. Et puis il avait maintenant envie de se caser et de fonder une famille.

– Ben content pour toé ! Depuis quand ?

– Quelques jours. Suis venu veiller dimanche au soir avec elle. Est donc fine ! On a marché côte à côte jusque… sur le cap à Foley, là, en haut.

Firmin croyait ce que Paradis avançait et pourtant, il aurait dû le savoir menteur comme un arracheur de dents car il avait entendu son propos bourré de menteries échangé avec Tancrède Poulin l'autre jour. L'histoire d'amour entre Odile et l'ancien commis Lavoie avait couru sous le manteau et Firmin savait que celle qui avait fini par épouser Napoléon Martin n'avait jamais de sa vie été fréquentée par Hilaire Paradis. Mais le mensonge a prise aisément dans le terreau de la vérité pour y faire croître les mauvaises herbes de sentiments faux et sans base. Le premier chiendent à pousser comme un champignon dans le cœur du jeune Mercier fut celui du dépit mélangé à de la tristesse. Il l'enferma, le musela dans le silence. Paradis en remit :

– On va se voir probablement tous les samedis soirs pis tous les dimanches après-midi. Pis l'année prochaine… en 1901, on va se marier. Pis je vas m'ouvrir un lot dans le rang deux de Saint-Martin. Ou ben on va s'établir dans le canton de Dorset, dans le rang des concessions. C'est que t'en dis, mon Mercier ?

– Tant mieux pour toé !

– Es-tu content pour moé pis Mary ?

La question fit office de tordeur dans lequel passa le sentiment de Firmin. La tristesse en fut expurgée comme l'eau d'un linge mouillé pour n'y laisser que le dépit pur et dur :

– Je m'en sacre ben comme il faut si tu veux savoir.

– Pourquoi c'est faire que tu dis ça ? Serais-tu jaloux de nous autres ?

Le ton parut si insidieux et vicieux à Firmin qu'il ne put se retenir de cracher une part de sa colère en salive au sol poussiéreux et assoiffé qui absorba vivement le bouillon de liquide. Les rayons d'un soleil prometteur ne leur parvenaient pas encore et bâillaient, leurs longs bras étirés en attendant que le temps les pousse au-dessus des arbres.

– Pourquoi c'est faire que je serais jaloux ? J'cours pas après Mary Foley, moé.

– Ben moé non plus, tu sauras, mon Mercier. C'est elle qui m'a fait les yeux doux. En tout cas, c'est une fille pas mal plaisante à voir, tu penses pas ? Tu la trouves comment, toé, notre Mary Foley ?

– Ben… comme ça…

– C'est pas parce qu'elle t'a parlé une fois ou deux qu'elle a les yeux sur toé, là.

– Parle-moé donc de la Odile Blanchet, toé.

– C'est qui ça ?

– Ben Odile Blanchet qui travaillait pour les Grégoire pis qui s'est mariée avec Poléon Martin.

– Ah elle ? C'est que tu veux que je te dise ?

– Quand tu l'as fréquentée, c'est elle qui t'a mis la pelle[2].

– Elle m'a jamais mis la pelle parce que j'ai jamais sorti avec elle, mon p'tit Mercier. C'est toé qui viens de l'inventer.

– Jamais ?

– Non, jamais !

Firmin sut ainsi, de la bouche même du vantard, qu'il avait menti l'autre fois dans son échange avec Tancrède Poulin. Preuve en était donnée. Qui ment un jour ment toujours, se dit donc celui dont le cœur était rempli des images de Mary, de sa voix, de sa

2. Une jeune fille qui mettait la pelle près de la porte ou dans l'escalier avant la venue d'un prétendant lui signifiait par là qu'il n'était pas ou plus le bienvenu

douceur, de sa finesse, de sa bonté, de sa politesse... Toutes ces fleurs bougeaient sous le vent berceur de son sentiment pour elle en exhalant leur parfum enivrant. Et malgré tout, malgré sa certitude sur les racontars de Paradis à propos d'elle et lui, Firmin s'inquiétait, craignait de n'avoir pas assez de courage et de foi en lui-même pour oser demander à Mary de la fréquenter pour le bon motif.

Et la maison rouge commença à bouger, imperceptiblement mais sûrement à chaque seconde quand Théophile Dubé se mit à lancer à voix forte de faux ahans, son effort se limitant à crier, pour que les actions combinées des muscles au travail soient harmonieuses. Rémi Labrecque, son bras droit, se tenait au bord ouest, le regard tourné vers l'est, alignant le mur avec les pierres tombales du cimetière qui serviraient de point de repère jusqu'à l'arrêt définitif au-dessus des fondations. Il lui arriva de lire le nom de Marie Allaire sur une stèle de bois gris, un nom en lettres blanches que chaque année, Émélie allait rafraîchir elle-même en priant pour sa petite sœur et en lui parlant. Et il se souvint de cet accident alors qu'elle s'était brisé la jambe et qu'on l'avait fait venir, lui, pour tâcher de la rafistoler, ce qu'il avait accompli tant bien que mal à l'aide de ses pauvres moyens. D'autres insuccès s'ajoutant à celui-là, il avait fini par refuser de toucher aux membres cassés, et limiterait ses interventions subséquentes aux luxations et foulures, jamais plus aux cassures.

– AHAN ! disait et redisait Dubé.

Firmin et Hilaire ne se parlaient plus. Les pieds arc-boutés aux fondations mêmes de la maison, ils viraient leur cabestan sans peine. Deux autres paires d'hommes faisaient de même aux extrémités de la maison : Tancrède Poulin et Onésime Lapointe côté ouest, et Gédéon Jolicœur du côté du cimetière, pairé à Cyrille Martin surnommé « *Bourré ben dur* », un jeune homme de 21 ans fort comme un bison et vif comme un chat.

Émélie se leva à cinq heures et demie. Elle fit sa toilette puis se rendit à la fenêtre pour constater l'état du chantier, se rappelant que c'était jour de déménagement. Et pourtant, elle eut un coup au cœur lorsqu'elle aperçut la maison rouge ainsi déplacée. Il lui parut qu'elle devait tourner la page sur un passé exaltant. Lui revint en mémoire ce midi où elle était arrivée devant cette maison, alors grise, la première fois en 1880, avec son père, son frère et Marie. Elle se revit en train de fixer au mur l'enseigne contenant les mots « magasin général ». Sa gorge se noua. Vingt ans avaient vécu. Vingt ans avaient roulé sur ce chemin de terre sombre. Vingt ans avaient coulé en sueur sur son front et creusé des ruisselets. Puis sa pensée l'emporta vingt ans devant. Elle et son mari en auraient 55. Alfred 33, Éva 31... les autres seraient tous des adultes et combien de nouveaux existeraient dans la famille ?

« Et la petite Bernadette sera probablement mère de famille à son tour, » songeait Émélie en l'entendant limoner dans la chambre.

Il fallait l'allaiter pour au moins éloigner une nouvelle grossesse et elle s'enferma dans la pièce. Honoré quant à lui s'était levé à la barre du jour et œuvrait maintenant sur le chantier du côté de la sacristie qu'on anticipait déménager à son tour la semaine suivante au plus tard, et qui déjà était détachée de la chapelle et soulevée sur des crics.

Quand la tétée fut terminée, elle remit l'enfant dans son ber. Comme elle la trouvait pâlotte, cette petite Bernadette. Pas vivante comme les autres enfants à cet âge. Mais peut-être que les années passant, elle serait la plus vigoureuse de la famille. Delphine le croyait, elle, en tout cas et le disait.

Quand elle retourna à la fenêtre, le décor avait encore changé dehors. Mais cette fois, fini la nostalgie. Il fallait se retrousser les manches et travailler. Tel était son destin. Telle était sa vie. Sauf qu'en ce jour exceptionnel, elle ne saurait se trouver au magasin à six heures comme de coutume et devrait attendre vers les neuf heures, attendre que la maison rouge soit sur sa nouvelle assise et qu'on ait construit une passerelle pour accéder au magasin. Honoré ferait mieux de tenir sa promesse à ce propos.

Restitue Jobin fut la première à s'aventurer sur le pont de bois conduisant à la porte du magasin.

– Mon Dieu, ça fait haut! s'exclama-t-elle en entrant.

Émélie qui s'occupait à la fois du magasin et du bureau de poste, en ajouta:

– Ça va être moins drôle cet hiver.

– Quoi, le gros magasin sera pas prêt encore?

– Je dis ça, mais je pense pas qu'on va passer l'hiver dans la maison rouge. Le nouveau magasin va pouvoir nous recevoir quelque part en novembre mais notre nouvelle maison, elle, sera pas prête.

– Ça veut dire que t'auras pas ta belle grande maison neuve avant l'année prochaine?

– C'est ça que ça veut dire. On a décidé de faire l'inauguration en 1901, en même temps que le chantier de l'église battra son plein.

Le deuxième visiteur fut le curé qui avait un drôle d'air. Émélie lui donna son courrier de la veille. Il dit:

– Vous oubliez pas quelque chose?

– Ben... peut-être...

– Comme par exemple la bénédiction du chantier?

– Vous l'avez pas encore béni? s'étonna Émélie.

– Vous devez savoir que c'est une cérémonie. Un prêtre lance pas une bénédiction comme ça, sans que personne ne puisse le voir faire et la recevoir. Il me faut les hommes réunis devant le chantier et alors seulement, je procéderai à la bénédiction.

– Vous m'excuserez, mais je pensais que tout était arrangé avec mon mari.

– Il m'en a même pas parlé.

– Si vous saviez comme ça lui en fait à voir de ce temps-là. Il est débordé…

Le prêtre se fit doucereux:

– Mais le bon Dieu doit toujours passer en premier, chère madame Émélie. Une bénédiction officielle, ça prévient les accidents de chantier, vous savez.

«Et ça rapporte deux piastres au curé,» songea la marchande sans bien sûr le dire.

– Ben on va faire ça aujourd'hui même, monsieur le curé. Qu'est-ce que vous diriez de… une heure après-midi, quand les hommes seront prêts à recommencer à travailler.

– C'est à se parler qu'on se comprend.

Et l'abbé Feuiltault tourna les talons pour s'en aller.

– Bonne journée, monsieur le curé, put enfin lui dire la seule cliente du magasin quand, au sortir du bureau de poste, il fut sur le point de franchir le seuil de la porte donnant sur la passerelle.

– Ah, madame Restitue! On vous voit pas souvent, excepté à la messe du dimanche.

– J'allais visiter Belzémire au presbytère de temps en temps, mais j'veux pas la retarder dans son ouvrage.

Il y avait une allusion dans ce propos, Belzémire ayant confié à Restitue que le curé ne voyait pas d'un très bon œil ces visites prolongées lui étant faites au presbytère par Célina du temps de son vivant et par Restitue qui, désœuvrée à 68 ans, égrenait les visites aux gens du village comme des *Ave* débités à la vierge. En guise de compensation, Restitue allait plus souvent voir Memére Foley ou bien passait du temps au magasin à échanger avec les clientes.

– Vous avez raison: c'est vrai qu'elle en a beaucoup à faire. Le manger, le ménage, le lavage, le repassage, le reprisage. Et puis ça brille comme un sou neuf au presbytère. La vaisselle, les planchers, les miroirs, les vitres. Une ménagère dépareillée, notre Belzémire.

– Ça prend quelqu'un comme elle pour prendre bon soin d'un presbytère, dit Émélie.

– Et de son curé, ajouta le prêtre avec un fin sourire avant de saluer de la main et quitter les lieux sans rien dire d'autre.

Une heure après le repas du midi, Honoré réunit les hommes sur l'ancien emplacement de la maison rouge qui se trouvait être celui du nouveau magasin dont la construction commencerait le lendemain matin. Émélie fit venir Delphine et les enfants. Elle voulait que tous sans exception, y compris même la petite Bernadette, soient témoins de cette bénédiction et puissent la recevoir. Le docteur sortit de chez lui et vint. Madame Lemay aussi. Et les Mercier ainsi que plusieurs Foley dont Memére et Mary. Restitue ne manqua pas cette autre occasion de sortir de chez elle. Des gens des rangs passant par là s'arrêtèrent. Louis Champagne vint avec sa femme modiste. D'autres…

Et le curé, tel un explorateur prenant possession d'un nouveau territoire en y plantant une croix, procéda à la bénédiction officielle du chantier. Il bénit les ouvriers, il bénit les autres assistants, il bénit la maison rouge, il bénit le cimetière, il bénit le site de la nouvelle construction et, tant qu'à faire, d'un bon coup de goupillon, il bénit même jusqu'au cap à Foley loin derrière les bâtisses à Honoré. Il en fallait de l'eau bénite là-bas pour neutraliser les pistes du diable sur ce rocher noir à fleur de terre…

∞∞∞

Ce dimanche à venir, le cap serait le témoin d'un petit événement ô combien heureux. C'était l'endroit pour ça malgré ces étonnantes pistes du diable qui en faisaient frissonner d'aucuns et plus d'un. Deux amies de Mary Foley, Marie-Zélou Tanguay et Zoade Gosselin, organisèrent un pique-nique, histoire de fêter le dix-huitième anniversaire de naissance de leur amie. Ce serait une célébration surprise à laquelle on inviterait aussi quelques jeunes gens comme Firmin Mercier, Hilaire Paradis et Cyrille Martin ainsi que le frère aîné de Mary: Joseph, âgé maintenant de 19 ans. Comme de bien entendu, un chaperon serait délégué pour «veiller et surveiller», ainsi que les curés successifs se plaisaient à le demander à répétition aux mères de famille chaque fois qu'une réunion amicale se faisait entre jeunes gens et jeunes filles. Quant à la danse, elle était formellement défendue si ce n'est des sets canadiens et des quadrilles lors des seules soirées du temps des fêtes où les adultes dominaient par leur nombre.

Il fut demandé aux jeunes hommes invités de se rendre sur le cap dès après la messe. Ils n'avaient pas à emporter de la nourriture avec eux puisque Zoade et Marie-Zélou auxquelles se joindraient Séraphie Crépeau et Marie Quirion y verraient elles-mêmes à l'insu de la personne fêtée. Mais on les pria de monter la table qui se trouvait en permanence là-bas et que constituaient une longue plate-forme et trois tréteaux remisés près d'une clôture de perches où se trouvaient aussi planches et bûches qui servaient de bancs pour s'asseoir à table.

Le quatuor des jeunes filles s'amena chez Foley peu après la messe. Zoade entra pour demander à Mary de les accompagner à leur pique-nique. Lucie qui était déjà au parfum ne laissa pas à sa fille le temps de refuser ou même d'hésiter à accepter l'invitation, qui lança:

– Memére et moi, on va tout faire sans toi. Tu peux y aller sans crainte.

Mary promena son regard sur la pièce:

– Elle est où, Memére?

– Montée dans sa chambre. Je vas la quérir tout à l'heure.

Et Lucie se tourna vers le comptoir des préparatifs du repas sans rien ajouter.

– Mais, me faudrait à manger.

– On a tout ce qu'il faut, dit Zoade. J'en ai, Marie-Zélou en a. Séraphie itou. Et Marie un plein panier.

Pas une seule seconde Mary ne songea à son anniversaire de naissance. D'ailleurs sa fête ne serait que le mardi à venir. La surprise aidant, elle acquiesça et sortit suite à son amie. Les autres filles la saluèrent et l'on se mit en route en jasant et gloussant gaiement.

Le curé qui avait vu les jeunes gens prendre la direction du cap à Foley et qui gardait un œil sur les environs par une fenêtre du presbytère aperçut alors le groupe de jeunes filles et quand il les vit s'éloigner vers le cap à leur tour, il s'inquiéta sérieusement. Elles avaient toutes la tête nue et deux d'entre elles portaient des robes sans collerette au cou.

– Ah ! la jeunesse d'aujourd'hui ! s'exclama-t-il en soupirant.

Belzémire l'entendit qui vint y voir.

– Y a un groupe de jeunes gens parti pour le cap à Foley… en tout cas il me semble que c'est vers là qu'ils vont, et voici maintenant qu'un groupe de jeunes filles semble aller les rejoindre.

– C'est pas grave, ils vont en pique-nique.

– Vous en savez quoi ?

– C'est Marie-Zélou qui me l'a dit.

– Voici que la servante du curé sait ce que le curé ignore : belle affaire !

– Y a beaucoup de choses que je sais que vous ignorez. C'est pareil pour vous.

– Pour moi, c'est normal.

– Soyez pas sévère : les jeunes, ils vont pas faire de mal sur le cap, c'est un pique-nique… c'est pour l'anniversaire de naissance à Mary Foley.

– Je pense qu'il va y avoir un invité de plus tout à l'heure sur le cap à monsieur Foley.

– Ah oui ? Qui donc ?

– Mettez à manger dans ma petite boîte de fer-blanc…

– Je vous prépare des sandwiches.

– Faites-en trois: j'ai l'estomac creux.

Les jeunes gens s'étaient cachés dans les boqueteaux de sapins et de cèdres du voisinage pour laisser approcher le groupe féminin. On se manifesterait sur un signal de Zoade afin de pousser plus loin l'effet de surprise chez Mary qui n'en serait que plus heureuse.

Les victuailles furent déposées au milieu de la table. Personne, pas même Mary, ne s'étonna de la voir montée, ainsi que les bancs pour s'asseoir, comme si tout ça allait de soi.

– On pourrait s'installer de chaque côté, devait toutefois commenter Mary.

– C'est pour pas avoir le soleil dans les yeux qu'on se met toutes du même bord, argua Marie-Zélou.

– Il nous reste quasiment plus rien qu'à dire le bénédicité, fit Zoade qui se mit debout et en profita pour donner le signal aux jeunes gens cachés. Aussitôt, ils s'amenèrent sans bruit par l'arrière.

– Bénissez-nous, mon Dieu, ainsi que la nourriture que nous allons prendre…

Mais au lieu du « ainsi soit-il », ce fut un énorme cri de groupe :

– Surprise !

– Bonne fête, Mary ! dit Zoade à la jeune fille éberluée.

– Moi ?

En la compagnie des trois autres, Hilaire, Cyrille et Joseph, Firmin se sentait bien plus hardi comme tous les timides parmi la foule. De plus, il était animé par une profonde détermination : Hilaire ne lui damerait pas le pion devant Mary Foley. Le mensonge ne saurait triompher dans pareille réunion, à si belle fête. Et si la situation tournait à son désavantage, eh bien tant pis ! Piqué par la mouche du courage lorsque Zoade lui avait affirmé qu'il serait le bienvenu à la fête de Mary, il y était tout entier, de la force plein ses poches et de la certitude plein la bouche.

– Bonne fête Mary ! Bonne fête Mary ! Bonne fête, bonne fête, bonne fête Mary !

Le chœur n'était pas le plus harmonieux du monde, mais le bonheur qu'il faisait rayonner sur les notes chantées enveloppa tous les assistants.

– Venez vous asseoir à la table, les gars, dit Marie-Zélou, on a du manger en masse pour tout le monde.

Ils ne se firent pas prier. Hilaire fut le plus rapide; il occupa la place vis-à-vis de Mary. Firmin en fut affecté. Un évangile dit que les premiers seront les derniers, mais il n'était pas dans une situation pour songer à cette leçon biblique. Cyrille Martin fut aussi comblé par la place qui lui échut: il avait pour vis-à-vis la jolie Séraphie, une blondinette au charme d'enfant. Firmin dut se contenter de l'espace libre qui restait à une extrémité de la table alors que Joseph hérita de l'autre, à la gauche de Marie Quirion.

– On va manger pis ensuite, on va chanter des chansons, annonça Marie-Zélou.

Les autres filles approuvèrent. Cyrille dit:

– Moé, je chante comme un coq pris dans une clôture de broche piquante.

Cela fit rire tout le monde, et plus qu'il ne le devrait car la blague était bien connue voire éculée. Mais chacun voulait surpasser les autres par l'expression de sa bonne humeur, les jeunes hommes surtout qui voulaient marquer des points auprès des jeunes filles de leur choix. Le fait était que Cyrille Martin zieutait Séraphie Crépeau, que Joseph Foley avait l'intention de demander à Marie Quirion pour la fréquenter, que Firmin Mercier et Hilaire Paradis rivalisaient pour obtenir l'attention de Mary Foley. Marie-Zélou et Zoade quant à elles restaient libres comme l'air et ce n'était pas faute de leur apparence puisque toutes deux présentaient un charme insurpassable.

Zoade possédait un visage juvénile couronné d'une chevelure qui formait sur sa tête une sorte de chapeau brun foncé aux allures de cône renversé. Chaque trait de son visage était fin. Ses yeux petits demeuraient pourtant clairs et vifs. Svelte, bourrée d'énergie, elle semblait inondée par les vagues du tissu de sa robe sombre. De l'eau perlait sur son front; il lui arrivait de l'essuyer avec un beau mouchoir blanc et rose, brodé de sa propre main.

Marie-Zélou se présentait comme une personne à la beauté classique. Grande. Chevelure foncée enroulée comme un beigne sur le haut arrière de sa tête, elle gardait des mèches devant les oreilles. Le front un tout petit peu fuyant de même que le menton ajoutaient une charmante illusion à son nez agréable bien proportionné avec le reste du visage. Et puis ces yeux d'un bleu si profond que pas même un ciel de juillet ne pouvait les détrôner…

Séraphie ne possédait pas encore une féminité très affirmée, ce qui la rendait un peu gauche dans ses mouvements. Comme si elle avait été en hésitation quelque part entre le monde de l'enfance et celui de la femme adulte. Plusieurs jeunes filles étaient mariées à son âge et le plus souvent déjà mères. Elle ne pensait pas que ça lui arriverait un jour, mais Cyrille y songeait pour deux sans pourtant la fréquenter encore.

Quant à Marie Quirion, elle ressemblait à sa cousine Amabylis et à coup sûr possédait dans ses veines plusieurs gouttes de sang abénakis. Plus noire que le sous-bois touffu du bocage voisin, sa chevelure était ramassée dans une longue tresse. Pommettes accusées, peau foncée, ruban rouge autour du cou, tout concordait à faire parler son héritage ancestral.

L'on dispersa autour de la table devant chacun des assistants les récipients nécessaires, soucoupes, tasses et ustensiles puis les choses à manger: des sandwiches à divers mélanges, des œufs à la coque, vin de cerise vieilli d'un an, petits mystères sucrés enveloppés dans du papier brun. Les jeunes filles piaillaient, les jeunes gens écoutaient avec leurs yeux.

Et les regards se croisaient parmi ces flots de paroles joyeuses et sans futur. Firmin cherchait des lueurs éloquentes dans les prunelles de Mary qui, elle, avait vite fait de baisser les paupières quand elle le voyait la voir. Plus réservé quand même que ses compères, il lui arrivait de capter un court instant la flamme indigo que lançaient sans mesure de tous bords tous côtés les yeux de Zoade.

Quand il arrivait à Marie-Zélou de dire quelque chose, on était porté à l'écouter mieux que les autres, sachant le poids de ses phrases. Et elle, de plonger son regard tout brun dans celui de quelqu'un comme pour l'interroger quand elle formulait une idée ou même un rien.

Séraphie ne regardait que les personnes de son sexe.

Marie ne regardait que ceux qui ne la regardaient pas.

Les yeux, les oreilles, les bouches, tout s'arrêta soudain quand une voix forte se fit entendre à distance :

– Salut la jeunesse ! J'arrive vous voir tous…

C'était le curé qui s'approcha d'un pas énorme, boîte de tôle sous le bras, soutane battue par ses genoux pressés, vers les pique-niqueurs médusés. Il fut près d'eux en quelques enjambées.

– Eh bien, je vous ai vu venir par ici et je me suis dit qu'un de plus à votre table… que vous alliez accueillir votre curé parmi vous…

Des mots marmonnés lui firent comprendre qu'il était officiellement le bienvenu, mais en certains esprits, il ne l'était guère. Seul Hilaire comprit la vraie raison de sa visite : le prêtre venait au nom de la morale, incapable de supporter que des jeunes personnes des deux sexes puissent fraterniser, même en groupe, sur le cap à Foley que certains prêtres (curés avant lui ou prédicateurs de passage) et commères de la paroisse prenaient pour le cap du péché.

Le plaisir de la fête venait d'être fauché à sa base même : la liberté de parler, de rire, de chanter… Zoade fut de tous la plus contrariée. Comment s'extérioriser quand une soutane se trouve au milieu de vous ? Mary Foley ressentait un grand respect envers le presbytère tout comme ses aînés de sang irlandais : son père Joseph, son grand père Michaël, et sa grand mère Euphemie. Et c'est pourquoi elle accueillit l'abbé Feuiltault par son sourire engageant et ses mots bienveillants tout comme elle lui ouvrait une porte de bienvenue dans son cœur.

– Et puis regardez-moi ça, il y a deux belles places libres du côté des garçons. En passant, je vous félicite de vous asseoir par groupes comme vous l'avez fait : les demoiselles d'un côté et les jeunes messieurs ensemble de l'autre. La proximité et la promiscuité sont des sœurs jumelles, vous savez.

Il scruta les regards, mais personne ne semblait comprendre le sens de cette phrase ; même que le mot promiscuité échappait à tout le monde. D'autant que le prêtre lui donnait un sens péjoratif à caractère dissolu. Mais si le curé disait, il disait vrai : on le croyait tout aussi infaillible que le pape Léon XIII. Et on l'approuva de signes de tête et de sourires soumis.

Pour prendre place, il lui fallait enjamber le madrier servant de banc. Et pour ce faire, il lui fallut retrousser sa soutane, ce qui laissa voir ses mollets, blancs comme de la farine. Zoade et Marie-Zélou s'échangèrent un regard entendu. La pudeur fit baisser les yeux de Mary. Quant aux garçons, ils ne virent pas sa jambe nue vu qu'ils se trouvaient du même côté de la table que lui.

– Madame Belzémire m'a préparé une belle boîte à lunch, je pense. Si je peux partager avec quelqu'un… Avez-vous tous à manger ?

Il jeta un œil sur la table, ajouta :

– On dirait que oui.

Zoade dit :

– Et on a récité notre bénédicité, vous savez.

– Mais c'est très bien ! Mais c'est très bien !… Et… en quel honneur avez-vous décidé de venir faire un pique-nique du dimanche ici aujourd'hui ?

– C'est pour fêter Mary, fit Zoade. Elle va avoir ses 18 ans mardi qui vient.

– Ah bon ! Alors bonne fête Mary. Je lève… mon sandwich pour souligner ça.

D'autres levèrent leur tasse. Le prêtre se demanda ce qu'elle contenait puis aperçut des bouteilles dont il voulut connaître le contenu :

– Qu'est-ce que vous avez de bon là-dedans ?

– Du vin de cerises, répondit Marie-Zélou.

– Oh… faites attention. Il y a de l'alcool là-dedans. Et l'alcool, ça monte à la tête.

– C'est pas défendu, argua Hilaire qui ne voulait donner au curé le moindre prétexte d'écraser la fête de tout son poids de prêtre.

– Les Canadiens ont voté contre la prohibition, c'est vrai, mais ça ne veut pas dire qu'il faille boire sans mesure, n'est-ce pas.

– On a une tasse de vin chacun, dit Hilaire aussi. C'est ça, notre mesure à nous autres.

– Mais c'est très bien ! Mais c'est très bien !

Alors que l'on commençait à s'accommoder de cette présence quelque peu insolite du curé à une fête de jeunes, voici qu'il survint sur le cap un autre personnage que personne n'attendait et qui s'amena de son pas lent, le visage installé dans un sourire figé et le regard bourré de sollicitude. C'était Memére Foley, le chaperon délégué par Lucie pour « veiller et surveiller ». Elle avait fait exprès d'arriver tardivement avec l'intention de s'esquiver aussitôt après avoir mangé en compagnie des jeunes. Rien de répréhensible ne saurait se passer dans pareille fête en plein jour et les scrupules de la société la faisaient rire. Mais il fallait bien sauver les apparences.

Quelle ne fut pas sa surprise d'apercevoir à table l'abbé Feuiltault que le jour lumineux enrobant sa noire soutane découpait parmi les autres. Si étonnée qu'elle s'arrêta, son panier se balançant à côté de sa robe sombre, les deux pieds en plein dans les pistes du diable.

– Madame Foley, si c'est pas madame Foley, s'écria le prêtre. Vous aussi venez pique-niquer ? Venez vous asseoir à notre table.

– Comme on dit : plus on est de fous, plus on s'amuse.

L'abbé hocha la tête et parla sans conviction :

– Disons que… c'est une image comme une autre.

– Bon… ben si vous m'invitez, j'ai ce qu'il faut pour manger.

– On en a assez pour les fins, les fous, les sages, proclama Zoade.

La femme regarda vers ses pieds mal assurés sur le cap en raison des sillons en forme de raquette ronde attribués à la marche par là dans le très vieux temps d'un démon aux ergots de feu, peut-être Satan en personne. Elle sourit puis s'approcha. Joseph lui céda sa place au bout de la table et alla s'asseoir à celle qui restait libre, voisin du curé. Mary prit la parole :

– Vous le saviez, Memére, que c'était pour fêter ma fête, le pique-nique.

– Certain que je le savais ! Ta mère itou. Elle m'envoie pour jouer au chaperon ; mais comme monsieur le curé est déjà là pour ça, l'ouvrage sera moins dur.

Le visage du prêtre tourna au cramoisi. On jetait brutalement sur la table ses véritables intentions et raisons. Il devait s'objecter :

– C'est surtout pas le rôle d'un prêtre de jouer les chaperons. Ces jeunes gens et jeunes filles sont tous de bonne famille et je leur accorde toute ma confiance.

– Dans ce cas-là, dit Euphemie, on va les laisser s'amuser entre eux autres de manière saine aussitôt qu'on aura mangé, vous et moi, monsieur le curé.

Son accent irlandais lui conférait une autorité que même le prêtre ne put contester. Et il acquiesça de son rituel « mais c'est très bien ! »

L'on mangea. La vieille femme eut à raconter des souvenirs du temps passé. On l'écouta religieusement. Le curé lui-même se fit conteur intéressant. La présence des deux personnages qui n'avaient pas été invités à la fête fit en sorte que la tension diminua entre ceux qui l'avaient été. Comme prévu, Euphemie et le curé s'en allèrent après le repas, laissant derrière eux des pique-niqueurs joyeux qui se mirent à chanter.

Et l'événement serait le point de départ de fréquentations heureuses entre, d'une part, Joseph Foley et Marie Quirion, et, d'autre part, entre Cyrille Martin et Séraphie Crépeau. Mais rien ne serait encore clairement départagé entre Hilaire et Firmin dans leurs démarches invisibles afin de toucher le cœur de Mary.

Il faudrait attendre d'autres occasions, d'autres coups de pouce de la part du couple Grégoire, d'autres hasards pour que se précise la destinée de la jeune femme. Firmin Mercier serait l'élu de son cœur. Et pas Hilaire, ce bel oiseau qui devrait voltiger vers une autre branche…

∞∞∞∞∞∞

Chapitre 20

L'été des enfants Grégoire fut excitant au plus haut point, inoubliable. Cela tint au fait qu'il y avait chantier chez eux et donc de grands changements avec le cortège de promesses, réelles ou pas, de pareils événements. Mais surtout, leurs parents étaient si occupés, si accaparés par leur futur en construction que leur autorité perdit de sa force. Il leur manquait de temps, même avec tout ce monde embauché, pour voir de près aux choses de la famille comme naguère. Et ils relâchèrent un peu les guides, ce que perçurent vite leurs rejetons qui ne manquèrent pas de profiter de cet air si doux et frais de la liberté élargie.

Alfred se rendit souvent à la pêche dans les ruisseaux à truite du Grand-Shenley avec ses amis Alfred Dubé et Napoléon Lambert. Il rapporta plusieurs fois du poisson à Delphine qui, malgré son peu de doigté en cuisine, parvint à en faire quelque chose de mangeable, le beurre bruni aidant de même que le sel.

Malgré les tâches qui lui incombaient, Éva trouva moyen de fraterniser souvent avec sa collègue de classe et grande amie, Arthémise Boulanger. Il leur arriva même de se rendre à leur tour en pique-nique sur le cap à Foley, à l'instar de leurs aînées lors de la fête de Mary. Et ça leur arriva en ce jour de canicule des trois quarts de juillet. À la différence des grands, elles ne purent manger à une table, celle disponible étant démontée et trop lourde à monter pour des bras aussi frêles. Et c'était tant mieux car il leur fut bien plus agréable d'utiliser l'immense table naturelle que constituait le cap. Elles y savaient un lieu fait sur mesure pour un pique-nique à deux: soit une pierre plate entre trois boqueteaux. Une petite fraîche tout juste perceptible y régnait; on pouvait s'asseoir sur l'herbe verte; les paroles restaient accrochées dans les branches des cèdres et des épinettes avant d'être absorbées par les mousses discrètes à leurs pieds.

– J'te dis qu'Alice voulait venir avec nous autres.

– On aurait pu l'emmener.

– J'peux pas tout le temps l'emmener avec moi.

– Ah, j'sais que tu prends soin ben comme il faut de tes petits frères pis d'Alice surtout.

– Ça m'a fait de la peine un peu de pas l'amener, mais maudine, j'voulais qu'on soit toutes seules… avec les arbres. Pis le bon Dieu.

– Elle va se consoler.

– Je lui ai dit que la prochaine fois, on va l'emmener avec nous autres.

Toutes deux portaient des robes aux chevilles, mais pâles pour mieux lutter contre la chaleur excessive. Huit jours qu'il faisait ce temps d'enfer. Huit jours quelque part entre 90 et 100 degrés. Du jamais vu. Les ruisseaux d'égout étaient tous à sec. Ceux des bois ne coulaient guère et les poissons avaient trouvé refuge dans les bassins d'eau noire des cédrières. Tous se plaignaient de l'intensité et de la durée de cette chaleur humide. Jusqu'aux cigales qui espaçaient leur bruit aigre et monotone par souci d'économie de leur énergie.

– Ah, il fait chaud, hein! dit Arthémise pour la centième fois depuis leur départ de la maison où elle avait rejoint Éva un peu plus tôt.

– Moins qu'au village. Je te dis qu'en bas…

En effet, l'air chargé de l'humidité des arbres et trop immobile enrobait les maisons alignées d'une chape de plomb à laquelle pourtant, le cap échappait parce que plus élevé et isolé.

Le contenu du panier fut vidé et posé sur la roche-table que le soleil dardait et rendait brûlante.

On avait apporté des sandwichs enveloppés dans des linges de lin, une demi-pinte de lait frais du matin – lait livré tôt chaque jour au magasin par Anselme Grégoire– , des biscuits au thé fabriqués en usine et achetés dans le gros par Émélie. Mais toutes ces choses auxquelles n'avait pas souvent accès Arthémise étaient familières au palais d'Éva; toutefois, la circonstance particulière leur conférerait un goût différent, meilleur. Tel était l'un des agréments d'un repas sur le cap à Foley. Le moindre souffle du vent, c'est là qu'on pouvait le ressentir en premier. Et puis la fraîcheur des végétaux compensait pour la haute température de l'affleurement rocheux.

Mais comme il était difficile de s'y rendre sans être aperçu par quelqu'un du cœur du village! Et le cap agissait comme un aimant dès qu'on s'intéressait à lui au point de le visiter. Alors il se trouvait quelqu'un d'autre pour vouloir s'y rendre précisément dans les mêmes temps. Ildéfonse et son ami, Ti-Jean, longèrent la longue clôture de perches entre les terres de Joseph Foley et de Prudent Mercier en direction du bocage là-bas. Tandis qu'Éva et Arthémise n'avaient plus 10 ans, eux ne les avaient pas encore; mais la différence d'âge n'était guère apparente en raison du développement physique des garçons, plus accentué que celui des jeunes filles.

Qui un jour ne s'était pas caché, là ou autre part, pour épier quelqu'un d'autre? Les deux Georges (Lapierre et Mercier) l'avaient fait du jeune temps d'Émélie et de ses amies au bassin du haut de la terre à Prudent, ce qui avait amené le curé du temps à planter près du ruisseau l'écriteau de l'interdit de baignade. Quelques années plus tard, Georges Lapierre avait avoué son «crime» à Marie Allaire qui l'avait raconté à sa sœur. On s'en était bien amusé à un repas des Fêtes en 1886.

Les deux garçons avaient ourdi un complot. Pendant que l'un, Ildéfonse, attirerait l'attention des jeunes filles, l'autre leur subtiliserait assez de nourriture pour que les deux amis puissent se rendre s'empiffrer au milieu même du bocage, à l'abri des regards et des recherches. Ils s'amenèrent donc en silence, camouflés par la clôture...

– As-tu hâte de retourner à l'école, Éva?

– Certain! On va marcher au catéchisme. Moi, j'en sais plus que la moitié par cœur. Toi?

– Ben...

L'hésitation d'Arthémise donnait sa réponse. Craignant toujours de blesser les autres, Éva avait le don de lire leur état d'âme derrière leurs mots et leurs expressions de visage. Elle dit:

– Ben je vas t'aider pis tu vas en savoir autant que moi, ça sera pas long.

– Je voudrais ben être aussi intelligente que toi, Éva.

– Pourquoi tu dis ça?

– Tes notes sont meilleures à l'école.

Assises, le haut du corps penché à l'arrière et appuyé sur leurs bras et mains au sol, les yeux plissés par la lumière du soleil, les deux jeunes filles échangeaient avant de manger. Éva s'opposa à l'idée de son amie en hochant la tête de manière négative:

– Suis pas plus intelligente que toi. Les notes, c'est pas de l'intelligence, c'est à force d'étudier.

– C'est quoi, l'intelligence d'abord?

– Ben... c'est comprendre... Apprendre, c'est autre chose.

– Pis comprendre, c'est quoi?

– C'est... je dirais comme dans l'évangile... aimer les autres comme soi-même. Mais pour de vrai, pas juste parce qu'on se le fait dire. Comprends-tu ça?

– Ben... oué...

– Comprendre ça, c'est ça, comprendre.

– Sais pas pourquoi, avec toé Éva, j'me sens comme... en sécurité.

Arthémise était la fille d'un cultivateur de la Grand-Ligne vers Saint-Évariste, à peu de distance du village. Chaque jour d'école, Éva l'attendait, assise à une fenêtre, et quand elle l'apercevait, sortait de la maison pour marcher en sa compagnie jusqu'à l'école située à quelques centaines de pieds de l'autre côté du cimetière vers l'est. En été, elles s'ennuyaient une de l'autre et se voyaient à la sortie de la messe du dimanche, parfois sur semaine quand « Timise » venait faire une commission au magasin.

Leur amitié durait depuis leur première année scolaire cinq ans auparavant. Mais elles ne formaient pas un duo fermé et ne rejetaient personne pour mieux se prouver leur sympathie mutuelle. Formée à l'école de sa mère, Éva se montrait accueillante et ouverte envers toutes ses camarades de classe et quiconque s'adressait à elle. On recherchait son sourire et elle le dispensait en abondance. « Elle est bonne avec le public », disait parfois Émélie qui ne dédaignait pas se faire remplacer par elle au magasin pour laisser reposer un peu ses jambes devant une tasse de thé au salon. Il arrivait par contre qu'on lui en demande trop comme par exemple des enfants qui auraient voulu qu'elle leur donne des petits articles vendus au magasin tels que crayons, cahiers, gommes à effacer. Émélie avait dû lui expliquer que cela était impossible, qu'on ne pouvait donner la marchandise ou bien on se dirigerait tout droit à la banqueroute. Éva avait trouvé un chemin de compromis pour aider quelques infortunés tout en respectant les vœux de sa mère : elle n'usait jamais ses crayons jusqu'au bout, ni ses cahiers, ni ses gommes à effacer et si un autre enfant lui adressait une requête de l'une ou l'autre de ces choses, elle lui refilait gratuitement du « seconde main » pour leur plus grande joie. Bien plus que de savoir apprendre et comprendre, Éva donnait l'image d'un cœur grand ouvert... peut-être trop largement ouvert.

Les deux garçons parvinrent sur le cap. Ildéfonse souffla à l'oreille de son ami, lui disant qu'il fallait d'abord situer les jeunes filles pour ensuite appliquer le plan concocté. Ils marchèrent sur le bout des pieds, Ti-Jean qui suivait l'autre sur les talons. Quand les voix leur parvinrent, ils s'arrêtèrent, se couchèrent à plat ventre, rampèrent jusqu'à s'embusquer derrière un attroupement de cèdres complices.

– Elles ont pas commencé à manger, souffla Ildéfonse à l'oreille de son ami.

– Ah!

– Écoutons-les.

– Parlent pas assez fort.

– Y a d'autres épinettes là, plus proche…

– Non, vont nous entendre. Je vas retourner de ce bord-là, faire du bruit dans le bois en bas.

– Vont te voir.

– Ben non, je vas descendre plus haut…

Ce qui voulait dire passer sur les pistes du diable. Mais ces marques sur le cap n'impressionnaient pas du tout le garçon. « *C'est quand le roc était pas pris solide loin autrefois, une bête sauvage a passé par là pis a laissé sa marque* ». Cette phrase d'Honoré avait ajouté à l'assurance que ressentait Ildéfonse devant ce curieux phénomène qui inquiétait toutes les générations malgré leurs prétentions contraires.

Il laissa Ti-Jean sur place et retraita puis bifurqua en se tortillant vers le lieu de passage sur le cap noir où il eut tôt fait de s'engager. Sauf qu'il n'avait pas prévu la chaleur excessive de la pierre et qu'il dut se mettre à quatre pattes au lieu de continuer à ramper. Voilà qui suffit à le faire repérer par sa grande sœur qui sauta sur ses jambes et s'amena à lui.

Le garçon se trouvait en plein sur les pistes fameuses quand Éva fut là après avoir laissé Arthémise derrière elle, flairant un complot sans savoir de quoi il s'agissait au juste.

– C'est que tu fais là, toi?

Il releva la tête puis une main qui brûlait, puis l'autre…

L'image qu'il offrait avait un côté comique, comme si Éva avait devant elle un crapaud ou un lézard piégé en un lieu où il n'aurait pas dû s'aventurer. D'autre part, on aurait pu le prendre pour un petit démon, lui qui arborait des cheveux en pointe sur le front et se trouvait à quatre pattes dans les damnées pistes.

– Ben…

Et il ne trouvait rien à dire et devait changer ses points d'appui: genoux et mains tour à tour.

– Mets-toi debout, Défonse! C'est quoi que tu fais là, à quatre pattes comme un petit chien?

– Ben…

Incapable de supporter ces brûlures aux paumes et aux genoux, il se mit sur ses jambes.

– T'es venu nous espionner? Ça te portera pas chance.

Un cri parvint aux oreilles de la jeune fille:

– Y a le petit Pelchat icitte.

– Y en a d'autres?

– Non… Sais pas…

Éva s'adressa à son frère et lui tira l'oreille:

– Pourquoi que vous êtes là, tous les deux?

– On a le droit de venir sur le cap.

– Pour nous espionner?

– Non.

– Viens avec moi là, viens.

Il lui obéit, sachant que sa grande sœur avait sur les enfants de la famille une autorité aussi grande que celle de Delphine et pas loin de celle d'Émélie qui déléguait volontiers ses pleins pouvoirs à sa grande.

– Maman le sait que t'es sur le cap?

– Elle a pas besoin de le savoir.

– Ben elle va le savoir.

– C'est pas de tes affaires, Éva Grégoire.

– C'est ce qu'on va voir mon p'tit gars.

Ils parlaient en marchant et furent vite au lieu du pique-nique où Arthémise retenait le petit Pelchat par un bras.

– Deux crapauds venus nous espionner, dit Éva sans lâcher le bras de son petit frère.

Et elle répéta une phrase déjà dite à son frère, ce qui redonna un nouveau frisson à Ildéfonse :

– Ça vous portera pas chance.

– On voulait rien que vous jouer un tour, avoua Ti-Jean.

– Ah oui ? Quel tour ?

– Ben… prendre vos sandwichs.

– Ah c'est donc ça ! Ben je vais vous dire une bonne chose, mes deux crapauds : des sandwichs, on en a plus que nos besoins. Vous en auriez demandé qu'on vous en aurait donné. Mais là, s'il nous en reste, on va les émietter pis les donner aux oiseaux. À maison, les joueurs de tours ! Allez-vous en ! Ça presse. Ta mère, Ti-Jean, elle va le savoir. Pis maman, Défonse, elle va le savoir. Oussst ! Partez !

Penaud, Ildéfonse mit ses mains dans ses poches et sans rien dire s'en alla, suivi de son ami qui se sentait coupable et tâchait de se faire pardonner d'avoir tout dit.

L'un et l'autre retournaient Gros-Jean comme devant. Surtout le petit Grégoire…

∞∞∞∞∞∞

Chapitre 21

C'était jour du déménagement de la sacristie. Un transport plus important que celui de la maison rouge, non pas en raison du poids de la bâtisse qui était bien moindre, mais de la distance à parcourir et des obstacles à franchir soit le ruisseau d'égout à deux reprises puis une petite pente de terrain qui, si légère fut-elle, demanderait qu'on procédât avec une attention particulière. Que la bâtisse «perde pied», s'égrianche et on n'aurait plus qu'à la démolir.

La dynamite avait été transportée la veille dans le hangar-grange, mise au second étage, et les détonateurs entreposés dans une cabane carrée de dix pieds de côté que les Grégoire avaient fait construire à mi-distance entre le chemin Foley et le lieu où la sacristie trouverait sa place au nord du hangar chaulé, les murs des deux bâtisses séparés d'au plus deux pieds de largeur.

On s'était dit la veille qu'il ferait encore une chaleur d'enfer le lendemain et pourtant, même si la température atteindrait peut-être un degré excessif, il semblait ce matin-là que le taux d'humidité de l'air ambiant se soit considérablement affaissé. En conséquence de quoi, l'effort serait plus aisé pour les hommes et pour les chevaux. Une autre belle journée d'ouvrage, dirent d'aucuns.

Ainsi détachée de la chapelle, la bâtisse semblait avoir rapetissé. Mais ce n'était pas rien à déménager à force de bras. Et bien entendu à l'aide du pouvoir animal et de la multiplication de ces puissances par la mécanique.

Afin d'être en mesure d'effectuer ce déménagement, Honoré avait fait l'acquisition d'une petite pièce de terre entre la maison Mercier et la chapelle. Les quelques arbres qui s'y trouvaient encore avaient dû être coupés, mais le terrain ne serait essouché que plus tard, la sacristie enjambant aisément les souches grâce aux plates-formes lui servant d'assise temporaire.

On anticipait parcourir la moitié du chemin ce jour même et dépasser la rue principale; c'est pourquoi le travail débutait à six heures du matin, par belle lumière solaire qui ravivait les arbres en rehaussant leur verdure et insufflait vie aux bâtisses.

Et les mêmes ahans de Théophile Dubé au déménagement de la maison rouge reprirent quand les hommes furent à leur poste. On avait fait appel aux mêmes équipes de deux paires de bras; et Hilaire Paradis et Firmin Mercier partageaient la même tâche au même cric central. Il n'était plus jamais question entre eux de leurs fréquentations et le dernier sujet dont chacun aurait voulu parler devant l'autre était celui de Mary Foley. Firmin avait gagné la partie dans leur course pour obtenir son accueil et voici qu'il la voyait tous les bons soirs: les samedis et dimanches. Et puis il préparait soigneusement sa demande en mariage. Elle l'ignorait encore, mais il nourrissait l'intention de l'épouser l'été suivant et de fonder avec elle une famille en même temps que la paroisse se donnerait une église neuve. Dieu ne saurait que bénir une telle union en pareille année de si grand labeur à sa gloire.

On entendait une pluie de coups de marteau venir du complexe commercial et résidentiel en construction de l'autre côté du chemin. Plusieurs hommes arrivaient dès six heures tandis que d'autres ne commençaient qu'à sept vu leur train à faire avant de partir. Payés à l'heure, tous y trouvaient leur compte.

Et la sacristie s'éloigna pouce à pouce vers l'ouest jusqu'à se trouver entièrement dégagée de la chapelle et en mesure de s'avancer franc nord. Il avait été ordonné aux enfants Grégoire par leurs parents aussi bien qu'aux enfants Foley par les leurs de ne pas quitter leurs galeries respectives pour le cas où l'entreprise de déménagement connaisse des avatars. Seul Alfred avait permission de circuler là où il le désirait sur le chantier. D'ailleurs, Honoré l'avait utilisé presque tous les jours depuis le début de l'été à titre de commissionnaire pour lui-même et Théophile Dubé, parfois même Rémi Labrecque voire un ouvrier quelconque requérant des clous ou bien envoyant l'adolescent reprendre une égoïne laissée la veille chez Foley pour aiguisage.

La circulation des voitures fut détournée par le terrain devant la maison Foley et le chemin Foley quand le pont de bois fut monté pour que la bâtisse revêtue de bardeaux couleur sang de bœuf puisse traverser la rue principale sur la plate-forme de soutien et les rouleaux de bois. En même temps, les deux cabestans utilisés furent changés de place et mis en position à l'entrée même du chemin Foley.

Comme d'aucuns avaient tendance à s'arrêter avec leur attelage au beau milieu du détour afin d'observer le travail des ouvriers, Honoré y posta son fils aîné pour qu'il assure la libre circulation des attelages. Alfred y passa l'heure suivante et chaque fois qu'une voiture s'amenait et s'arrêtait, il allait parler à son conducteur.

– C'est dangereux d'arrêter là; allez vous parquer en avant du presbytère ou du cimetière.

Il ignorait lui-même la nature de ce danger; la plupart ne se firent pas prier pour en savoir davantage et repartirent sans réticence. Mais alors que le passage entre la sacristie qui maintenant occupait le chemin à sa largeur, et la résidence des Grégoire, était à son minimum, un cultivateur du rang neuf refusa d'obtempérer et y stoppa son cheval et son boghei.

– Vous pouvez pas rester là, monsieur Beaudoin, vous pouvez pas.

– Les autres sont pas plus pressés que moé, tu sauras, mon gars.

L'homme d'une quarantaine d'années était bien connu pour sa délinquance légère. En fait, il s'objectait systématiquement à toute demande ayant l'air d'un ordre. C'était sa façon plutôt anodine de se rebeller contre l'autorité. Il restait d'ailleurs un des derniers dissidents devant le projet de construction de la nouvelle église.

Honoré qui observait la marche des travaux sur le chantier du magasin prit conscience de la situation. Il reconnut Beaudoin et vit qu'il bloquait le passage. Une belle occasion pour donner une saine leçon à son fils aîné dont lui et Émélie continuaient de trouver la personnalité trop faible pour leur succéder au magasin, ce qui dirigeait encore et encore leurs regards vers Ildéfonse pour les remplacer un jour. Il s'amena, tendit la main au personnage aux sourcils épais et broussailleux comme sa personne morale.

– J'avais justement affaire à toi, mon Elzéar. Ben content de te voir.

Beaudoin serra sans ardeur la main tendue et hocha la tête sans sourire et sans dire.

– J'me demandais si t'aurais pas quelques billots de bois franc à me vendre vu que t'en as en masse dans le haut de ta terre, du bois dur. Je vas te donner un bon prix, un prix que t'auras pas ailleurs. Viens donc un peu plus loin, on serait mieux pour parler.

L'homme répondit sèchement, mais il était clair que l'argument avait porté ou bien il aurait gardé un temps le silence de la hauteur.

– J'en ai pas comme c'est là.

– Pas de presse. J'veux faire mes planchers en bois franc pis j'en ai, mais pas tout à fait assez. Tu pourrais pas m'en couper pour l'automne ? Tiens, je vais prendre ton cheval par la bride pis on va en parler un peu plus loin…

Honoré avait raconté un mensonge en parlant de l'insuffisance de bois franc pour les planchers et Alfred le savait car son père avait dit à quelques reprises au moins devant lui qu'il en avait de trop, mais qu'il valait mieux en avoir trop que pas assez. En tout cas, l'attelage libéra le passage et les deux hommes continuèrent de se parler. Beaudoin se fit plus réceptif et les choses tournèrent bien.

Quand son père revint vers lui, Alfred se demandait s'il fallait mentir parfois ou bien toujours dire la vérité comme Honoré le prêchait, citant George Washington en exemple. L'homme comprit-il l'interrogation de son fils ? Toujours est-il qu'il y répondit avec un sourire en coin :

– Tu vois, Freddé, du bois, on en a jamais assez. Le surplus qu'on aura, on va le revendre à Théophile Dubé et faire un petit profit dessus. C'est ça, le commerce. Faut que chacun soit satisfait et s'enrichisse raisonnablement. Le plus grand avantage qu'on en tire, c'est que ça rend de bonne humeur.

Alfred rit. Un rire qui lui fit sautiller les épaules et rougir le visage. Tout était pour le mieux dans le meilleur des mondes…

Mais pas tout à fait. Voici que soudain un craquement se fit entendre comme si une partie de la sacristie souffrait et se plaignait à sa manière. Une pile de bois sous la plate-forme de base avait commencé de s'enfoncer, signe qu'elle se trouvait au-dessus d'un lieu creux. Et ce lieu, Théophile et Honoré le virent aussitôt, c'était le ruisseau d'égout coulant sous le ponceau qui pourtant avait été renforcé la semaine d'avant. Rémi Labrecque, le responsable de l'ouvrage d'étançon, avait-il mal pris ses mesures ? Ou bien n'avait-on pas érigé l'empilade de soutien au bon endroit, un espace pourtant délimité par un dessin carré sur la terre du chemin, figure tracée par Rémi lui-même la veille devant les ouvriers attitrés à ce travail.

Ce que l'on ignorait, c'est que les enfants avaient joué à la marelle la veille au soir après le départ des hommes et qu'on avait dessiné plusieurs figures géométriques avec celle de Rémi pour finalement les effacer toutes et refaire le carré… au mauvais endroit.

Il fallait savoir de quoi il retourne et pour ça, tandis qu'on se dépêchait d'installer un cric plus loin sur la terre ferme en profondeur, afin que la sacristie ne s'effondre pas ou du moins ne se déforme pas trop, on devait pénétrer sous le long recouvrement du ruisseau d'égout longeant le chemin Foley et trouver la section enfoncée. Voilà qui n'était pas sans danger et requérait une lanterne que Freddé courut prendre au magasin tout en y informant sa mère de l'incident et de l'usage prévu pour le fanal.

Mais qui voudrait pénétrer dans le tunnel d'égout? En raison des risques encourus, faibles mais réels, Honoré refusa que ce soit un ouvrier ou un contremaître qui le fasse et il voulut s'acquitter lui-même de la tâche. Il prit la lanterne et disparut dans l'entrée sombre sous le regard inquiet de son fils que Dubé chercha à rassurer:

– Pas besoin d'avoir peur: il va revenir, ton père, ça sera pas ben long.

– Je le sais.

Mais reviendrait-il sain et sauf? Ça, Alfred l'ignorait et voilà qui l'inquiétait. Il resta à l'entrée, en attente, sourcils inquiets, muet..

De nouveaux craquements sinistres se firent entendre et la bâtisse s'enfonça de quelques pouces encore. Dubé criait des ordres. Les hommes de crics devaient sortir des lieux où ils se trouvaient sous la bâtisse, même si les appareils n'étaient pas encore bien mis en position, faute de temps. Ce qu'ils firent sans se le faire dire deux fois.

Honoré reparut bientôt, sourcil froncé. Le visage de son fils s'éclaira. Il informa son père du nouvel enfoncement. L'homme accourut près de la sacristie, mais pas trop, en s'exclamant:

– Si ça égrianche encore plus, ça vaudra plus grand-chose comme bâtisse. Faut redresser tout ça avant que ça « fouère » à terre.

– J'ai fait sortir les gars d'en-dessous, c'est trop dangereux. Les crics sont là, mais...

Honoré ne fit ni un ni deux: il enjamba les poutres du pont pour se glisser sous la bâtisse sous le regard terrifié de son fils et pour le moins inquiet des adultes présents. Il fallait que le moyeu du cric touche la plate-forme et empêche un nouvel enfoncement. Même Louis Cyr n'y pourrait rien avec son dos capable de soulever plus de deux tonnes. Avec célérité et fermeté, l'homme tourna la vis et tout danger fut bientôt écarté. Pour plus de sûreté, il termina la mise en place et en action du second cric.

Alfred courut au magasin raconter à sa mère ce qui s'était passé. Le danger pour Honoré revint le menacer, mais cette fois, les risques passaient par les intentions d'Émélie avant de sortir de sa bouche.

Elle attendit le bon moment et, ce soir-là, dans leur chambre, elle l'engueula copieusement, s'arrêta pour reprendre une autre idée.

– T'aurais qu'à te trouver un bon veuf bon bœuf, lui dit-il en riant pour lui faire retrouver son calme.

Contre la dérision, la jeune femme n'avait plus rien à dire. L'atmosphère de colère perdurant, Honoré lança un autre argument :

– Peut-être que... ben si on faisait un peu plus notre devoir conjugal que... ben je serais moins nerveux sur le chantier durant le jour.

– Si ça prend rien que ça pour te faire tenir tranquille...

Le lendemain soir, la sacristie était à sa place prévue. Plus jamais elle ne bougerait de là jusqu'à sa démolition loin dans ce siècle...

∞∞∞∞∞∞∞∞∞

Chapitre 22

Émélie qui accusait son mari d'être un marieur aurait dû regarder la poutre dans son œil. Car elle fournit à Honoré plusieurs occasions favorisant les rencontres entre Firmin et Mary. Et le lien qui unissait ces deux-là prit de la force chaque jour d'un si bel été. Pire ou mieux, elle organisa un voyage à Québec pour Obéline et pour elle-même, histoire de permettre à sa meilleure amie et à ce jeune homme de substance reconverti au catholicisme, de consolider entre eux ce pont que leur rencontre de décembre et le courrier échangé entre eux depuis avait jeté sur ce qui les séparait auparavant.

Ce matin d'août de leur départ, il pleuvait. Une pluie fournie qui risquait de retarder les travaux du chantier. Honoré s'en plaignit encore avant l'arrivée des ouvriers quand Marcellin Veilleux vint prendre sa femme à la porte de leur résidence après avoir ramassé les sacs de courrier sur la passerelle devant le magasin.

C'est lui qui remplacerait Émélie pendant trois jours. Elle lui fit remarquer que la pluie serait une aide et pas une nuisance, vu qu'il aurait moins à faire sur le chantier.

– Les hommes savent qu'ils vont pas travailler à la grosse pluie, ça fait qu'ils viendront pas. On n'a pas de temps à perdre, soupira-t-il à la fenêtre en regardant la charpente du nouveau magasin qui se dressait dans le ciel à sa pleine hauteur. Émélie vint à son côté :

– Tu vois comme moi : on est en avance.

– Pas pour la couverture en tout cas. Ça nous aurait pris le temps de mettre les chevrons en place.

– On pourrait emprunter des toiles pour que les ouvriers travaillent quand même.

– Impossible, c'est ben trop large sans entraits.

– La pluie battante, ça dure jamais longtemps.

– Ça prendrait des cirés et des saouests comme les pêcheurs de la Gaspésie.

Le jeune homme soupira :

– Anyway, va falloir vivre avec ça.

– Le bon Dieu nous a envoyé une belle saison jusqu'à maintenant.

– Jusqu'ici, on a pas à se plaindre, c'est vrai. Mais…

Il retourna vers la table tandis qu'Émélie endimanchée, la tête sous capeline, prenait sa petite valise grise et une boîte à chapeau, et allait sortir pour rejoindre Veilleux devant la porte.

– Obéline, tu t'arranges pour la perdre, dit-il en s'asseyant.

– Comment ça ?

– Tu la pousses dans les bras du beau grand Marcellin Lavoie, un gars capable de bouleverser les cœurs des dames.

Elle s'objecta sans fermeté :

– Pousser quelqu'un dans les bras du bonheur, c'est pas s'arranger pour le perdre. On l'a fait pour Mary et Firmin.

– On devrait ajouter ça à nos lignes du magasin.

– Quoi ça ?

– Arrangements de mariages ; bonheur garanti ou argent remis.

Émélie sourit en biais :

– On ferait mieux peut-être de pas donner de garantie pareille. C'est pas tout le monde qui est heureux comme nous autres, mon cher époux.

Honoré secoua la tête pour camoufler son émotion. Il s'ennuierait d'elle durant son absence. Ça, il ne fallait pas le dire ni le faire voir non plus. Surtout devant ces yeux d'enfants qui les observaient en ce moment sans en avoir l'air : ceux d'Alice et de Pampalon, la petite belette embusquée derrière la cheminée, qui voulait tout voir et tout savoir.

– Bon, ben j'y vas.

– Bon voyage ! Salutations à Obéline là !

– C'est bon.

Il se remit à son assiette et lança un appel vers l'escalier :

– Delphine, tu peux me refaire une crêpe ou deux ?

– Oui monsieur ! répondit-elle à voix pointue.

∞∞∞

Veilleux utilisait ce jour-là un boghei à capote de toile noire et il valait mieux ou bien les passagers auraient été trempés jusqu'aux os, parapluie ou non. Obéline attendait à la fenêtre et sitôt qu'elle aperçut venir le postillon, elle sortit et vint à sa rencontre au chemin.

– As-tu oublié ton parapluie ? demanda Émélie.

– Je l'ai, mais... l'ouvrir, le fermer... J'avais pas assez long à parcourir.

– T'es bonne pour attraper une pneumonie.

Elle l'avait en effet, tenu par un doigt sur sa valise qu'elle portait avec sa main droite. Et sur sa tête, elle avait un foulard bleu noué sous le menton. Émélie avait apporté deux chapeaux, un qu'elle portait et l'autre pour Obéline : fantaisie entre amies proches, aussi proches que des sœurs. On se les échangerait au cours du voyage.

– Donne-moi la main que je t'aide à monter, fit Émélie.

Et Obéline fut vite à son côté sur la seconde banquette, valise aux pieds, alors que le conducteur clappait pour faire repartir la jument.

– Je te dis qu'on l'a, le beau temps pour aller en voyage.

– Une belle pluie de même, dit Émélie. Suffit de pas se faire trop mouiller. Mais trop de soleil comme depuis le mois de juin, on s'ennuie un peu de la pluie, non ?

– Sont rares à le dire. Mais...

– Les Américains disent qu'il faut regarder la ligne d'argent autour des nuages, pas juste le nuage. Non, mais regarde les arbres, les feuilles. Un vert si beau. Faut de la pluie pour ça. L'herbe qui avait soif. Les jardins : comme ça va faire du bien ! Honoré se plaint, mais ça va faire du bien aux ouvriers de travailler moins un jour ou deux.

Le cheval se mit au trot. Flic, flac, floc : ses sabots ferrés faisaient refriser les fluides des flaques. Et son crin était ruisselant de même que sa robe baie devenue luisante.

– Comment ça va le chantier ?

– En avance. Petit problème au déménagement de la sacristie, t'as dû le savoir, mais le bon Dieu est avec nous autres, on dirait, parce que tout va bien. Aucun accident. Aucune blessure à personne.

Marcellin qui ne pouvait pas ne pas entendre tant les voix étaient près de sa tête à l'arrière, ne put s'empêcher non plus d'intervenir :

– Avec la bénédiction du curé, ça pouvait pas faire autrement.

– Ça, c'est bien vrai ! approuva Émélie.

Mais Obéline n'était pas convaincue que Dieu intervienne chaque fois qu'on lui demande de le faire, et cela, même si c'était un prêtre qui l'en priait.

– Si le bon Dieu a pas empêché ta mère, ta petite sœur Georgina et Marie de mourir aussi jeunes, j'vois pas comment il pourrait empêcher les accidents de chantier. Toi-même, t'as déjà tenu des propos semblables.

Émélie soupira :

– Oui, c'est vrai, mais le bon Dieu, faut ben qu'il serve à quelque chose, non ?

Ce sujet fort épineux parut déjà épuisé bien qu'il soit vaste comme le monde et l'on entra dans une longue pause que les bruits des alentours agrémentaient, surtout celui des gouttes d'eau au-dessus des têtes, de quoi endormir des personnes levées si tôt.

On reprit ensuite la petite conversation qui dura jusqu'à la gare où le train ne tarda pas à entrer, son métal noirci par l'eau de pluie et qui dégageait l'odeur caractéristique de l'acier mouillé.

– Quel beau voyage on va faire ! s'exclama Émélie quand elle et son amie furent assises dans le wagon à voyageurs.

Vu qu'on rendrait visite à Marcellin Lavoie, Obéline se montra discrète sur les sensations et émotions qu'elle vivait en ce moment, et qui tournoyaient en sa poitrine depuis la planification même du voyage. Chacune ne le disait pas à l'autre, mais il leur semblait à toutes deux que l'événement changerait leur vie et pour le mieux.

– Passer deux nuits au Château Frontenac, ça va être formidable.

– Les enfants devaient te regarder partir avec des grands yeux.

– Je vas rapporter à chacun un petit quelque chose. À condition qu'ils soient bien sages. Comme ça, ils vont pas essayer de monter sur la tête à Delphine, malgré que son autorité soit forte comme je le veux.

Le train bougea. Son sifflement se fit entendre à deux reprises. Le départ paraissait imminent. Peu de voyageurs partageaient le wagon des jeunes femmes : un couple de vieillards à une extrémité et une jeune famille à l'autre. Sans doute s'en ajouterait-il d'autres à chacune des gares essaimées le long de la voie ferrée jusqu'à Québec. Mais il s'agissait d'un faux départ et tout s'immobilisa de nouveau. Nécessité courante ou bien quelque main invisible avait-elle retenu la locomotive afin que puisse arriver et monter un personnage d'exception ? Il s'agissait d'un homme au début, sans doute, de la quarantaine, et dont les traits du visage révélaient le sang indien. Toutefois, il portait un uniforme militaire usé, fripé, troué même en quelques endroits, et marchait à l'aide d'une canne en raison d'une jambe rigide qu'on pouvait deviner être de bois.

– D'après ses vêtements, ça doit être un vétéran de la guerre des Bœrs, songea Émélie tout haut.

– Ou ben un zouave pontifical.

– C'est pas un uniforme de zouave, c'est un uniforme anglais. J'ai vu des illustrations dans *Le Soleil* l'autre jour. C'est Honoré qui me les a montrées. Il suit ça de proche, lui, cette guerre-là. Je te dis que ça l'intéresserait, un homme de même. Il passerait son temps à le questionner tout le long du voyage, en tout cas tout le temps qu'ils seraient tous les deux dans le train.

On se tut quand le personnage fit son entrée entre les rangées de banquettes et vint prendre place pas loin des deux amies après avoir placé sa valise dans le compartiment à cet effet au-dessus des têtes. Il pouvait se lire sur son visage de la nostalgie et une grande tristesse mais aussi une grande colère suivant l'angle dans lequel il se trouvait par rapport aux yeux qui le regardaient. Sa figure en disait long et pourtant, elle révélait la présence de nombreux mystères en lui et un vécu chargé de périodes dures voire insupportables.

– Tu sais à qui il me fait penser ? souffla Émélie à l'oreille d'Obéline.

– Dis-le moi.

– À Jean Genest.

– Qui c'est ?

– Tu te souviens, le vétéran de la guerre civile américaine qui vivait au fond du Petit-Shenley.

– Ah, le pendu !

– Oui, le pendu.

Elles furent totalement désarçonnées quand l'étranger se tourna la tête et leur adressa la parole :

– J'ai idée que vous êtes en train de parler de moé, là, vous autres.

– Ben… non… oui… c'est parce que vous nous rappelez un citoyen de notre paroisse.

– Ah oui ? Parlez-moi donc de lui !

La communication s'établit aisément entre l'étranger et Émélie qui avait l'habitude de composer avec les gens les plus disparates. Obéline se mit en retrait, à l'écoute.

– Ben… il était vétéran de la guerre de Sécession… à vrai dire déserteur.

– C'est normal que je vous le rappelle, moé itou, suis vétéran de guerre, mais pas déserteur. En réalité blessé de guerre, sacrement. La guerre du Transvaal.

– Connais pas.

– Oui, vous connaissez… vous en avez dit un mot tout à l'heure.

– J'ai mentionné la guerre des Bœrs. Comment savez-vous ça ? Vous entendez à travers des murs ?

Cet homme distrayait beaucoup Émélie malgré ses jurons à caractère liturgique. Elle sentit que le temps filerait comme l'éclair en sa compagnie. Il changea de banquette pour se trouver à une seule d'elles, de l'autre côté de l'allée centrale.

– J'ai deux oreilles pour entendre, commenta-t-il énigmatiquement. Pis j'entends ben en ostie.

Le train s'ébranla, siffla brièvement et ne s'arrêta plus, accéléra, quitta la gare, entra dans la verdure de la campagne. L'homme à longue queue de cheval grisonnante reprit la parole :

– Guerre du Transvaal, guerre des Bœrs, c'est la même ostie d'affaire. J'ai dit que j'avais deux oreilles pour entendre, mais j'ai rien qu'une jambe pour marcher, calvaire. L'autre est restée au Transvaal.

– Comme Marcellin qui a laissé son bras dans le cimetière de Shenley, intervint Obéline.

– Marcellin qu'il s'appelait, votre vétéran de la guerre civile américaine ?

– Non, Genest. Jean Genest. Originaire de Saint-Henri… comme moi.

– C'est pas à lui qu'il manque un bras ?

– Lui, il manque pas rien que le bras, il est mort et enterré depuis belle lurette. S'est pendu.

– Là, vous parlez de Jean Genest toujours ?

– Si vous avez tout entendu, vous devez savoir.

– Je veux être ben certain. Parlez-moi de c'te Jean Genest pendu, ensuite de c'te Marcellin manchot.

– Marcellin est vivant, lui, on va même le voir pas plus tard que demain à Québec, glissa Obéline.

– Commencez donc par nous parler de vous, décréta Émélie, la tête haute comme quand elle rencontrait un grossiste et qu'elle voulait obtenir le plus bas prix pour sa clientèle et pour elle-même.

– Je m'appelle… ben c'est-il important, comment on s'appelle ?

– Fondamental. Ça dit déjà beaucoup sur la personne.

– Raymond Rostand d'abord que vous voulez savoir.

– Vous voulez rire ? dit aussitôt Obéline.

– Comment ça ?

– C'est Edmond Rostand que vous avez déformé.

– Non, non, je vous le jure sur la tête de ma mère : je m'appelle Raymond Rostand. Pourquoi je m'appellerais Edmond pis pas Raymond ?

– Le connaissez-vous, Edmond Rostand ? Il a écrit la pièce de théâtre Cyrano de Bergerac… Parue en 1897… Jouée dans le monde entier…

– Entendu parler… Oui, j'sais que y a un ostie de Français qui écrit des affaires, pis qui s'appelle pas mal comme moé. Pis votre nom, vous autres ?

– Moi, c'est Obéline Racine. Et elle, c'est mon amie.

– Une amie, ça doit ben avoir un nom itou ?

– Émélie Allaire de mon nom de fille. Émélie Grégoire de mon nom de femme mariée. Je dis toujours que si je mérite d'avoir un jour mon nom sur une épitaphe au cimetière, je mérite de m'en servir de temps en temps dans la vie… même si comme femme, j'ai pas le droit de voter.

– Qu'est-ce que deux perles comme vous autres font sur le train par un temps pareil ?

– On s'en va à Québec.

– Émélie possède et gère le magasin général à Shenley. Elle va voir les grossistes à Québec.

– Une dame riche: ça se voit dans vos manières.

– Riche, c'est vite dit. L'argent est immobilisé à mesure qu'il entre.

– Sont en train de bâtir un gros magasin, annonça fièrement Obéline au nom de son amie, sachant bien qu'Émélie tairait la chose tant qu'elle pourrait pour ne pas donner l'air de se glorifier.

– Vous avez le don de changer de cap... C'est de vous qu'on parlait. Comme ça, vous avez fait la guerre?

– Pas loin du Cap justement.

– Jamais vu de guerre autour du cap à Foley, nous autres, blagua Obéline.

Émélie sourit, mais Rostand garda son sérieux:

– Le Cap... en Afrique. En réalité, le Transvaal, c'est loin dans les terres là-bas, loin du Cap qui se trouve sur la mer. Je me suis battu contre les Bœrs avec les Anglais. Un boulet de canon a emporté ma jambe, tabarnac. J'en ai une en bois, regardez...

Il souleva sa jambe de pantalon et l'on put voir une tige de bois insérée dans une sorte de soulier-sabot.

– Votre jambe est enterrée? Vous l'avez retrouvée? Comment ça se fait que vous êtes pas mort au bout de votre sang comme ça devrait?

– On a fait ce qu'il fallait. Un garrot ostie pis après un fer rouge sur la plaie: le sang avait pas le choix d'arrêter.

– D'aucuns disent qu'on a toujours le choix.

– Les personnes, oué, mais du sang, c'est pas du monde.

– Ça devait pas faire de bien, se faire cuire les chairs. Aviez-vous du chloroforme pour vous assommer un peu?

– Une chance. Ils m'ont emmené à l'hôpital de campagne. Ensuite fini la guerre pour un ostie d'éclopé comme moé. Ma jambe, ils l'ont ramenée dans une charrette... avec des bras, des têtes... pis même des affaires que j'vous dirai pas... Tout ça a été enterré dans une fosse commune.

Le train filait maintenant sur les rails luisants entre les collines douces. Chacun était secoué à sa manière dans le wagon et les voix s'en ressentaient, qui sortaient des bouches par sons ondulatoires.

– Vous restez où asteur?

– Sur le bord du grand lac Mégantic.

– Ah oui? On va par là une fois ou deux par année. Le pays du hors-la-loi.

– Morrison: les os y font pus mal ça fait cinq ou six ans. Mort en prison... tuberculose. Mais je l'ai connu ben comme il faut... Une tête de cochon en ostie... C'était à lui de sacrer son camp dans l'ouest en 88 après son duel avec Jack Warren. Il se serait jamais fait prendre.

Émélie garda sous silence le passage de Morrison à Shenley en 88. Le secret restait entier malgré les années qui coulaient si rapidement sous les ponts. Tant d'autres souvenirs l'enterraient de plus en plus profondément que jamais plus maintenant, elle et son mari n'en parlaient. La rumeur de la visite du cow-boy en 88 avait de nouveau circulé en 94, lors de sa mort, puis le quotidien et les grandes nouvelles d'ailleurs l'avaient, elle aussi, enfouie en creux dans la terre profonde des mémoires.

– Avez-vous une terre à Mégantic?

– Comment que je pourrais cultiver une terre avec une patte de bois? C'est que ça peut faire, un homme avec une ostie de jambe de bois, vous pensez? Je m'en vas vous le dire: ça peut quêter, c'est tout. Ça fait que je quête par les portes à l'année quasiment. Moins l'hiver. Parce que là, je m'encabane ostie pis j'dors jusqu'au printemps.

Émélie ne put s'empêcher de rire. Non des malheurs du bonhomme mais à cause de sa façon de les dire. Et pourtant, elle aborda un sujet fort sérieux:

– Avez-vous tué des Bœrs là-bas?

– J'avais pas le choix. C'était lui en avant de moé ou ben c'était moé.

– C'est pas ça que tous les soldats disent?

– Votre Genest en a tué, du monde, lui?

– Honoré a su… Honoré, c'est mon mari… que l'ermite, le dénommé Genest, avait participé malgré lui au meurtre de civils… des jeunes filles et leur mère. C'est peut-être pour ça qu'il a fini par se… pendre…

– Moé, j'ai dû tirer dans le tas, mais j'ai jamais su si j'avais tué un homme ou non. Ça se pourrait, ostie. Il se pourrait que non, non plus. Le bon Dieu le sait, le diable s'en doute.

Le train siffla à deux reprises. Son bruit strident coupa court à la conversation, le temps d'une pause. L'on arrivait à un croisement du chemin de fer et d'un rang de la paroisse voisine de Saint-Éphrem. Dehors, la pluie poussée par le vent tombait maintenant par pans gris qui tourmentaient les arbres et les herbes. Soudain, Rostand cessa de converser et se glissa sur la partie de la banquette près des fenêtres où il entra dans une sorte d'état de transe.

Émélie et Obéline s'échangèrent des regards signifiant qu'elles avaient affaire à un drôle de pistolet.

– Il me fait penser à Amabylis quand elle se met en transe, souffla Émélie à l'oreille de sa compagne.

– Espérons qu'il est pas prophète de malheur comme elle l'a été à la soirée de Cordélia!

– Je l'ai pas crue et tu vois, Bernadette est en bonne santé. Pas rayonnante, mais elle survit bien…

L'homme laissa sortir de lui sans ouvrir la bouche un son prolongé, comme s'il invoquait les esprits. Émélie commença de s'inquiéter. S'il n'était pas un catholique, était-il donc un démon? Bien sûr que non! Pas plus que Marcellin qui avait tourné le dos à l'Église de Rome durant de nombreuses années pour ensuite revenir à la bergerie. Au bout d'un long moment, le personnage reprit conscience. Il revint à sa place première en disant:

– C'est ma manière de prier le bon Dieu. Suis un fervent catholique.

Il mentait, sachant qu'il ne faisait pas bon être connu comme un renégat, un apostat, et il se moquait éperdument de toute forme de religion, soutenant, quand il ne risquait rien à le faire, que la vérité de quelques-uns ne pouvait pas être considérée comme la vérité de tous et imposée.

– Comme nous autres.

– On va ben s'entendre. Je vas à Québec. Vous autres.

– Itou.

– Allons à Québec : c'est là que bat le cœur du peuple.

Émélie commenta :

– Ottawa, c'est pas rien non plus, avec monsieur Laurier là-bas qui nous protège… notre père politique à tous. Un bon chrétien.

– Vous avez raison, madame Grégoire. Pis asteur, parlez-moé donc du Marcellin manchot de tantôt ?

Obéline grimaça. L'homme perçut sa contrariété. Il comprit qu'un lien l'unissait à la personne dont il était question. On lui raconta ce qu'on savait de Lavoie dans les grandes lignes. Rostand fut impressionné :

– Il a donné son bras pour sauver son ami ? Un ostie de bon gars ! L'amitié est un sentiment ben plus fort que l'amour. L'amitié, ça donne toujours des bons résultats ; l'amour, ça produit tout le temps toutes sortes de désastres. Les hommes pis les femmes, c'est dans l'amour que ça se chicane pis c'est dans l'amitié que ça se réconcilie pis que ça fait bon ménage.

On entra en gare à Saint-Éphrem. Il monta quelques personnes seules : un jeune homme qui semblait égaré, un quinquagénaire bien mis aux allures de collet monté et deux religieuses perdues sous des épaisseurs de tissu noir qui non seulement recouvraient leur corps mais aussi leurs pensées et leur liberté d'esprit et de mouvement.

– D'où c'est que vous venez ? demanda abruptement Émélie à Rostand.

– Mégantic, je l'ai dit.

– Vous restez là, mais avec un nom de famille pareil pis un vécu comme vous en avez un, j'ai de la misère à croire que vous avez vu le jour à Mégantic.

– Vous avez de l'œil, madame. Vous avez raison. Je viens de Montréal. Un quartier pauvre en ostie. Toujours été pauvre. C'est un peu pour ça que j'ai signé pour aller me battre au Transvaal, le pays du diamant. Je voulais gagner de quoi vivre le restant de ma vie. Suis parti avec l'espoir, suis revenu avec le désespoir.

– Une jambe en moins, c'est dur à vivre ? demanda Obéline qui songeait à Marcellin et son bras manquant.

– Oui pis non, dit-il songeur, sachant qu'elle posait la question en pensant à quelqu'un d'autre qu'à lui.

De son regard indigo, il la regarda droit dans les yeux ; elle ne le supporta pas et fit une esquive nerveuse par un rire gauche. Il reprit :

– Tout le monde est handicapé. Mais ça paraît pas. Le cœur a des yeux, le cœur a des bras, le cœur a des mains, le cœur a des pieds même. C'est du côté du cœur que sont les pires manchots, les pires pieds bots, les pires borgnes.

Cette fois, l'homme n'avait pas juré de toute sa phrase et pour cette raison, elle porta plus que les autres. Chacun sut sans le dire qu'elle contenait une grande dose de rassurance pour Obéline devant qui son père, le forgeron grand utilisateur de ses bras, avait dit et redit qu'un homme avait besoin de tous ses membres pour faire vivre une famille comme il faut. Cela pour décourager sa fille de poursuivre son lien avec ce personnage au bras coupé. Et qui changeait de religion comme un forgeron change d'enclume...

Et tandis que les sœurs égrenaient leur chapelet, la voie égrenait les gares et la conversation les sujets. Émélie et Obéline s'enrichirent au contact de ce mystérieux soldat qui semblait pratiquer le secret ouvert, c'est-à-dire tout exposer de sa personne profonde sans pourtant dévoiler quoi que ce soit de recoins sombres des basses-fosses de son âme. Ce « don » lui venait de ce que parfois, il parlait avec sincérité et d'autres pas.

– Je vous visiterai par chez vous un jour ou l'autre, fut sa dernière phrase quand il s'éloigna de ces compagnes de voyage sur le quai de la gare de Lévis.

– Vous viendrez à une soirée de « parlotterie » dans notre grand magasin.

– Certain.

Il avait quelqu'un à voir à Lévis et ne se rendrait à Québec à son tour, par le traversier, que plus tard.

– Tout un bonhomme ! s'exclama Émélie en le voyant aller sous une pluie allégée, de son pas bancal et bruyant.

– Ça s'oublie pas, un homme de même.

– Il est temps que je parle aux deux sœurs. On dirait qu'elles ont pris le chemin du quai du fleuve. J'aimerais savoir si elles connaissent Alice Leblond.

– C'est pas des Hospitalières comme Alice.

– Non mais… En tout cas… ça va nous donner une occasion de faire connaissance.

– T'aimes le monde, toi, Émélie, tu peux pas te passer de parler à quelqu'un puis de le connaître si tu le connais pas.

– Avec Alice et Cédulie Leblond, tu resteras toujours ma meilleure amie, Obéline, toujours… Suis fidèle à mes amitiés, tu le sais, ça aussi.

– Et j'en suis bien contente.

∞∞∞∞∞∞∞∞

Chapitre 23

Les deux femmes regardaient le fleuve depuis leur chambre du Château Frontenac. Et conversaient.

– Ça fait du bien de vivre en célibataire durant quelques heures, soupira Émélie. C'est pour ça que je viens à Québec quasiment à toutes les saisons. Pas rien que pour ça, mais c'est comme un besoin essentiel dans ma vie. Honoré comprend bien ça, mais il se sent perdu quand je suis partie. Il est trop fierpet pour le dire, mais ça se devine.

– Espérons qu'il va faire beau demain.

La pluie continuait de plus belle et par moments, l'eau du fleuve disparaissait dans un brouillard semi-opaque. On avait ouvert la fenêtre et l'air humide pénétrait en abondance dans la pièce.

– S'il pleut, Obéline, on prendra un coche avec une toiture. De toute façon, ils en ont tous, mais quand il fait beau, les cochers la baissent.

– Et là, ma chère amie, on va téléphoner à Marcellin pour qu'il vienne souper avec nous autres au Château comme entendu.

Après une brève pause et quelques soupirs, Obéline interrogea la banalité :

– Le téléphone, je me demande si on finira par l'avoir à Shenley.

– C'est pas demain la veille, ma pauvre amie.

– Quand on pense à la dissidence sur la construction de l'église, qu'est-ce que ça va être pour le téléphone ?

– C'est pas la même chose. Une église, tout le monde est appelé à contribuer. Une compagnie de téléphone, c'est privé. Comme l'aqueduc à Labrecque. Quand on aura assez de résidents pour embarquer, on va la fonder, la compagnie. Honoré sonde les reins des paroissiens sur le sujet, mais à part Théophile Dubé, le docteur Drouin, Jean Jobin et madame Lemay, ils sont pas nombreux les intéressés. Faudrait pas moins de cinquante abonnés.

– Je me charge de convaincre mon père.

– Monsieur Foley serait d'accord, lui.

– On pourrait se parler quand on voudrait.

– Surtout si jamais tu t'en allais de la paroisse…

Obéline rougit. Il s'agissait là d'une allusion presque directe à la possibilité qu'elle quitte Saint-Honoré pour venir vivre à Québec et la seule grande raison pour cela avait pour nom celle d'un être humain… de l'autre sexe.

∞∞∞

Malgré le temps maussade, Marcellin survint à l'heure prévue et retrouva les deux amies déjà attablées dans la salle à manger de l'établissement. Il s'approcha, s'arrêta après avoir déposé un ciré et un parapluie au vestiaire d'entrée, revêtu d'un habit noir, col blanc en celluloïd, nœud papillon noir. Émélie lui faisait dos, mais elle lut dans le regard d'Obéline comme dans un miroir profond. Outre l'image de l'homme, il s'y trouvait un sentiment à toutes les sauces : crainte, espoir, joie, confiance, nostalgie… Il y avait tout ça et plus encore : des impulsions bien plus physiques mais inavouables pour celle qui les ressentait et non envisageables pour celle qui les observait.

On se leva pour l'accueillir. Le jeune homme fit le baisemain à chacune ainsi que le commandaient le lieu chic, l'époque prude et son éducation policée.

– Quel bonheur ce sera de partager ce repas avec les deux plus jolies – et très agréables – personnes de Saint-Honoré-de-Shenley!

Comment pareil gentleman n'avait-il pas encore trouvé femme à marier? Ou bien n'avait-il pas jusque là recherché l'âme sœur? Ces questions passaient rapidement dans la tête d'Émélie, mais pas dans celle d'Obéline qui comprenait les adultes à sa façon, la même manière que pour les enfants: dans une candeur naïve face à une sincérité désarmante. Elle ne se rendait pas compte que plus on vieillit, plus on occulte, voire plus on cache volontairement certaines choses, et qu'au bout de sa vie, des coffres en sont remplis dans le grenier de son être: événements et agissements passés servant à bâtir sa propre richesse d'une part mais à détruire son image de l'autre.

– Jolie? Moi? Faut dire ça à Obéline.

– Et à vous tout autant, chère Émélie.

Il prit place, tira sur son col dur pour mieux respirer, déploya sur ses genoux d'un geste leste de sa main une serviette de table en lin bleu.

– T'es pas obligé d'en faire tant, Marcellin.

– Suis sincère, Émélie. Comme du temps où je travaillais au magasin, je vous ai toujours trouvée si… si resplendissante.

La jeune femme qui avait toujours ressenti un trouble profond en cette présence camoufla ce sentiment vague à proscrire derrière des mots de surface:

– Il va réussir à me faire rougir comme il faut, dit-elle à Obéline qui riait sincèrement.

– Bon… qu'est-ce qu'il y a au menu de cette table de roi… de reine si on veut. Peut-être qu'on verra la bonne vieille Victoria apparaître dans un des couloirs là-bas…

– Ça serait surprenant qu'elle vienne jamais au Canada, surtout à son âge.

– Elle a dans les… son jubilé, c'était en 97? Soixante ans reine… Elle a… attendez… 81 ans.

– Et quel temps aujourd'hui!

– Un vieil homme de ma rue dit qu'on a pour trois jours de cette grisaille.

– C'est Honoré qui va s'en plaindre.

– Et pourquoi donc?

– Comme tu le sais, on bâtit le magasin. La pluie battante, ça empêche les hommes de travailler.

– La toiture est pas encore faite?

– On allait commencer aujourd'hui.

– Vous allez entrer dedans avant l'hiver?

– Certain... à moins que la pluie battante dure jusqu'au mois d'octobre.

– C'est rare que ça dure.

Obéline écoutait, regardant alternativement l'un ou l'autre de ses deux amis. Elle en savait pas mal maintenant sur lui qui se révélait dans ses lettres. Mais il gardait des recoins mystérieux enfouis profondément. Elle ne doutait pas de ses dires, mais n'était pas au bout de ses questions. Il y avait des zones d'ombre dans les récits de son dernier séjour aux États-Unis. Et une contradiction. Dans une lettre, il lui avait confié avoir connu Jos Allaire là-bas et dans une autre en réponse à une de ses phrases à elle, il avait dit ne pas connaître Jos Allaire. Peut-on avoir des troubles de mémoire si jeune? Ou bien avait-on échangé sur deux Jos Allaire différents? Pas question pour Obéline de soulever cette contradiction devant Émélie! Ni même devant Marcellin autrement que de manière indirecte. À la mode féminine.

Survint un serveur méticuleux, linge blanc suspendu à son bras replié, cheveux absents sur le dessus du crâne et qui ne formaient plus qu'une couronne poivre et sel autour de la tête. Il fit la révérence:

– Je vous salue bien humblement, mesdames, monsieur. Je m'appelle Médard. C'est pour moi un honneur de vous servir ce soir. Nous avons pour menu ce qui est écrit sur la carte, là, au centre de la table. Désirez-vous prendre un apéritif?

– Et quelles sont vos suggestions là-dessus? demanda Marcellin.

– Il y a toutes les suggestions de la maison à l'intérieur sur une liste encartée dans les menus. À vous de choisir!

L'homme quitta sans attendre son reste.

Il y avait abondance de noms de plats sur les cartons consultés par les deux femmes. Puis Obéline tint le sien devant Marcellin qui signala son appréciation par un signe de tête. Aider quelqu'un qui en a besoin n'est pas un signe d'irrespect. Quoique le jeune homme avait l'habitude et pouvait aisément accomplir des gestes d'une seule main que d'autres faisaient des deux avec souvent bien moins de doigté.

Médard revint. On lui commanda une bouteille de xérès qui servirait à la fois d'apéro et de vin d'accompagnement. Son obséquiosité devint une froideur anglaise teintée d'une nuance hautaine. Il tourna les talons en les faisant claquer. Marcellin commenta:

– Je pense qu'il est pas content parce qu'on se sert du vin d'accompagnement comme apéritif. Ça va réduire le montant de l'addition et donc du pourboire.

– Celui qui paye est libre de ses choix! affirma Émélie en secouant la tête. Il aura le pourboire que je voudrai bien lui offrir… parce que, je vous l'annonce, je vous reçois tous les deux.

– Pas question, madame Grégoire, j'en serais très humilié, dit le jeune homme. Je vous accompagne: je paye mon repas.

– Non, non, non. C'était prévu: c'est le magasin Grégoire qui va payer la facture. Et que je ne vous entende pas me contredire ni un ni l'autre!

Obéline sourit:

– Quand Émélie a décidé, ni Dieu ni diable ne lui feraient changer d'idée.

– Bon! fit simplement le jeune homme.

– Et si vous vous retenez de choisir ce qui vous fait envie, je vais le deviner.

Ainsi le repas si bien commencé se poursuivit pour le plus grand agrément de tous. Et même de Médard que l'on parvint à dégeler et faire sourire quand il fut question de l'original rencontré sur le train. On parla entre autres des besoins de Saint-Honoré en matière de petits commerces et du bel avenir que se bâtiraient ceux qui en ouvriraient. Boulangerie. Restaurant. Abattoir. Embaumeur.

– On a déjà un boucher, un docteur, un moulin à scie, deux beurreries, deux boutiques de forge, un charron… Honoré dit qu'on pourrait aussi faire bien vivre un laitier, un tailleur, un meunier, un horloger-bijoutier et d'autres qui m'échappent.

– Rien qui soit à ma portée, fit Marcellin en désignant sa manche vide avec son index décollé du verre de vin qu'il venait de porter à sa bouche. Imaginez un boulanger rien qu'un bras, un restaurateur, un saigneur de cochons, un embaumeur… Tout ça demande deux mains…

L'humour avec lequel il traitait son handicap le rendait moins lourd aux yeux des autres et la pitié qu'il aurait été susceptible d'inspirer se transformait dès lors en l'une des formes de l'amour qui n'engagent ni ne lient et, comme le disait l'Indien du train, ne conduisent pas à la catastrophe car elles relèvent quelque part de la générosité et de l'ouverture à l'autre.

Puis l'homme lança une invitation. Il recevrait les deux amies le soir suivant et c'est lui qui préparerait le repas. Elles devinèrent sans l'exprimer autrement que par des regards entendus, qu'il voulait ainsi leur montrer ce dont il était encore capable, et acceptèrent.

Ce fut un repas fort agréable dans un décor typique où s'harmonisaient tous les éléments architecturaux, les lustres et la vaisselle. Voilà qui changeait les deux amies de leur patelin enterré de végétation. Entre cet hôtel du Canadien Pacifique et le clocher dans la forêt de Saint-Honoré, il y avait plus qu'une longue ligne de chemin de fer, il y avait plus que tout un monde. Obéline s'en rapprocherait peut-être et, à travers elle, Émélie...

Ensuite, tous trois allèrent marcher rue des Carrières sans besoin de parapluie vu que la pluie forte du jour s'était transformée en crachin douillet de cœur d'été. Le ciel couvert assombrissait la place plus que de coutume et puis les jours avaient quand même déjà perdu plusieurs minutes depuis la fin juin.

L'on se rendit au monument érigé en l'honneur de Samuel de Champlain sur la terrasse Dufferin, qui avait été dévoilé deux ans auparavant. Une œuvre de cinquante pieds de hauteur comprenant piédestal et statue de bronze du fondateur de Québec, à elle seule haute de treize pieds et montrant Champlain saluant le sol canadien, tenant dans sa main droite un chapeau à plumes, alors que dans sa main gauche sont enroulées ses lettres de créance.

– Un monument digne des vieux pays, s'exclama le jeune homme.

– T'es jamais allé en Europe ?

– Non, mais on sait par les livres...

– Et les journaux, c'est sûr.

On fit silence un court temps. Émélie soupira :

– J'sais pas, mais quand je vois la statue d'un... explorateur... même si Champlain était plutôt un colonisateur, je pense à mon petit frère Jos qui est allé vivre aux États. Tu l'as pas connu, toi, Marcellin.

– Oui... Non... Un peu... À peine...

Obéline ne s'attendait pas à ce que cette question soit évoquée aussi rapidement. Comme si Émélie avait lu dans sa pensée plus tôt.

– T'es arrivé à Shenley longtemps après son départ pour les États, reprit Émélie, mais peut-être qu'il est venu se promener le temps que t'étais parmi nous ?

– C'est exact. Même que je vivais dans le 9 chez votre père quand il est venu.

Voilà qui éclaircissait la lanterne d'Obéline. Dans la lettre où il avait dit ne pas connaître Jos Allaire, sans doute n'avait-il pas songé au frère d'Émélie. Elle se promit de ne plus douter de lui quand il y aurait contradiction apparente dans ses affirmations. Car il avait répondu à la question aussi spontanément qu'un de ses élèves et cela même dans sa première hésitation.

L'on retourna à l'intérieur de l'hôtel où l'on visita les salles ouvertes. Il leur fut même donné de se rendre au sous-sol où ils apprirent que l'établissement possédait sa propre imprimerie lui permettant de produire les menus, le papier à lettre, les enveloppes, le papier officiel, les factures, les reçus et autres imprimés requis. Personne n'y travaillait en soirée, mais on put voir les presses et tables de travail à travers une vitre.

– Je vous reconduis à votre chambre, fit Marcellin en les poussant gentiment toutes deux par une main posée dans leur dos.

– C'est pas de refus, dit Émélie. Demain, c'est une grosse journée. On va visiter Alice Leblond le matin et on se rend chez les grossistes dans l'après-midi…

– Et chez moi en soirée…

– Semble…

∞∞∞

Les heures passées ce soir-là et le lendemain soir en la compagnie du jeune homme raffermirent son lien avec Obéline. Facile à constater par Émélie qui, attentive, favorisa la chose du mieux qu'elle put. Au point de quitter la demeure de Marcellin peu après le repas pris là afin de les laisser seuls ensemble. Elle se donna pour prétexte, un motif par ailleurs fondé, de retourner chez un grossiste qui comptait sur un arrivage de marchandise d'Angleterre par un navire déjà dans le port et dont la cargaison devait être livrable avant le souper. Émélie désirait rafler une douzaine au moins de deux items dont elle s'était entretenue avec le marchand le jour même.

Après son départ, l'atmosphère devint un peu plus tendue entre Obéline et le jeune homme. Un nouvel élément fit son apparition: la réserve de ceux qui veulent en dire plus sans en dire trop. Marcher sur le bout des orteils dans les tulipes de ses sentiments.

Marcellin vivait dans une maison paisible et honorable du très vieux Québec, une de ces demeures jouxtées les unes aux autres devant lesquelles avaient pu marcher le marquis de Montcalm et même avant lui, longtemps avant, Marie de l'Incarnation et Mgr de Laval. À vrai dire, il ne savait pas l'âge de sa résidence et se contentait de songer aux âmes de ceux qui l'avaient habitée et dont les vibrations se trouvaient sûrement encore dans les matériaux de la construction, dans les murs et les plafonds.

Comme au Château, il y avait là la lumière électrique, ce qui rendait le tête-à-tête un peu moins romantique mais d'autant plus authentique.

– Je lève mon verre à ta santé, Obéline, dit-il une fois encore pour achever le vin joyeux qu'ils avaient partagé durant et après le repas.

– Et le mien à la tienne!

Ils burent.

Puis il posa la coupe sur la table et pencha la tête en même temps qu'il faisait tournoyer son doigt sur le bord du verre comme s'il avait voulu le faire parler pour lui. Puis il plongea dans un aveu sans lever les yeux:

– Je peux te dire quelque chose que tu ne diras jamais à personne, Obéline?

– Ben... oui...

– Je veux un oui sincère et profond. Mais si tu penses ne pas pouvoir garder le secret, j'dirai rien.

– Suis capable de garder le secret.

– Pas même à madame Émélie ?

– C'est toi qui refuses de lui dire à travers moi, pas moi à elle. Donc je ne lui cache rien, moi, sans tout lui dire pour autant.

– Bien expliqué.

– On dirait que ça t'embarrasse de faire cet aveu-là ?

L'homme prit une longue respiration :

– Oui, mais d'un autre côté, ça me pèse lourd sur le cœur et j'ai besoin d'en parler à quelqu'un. J'ai personne à Québec et même si j'avais de la famille, je le dirais à personne. T'es la seule à pouvoir me libérer de ce secret qui pèsera moins lourd ensuite. On sera deux à le porter…

– C'est donc si grave ?

– Oh, j'ai fait de tort à personne d'aucune façon, en tout cas volontairement. Et je ne souffre d'aucune maladie mortelle si ce n'est que la vie elle-même en est une, tout le monde sait ça. Ni d'infirmité à part mon bras perdu…

Le front d'Obéline se rembrunit. Rien n'y parut vu qu'il était perlé de sueur à cause du vin et de l'humidité ambiante. C'est qu'elle songea tout de suite à quelque chose d'affectif. Peut-être que Marcellin était marié et séparé de son épouse ? Pire, il avait pu prendre femme aux États et divorcer ? Comment un lourd secret qui n'impliquait aucun tort à quiconque pouvait-il se trouver en dehors du territoire de l'amour humain ?

– Tu te souviens que je voyais Odile Blanchet du temps que je vivais à Shenley ?

– Si je m'en souviens !

– Et que j'aurais bien pu l'épouser si j'avais pas eu mon accident au moulin à scie ?

– C'est connu asteur.

– Eh bien… à dire la vérité, c'est une autre personne que j'aimais. Inaccessible… Un sentiment… interdit. Attention, j'aimais Odile de tout mon cœur, mais l'autre…

Obéline comprit sans qu'il n'en ajoute davantage et l'exprima en trois mots bourrés d'étonnement:

– Pas Émélie toujours?

– Émélie... oui... Émélie... madame Émélie... J'ai toujours mis le mot madame avant son prénom, pour faire barrière...

– Mais c'est impossible...

– L'amour n'est jamais impossible, c'est son expression qui l'est. Un amour à enterrer à jamais dans le plus creux de son cœur.

L'homme se mit à ravaler; ses yeux s'embuèrent.

– Un sentiment d'adolescent, je sais, mais qui ne mourra jamais. Comme un tison qui garde sa force sous la cendre du temps qui passe.

Obéline secouait la tête. La révélation avait beau la renverser sur sa chaise, elle ne la rendait pas malheureuse. Certes Émélie méritait grandement qu'on l'aime. Elle l'aimait. Honoré l'aimait. Ses enfants malgré sa sévérité. Et Marie, sa sœur, l'avait beaucoup aimée tout comme son père Édouard qui, aidé par les coups du sort, avait fait d'elle cette femme forte et d'équilibre, appréciée de tout le monde.

– Mais le meilleur remède au beau sentiment, dit-on, c'est la distance. Toutes ces années au loin et l'amour est resté.

– Comme la braise sous la cendre, je te l'ai dit.

– Si... t'as aimé Émélie à travers Odile, c'est donc que tu l'aimes aussi à travers moi?

– J'ai pas le choix de pas l'aimer. Quand je pense à toute la richesse intérieure de cette femme... Toutes les souffrances de son enfance, tous ses deuils... Mais il y a bien plus et ça, je suis pas capable de l'expliquer avec des mots. Même que je le comprends pas moi-même. Je pensais pouvoir détruire ce sentiment-là aux États: peine perdue. Ça reste. C'est fou. C'est là.

– Ça veut dire que...

Elle s'arrêta et son regard s'agrandit.

– Que quoi?

– Ben que l'accident au moulin… peut-être que quelque chose au fond de toi l'a cherché. Perdre un bras, tu pouvais pas continuer de travailler ni au moulin ni au magasin. Ni même ailleurs dans la paroisse. Il te restait à t'exiler pour faire taire ton sentiment.

– Il se tait, mais il aura toujours sa capacité de parler.

Obéline soupira:

– S'il fallait qu'Émélie apprenne une chose pareille… s'il fallait…

– Elle a un grand contrôle d'elle-même: elle saurait gérer la situation comme elle sait gérer le magasin.

– Peut-être qu'elle aussi… a ressenti quelque chose pour toi dans le temps? Et qu'elle en garde le secret… Tu me rappelles que…

Obéline songeait à ce rapprochement entre elle et Marcellin, favorisé voire provoqué par Émélie qui avait le don de les laisser seuls ensemble tous les deux. Certes, elle le faisait par amitié en toute conscience, mais aussi peut-être pour une raison ignorée de tous et surtout d'elle-même.

– Que quoi?

– Que son regard change quand il est question de toi.

– Jamais elle ne se laisserait aller à donner le plus petit signe de quelque chose pour moi.

– Elle a beau être en grand contrôle d'elle-même… Sais-tu qu'elle ne pleure jamais quand quelqu'un meurt… sa mère lui a enseigné jeune à pas le faire pour ne pas attrister la personne disparue là où elle se trouve… c'est pas beau, ça? C'est pas parce qu'on manque de larmes qu'on manque de cœur. Elle a pleuré sur Marie quand Marie était malade, pas quand elle est partie. En tout cas pas devant le monde… Y a des émotions qu'on peut pas empêcher de paraître dans les yeux et c'est ça que son regard dit quand il est question de toi. Elle aime son mari profondément, mais qui sait si on ne peut pas aimer autant une autre personne que celle à qui on a uni sa destinée par les liens du mariage ? C'est pas ça toujours que tu cherchais à savoir en me faisant ton aveu ?

– Non, pas du tout. J'ai pas pensé à ça. Mais je me suis dit qu'il fallait que je te le dise avant… de te demander en mariage. Ce que j'pouvais pas révéler à Odile, je le peux à toi.

– Tu pouvais pas me rassurer mieux que tu viens de le faire… par ta sincérité… et tout…

– Je me suis dit que tu aurais peut-être de la misère à te faire à cette idée, ensuite…

– Pas du tout ! Ça m'étonne, mais ça me détruit pas.

Puis son autre révélation soit sa demande en mariage faite indirectement par son annonce même vint briller dans l'âme de la jeune femme. Elle reprit :

– Quoi, tu… as l'intention de demander ma main ?

– Disons que c'est déjà fait, non ?

– T'as pas peur de ça, une vieille fille comme moi, toi ?

– Au milieu de la trentaine, c'est jeune encore.

– Mais aux yeux des gens, suis une vieille fille qui a pas trouvé à se marier.

Il hocha la tête :

– C'est une marotte qui convient à ceux qui veulent se débarrasser au plus vite de leurs filles. Les catherinettes se pensent des laissées-pour-compte. Pure foutaise ! Au lieu d'avoir une trâlée de 15 enfants, peut-être que t'en auras deux ou trois et on pourra mieux s'en occuper.

– J'avais pas rencontré l'homme de ma vie, c'est tout.

– Peut-être que je le serais ?

– Je pense que oui.

– Ce qui veut dire que tu vas accepter ma demande en mariage ?

– Je l'accepte.

– J'avais tellement peur que ça soit fini entre nous ce soir.

– Pour Émilie ?

– C'est ça : à cause de mon sentiment pour elle.

– J'me prends pas pour un pis-aller. J'pense pas que faute de pain, tu manges du gâteau, comme le disait Marie-Antoinette. Je crois que ton sentiment envers moi sera encore plus fort si son rayonnement secret va aussi vers Émélie. Il n'y a là aucun danger. Il n'y en aura jamais.

– T'es pas jalouse et ça me rassure à mon tour.

– La jalousie, c'est un sentiment enfantin. Je montre à mes petits à l'école que c'est un très vilain défaut. J'ai lu Marivaux et à travers ses personnages, j'ai compris bien des choses, tu sais.

– Pas moi encore.

– Je te prêterai deux de ses livres.

– Parlant de tes élèves, ça va te déchirer de te séparer d'eux, non ?

– J'ai un an pour me préparer à ça. Parce que j'imagine que ta demande en mariage, c'est pour 1901 ? Ça serait impossible avant vu que j'ai un engagement avec la commission scolaire. Il serait trop tard pour eux autres de se trouver une autre maîtresse d'école. Partir en ce moment, ça, ce serait trahir les enfants.

– Suis parfaitement d'accord avec toi, parfaitement d'accord.

Il se fit une pause. Marcellin appuya ses coudes sur la table et leurs yeux se rencontrèrent. Se parlèrent d'avenir, de certitude, d'espoir et de paix. Ils se sourirent un bon et long moment.

Puis il se leva, contourna la table. Ensuite la jeune femme qu'il entoura de son bras puissant par l'arrière, elle qui restait assise, bien droite et figée dans son meilleur sentiment. Il se pencha un peu et posant sa main sur son front, il lui fit gentiment coller sa tête sur son cœur.

– Il bat pour toi, écoute-le.

Elle murmura :

– Et pour Émélie, mais c'est beau comme ça…

∞∞∞

Il passait neuf heures de ce soir-là quand Obéline rentra à la chambre du Château Frontenac où son amie l'attendait avec une impatience heureuse.

Émélie ouvrit et leurs yeux se rencontrèrent. Obéline demeura figée un moment. L'autre femme souriait, tête en biais, questionneuse.

– Je sens que ce fut une belle soirée.

– Ce le fut.

– Viens me conter ça?

– T'en sais le premier bout.

– J'ai fait que manger avec vous deux.

– Et tu passais ton temps dans la cuisine plutôt qu'à la table avec nous autres.

– Je voulais que ça soit plus facile pour lui. Viens… viens t'asseoir… Donne-moi ta mante, Obéline, viens…

Il y avait une fébrilité peu coutumière dans les mots et gestes d'Émélie. Elle brûlait de tout savoir, c'était net. Et son amie Obéline brûlait de tout lui dire… sauf le grand secret.

∞∞∞

Le reste du voyage tout comme les premières trente-six heures fut d'une joyeuseté presque puérile. On attribua cette réussite aux prières d'Alice Leblond que la religieuse avait promises en abondance.

Au retour, après être descendue de la voiture du postillon, la première chose que fit Émélie en arrivant chez elle fut de se rendre au magasin où se trouvait son mari qui attendait la «malle» aussi bien que la clientèle. Elle laissa Marcellin Veilleux la devancer avec ses deux sacs de courrier malgré la pluie fine qui continuait à tomber d'un ciel alourdi depuis trois jours maintenant. Pas un marteau ne cognait, pas une égoïne ne sciait, pas un bruit d'ouvrier ne lui parvenait du chantier.

– Les travaux sont arrêtés, dit Honoré en guise de salutation quand sa femme parut dans l'embrasure de la porte.

Veilleux déposa les sacs à l'intérieur du bureau de poste et repartit sans rien dire. Le couple était laissé seul.

– Ben ils vont reprendre.

Honoré grimaça :

– Quand il va faire beau… ça se pourrait dans la semaine des trois jeudis.

– Il va faire beau demain.

– Rien n'est moins sûr, chère madame Grégoire.

– Rien n'est plus sûr, cher monsieur Grégoire.

– On dirait que tu reviens de Québec avec un miracle dans ta sacoche. Il s'est passé quoi pour que tu brilles autant. Les voyages forment la jeunesse, on dirait. Ou la transforment serait mieux dire.

– J'ai une bonne nouvelle et c'est qu'il fera beau demain… même s'il fait pas beau.

– Bon, la voilà qui parle en parabole asteur…

Il haussa une épaule et voulut la contourner pour aller dépaqueter le courrier. Elle le retint par un bras :

– Tu veux pas entendre ma nouvelle ?

– Dis toujours.

– J'ai acheté douze cirés et douze saouests. Ils vont arriver demain avec le reste de la commande. On va les vendre aux ouvriers au coûtant et comme ça : fini les arrêts de travail pour cause de pluie battante. Nos hommes vont pouvoir travailler comme des marins, sans danger pour leur santé, et le chantier va battre son plein jusqu'au bout.

– Les vendre ? Ils voudront jamais acheter ça.

– Ceux qui vont les acheter, ça va leur coûter une demi-journée d'ouvrage, mais ils vont pouvoir faire des heures et des heures de plus. Pas de ciré, pas de salaire quand il pleut fort parce qu'ils veulent pas travailler et on les comprend bien. Avec ciré et saouest :

du gagne de plus pour eux autres. Avantageux pour eux autres: avantageux pour nous autres.

Honoré ferma un œil, mit sa tête en biais:

– Où c'est que t'as pris ça, toi, une tête comme la tienne, veux-tu me dire, Émélie Allaire, la fille à Douard?

Elle fit les grands yeux:

– J'ai hâte d'avoir ma maison moderne. J'ai hâte qu'on déménage dans notre magasin flambant neuf. Et là, tu peux aller au bureau de poste, je reprends du service au magasin.

Il s'enfonçait dans l'embrasure de la porte quand elle reprit la parole pour lui lancer:

– Mon père, tu peux l'appeler Édouard. C'est ça, son nom. Comme le mien, c'est Émélie…

– Et pas Mélie, je le sais depuis longtemps… Émélie Allaire… fille à Édouard Allaire et sœur de Joseph…

– Lui, tu peux l'appeler Jos Allaire si tu veux… d'abord que ça te porte à rire chaque fois… vieux venimeux…

– Et Obéline, elle? Le beau Marcellin et tout? C'est quoi les nouvelles?

– J'te conterai ça plus tard…

∞∞∞∞∞∞

Chapitre 24

L'orateur à la voix de velours et pourtant qui portait loin par sa sonorité brillante devait prendre bientôt la parole. On était le 2 octobre 1900, jour des cérémonies marquant la pose de la pierre angulaire du premier pilier du projet du pont de Québec.

Il y avait foule debout dans les gravats et les herbes au bord du fleuve et parmi elle, Honoré Grégoire et son épouse Émélie. Ils voyaient le Premier ministre Laurier en personne pour la première fois. C'était la réalisation d'un grand rêve, à l'égal sans doute de celui de l'érection de leur nouveau magasin. Certes, les chances de lui serrer la main étaient bien minces puisque le grand homme d'État se trouvait sur un chaland sur l'eau, à une certaine distance de la rive, mais de le voir en chair et en os comblait leurs espérances. Ils avaient tout laissé à Saint-Honoré pour assister à ce rassemblement, confiant le chantier entier à Théophile Dubé et Rémi Labrecque, et le magasin à Jean Jobin tandis que Delphine s'occupait des enfants.

C'était presque un second voyage de noce pour les jeunes époux. D'ailleurs Émélie avait revêtu sa robe de noce et mis un toupet qui redonnait à son image un air de jeunesse, et il n'y paraissait guère qu'elle avait donné naissance à sept enfants malgré ses hanches plus fortes et sa figure quelque peu alourdie. Honoré se tenait bien droit comme à son habitude, tête haute, moustache fière, regard digne : un homme de classe venu voir un Premier ministre de classe.

– Invités d'honneur... si nombreux que je ne puis entreprendre de les nommer, mesdames, mesdemoiselles, messieurs...

Des applaudissements fusèrent de partout dans la foule. En fait il y avait unanimité. Deux grands bonheurs la baignaient en même temps, provoqués par le signal de départ de la construction de ce pont tant attendu et par la présence du héros de la race en personne.

– ... voici un grand jour pour le Canada. Voici un grand jour pour Québec, la vieille capitale où bat le cœur de la race canadienne-française. Voici un grand jour pour chaque citoyen, pour vous tous, pour moi : celui du début de la construction de ce grand pont qui rapprochera enfin les deux rives du fleuve Saint-Laurent. Nos devanciers l'ont demandé ; nous ne pouvions le refuser à ceux qui nous suivront. C'est notre siècle qui commence, le siècle du Canada...

Émélie se laissait distraire par cette chevelure d'argent formant couronne autour de la tête du politicien et que le vent soulevait parfois légèrement. Elle symbolisait le calme du personnage, sa majesté, et attirait la sympathie. Physionomie sérieuse, un brin mélancolique, figure pâle et maladive, Laurier suscitait l'admiration de tous tant par ses dons physiques que par ses dons intellectuels. Rassembleur-né, il trouvait toujours le mot juste, la phrase appropriée pour tout apaiser sans forcément solutionner.

– Ce pont sera solide tout comme celui qui maintenant unit les races fondatrices de ce pays, et cette puissance d'union fera la richesse des uns et des autres ainsi que la richesse nationale. Les plans nous promettent le plus grand pont cantilever au monde ; la réalité faite du labeur des hommes et des meilleurs matériaux nous le donnera. Trois ou quatre années suffiront pour que s'élève enfin dans le ciel historique de Québec un ouvrage qui passera à l'Histoire par sa force, par sa beauté, par son utilité, par sa grandeur même. Ouvrage titanesque, ouvrage à l'ingéniérie exceptionnelle et hautement moderne, ouvrage à la mesure d'un pays qui va d'une mer à l'autre, de l'Atlantique au Pacifique et dont les provinces constituent le pont, et dont – si je ne le dis, vous le penserez – la travée centrale est la province de Québec, berceau de la race qui est la mienne et la vôtre. C'est par l'addition de chacune de ses parties que ce pont sera puissant, emblématique de la puissance canadienne sur laquelle ce siècle qui commence donne à fort grandes et heureuses promesses…

Honoré vivait la fierté même. Il la nourrissait de chaque mot d'un homme devenu légende de son vivant, à l'instar de Louis Cyr dans son domaine. Il l'abreuvait de chaque phrase aux accents nationalistes et internationalistes à la fois. Il l'entretenait de tous les gestes grandioses dont Laurier accompagnait son dire.

– En venant ici aujourd'hui, j'ai ressenti comme une atmosphère d'espérance. Certes, les deux rives du grand fleuve sont en ce 2 octobre 1900 comme en tous les débuts de ce mois si magnifique, aux flamboyantes couleurs de l'automne, mais ces jaunes, ces ocres, ces rouges portent en eux le germe de printemps rieurs et d'étés verdoyants. Ils nous disent au creux du cœur que les temps à venir sont ceux de l'accomplissement et de la réussite…

Émélie avait lu tout ce qui s'écrivait dans les journaux à propos de Wilfrid Laurier. Elle ne l'aurait pas cru poète. Peut-être ne l'était-il que dans ses discours improvisés comme celui de ce moment?

– Il a de la couleur, souffla-t-elle à son mari, tête en biais et sourire en coin.

– Chut! dit-il qui ne voulait perdre aucun mot de l'illustre personnage et le mémoriser tous tandis qu'il aurait bien tout le temps de recueillir l'opinion de son épouse sur lui et son propos d'homme sage.

– Construire un ouvrage de pareille envergure, c'est, je vous le disais, comme de construire un pays. Il faut de la sueur. Il faut de l'expertise. Il faut un travail énorme. Il faut des matériaux de première qualité. Il faut les efforts conjugués de bien du monde. Mais il faudra peut-être aussi, qui sait, du sang versé. La tour Eiffel a coûté des vies humaines. La plupart des grands œuvres également…

Il y eut une sorte de mouvement de vague dans la foule. Même qu'une rumeur la parcourut. Comme si on s'habillait de deuil à l'avance pour les deux ou trois hommes que l'on voyait déjà morts ainsi que le laissait présager Laurier.

– Je me surprends à parler de grands œuvres et cela me fait penser à ce qu'on appelle *le grand œuvre* soit la transmutation des métaux en or. L'acier de ce pont, même imbibé de sueur et de sang, deviendra de l'or pour notre pays. C'est avec une émotion fiévreuse qu'ensemble, nous procédons à la pose de la pierre angulaire du premier pilier. Et cette pierre aussi se transformera en or quand le pont enjambera le fleuve entre ces deux rives, défiant l'eau et sa puissance, les glaces et leurs colères, et saluant au passage les bateaux voguant vers Montréal et le centre du pays…

Pour une raison inconnue d'elle-même, voici qu'Émélie eut soudain en tête l'image d'Amabylis, l'Indienne, en train de chanter sa lancinante mélopée ce soir où on avait parlé de Cordélia et de son crime. Elle ferma les yeux et utilisa son étonnement même pour chasser ce souvenir qui n'avait guère sa place en un pareil moment.

– Je n'ai plus à dire que l'ouvrage commencé aujourd'hui pèsera de tout son poids sur les épaules de tout le peuple comme sur celles d'un homme fort…

À son tour, Honoré ne put s'empêcher de penser à une scène qui n'avait rien à voir avec le pont de Québec sinon par ce symbolisme évoqué par Laurier et qui le ramenait à Saint-Georges quand Louis Cyr était venu y faire une démonstration de sa force herculéenne en soulevant notamment une plate-forme bondée de personnes humaines. Il la chassa aussi impitoyablement que son épouse l'avait fait avec son souvenir d'un soir étrange.

– … et que pour aider voire garantir la réalisation complète d'un ouvrage appelé à durer des siècles et des siècles, le bras de Dieu est nécessaire. Celui qui peut le mieux y faire appel est ici, sur cette tribune flottante; il s'agit de monseigneur Bégin qui, par sa bénédiction du chantier, lui assurera la bénédiction du ciel. L'on peut d'ores et déjà être certain que les énergies divines seront présentes partout lors de ces travaux et que la main de Dieu veillera sur chacun des ouvriers et sur la bonne marche de l'ensemble. Que Dieu bénisse ce grand ouvrage!

Les applaudissements qui suivirent ressemblèrent au bruit d'une pluie à gros grains frappant l'eau du fleuve. Ils furent nombreux, sonores, explosifs.

L'archevêque Bégin parla à son tour. Au nom de Dieu plus qu'au nom des hommes. Et promit que le ciel veillerait sur chaque poutrelle, chaque boulon, chaque écrou et surtout chacun des hommes travaillant à l'érection du pont, y compris ceux qui courraient les plus grands dangers comme ces Indiens grimpeurs dont on avait grand besoin et sans lesquels, bâtir en hauteur eût été cent fois plus difficile et risqué. Mais aucun de ces futurs travailleurs ne se trouvait là car on ne les emploierait qu'au moment où les travaux s'élèveraient dans les airs au-dessus du fleuve.

Le maître de cérémonie annonça la fin de celle en cours et la foule commença de se disperser. Seuls les fanatiques de Laurier demeurèrent sur place, une centaine de personnes parmi lesquelles les époux Grégoire, attendant qu'il se passe quelque chose d'autre. Ils firent bien, peut-être guidés par une prémonition, car le chaland se dirigea vers le rivage, accosta à un quai temporaire et permit ainsi au Premier ministre de débarquer sur la terre ferme. S'il ne risquait plus un bain dans l'eau du fleuve, Laurier opta pour un bain de foule. Et il parvint bientôt devant les époux Grégoire dont il serra la main en les regardant l'un après l'autre au fond des yeux et presque de l'âme.

–Je suis votre organisateur en chef dans ma paroisse, osa lui dire Honoré.

– En vous voyant, surtout en apercevant madame, je vous savais un homme de bien; maintenant, j'en suis certain. Un bon libéral est toujours un honnête homme.

– Votre photo est dans notre magasin grandeur nature, osa à son tour Émélie.

– Et c'est peut-être pour cette raison que je me trouve aujourd'hui devant vous grandeur nature.

La vivacité d'esprit de l'homme politique émerveilla le couple et le visage de chacun, déjà éclairé, s'illumina.

– Bonne journée et bon siècle! furent les derniers mots de Laurier pour eux.

L'échange se termina là. D'autres mains tendues espéraient celle du grand homme; d'autres cœurs attendaient un mot glorieux; d'autres électeurs devaient être payés de retour pour leur appui politique en considération aussi brève que mémorable de la part du demi-dieu canadien-français.

∞∞∞∞∞∞∞∞∞

Chapitre 25

La grande partie de l'inventaire fut déménagée en novembre de la maison rouge vers le nouveau magasin. Mais comme prévu, on ne saurait habiter la résidence adjacente avant le printemps 1901. On laissa dans le vieux magasin non seulement de la marchandise et tout l'ameublement mais aussi la grande photo de Sir Wilfrid Laurier. Le Premier ministre du Canada serait transporté la veille seulement de l'inauguration et trônerait à ce moment-là sur la cloison qui séparait le comptoir des dames et un espace aménagé à côté du nouveau bureau de poste pour loger les sacs de courrier quand ils seraient abondants, et pour autre usage ponctuel. L'homme d'État serait alors d'une certaine façon, dans les esprits sinon dans les faits, le grand invité d'honneur à l'inauguration officielle que l'on ferait coïncider avec celle de l'église et sa bénédiction. Pour ces raisons, les chances seraient élevées d'y voir alors non seulement les députés Béland et Godbout, mais aussi Mgr Bégin, l'archevêque de Québec, lors de sa visite certaine de Saint-Honoré quelque part en août 1901, comme la prévoyait le curé.

– Suis encore dans un état « intéressant », annonça Émélie à son mari un soir de décembre alors qu'ils se trouvaient tous les deux encore dans le grand magasin éclairé par une dizaine de lanternes suspendues.

Il hocha la tête :

– C'est un an trop tôt, mais c'est le bon Dieu qui a voulu ça de même.

– Les noces d'Obéline qui s'en viennent. Celles à Mary Foley, c'est à peu près sûr. La construction de l'église avec tout l'ouvrage que ça va nous donner. Le déménagement dans la nouvelle maison. L'inauguration du magasin. La bénédiction de l'église…

– J'ai su qu'on pourrait pas aller dans la nouvelle église avant 1902.

– On dit que la construction pourrait se terminer rien qu'en 1905-1906… comme le pont de Québec. Ils vont la faire bénir une fois qu'elle sera debout?

– Ça se pourrait, mais c'est pas sûr. J'en ai parlé au curé. Il dit que ça va dépendre de l'archevêque.

– Dans le fond, pour moi, ça serait peut-être mieux en 1902, vu ma grossesse.

– On va arriver dans notre temps comme on arrive dans notre argent, Émélie. L'important, c'est ça…

Et le jeune homme fit un long geste panoramique autour d'eux afin de montrer l'intérieur du grand magasin. Ils étaient alors tous deux au pied du large escalier central donnant, une vingtaine de marches plus haut, sur deux plus étroits qui, eux, latéralement, permettaient l'accès au second étage. À leur gauche se trouvait derrière un comptoir un étalage de marchandises comprenant plusieurs dizaines d'articles différents allant du clou à la livre aux lacets de cuir en passant par les boîtes de conserve, les caisses de biscuits en vrac, les allumettes, le tabac en feuilles, le tabac à chiquer, le bonbon en pots, le sucre en sacs de cinq livres, détergent, savon du pays, paraffine, pots de verre vides, globes à lampes, lampes à l'huile, et tutti quanti.

– Suis si fière de notre magasin! s'exclama Émélie, les yeux agrandis.

Elle qui exprimait si rarement de telles émotions en provoqua d'aussi fortes en son mari:

– Et moi aussi, et moi aussi…

Il y avait un large espace entre les deux comptoirs latéraux, occupé par une longue table partiellement libre et qui servait pour y déposer temporairement les boîtes remplies d'effets des clients ou bien pour s'y asseoir en attendant que le maître de poste finisse de classer le courrier. La partie occupée l'était par des sacs de farine que l'on soustrayait ainsi à l'action dévastatrice des rongeurs. Et à l'extrémité de la table, face à la grande porte d'entrée donnant sur la rue principale, on avait installé un présentoir à balais de paille, présentoir hybride auquel il était aussi possible d'accrocher des pelles et des fourches à foin de type trident.

C'était l'heure de fermeture. À part le couple, il ne restait personne dans l'établissement. On pouvait l'admirer à loisir avant de retourner à la maison par la même passerelle de naguère, réaménagée une fois le magasin devenu opérant.

– On a fini de geler l'hiver, dit-elle en désignant la grille de la fournaise qui dispensait de la chaleur en abondance.

– Pourvu que ton mari oublie pas de mettre du bois dans la fournaise. Surtout à soir qu'il fait pas chaud dehors. L'hiver prend de l'avance cette année.

Émélie trouvait fort agréable ce moment d'arrêt. Un pur plaisir. Elle continua de promener son regard et le fit alors sur le comptoir et l'étalage dit des dames. Il s'y trouvait sept fois plus de tissu à la verge que du temps de la maison rouge. De la dentelle en abondance dans les tiroirs. Des bobines de fil à coudre à foison. D'ailleurs, on vendait aussi des machines à coudre qui restaient entreposées dans l'un des grands hangars arrière. Fermetures-éclairs. Corsets cachés dans des boîtes avec soutien-gorge à même. Mais pas de chapeaux pour dames. Émélie avait voulu ne pas faire de tort à madame Louis Champagne, la modiste du village qui faisait de bonnes affaires et avait établi sa clientèle parmi les dames des quatre coins de la paroisse. Quelques produits de beauté dans une montre en verre : du fard pour les joues, poudre pour le nez, le front, et de timides petits bâtons de rouge enfouis dans des étuis en plaqué or.

Aiguilles, broches à tricoter, pelotes de laine, mouchoirs, mantilles: tous les items offerts passaient dans leurs pleines et belles couleurs en l'esprit d'Émélie même si les feux des lanternes ne parvenaient à les faire ressortir qu'en divers tons allant du brun pâle au noir profond.

– Bon, allons nous coucher, j'ai les jambes rentrées dans le corps, moi.

– Oui madame! On y va tout de suite. Je m'en vais éteindre les fanals…

– On dit les fanaux, Honoré, pas les fanals.

– Tout le monde dit les fanals.

– C'est pas une raison pour mal parler, mon grand fanal…

Il éclata de rire. Partie en raison de la blague car Honoré adorait quand on se payait respectueusement sa gueule, partie en raison du moment qu'ils avaient pris pour aimer ensemble leur nouveau magasin.

Lui se rendit éteindre les lanternes d'un côté et elle de l'autre. Il leur fallait grimper sur le comptoir pour cela et du côté des dames, faire bien attention de ne pas mettre le pied ailleurs que sur la partie boisée car le centre était vitré pour mieux exposer la marchandise des tiroirs supérieurs.

– Attention où tu marches, Émélie!

Elle avait déjà soufflé sur trois flammes pour les asphyxier, posant sa main au-dessus du globe et expirant d'un coup sec; et voici qu'elle s'apprêtait à redescendre par un escabeau à deux marches se trouvant à l'arrière du comptoir quand elle entendit un bruit et un cri:

– Huhau! Huhau! Huhau! Grégoire! criait Honoré pour lui-même.

– C'est qu'il se passe donc? dit-elle en se retournant.

Honoré qui avait fait plus vite qu'elle, allait redescendre, mais, contrairement à son habitude, il posa le pied gauche sur un tabouret tournant et le siège pivota pour ainsi emporter son équilibre en dehors du centre de gravité. Il tomba sur le plancher et se foula la cheville.

– J'avais ben besoin de ça, protesta-t-il.

– Ça quoi ? fit-elle en se pressant d'accourir à lui.

– Une foulure ou une cassure.

L'incident alarma Émélie plus que de raison vu ce qui était arrivé à cette pauvre Marie naguère, cette brisure de sa jambe qui l'avait affaiblie et rendue vulnérable devant le bacille de la tuberculose.

– J'espère que c'est pas cassé. Pauvre toi…

Il se tâta la jambe, constata :

– Ça fait pas mal mal, mais c'est pas cassé.

– T'es certain ?

– Certain.

– Tu devrais jamais monter sur le comptoir en passant par les bancs-pitons. Tu vas finir par te casser le cou.

Il acquiesça d'un signe de tête et des mots de certitude :

– C'est vrai, t'as raison. Ça prenait ça pour me dompter.

– Veux-tu que je fasse chercher Rémi Labrecque par Freddé ?

– On va mettre une couenne de lard pour à soir. On verra la suite demain matin.

– Bouge pas, je trouve un bâton qui va te servir de canne.

– Ça, c'est un article qu'on devrait vendre au magasin.

– On l'a déjà fait du temps de Marie.

– Mais il est manquant, ça fait un bout de temps.

– On enverra une commande au grossiste demain.

– Ça se vend pas tous les jours, mais faut avoir de tout pour combler tous les besoins, surtout les plus urgents comme une canne en cas d'accident à une jambe.

Émélie contourna l'escalier, prit le couloir du bureau de poste, y emprunta la porte qui menait dans un entrepôt, mais il y faisait noir comme chez le loup et elle dut rebrousser chemin.

– J'ai oublié de prendre la lampe.

– Tu t'énerves pour rien. Peut-être que je peux marcher…

Il s'était soulevé à force de bras et aidé de sa jambe valide avait pris place sur un tabouret. Sa tentative de se mettre debout fut vaine parce que trop douloureuse.

Émélie prit la lampe sur le comptoir. Elle retourna en arrière pour en revenir bientôt avec le seul bout de bois disponible : une latte qui servait d'assise à un lot de boîtes vides pour permettre l'aération.

Il s'en arma. Et avec l'aide de son épouse, parvint à la maison. Là, sur leur lit, elle défit sa chaussure, enleva le bas pour trouver un pied très enflé.

– Va falloir que tu sortes ton don de guérisseur.

– Avec la foi, on soulève des montagnes, mais avec mon don, on reste au pied de la montagne.

– Grand comique !... Je vas chercher une couenne de lard salé dans la cave.

– Avec un peu de glace, ça ferait pas de tort.

Il fut soigné avec dévouement. Et l'incident lui fit prendre conscience du sentiment vivace qui occupait toujours un bel espace dans le cœur de son épouse. Il déclara soudain :

– On est heureux ensemble, Émélie. Même dans le malheur, on dirait.

Elle ne dit mot...

∞∞∞∞∞∞∞∞

Chapitre 26

La nouvelle surprit malgré qu'il fallait s'y attendre. Comme tant de nouvelles de ce genre. On était le 23 janvier 1901. En grosses lettres noires, le journal qui apparut sur un paquet de plusieurs autres quand il ouvrit le sac de malle sauta au visage du maître de poste. Une époque disparaissait. Si la construction du magasin annonçait le début d'un temps nouveau pour la famille Grégoire, le décès de la reine Victoria scellait l'issue du vieux siècle. Il sortit rapidement du bureau de poste situé au fond gauche du magasin et cria à Émélie qui se trouvait derrière le comptoir des dames :

– La reine est morte. La reine est morte.

– Quoi ?

– La reine Victoria est morte. Hier. La nouvelle est venue de l'autre bord par câble transatlantique.

Émélie s'amena au bureau de poste. Honoré brandit un exemplaire du journal et montra le grand titre. Elle soupira à deux reprises :

– Les rois, les reines, les papes, on finit tous par y passer.

– Elle aura eu une belle et longue vie. 81 ans. Neuf enfants. On dit que c'était la reine amoureuse. C'est qu'elle s'est jamais remariée après la mort du prince Albert et qu'elle l'a pleuré des années et des années. Ferais-tu la même chose si la mort venait me prendre par la main ?

– T'es pas prêt de mourir ; le pire qui t'arrive, c'est de te fouler les chevilles.

– Mettons que c'est le cou que je me serais cassé au mois de décembre, hein ?

– Aurait bien fallu que j'achète un lot au cimetière. Un beau lot pour les Grégoire pas loin du lot des Allaire. Avec une place pour moi entre toi et Marie.

– Tu sais qu'ils vont le déménager, le cimetière ?

– Pas avant l'année prochaine, a dit monsieur le curé.

– Le plus tôt sera le mieux.

Il y eut une pause. Émélie haussa une épaule et finit par dire dans un retour en arrière pour répondre à une question de son mari.

– Tu sais que j'ai appris à jamais pleurer quand quelqu'un meurt.

– Même pas pour ton vieux mari.

– 35 ans, t'es rendu à bout d'âge.

Il agrandit les yeux :

– Trente-six dans six petites journées.

– Non, même pas pour mon vieux mari. Des larmes, faut garder ça pour suer à l'ouvrage. Et pour mettre des enfants au monde comme la reine Victoria que je suis à la veille de rattraper.

Il laissa tomber des mots de résignation satisfaite :

– On fait notre devoir comme tout le monde.

Spontanément, contre toute inclinaison à faire des blagues sur le sujet, Émélie échappa :

– Peut-être qu'on pourrait se servir un peu moins du crayon pour faire nos devoirs.

Surpris par sa femme toujours si réservée et secrète, Honoré éclata de rire au moment même où le docteur Drouin s'amenait au bureau de poste de ses habituels pas feutrés. L'arrivant vit l'énorme manchette du journal en même temps que son voisin d'en face s'esclaffait. Il s'étonna, mi-sérieux mi-rieur :

– La pauvre reine, espérons qu'elle vous entend pas rire de sa mort comme ça, mon cher Honoré.

– Rien à voir ! C'est ma femme qui fait des plaisanteries et ça lui ressemble pas.

Émilie se tourna vers les deux hommes. Drouin la salua. Elle répondit par un signe de tête empreint de dignité et retourna à ses travaux de marchande, fin sourire aux lèvres. Elle avait osé lancer un message à son mari afin qu'il modère ses transports pour que les grossesses n'épuisent pas tout à fait son ventre intérieur et ne finissent par l'abîmer à jamais. Il y avait eu trop de ces pertes rouges avant de tomber enceinte pour la huitième fois.

∞∞∞

«Le nouveau magasin et la demeure attenante furent inaugurés en cette année 1901 après qu'Émilie eut déménagé le portrait de Wilfrid Laurier de la «maison rouge» au magasin neuf. Plus que de servir un vin d'honneur ou de recevoir la bénédiction du curé, ce petit geste en apparence très banal revêtait pour madame Grégoire une signification profonde. La belle figure de cet homme était devenue pour elle la personnification de la distinction, de l'affabilité et de la gentilhommerie. D'avoir un tel modèle sous les yeux édifiait tous les occupants de la maison et du magasin. Dans un des journaux qu'elle recevait régulièrement, elle avait lu à son sujet: «À tous ceux qui aiment le beau, le vrai et l'idéal, la grande âme de Wilfrid Laurier sourira à travers les âges.»

«Un clocher dans la forêt» par Hélène Jolicœur

∞∞∞

On avait couché dans l'ancienne maison pour la dernière fois la nuit précédente. C'était dimanche, le 30 juin. Secondée par Jean Jobin, Émilie avait transporté Laurier la veille d'un magasin à l'autre. On y avait consacré bien plus que le temps et les précautions requises. La nouvelle maison quant à elle était prête enfin à recevoir la famille. Il n'y manquait plus que les lits à être déménagés dans la journée par des hommes qui avaient reçu du curé la permission spéciale pour travailler ce jour-là, jour de bénédiction du chantier de l'église et d'inauguration du complexe commercial et résidentiel Grégoire.

De l'autre côté du cimetière se dressait dans le ciel matinal l'immense charpente de la nouvelle église. Les maisons à côté semblaient des jouets d'enfants aux dimensions dérisoires. Pour ériger la structure du clocher, il avait fallu importer un pin de Colombie de la hauteur requise. Tous les autres matériaux venaient des alentours. Il était à se demander comment toutes ces poutres, madriers, morceaux de bois à diverses dimensions pouvaient s'agencer les uns aux autres pour former ce magnifique squelette d'une église moderne et qui pourtant, par son architecture même, conserverait quelque chose des siècles passés.

Alfred regardait l'édifice en construction depuis la fenêtre de sa chambre. Son esprit voyageait du collège Sainte-Marie où il venait de terminer sa première année du cours commercial à un avenir prochain où toute la paroisse se réunirait dans l'église neuve pour y célébrer la messe de minuit. Et il songeait aux jeunes filles de son âge qui lui faisaient palpiter le cœur quand il les voyait à la chapelle ou au magasin. Séraphie Crépeau, Arthémise Boulanger, Maria Racine : que de noms doux, que de jolis minois ! Mais d'autres yeux que les siens se posaient aussi sur ces jeunes personnes et avaient l'avantage de passer l'année longue à Saint-Honoré, eux. Le jeune Cyrille Martin zyeutait Séraphie Crépeau. Odilon Bolduc songeait tant qu'il pouvait à Arthémise Boulanger. Et Alexandre Quirion manœuvrait de manière à se rapprocher de Maria Racine en trouvant divers prétextes pour se rendre à la boutique de forge de son père.

Les parents d'Alfred se trouvaient déjà depuis un bon moment dans le magasin à y mettre la dernière main aux préparatifs de l'inauguration. Nettoyage du grand plancher. Mise en ordre de toute la marchandise y compris celle des entrepôts, car les visiteurs iraient tout voir dans les moindres recoins. Vin et autres breuvages à prévoir. Delphine, Restitue et Émélie travailleraient à la confection de canapés et petits sandwichs le plus près possible de l'heure de la cérémonie afin que les aliments conservent leur fraîcheur et leur goût.

On attendait une centaine de personnes. Parmi elles, Obéline et son fiancé Marcellin, Édouard Allaire, Amabylis et Augure, Odile et Napoléon Martin, Louis Champagne et son épouse, Théophile Dubé, Rémi Labrecque et leurs épouses, Ferdinand Labrecque, Onésime Lacasse, le docteur Drouin, les Jobin, les Pelchat, des maires et curés de paroisses voisines. Il y aurait aussi les familles Gédéon Jolicœur du Grand-Shenley, les Buteau du rang quatre, les Rouleau du rang six, les Beaudoin du rang neuf et les Blais aussi du rang quatre, le nord celui-là. Le cœur du village bourdonnerait à compter de l'heure du midi et le ciel était déjà de la fête par un soleil incomparable et une douce fraîcheur du temps.

Freddé aperçut soudain son ami Napoléon Lambert qui marchait sans but sur la rue principale. Il eut l'envie de lui parler. Et quitta la maison pour le rejoindre à hauteur du cimetière :

– Lambert, où c'est que tu vas comme ça à matin ?

– Je vas voir l'église là.

– J'y vas avec toé.

– C'est correct.

– Ça fait longtemps que je t'ai pas vu, Lambert.

– Depuis que t'es parti pour le collège.

– Au mois de septembre.

– T'aimes-tu ça, au collège, Freddé ?

– Ben… oui pis non.

– Comment ça ?

– Y a des affaires que j'aime pis d'autres pas ben ben. J'aime mieux être par icitte.

– Ah !

Il se fit une pause et ils atteignirent bientôt la charpente qui pour leurs yeux de jeunes adolescents apparaissait gigantesque.

– Tu sais, Lambert, j'ai envie de grimper là-dedans jusque dans le clocher en haut.

– Es-tu fou, Freddé ? On va se faire punir.

– Pas mon père.

– Le mien par exemple.

– Quoi, il te bat encore, ton père ?

– Ben… des fois… pas souvent asteur, dit l'autre honteux.

– Envoye, on monte.

Et Freddé prit l'initiative. Napoléon suivit après avoir inspecté les alentours de son seul œil, l'autre n'étant plus qu'un souvenir et ne présentant qu'une paupière presque soudée sur une ligne rouge.

On n'aurait pu les apercevoir que de deux ou trois maisons aux alentours : madame Lemay, le docteur Drouin et le presbytère. Le curé était occupé à préparer son sermon et les mots qu'il prononcerait lors de la bénédiction officielle du chantier de l'église et celle du complexe Grégoire dont l'inauguration suivrait la première cérémonie. Le docteur ronflait encore et madame Lemay cuisinait pour deux voyageurs qui avaient passé la nuit chez elle.

La progression des deux adolescents fut rapide. Alfred avait des bras forts et son compagnon n'en avait guère à traîner vu sa petite taille et sa maigreur. Ils furent bientôt rendus sur la plate-forme qui serait à la base du clocher comme soutien des cloches et de là, purent embrasser tout le village du regard.

– Hey, j'pense qu'on voit la maison à mon grand-père dans le 9.

– Où ça ?

– Là, regarde au bout de mon doigt.

– Ben moé… j'vois pas loin ben ben…

Alfred prit conscience que l'autre n'avait qu'un œil et il n'insista pas. Voici qu'il regardait vers l'est quand une voix énorme leur parvint d'en bas :

– Descendez de là, vous autres, mes deux sacrifices de faiseux de trouble !

C'était Honoré devant le cimetière et qui hurlait de façon à mettre l'entier village en alerte. Pas question de discuter et son fils reprit le chemin de la descente parmi l'enchevêtrement de montants. Pendant ce temps, d'autres enfants Grégoire s'étaient amenés pour voir leur frère explorateur. Éva et Ildéfonse hésitaient entre leur admiration devant l'audace d'Alfred et sa conduite un peu délinquante réprouvée par leurs parents. Car Émélie était sur le perron du magasin à regarder son fils revenir sur le plancher des vaches. C'est elle qui depuis l'intérieur de l'établissement avait aperçu les deux oiseaux perchés à soixante-dix pieds du sol dans le squelette de l'église. Pour elle, cela frisait le sacrilège. Elle avait prévenu Honoré en lui recommandant de réprimander sévèrement leur fils aîné.

Alfred mit le pied au sol. À ce moment, Napoléon perdit prise et dégringola à travers les planches sur les derniers pieds à descendre. Il se releva en exprimant de la douleur par un geste de la main sur un genou et une grimace au visage.

– T'es-tu fait mal, Lambert? demanda Honoré qui voulait d'abord régler cette question.

– Ben… non…

– Dans ce cas, retourne chez vous.

Le garçon ne se fit pas prier: il partit à la course en passant sous l'œil dur d'Émélie qui ne pardonnait à Napoléon que parce que le garçon n'avait, lui, qu'un seul œil valide.

– C'est-il ça qu'ils vous montrent asteur au collège de Sainte-Marie? À faire des maudites folies comme tu viens de faire là?

Alfred demeura silencieux, tête basse, bras coupables, épaules résignées. Mais pareille attitude choquait son père. Il aurait voulu que son fils se tienne droit dans son audace et jusqu'au bout. Qu'il supporte les conséquences de ses gestes, qu'il les assume, même dans les pires reproches à lui être adressés. Car après lui, ce serait au tour d'Émélie de le savonner, et la soupe pourrait s'avérer encore plus chaude pour Freddé.

– T'as rien à dire ? Tu réponds pas ? Ils te montrent pas à parler non plus ? On va te retirer du collège pour te faire travailler avec ton grand-père dans le 9.

– C'est ben correct !

La réponse atterra Honoré qui demanda :

– T'aimerais ça ?

– Oué…

– C'est le boutte de la marde ! fit Honoré qui perdait sa dignité coutumière. Pour te punir, suffit de t'envoyer au collège ? Ben tu vas y rester une maudite « escousse », ça, je peux te le dire. Tant que t'auras pas ton diplôme, même si tu dois en sortir à 20 ans. As-tu compris ça, Freddé Grégoire ?

– Oué…

– C'est quoi qui t'a passé dans la tête de grimper dans la charpente à matin ? C'est toujours pas Lambert qui t'a poussé à ça pis c'est certainement le contraire…

Un peu moins compressé, l'adolescent releva un peu la tête, mais ce fut pour jeter un œil vers le cimetière, en le glissant à côté de son père :

– J'voulais voir de haut… la maison à mon grand-père…

– C'est dangereux ce que t'as fait là.

– J'ai fait attention.

– Lambert aurait pu se casser le cou.

– Lambert, des coups, ça y manque pas chez eux.

Le calembour involontaire d'Alfred fit sourire intérieurement son père. Il y avait une différence entre « cou » et « coups », mais le jeu de mots en valait la chandelle. L'homme regarda l'église, pensa qu'on était jour d'inauguration du magasin et se dit que le mieux à faire venait d'être fait. Et puis il décida de passer la main à Émélie.

– Marche à maison ! Rapporte-toi à ta mère. Elle a quelque chose à te dire.

– O.K.

– O.K., O.K., c'est quoi que tu veux dire avec ça ?

– Ça veut dire correct. C'est comme… *all correct*… en américain…

– Ah, c'est donc ça qu'ils vous montrent au collège Sainte-Marie asteur : à parler en américain !

– C'est pour être bilingue comme vous.

– On sait ben, on sait ben…

Émélie entendit les éclats de voix de son mari par-dessus les croix du cimetière et crut que leur fils recevait une punition juste, faite de réprimandes et avertissements, peut-être de menaces et pénitences imposées. Elle fut redemandée par les choses à faire et rentra dans le magasin. Quand Alfred se présenta à elle pour recevoir la volée de bois vert à laquelle il s'attendait, elle ne le tança aucunement pour son imprudence grave et lui traça plutôt les grandes lignes de responsabilités qui seraient les siennes en ce jour où tous les bras valides disponibles seraient mobilisés en vue de la cérémonie suivie de la visite du magasin et dépendances par les assistants et autres curieux. Car ce serait porte ouverte aux huit entrées et sorties du grand complexe…

Alfred se retira non sans avoir jeté un coup d'œil furtif sur le ventre rebondi de sa mère. Lui qui depuis sa puberté savait comment se font les bébés se dit que la naissance du nouvel enfant était pour très bientôt. En fait, Émélie commençait son septième mois seulement…

∞∞∞

Quatre couples dont on savait que leur mariage serait célébré avant le fin de l'été prenaient place sur invitation expresse d'Émélie sur la rangée d'en avant dite la rangée d'honneur, première au pied du perron du magasin. Ils venaient de prendre l'espace qui leur était réservé sur des chaises pliantes, du côté gauche (ouest) du parterre après avoir assisté comme une centaine d'autres personnes à la bénédiction par le curé Feuiltault du chantier de l'église, une cérémonie que le prêtre, par affection pour les Grégoire, avait accepté de faire coïncider avec l'inauguration de leur magasin et de leur nouvelle et si belle résidence. C'étaient Sophronie Racine et Joseph Bégin, c'étaient Obéline Racine et Marcellin Lavoie, c'étaient Marie Bellegarde et Joseph Boutin, c'étaient Mary Foley et Firmin Mercier.

L'une des tâches d'Alfred consistait à donner aux invités d'honneur la place qui leur revenait. On avait dressé un plan à l'avance pour lui. Il connaissait tout le monde à part les maires des paroisses voisines et ceux-là, il se les ferait désigner par Onésime Pelchat qui lui, les côtoyait à l'occasion dans des rencontres entre édiles municipaux.

Les chaises empruntées à la fabrique et d'ailleurs toujours entreposées par Honoré dans l'ancienne sacristie – devenue hangar – en attendant que la nouvelle soit fonctionnelle avaient été mises en trois rangées le matin même par Marcellin Veilleux et un homme « engagé ». Alfred conduisit tout d'abord le docteur Béland, député fédéral, et son épouse d'origine belge, jeune femme d'une grande beauté, aux sièges qui leur étaient réservés au milieu de la rangée numéro un. Puis ce furent le député Godbout et son épouse. Ainsi, les deux hommes politiques encadreraient les époux Grégoire en plein devant la porte centrale du magasin. Ensuite, les autres personnalités de marque : maires, conseillers municipaux, les frères Dubé, Onésime Lacasse, Pierre Chabot, Jean Jobin, Joseph Foley, chacun accompagné de son épouse, Restitue Lafontaine, Euphemie Dennis dite Memére Foley et autres invités de première ligne. Les couples de futurs mariés représentaient quant à eux la population de la paroisse et donc la clientèle du magasin. Il leur revenait sinon la toute première place du moins une fort belle place pour le plaisir de l'honneur ; et belle place leur fut assignée.

Les autres gens avaient liberté de s'asseoir où ils le voulaient bien. Ce qu'ils firent. Et bientôt, dans l'attente du curé qui entre les deux cérémonies avait fait un saut chez lui au presbytère, le public était prêt pour l'inauguration et comprenait somme toute à peu près le même nombre de personnes qu'à la bénédiction du chantier de l'église.

Prendraient la parole outre l'abbé Feuiltault les deux députés, le maire Pelchat et Honoré lui-même. On avait demandé à chacun pas plus de cinq ou six minutes et quand les orateurs auraient terminé leur apologie du progrès, ce serait le vin d'honneur à l'intérieur du magasin puis la visite guidée par groupes restreints. Six jeunes personnes agiraient comme guides : Alfred et Éva Grégoire, Maria Racine, Delphine Poulin, Marie Beaulieu et Adèle Talbot.

Pourvu qu'il n'arrive aucun pépin, s'étaient dit et répété les époux Grégoire dans les heures et les jours précédant l'événement. Honoré voulait que tout soit parfait ; Émélie voulait que tout soit plus que parfait. Mais qui aurait pu prévoir les impondérables ?

À cette heure du jour, le ciel était d'un bleu radieux. Les arbres, gardiens du confort des hommes, empêchaient le soleil de livrer trop de ses ardeurs à ce cœur de village qui palpitait devant l'honneur et les promesses d'un grand futur. L'érection du complexe commercial et résidentiel des Grégoire faisait rêver bien des assistants à un avenir qui leur assurerait à eux aussi, possiblement, une *moisson d'or.* Car ce nouveau siècle, répétaient les autorités, bien préparé par la révolution industrielle en marche, serait celui de la richesse personnelle pour tous et chacun, même les plus humbles. Et l'espoir régnait en maître.

Parmi ces bâtisseurs, un jeune homme de Sainte-Croix-de-Lotbinière venu s'installer récemment dans le rang quatre avec sa famille, avait pris place en dernière rangée avec son épouse. Bien peu de paroissiens le connaissaient et pourtant, il était remarquable par l'autorité de son visage, de sa voix énorme qui claquait comme un fer à cheval sur du ciment, de sa moustache lourde et noire, de sa chevelure épaisse se terminant en V sur le milieu du front. Et puis un gros nez rond planté comme une certitude au milieu d'un territoire facial que les années, un labeur incessant et un rire énorme auraient tôt fait de labourer en sillons fort utiles pour diriger la sueur autre part.

On ne l'avait pas vu encore au magasin. Comment avait-il su pour l'inauguration, sans doute à la messe comme la plupart des paroissiens. Honoré avait été près de lui à la première cérémonie et s'apprêtait à lui parler quand quelqu'un d'autre avait requis son attention.

Et ce fut la bénédiction quand s'amena enfin le curé. Il agita le goupillon, aspergea le perron, la terre en direction de la résidence, marmonna des formules latines et au bout du compte se tourna vers l'assistance pour dire son mot qui serait très bref mais rempli de sagesse :

– Monsieur et madame Grégoire, invités d'honneur, mes bien chers paroissiens, l'avenir est là devant nous tous. Un avenir en devenir. Je vous ai parlé de l'église plus tôt. À l'ombre de la maison de Dieu, voici le magasin et la résidence familiale de madame Émélie et monsieur Honoré. Il faut les trois constructions pour répondre aux besoins matériels et spirituels d'une communauté paroissiale. La maison qui abrite la famille, le magasin qui dessert les familles et l'église qui sanctifie les familles. Ce siècle commence ici, en le cœur du village, et le siècle prochain également. Nous n'y serons pas, mais nous ne serons pas oubliés. Et nous serons tous ici présents par l'esprit. Je souhaiterais que notre devise paroissiale soit *labeur et foi*. Car nos existences, à nous tous de cette belle paroisse, en témoignent chaque jour et en témoigneront dans les siècles des siècles. Ainsi soit-il.

Ce fut ensuite au tour du député fédéral de vanter les mérites des paroissiens et surtout, des plus éminents d'entre eux comme les Grégoire. On l'applaudit plus encore que le curé. Car beaucoup de gens aimaient Honoré et lui faisaient pleine confiance. C'est qu'il se faisait leur banquier sans abuser de leur manque d'instruction et de leur naïveté. On lui prêtait de l'argent ; il versait un taux d'intérêt avantageux quoique près de la normale afin de pouvoir lui-même prêter le dit argent à des gens dans le besoin sans devoir les égorger. Et lui ne retenait entre les deux qu'un maigre un pour cent, jamais davantage, pour couvrir les frais et les risques de pertes. *Les profits sur la marchandise nous suffisent*, disait-il, *pour le reste, on doit s'en tenir à rendre service sans en tirer profit.*

Le député Béland s'amena ensuite à l'avant, posa sur le lutrin un papier contenant des notes et fit son laïus. En homme digne, capable d'élever son auditoire à son niveau, il conduisit le public dans un rêve de lendemains qui chantent. Il ne doutait pas toutefois qu'à ce chapitre, les Grégoire avaient bien des longueurs d'avance sur l'ensemble de la population. Ce fut court et sincère. On l'applaudit chaleureusement car il était le politicien le plus populaire dans la Beauce après Wilfrid Laurier. Puis vint le tour d'Honoré qui se fit terre-à-terre en soulignant que l'augmentation du pouvoir d'achat du magasin ferait baisser les prix. Cela rassura ceux qui pensaient que vu les coûts de la construction, ils en payaient déjà le prix au comptoir.

– Pour ce qui est du service, poursuivit-il, sachez tous que nous serons ouverts six jours sur sept, de sept heures du matin à huit heures le soir. Et aussi le dimanche après la grand-messe sur permission spéciale de monsieur le curé afin d'accommoder ceux qui vivent loin du village.

– Bravo ! cria une voix, celle si puissante de cet homme inconnu qui se comportait comme un vieux citoyen et que de rares voisins du rang quatre savaient être un nouveau résidant de Saint-Honoré.

Une rumeur l'approuva, des applaudissements également et bien des têtes reconnaissantes tournées vers le curé.

– Il ne sera plus question désormais de manquer de quelque chose et quand un article sera manquant, ce ne sera pas faute de l'avoir commandé. Mais comme vous le savez, il arrive que les grossistes eux-mêmes soient en rupture de stock. Pour le courrier, c'est la même chose, il sera à l'heure tous les jours et chaque foyer aura sa propre case comme auparavant, mais bien plus grande. Ça aussi, vous avez pu le constater depuis l'automne dernier quand on a ouvert le magasin neuf. Enfin, je vais dire un mot au nom de mon épouse et de nos enfants que vous voyez alignés sur la deuxième rangée. La chance nous est donnée de posséder maintenant une maison moderne, un peu plus luxueuse que les autres demeures de la paroisse et du village, il faut en convenir, mais je peux vous assurer que dans notre cœur, nous n'oublierons pas les belles années que nous avons passées dans notre vieille maison rouge tout d'abord puis dans l'autre qui nous servira désormais de hangar à tout entreposer. J'ai dit la chance parce que la résidence neuve ayant été bâtie en même temps que le magasin n'a coûté rien de plus qu'une maison ordinaire malgré sa grandeur et ses commodités. Vous conviendrez avec moi que mon épouse Émélie, vu son travail incessant, le mérite bien. Elle va bientôt donner naissance à notre huitième enfant et pourtant, elle garde la haute main sur les affaires du magasin et c'est elle qui y met le plus d'efforts...

On applaudit. La jeune femme garda son sérieux et ne bougea pas la tête. Mais il lui venait ce même souvenir vivace du jour de son arrivée devant la maison grise en 1880 et de la pose de l'enseigne portant les mots magasin général. Vingt ans et plus avaient passé et voici qu'au fronton du nouveau magasin, il y avait le chiffre 1901, et au-dessous le nom H. Grégoire. Il fallait un nom d'homme, mais Honoré lui disait souvent dans l'intimité que c'est celui de É. Allaire qu'il aurait fallu là: É non pour Édouard, mais pour Émélie.

Il termina, invita les gens au vin d'honneur à l'intérieur du magasin et parla des visites guidées du complexe, visites par des groupes de cinq à dix personnes. Les gens applaudirent en se levant. Alfred fit signe à Éva de le suivre et ils entrèrent les premiers afin d'aller seconder Marie Beaulieu et Adèle Talbot au service du vin. Ensuite, on formerait des groupes, un à la fois, devant le grand escalier central, et les visites commenceraient.

On était sur le point d'entreprendre ces visites quand la voix de Philippe Lambert retentit dans tout le magasin par-dessus toutes les conversations :

– Y a le feu au moulin ! Le moulin brûle !

Théophile Dubé resta figé un moment sur place. Sa pipe ne bougea plus dans sa bouche. En l'esprit de Marcellin Lavoie passèrent bien des souvenirs dont le dernier qu'il gardait de ce lieu, ce moment où il y avait laissé son bras pour empêcher son ami de se faire dévorer par la grand-scie. Émélie se dit que la fête était finie, amputée comme leur ancien commis. Elle le regarda, sonda son âme ; il fit de même. Mais ils ne se devinèrent pas.

Honoré ne perdit pas une seconde pour réagir. Il monta de quelques marches dans l'escalier et lança :

– Tous les hommes valides au moulin Dubé. Ça presse !

Plusieurs avalèrent ce qui restait dans leur verre. D'autres s'en prirent un autre et le burent d'un trait. Le magasin se vida de ses hommes et les dames restèrent entre elles. Émélie prit alors les devants. À son tour, elle monta de quelques marches dans l'escalier central et organisa les groupes de visite. Elle en traça verbalement l'itinéraire :

– D'abord, votre guide va vous faire visiter les deux étages supérieurs au-dessus de nous et mon petit salon là, en face, en haut. Ensuite, on redescend ici et on passe par le bureau de poste. Puis on marche dans les hangars jusqu'au bout et jusqu'en haut de ce qu'on appelle la vieille maison en attendant que les stocks fassent disparaître même son nom. Puis on revient. On fera pas la maison rouge parce que vous la connaissez tous dans ses moindres recoins, n'est-ce pas ? Et on va faire les étages de la nouvelle résidence pour revenir ensuite prendre un autre petit verre de vin. Ne vous inquiétez pas, ne vous retenez pas, d'autres bouteilles sont sur la glace et il y en aura jusqu'à plus soif. Mais ne vous en faites pas si vous oubliez ce que je viens de vous dire parce que vous aurez un bon guide. Alors dix dames ici devant moi s'il vous plaît…

Un attroupement se forma.

– Je vous donne, mesdames, ma fille Éva pour guide. Et dix autres maintenant…

Alfred aurait bien aimé faire partie du groupe guidé par Arthémise Boulanger, mais il devait lui-même agir comme guide. Il s'arrangea toutefois pour que les deux groupes se suivent de près. Et les explications de la jeune fille qui consistaient en le nom de la pièce visitée et le type de marchandise qu'elle contenait lui servaient pour rafraîchir sa mémoire ; et bientôt il fit en sorte que les deux groupes entendent, se contentant, lui, de regarder la jeune fille avec un grand agrément…

Les hommes faisaient la chaîne avec des seaux d'eau entre le puits dans la cour du moulin et les lieux de l'incendie c'est-à-dire l'étage inférieur de la bâtisse, là où se trouvait l'engin à vapeur qui faisait tourner poulies, courroies et scies quand le moulin se mettait à virer. Pourquoi le feu avait-il quitté son nid protégé de plaques d'acier sous la bouilloire, nul ne le saurait sans doute jamais. Peut-être que le foyer d'incendie avait une toute autre cause comme les braises mal éteintes de la pipe d'un fumeur et qui, les heures aidant depuis la veille, avaient permis au feu de gruger ses environs pour finir par se déclarer vraiment en produisant de la flamme et de la fumée ?

L'effort était dérisoire vu l'ampleur du désastre en ce moment même. Impossible même de s'approcher de trop près du brasier en raison de la chaleur dégagée. Qu'importe, on arroserait le plus près possible, tant que le puits ne serait pas à sec. Et le premier à tirer le seau était le docteur Béland en personne qui voulait par là donner l'exemple et se gagner quelques votes aux prochaines élections sans compter qu'il façonnait là une autre belle brique pour bâtir sa future légende.

Les flammes donc jaillissaient par les châssis dont les vitres avaient toutes éclaté avant même l'arrivée des hommes venus combattre le feu dans un mouvement spontané qui montrait la solidarité paroissiale en situation dramatique.

– Faites-vous pas mourir, les gars, c'est perdu au grand complet! lançait Dubé à répétition.

L'homme inconnu de l'inauguration s'approcha de lui et lui prodigua des mots d'encouragement:

– Un moulin, ça se rebâtit. Tu vas pouvoir compter sur de l'aide. Regarde-moé ça, ce monde-là...

– Tout ce que j'peux te dire, c'est que je m'attends pas de rebâtir. Le sciage, c'est pas mon métier. Quand je peux, j'aime mieux bâtir des maisons. Ça, c'est mon métier! C'est quoi ton nom déjà, mon ami? J'te connais pas.

– Blais. Uldéric Blais. Tout le monde m'appelait Déric là d'où c'est que je viens. C'est moins d'ouvrage de même.

– T'es cultivateur?

– Oui, dans le fond du rang quatre. Je viens de m'établir par icitte, ça fait pas quinze jours.

– Ben content de te connaître! Je vas te présenter Honoré Grégoire... Ah, attends, v'là le curé qui s'amène...

L'on était proche du puits à proximité de voix du docteur Béland qui œuvrait toujours, manches retroussées jusqu'aux coudes et dont parfois il se servait pour essuyer la sueur qui perlait de son front. Honoré Grégoire qui n'avait pas eu à faire partie des deux chaînes, la seconde allant jusqu'au puits d'un voisin, tant il y avait de bras valides, s'approcha à son tour, désireux de connaître le nouveau venu en même temps que d'échanger avec son ami le député au provincial.

– Henri, je vas te faire remplacer, dit-il au politicien.

– Surtout pas! Faut pas abandonner.

– T'as fait ta part et on a vingt paires de bras au moins qui sont frais et dispos... et qui demandent rien qu'à te remplacer.

Il cria à un jeune homme:

– Hilaire, Hilaire Paradis... viens par ici...

Béland fut remplacé. Il forma cercle avec Grégoire, Dubé et Blais. Théophile parla de son intention de ne plus opérer un moulin à scie.

– Mais non, mais non, protesta Honoré. On ouvre un magasin flambant neuf, on va ouvrir une église neuve, on peut pas se passer d'un moulin.

Dubé hocha la tête:

– Non, c'est pas trop mon métier. J'veux bâtir des maisons. Suis un ouvrier, pas un gars de moulin.

Uldéric prit la parole et chacun fut étonné de la puissance de sa voix que Béland alla jusqu'à envier:

– Avec autant de bras qu'on a là, dans trois jours, on rebâtit le moulin.

Le curé intervint:

– Je me charge de la corvée.

Dubé s'opposa:

– Vous devez vous occuper du chantier de l'église.

Il fit un virage brusque dans le propos:

– Mes amis, vous le connaissez pas, mais voici un nouveau paroissien en la personne de monsieur Blais, Uldéric Blais.

On attendit que le curé tende la main en signe d'accueil et Blais la serra. Puis celle du député, celle d'Honoré. Enfin celle de l'homme qui l'avait présenté et qui dit:

– Moi, c'est Dubé, Théophile Dubé.

Émélie regroupa autour d'elle les épouses des dignitaires invités, celles des députés, des maires, son amie Obéline et Lucie Foley qui n'en seraient pas à leur première visite des lieux, Restitue Jobin, l'omniprésente Restitue, Belzémire, la cuisinière du curé, Séraphie Mercier, l'épouse du demi-frère d'Honoré et sa bru Octavie Labrecque, femme d'Anselme, ainsi que Memére Foley et sa bru Lucie. Elle remarqua une jeune femme solitaire qui regardait un peu distraitement le contenu des tiroirs supérieurs du comptoir des dames à travers les vitres. Elle l'avait vue à la cérémonie devant l'église et pensa l'intégrer au groupe. Un bon visage honnête et sûrement une future cliente.

– Attendez-moi, mesdames, je vous reviens pour la visite.

Émélie se rendit auprès de l'inconnue et lui adressa la parole:

– Est-ce que vous nous feriez l'honneur de vous joindre à nous pour une visite du complexe?

La jeune femme fit plusieurs signes de tête négatifs qui ajoutèrent à son acceptation:

– Mais sûrement!

– Vous êtes madame?

– Blais. Uldéric Blais. Mon mari est parti avec les autres pour combattre le feu.

– Suis madame Grégoire. Mon prénom, c'est Émélie... avec un é, pas un i... ce qui fait É-mé-lie... Venez que je vous présente aux dames qui attendent au pied de l'escalier.

Ce qui fut fait.

Et c'est ainsi que l'épouse d'Uldéric Blais fit son entrée sociale dans Saint-Honoré, fort peu de temps après qu'elle ait quitté Sainte-Croix-de-Lotbinière avec son mari pour venir s'établir sur une terre nouvelle dans une paroisse jeune émergeant à peine de la forêt mais assez vaste et populeuse pour se doter d'un nouveau clocher et d'un magasin tout neuf.

L'on suivit les groupes guidés par Arthémise et Alfred. Eux, prirent la direction des étages au sortir du salon d'Émélie où entrèrent les femmes réunies et qui pépiaient gaiement comme des oiseaux dans un nid.

– Plusieurs, vous vous rappelez de mon salon dans la maison rouge? Eh bien, le voici déménagé ici. De temps en temps, comme au temps du vieux magasin, je viendrai y prendre le thé avec des clientes et amies. Parce que vous savez, toutes les clientes du magasin sont mes amies. En tout cas, je le souhaite et je fais ce qu'il faut pour ça.

Murs et plafonds étaient revêtus de planchettes étroites, les unes vernies foncé et celles au-dessus des têtes vernies pâle. Et sous les pieds, un plancher de bois dur sablé. Le même ameublement que dans la maison rouge. Mais pas la moindre fenêtre car la pièce occupait un point central du complexe. Il fallait donc l'éclairer en permanence si on voulait s'y détendre et faire la causette.

– Quand on aura la lumière électrique, la question de l'éclairage sera réglée. C'est à ça qu'on a pensé en prenant la décision de mettre mon salon ici.

– C'est une très belle pièce, madame Émélie, commenta la femme Béland dont l'accent trahissait l'origine européenne.

Elle reçut l'approbation générale sous forme d'onomatopées, de signes de tête et d'applaudissements réservés de circonstance.

Les autres groupes progressaient d'un étage à l'autre. Les guides avaient tous appris par cœur les choses à dire dont une liste avait été dressée par Éva et approuvée par sa mère quelques jours plus tôt. Précautionneuse, perfectionniste et même tatillonne, la jeune fille avait fait pratiquer les autres guides afin que tout soit sans faille. Et rien ne clochait.

Alfred était tiraillé entre le goût de l'événement qui lui ordonnait de courir au moulin voir l'incendie et ce feu qui brûlait en lui chaque fois qu'il voyait Arthémise ou pensait à elle. Émélie avait choisi pour lui en l'obligeant à guider un groupe de visiteurs. Mais il trichait en laissant Arthémise donner les renseignements à deux groupes à la fois. Et ça lui plaisait, cette impression de jouer un bon tour à la vie en même temps que d'en profiter pour admirer à satiété la jeune fille dont la robe, ample à la poitrine, ne laissait rien paraître de sa féminité.

Mais voici qu'un autre impondérable survint. Odilon Bolduc, jeune homme de 18 ans, arriva, se joignit au groupe guidé par Arthémise. Et alla jusqu'à se planter en avant comme pour mieux se faire valoir. Et quand on changeait de pièce, il faisait en sorte de lancer un coup d'œil en direction d'Alfred comme pour le narguer.

Quand on en eut terminé du magasin et des entrepôts et qu'on fut rendu à l'intérieur de la résidence, dans la cuisine, devant le grand salon aux portes vitrées, Alfred demanda à mi-voix son rival:

– As-tu été au feu?

– Le moulin, c'est fini. Va brûler au complet. C'est monsieur Dubé lui-même qui l'a dit.

– As-tu arrosé le feu?

– Ça donnait rien.

L'échange se poursuivait quand Arthémise s'adressa aux deux garçons pour les faire taire:

– Alfred pis Odilon, si vous écoutez pas, retournez dans le magasin.

Pareille autorité chez une personne de si jeune âge surprit tout le monde. Alfred n'aurait pu quitter son poste sans encourir les sévères reproches de sa mère. Odilon dont le cœur battait pour Arthémise mit son doigt en travers de la bouche et acquiesça d'un signe de tête... Elle leur sourit à tous les deux également...

– Ton frère Joseph pourrait diriger le nouveau moulin, suggéra Honoré à l'homme éprouvé par l'incendie.

– C'est pas un homme de commandement.

– Ton fils Joseph, lui?

– Pas plus: c'est un ouvrier charpentier comme son père. Il aime pas mal mieux travailler sur des chantiers de construction que dans mon moulin à scie.

– C'est que Saint-Honoré va faire sans un moulin à scie? Va falloir aller faire scier notre bois à Saint-Évariste: ça sera pas commode.

Honoré venait de parler. Le curé enchérit:

– On n'a pas tout le bois qu'il faut pour l'église, loin de là. Qu'est-ce qu'on va faire sans vous, monsieur Dubé?

– Comme l'a dit Noré, va falloir aller à Saint-Évariste. Ça sera guère plus cher.

À mesure que les hommes parlaient, un projet naissait dans le cerveau d'Uldéric Blais. Il en ouvrirait un, lui, un nouveau moulin à scie. Sur sa terre même où une petite rivière qui ne manquait pas de débit même à son étiage, ferait tourner la grande roue et donc la grand-scie et les machines secondaires. De l'argent, il en possédait assez pour lever la bâtisse et l'équiper. Et ça ne l'empêcherait pas de cultiver son lopin de terre…

Le moulin à Dubé n'était plus maintenant qu'un immense brasier et son propriétaire, malgré ce malheur, car il n'en retirerait pas un centime d'assurance, se sentait soulagé. Et voici que la vue de Marcellin Lavoie dans le groupe des sauveteurs, un jeune homme devenu infirme en sciant des billots, augmenta le confort de son esprit. Le moulin avait coûté un bras à ce personnage mais il n'avait pas fait qu'un éclopé; Télesphore St-Pierre avait perdu trois doigts de la main gauche dans une scie à déligner; Ernest Gaboury avait été frappé à l'épaule par un morceau de bois qu'un employé gauche avait poussé dans une scie du mauvais côté, et si le projectile avait alors quelque peu dévié de sa course, c'est un mort qui en aurait résulté. Tandis que sur un chantier de construction, les accidents, quoique plus nombreux, étaient toujours d'une bien moindre gravité et ne faisaient pas souvent des infirmes à vie.

Mais surtout, Dubé, un homme créatif, un homme de réalisations, un artiste en son genre, ne trouvait pas grand-chose à contempler en des planches et madriers que l'on cageait puis que l'on vendait ou bien des billots achetés des cultivateurs. Si le magasin Grégoire et la maison attenante étaient des ouvrages dont le grand mérite revenait à leurs propriétaires, il y avait un peu de Dubé dans l'œuvre et cela, Théophile le savait et le ressentait dans tout son être. Entre bâtir grand et produire des matériaux bruts, son choix était clair.

Il entreprit une tournée afin de remercier chaque homme et lui serrer la main.

– Un homme exceptionnel ! fit le député Béland en le voyant aller.

– Oui, exceptionnel ! approuva Honoré Grégoire.

– Mais qui nous laisse tomber, objecta le curé.

– Peut-être qu'il va se trouver quelqu'un pour bâtir le moulin, commenta Uldéric.

– Il le faut, il le faut…

∞∞∞∞∞∞∞∞∞∞

Chapitre 27

– Quatre noces à l'horizon, on va pas chômer le restant de l'année ! s'exclama Émélie qui, dans un moment d'accalmie, s'était rendue jaser avec son mari au magasin et au bureau de poste.

– Ça commence par qui ?

– Marie Bellegarde et le petit Joseph Boutin.

– La Marie, elle a du sang abénaquis pas mal dans les veines : ça donnera pas une grosse famille.

– Pourquoi tu dis ça, Honoré ? Tu le sais pas.

– L'avenir le dira, chère Émélie Allaire.

– C'est ça : faut toujours attendre que l'avenir le dise avant de parler de peur de trop se tromper.

Honoré était assis sur une chaise à bras dont il s'était fait une chaise à bascule de sorte qu'il se trouvait adossé à un coffre-fort, les deux pieds soulevés et accrochés à la table de tri devant les casiers à courrier.

– Ouais...

– Parce que quand on parle à travers de son chapeau, on peut aussi bien tomber en bas de sa chaise.

– T'inquiète pas, c'est du solide. Mais Marie et Joseph, on aura pas besoin d'aller à leur noce. Au mariage seulement ?

– Y a pas de noce, rien qu'un mariage à la chapelle. Ça fait que... un de nous deux ira comme le veut la coutume.

– Tu pourrais y aller pour leur donner l'exemple...

Le jeune homme fit un signe de tête vers le ventre de son épouse. Elle fronça les sourcils:

– Tu penses que c'est un exemple à donner, huit enfants dans seize ans de mariage?

Il fit l'étonné:

– Seize ans? Pas seize ans?

– Tu te souviens donc pas que c'était en 1885? Et là, on achève 1901. Fais le compte.

– C'était hier.

– Mais depuis hier, il y a Alfred, Éva, Ildéfonse, Alice, Henri, Pampalon et Bernadette... sans compter Armandine que je porte.

– Si c'est un gars?

– Ça sera Armand.

– Bon choix! Armand, Armandine... Les autres mariages, c'est qui déjà?

– Mary Foley avec notre Firmin Mercier. Ça, on a réussi notre coup en les rapprochant, ces deux-là.

Honoré se mit à rire:

– Pis notre Hilaire Paradis qui a baisé la pelle. Ah, il va s'en remettre. Quel âge elle a, la Mary? 20?

– 19.

– C'est un bon travaillant, notre Firmin. Ça va donner une belle famille. On se sera pas trompés en les poussant un vers l'autre.

– C'est tout ce que j'espère.

– L'autre mariage, c'est toi, Émélie, qui l'a quasiment arrangé, lui.

– Obéline?

– Qui d'autre?

– J'ai pas honte de l'avoir fait. Me semble qu'ils vont bien ensemble, ces deux-là.

– Ça pouvait pas aller mieux. Ce qui cloche, c'est que tu vas perdre ton amie Obéline.

– C'est ma destinée. Quand j'ai une amie, j'en suis séparée pour la vie. Mais on va s'écrire puis quand y aura le téléphone, on se téléphonera.

Le jeune homme soupira:

– C'est pas demain la veille qu'on aura le téléphone.

– C'est justement ce que je disais à Obéline à Québec l'année passée.

Il entrait de la lumière en abondance par les vitres de la fenêtre donnant sur le porche qu'Honoré avait fait construire contre la vieille maison afin d'abriter les chevaux des clients venus de loin de même que leurs voitures. C'est que le jour était plein de soleil depuis les aurores. On traversait une canicule de fin juillet. Mais une douce fraîcheur régnait dans l'air du magasin où les rayons chauds ne pouvaient entrer que par les vitrines avant et la porte principale. On laissait ouverte la porte de la cave et l'air frais d'en bas se répandait partout pour le plus grand confort des clients et propriétaires.

– C'est pour quand, le mariage à Mary?

– Le 13 août.

– Et Obéline?

– Quatre jours plus tard.

– T'as parlé d'un quatrième mariage?

– C'est quasiment une surprise, celui-là... Même toi, Honoré, tu l'ignores.

– Peut-être que je m'en doute.

– Dans ce cas, devine.

– Sophronie Racine... ben non, c'est fait de la semaine passée. Joseph Mercier à Lucie Gagné... ben non, c'est fait de la semaine dernière.

– Arrête de parler pour rien dire... Je vas te l'apprendre... C'est notre Joseph Foley junior... il va épouser la Marie Quirion.

– Eh ben, c'est l'année des Indiennes: Marie Bellegarde, Marie Quirion...

– Encore heureux que tu les appelles pas les Sauvagesses!

– Faut pas! Ils aiment pas ça, les Sauvages, se faire appeler les Sauvages.

– C'est pas respectueux pour eux autres non plus.

– Non, c'est vrai, t'as ben raison! Mais Cipisse Dulac, il se gêne pas pour parler de sa Sauvagesse en parlant de sa femme.

– Pourtant, elle s'appelle Célestine Caouette: un nom très français.

– Mais sa mère était une pure Sauvage.

Émélie soupira:

– Bon, là-dessus, je retourne travailler…

Puis elle ironisa:

– … le temps que mon mari se repose.

– La malle est sur le bord d'arriver.

Ils regardèrent tous deux au même instant une horloge grand-père trônant sur le coffre-fort. Et se comprirent…

∞∞∞

Les jeunes filles acceptaient de se marier parce que tel était leur lot, leur destin, et rares étaient celles qui refusaient une proposition en mariage si le jeune homme semblait en mesure de les faire vivre, elle et les enfants à naître de leur union. Le beau sentiment n'était pas toujours au rendez-vous. Mais à la vieille église ce mardi matin, l'amour était présent. Mary le ressentait dans son cœur de jeune femme et son futur, Firmin Mercier, connaissait les mêmes émotions que sa bien-aimée.

«Ces deux-là, ils sont faits pour aller ensemble,» disaient tous ceux qui les connaissaient et les avait vus se fréquenter.

Depuis plusieurs mois, on les voyait marcher le soir dans le village et leur attitude en disait long. Ils se souriaient. Ils se parlaient sans arrêt. Ils riaient. Dans la neige, ils se poussaillaient ou se barbouillaient avec la poudreuse glacée. Et semblaient ne rien voir aux alentours.

« Ah, les chanceux ! » soupirait Restitue en les apercevant depuis sa fenêtre.

« Sont beaux, ces jeunes-là ! » s'exclamait madame Lemay.

« Par chance que j'étais au pique-nique sur le cap, » songeait le curé embusqué derrière son rideau, « ça les a rapprochés tout en les gardant à distance comme il se doit ! »

« Vont se marier à l'été, peut-être avant ! » disait dans son dos Belzémire de sa voix rauque et pointue qui à tout coup faisait sursauter le curé Feuiltault.

D'aucuns avaient pris la décision de retarder leur mariage pour se donner l'occasion de le célébrer dans la nouvelle église dont on disait qu'elle serait en état de recevoir les fidèles dès la fin de l'année 1901. D'autres n'avaient pas modifié leurs grands projets.

« Le bon Dieu est tout aussi présent dans la vieille chapelle qu'il le sera dans la grande église neuve, » répétait le curé à qui voulait l'entendre.

Mary portait une robe de taffetas moiré aux nuances de gris et de vert foncé. Sa longue chevelure tournait en rond sur sa tête par les bons soins de Memére Foley qui avait traité sa petite-fille comme une poupée chérie ces derniers temps, à la fois triste et heureuse de la voir partir de la demeure familiale. Au moins, pour catiner, lui resterait-il la petite Alice, maintenant âgée de 5 ans et Wilfred, 2 ans. C'est que Mary restait, même à 19 ans, sa petite Mary qu'elle disait être la plus jolie jeune fille de tout Saint-Honoré, ce qui n'était pas loin de la vérité quoique des minois comme ceux de Marie-Zélou Tanguay et de Zoade Gosselin plaisaient fort aux yeux des jeunes gens.

Derrière les époux Foley, Euphemie occupait le deuxième banc d'en avant dans la rangée du côté de la mariée en compagnie d'Édouard Allaire, un accompagnateur d'occasion. On les savait tous deux veuf et veuve à tous crins. La dame passait 70 ans tandis que le père d'Émélie était au bord de les avoir. Les époux Grégoire, marieurs de première, auraient bien voulu les voir ensemble, ces deux-là, mais il semblait qu'Édouard était vissé à sa terre et ne la quitterait que pour celle du cimetière. Quant à Memére Foley, elle vivait de souvenirs et malgré son âge, aimait le brouhaha de la maison de Joseph et Lucie. Les chances de les réunir pour plus longtemps qu'une noce s'avéraient bien minces. C'était donc ce jour-là un coudoiement de convenance et de circonstance.

Et derrière eux, Émélie et Honoré, revêtus de leur dignité coutumière et de leurs habits du dimanche, se souvenaient sans se le dire le jour de leur propre union seize ans auparavant en cette même chapelle. Les mots eux-mêmes revenaient à l'esprit de la jeune femme…

– Comment tu te sens, Émélie ? lui demanda sa sœur (Marie) quand pour la nième fois, l'autre courut de la chambre à la cuisine, d'un miroir à l'autre pour se mieux bichonner encore et encore.

– Comme de coutume !…

– Ça, c'est ce que tu voudrais, pas ce que c'est dans la réalité.

Émélie soupira fort en se regardant la tête qu'elle avait tournée le plus qu'elle pouvait pour voir le plus loin possible en arrière :

– C'est vrai, suis nerveuse. Si ça peut être fait. Si la journée peut donc être passée !

– Tu dis ça de ton mariage pis du jour de tes noces ?

– Je voudrais bien t'y voir. J'ai hâte quand ça va être ton tour. Tu vas voir.

Marie protesta doucement :

– On sait ben, toi pis moi, que je me marierai jamais.

Le regard de Marie n'était pourtant pas attristé. Il n'exprimait pas non plus une résignation empreinte de lassitude et au contraire, disait une forme de joie sereine. Elle connaissait son destin sans pouvoir l'exprimer, par crainte de jouer à la voyante, ce qui eût été commettre un péché contre le deuxième commandement de Dieu.

Honoré ne se souvenait guère des moments avant son mariage, mais il n'oublierait jamais le chant de Marie à la réception de la noce… On lui avait demandé à lui de chanter; il s'était désisté en faveur de sa belle-sœur…

– Monsieur le curé, Émélie, ma chère épouse, voici quelqu'un qui va chanter pour vous deux, et aussi bien sûr pour nous tous, l'Ave Maria. Je crois que vous serez tous très émus…

Il fit un signe à l'endroit de quelqu'un: c'était Marie qui s'approcha lentement pour que paraisse moins sa terrible infirmité et qui regardait l'un après l'autre le prêtre et sa sœur avec un tendre sourire. D'aucuns qui bougeaient encore s'arrêtèrent. Émélie cessa net de se bercer. Le curé comme tous devint parfaitement immobile. Les cœurs de tous même parurent s'arrêter de battre. Une seule personne de toute l'assistance savait vraiment à quoi s'attendre de la jeune femme: Onésime Lacasse qui l'avait fait pratiquer à une dizaine de reprises. Et qui savait que Marie possédait une voix fine, douce, presque céleste. Deux autres avaient agi comme complices dans le processus: Honoré qui avait demandé à Marie de chanter pour Émélie et à Onésime de la faire répéter, de même que Georges qui, assidûment, avait reconduit son amie à la maison Lacasse ces derniers temps. Certes, l'épouse d'Onésime aussi avait par son silence participé au touchant complot.

Les notes d'accompagnement, lentes et lointaines, se firent entendre, car le violoniste se tenait le plus au fond possible pour donner l'impression d'une musique venue d'ailleurs. Et Marie qui regardait Émélie droit dans les yeux, lui confia sur le sanglot du violon:

– C'est maman et Georgina qui vont chanter par ma voix. Je les ai entendues à travers moi tout le temps que j'ai pratiqué…

Émélie reçut un coup au cœur. Elle faillit éclater en larmes. Mais elle hocha la tête avec un sourire à la fois étonné et bourré d'amour.

À l'abbé Quézel, Marie adressa une courte phrase remplie de reconnaissance:

– Et pour vous, le merci de tous ceux qui vous aiment dans cette paroisse.

Le prêtre dut essuyer une larme.

Ce furent les premiers mots chantés par une voix angélique s'insinuant dans chacune des âmes éblouies:

«Ave Maria... Gratia plena...

Dominus tecum... «

Honoré sentit ses yeux s'embuer. Tout son être était ailleurs, dans un autre temps, dans un bonheur intense. Et quand les premières notes de l'orgue, instrument touché par la même musicienne, Restitue Lafontaine-Jobin, résonnèrent sous les poutres de la chapelle, il ne put s'empêcher d'empoigner le bras d'Émélie. Elle devina à quoi il pensait, elle qui revivait aussi par les souvenirs les plus beaux cette journée immense et inoubliable du 8 septembre 1885. Ils se regardèrent. Et se comprirent.

– T'aurais dû accepter de chanter pour Mary, souffla-t-elle vers lui.

– J'aurais jamais été capable, tu le sais, lui répondit-il à souffle égal.

Et par une forme de communication au-delà des mots et même des gestes, l'esprit de chacun retourna seize ans en arrière à leur départ de la sacristie où était la réception pour leur voyage de noce.

Tous les invités sortirent de la sacristie pour saluer les époux qui avaient pris place dans la voiture sur la banquette arrière. C'est à ce moment qu'Honoré fit à Émélie une troisième surprise de la journée. Il glissa sa main sous le siège, trouva un objet enveloppé dans du papier brun et lui présenta. À palper, elle reconnut aussitôt la chose: un parapluie. Quand elle le dégagea de sa prison de papier, elle en fut éblouie, ravie: il était tout blanc.

– C'est ben mieux quand il fait soleil, dit Honoré. Ça repousse la chaleur tandis que le noir, même le gris, l'attire. Tu sais ça comme tout le monde.

Elle le déploya et sous les applaudissements, le tint au-dessus de la tête, la sienne et celle de son époux qui se pencha un peu par nécessité.

– Merci beaucoup!

– Tu prendras ton gris quand il va pleuvoir pis celui-là quand il fera grand soleil.

– T'es donc fin!

– Avec toi, j'peux pas faire autrement.

Elle le taquina:

– J'espère que tu vas le rester.

– À la vie, à la mort!

– Bon, faut y aller! annonça le cocher improvisé qui clappa.

La voiture se mit en branle. Émélie salua de la main et du sourire. Son dernier regard fut pour sa sœur qui lui adressait des petits signes de tête un peu tristes et pourtant chargés de bons vœux.

Et c'est ainsi qu'à travers la mariage de leur jeune voisine, les époux Grégoire purent revivre avec émotion la cérémonie et le jour entier de leur propre union, un événement si lointain et si vivant en la mémoire de chacun et si puissant dans leur cœur.

∞∞∞

Le mariage d'Obéline, célébré exceptionnellement un samedi vu la distance séparant les deux époux et parce que le curé aurait voulu tout faire pour accommoder cet ancien Étudiant de la Bible revenu au catholicisme, et qu'il fallait choyer comme un fils prodigue, amena pas mal de fidèles à l'église. Couples retraités, dames seules et beaucoup d'élèves de la maîtresse d'école qui vinrent voir Obéline pour peut-être la dernière fois puisqu'elle vivrait désormais à Québec avec son époux.

La petite réception suite à la cérémonie des épousailles eut lieu dans l'ancienne sacristie déménagée par Honoré sur son terrain l'année précédente, et qui ne contenait encore pas grand-chose. On s'en servait toujours pour entreposer la dynamite mais, pour l'occasion, Marcellin Veilleux avait déménagé cette matière dangereuse dans une cabane voisine qui ne servait pas beaucoup. Le marchand déclara d'ailleurs que le T.N.T. continuerait d'y être gardé par la suite. Il s'y trouvait aussi nombre de chaises pliantes qui serviraient à asseoir les invités autour des tables puis autour de la place quand les musiciens feraient jouer leurs instruments endiablés : violons blonds, ruine-babines à Tine Racine, accordéon du grand Léon.

Émélie avait offert son coup d'épaule pour voir aux préparatifs, mais la parenté d'Obéline avait refusé vu son état, car la jeune femme était sur le point d'entrer dans son neuvième mois de grossesse. Et elle travaillait toujours au magasin comme une fourmi que rien ne peut arrêter. La réception de noce avait été prise en charge par madame Lemay de l'hôtel et le manger s'avérait excellent et abondant.

La mariée portait une robe assez semblable à celle de Mary Foley. Même tissu : taffetas moiré. Mais dans les tons bleu foncé et noir. Marcellin devait souvent tirer sur son col dur pour mieux respirer. Il avait eu l'aide de madame Lemay pour mettre son habit de noce et paraître chic. Son infirmité lui conférait une sorte de dignité qui lui attirait le respect et la bienveillance.

Le repas était terminé. On avait réarrangé la petite salle afin de faire danser les invités qui voulaient dépenser un peu de leur énergie. Le jour dehors était sec et septembre déjà commençait d'annoncer son arrivée par des chuchotements à travers les branches. Quelques jeunes gens allaient parfois boire une rasade de whisky à l'abri d'une cage de planches près de la cabane à dynamite. Les musiciens dirigés par Onésime Lacasse accordaient leurs instruments : c'était leur manière de faire attendre leur public tout en le préparant à leur prestation.

Et la danse commença. Danses permises par l'Église seulement. Sets carrés. Paul Jones. Quadrille. Gigue simple. Et la fameuse danse du petit bonhomme qui trouvait invariablement dans chaque fête familiale ses deux exécutants volubiles. Et quelques valses auxquelles se joignirent les nouveaux époux.

Des gens se murmurèrent des phrases admiratives devant le courage du marié qui osait valser en n'étant pas vraiment apte à le faire en raison de son bras manquant. Même qu'il eut pour partenaires d'autres personnes que sa nouvelle épouse, des personnes dans la trentaine comme Séraphie Grégoire l'épouse de Georges Lapierre qui lui, dansa avec la mariée, comme Marie-Rosalie Gagné, la femme d'Anselme Mercier fils de Prudent, comme Clorince Tanguay, épouse de Georges, autre fils de Prudent, comme Marie-Césarie Larochelle venue de Saint-Éphrem avec son mari Charles-Antoine Dostie. Et même des jeunes personnes de pas encore 20 ans comme Marie-Zélou Tanguay et Zoade Gosselin eurent droit à quelque pas avec Marcellin sous le regard attendri d'Obéline et surtout d'Émélie que son état rendait inapte à quelque valse que ce soit.

Édouard Allaire faisait partie des invités en tant qu'ami de la famille Racine. Il était venu seul à la noce. Mais tout le temps qu'il y fut, sa gorge demeura nouée et son regard alourdi. C'est que la Marie-Césarie lui rappelait trop Marie-Rose, cette femme inaccessible qu'il avait tant aimée et qu'il aimait encore en aimant sa terre. Pourtant, ce jour-là, il prit la décision de «dételer». Il mettrait sa terre en vente et viendrait s'établir au village comme le souhaitaient sa fille et son gendre. Il prendrait tout son temps, mais ce n'était plus qu'une question de temps.

Parmi les enfants Grégoire se trouvaient à la noce Alfred et Éva, les deux aînés de la famille. Les autres restaient sous la garde de Delphine. Émélie les poussa à danser la valse ensemble, ce que ni l'un ni l'autre n'avaient jamais fait.

– Vous avez rien qu'à regarder faire les autres ! leur dit leur mère.

Freddé se montra gauche, lui qui avait tendance à boitiller d'un pied, et sa sœur s'en plaignit auprès de leur mère qui la rassura :

– Personne va rire de vous autres, Éva. Vous avez dansé aussi bien que les mariés, aussi bien que Marie-Zélou ou Zoade, aussi bien que Séraphie et Georges et tous les autres.

Même si le marié avait passé les deux nuits précédentes à l'hôtel Lemay, la nuit de noce aurait lieu dans la maison rouge. Après le déménagement du magasin, le salon d'Émélie avait été transformé en chambre où il arrivait que les époux Grégoire se retrouvent dans une intimité à souvenirs. On avait insisté pour que les nouveaux mariés l'utilisent et l'idée leur avait plu. D'ailleurs, les affaires de l'un et de l'autre s'y trouvaient déjà depuis de bonne heure le matin. Delphine leur apporterait à manger. Il y avait à l'intérieur l'eau à la pompe et un bel éclairage disponible avec lampes à l'huile et lanternes suspendues.

Jean Jobin et son épouse Délia veillaient à la bonne marche du magasin durant l'absence des Grégoire. Ils avaient l'habitude et les connaissances requises. On leur faisait pleine et entière confiance. Et pourtant, Émélie s'inquiétait. Peut-être ne savaient-ils pas s'il se trouvait encore en magasin ou inventaire d'entrepôt de tel article plus rare ? Peut-être qu'ils ne trouveraient pas telle pointure de bottes ? Peut-être que des clients retardataires dans le paiement de leur crédit en profiteraient pour acheter fort et trop augmenter leur dette envers le magasin ?

– T'as l'air perdue, Émélie ? lui dit Obéline quand il y eut répit entre les danses pour permettre à tous de s'essouffler.

– Je pensais à ma noce et à Marie.

– Comme c'était magnifique !

Les deux femmes assises se parlaient alors que tout près d'elles, Honoré et le nouveau marié conversaient également. Eux, loin des sentiments, s'entretenaient de marchands de gros de Québec, un univers que chacun connaissait. Et du bel avenir de Saint-Honoré que Lavoie aurait bien voulu partager avec la population.

– L'*Ave Maria*... une voix céleste... Pauvre Marie !

– Est pas malheureuse, tu sais bien, Émélie.

– Bien sûr que non ! Est avec ma mère, Georgina et les autres là-bas, là où on s'en va tous à grands pas.

– Hey là, mais c'est pas le jour pour y penser...

– C'est vrai, t'as bien raison, Obéline. Mais chaque fois qu'un événement heureux ou malheureux se produit et que ça concerne quelqu'un qui m'est cher, je revois Marie et il me semble que je l'entends souffrir, même si elle se plaignait jamais. Si résignée… Sa souffrance se lisait autour de ses yeux, mais pas dans ses yeux… jamais dans ses beaux yeux si… candides.

– C'est elle qui vous a poussés un vers l'autre, toi et ton mari.

– Elle aimait beaucoup Honoré et croyait que c'est le bon Dieu qui l'avait envoyé à Shenley… vers moi.

Le regard de Marcellin balayait la pièce entre deux phrases d'Honoré ou de lui-même. C'était prétexte à voir Émilie auprès de sa femme. Et chaque fois, il ressentait ce trouble étrange qui l'habitait depuis le premier jour où il l'avait rencontrée… La scène, vieille de onze ans, lui revenait en tête…

– Je cherche de l'ouvrage.

Honoré eut un rire à trois éclats :

– Ça adonne drôle parce qu'on est justement, ma femme pis moè, en train de chercher quelqu'un pour travailler.

– Mais pas un homme, malheureusement, lança Émilie de loin et à qui l'échange n'avait pas échappé.

– Mais pas un homme, reprit Honoré qui fit la moue et donna un léger coup de tête vers son épaule droite comme il le faisait souvent depuis quelque temps, comme s'il avait plus souvent qu'auparavant à dire « je suis désolé ».

– Pourquoi qu'un homme pourrait pas le faire ? demanda l'étranger en suivant Honoré vers le comptoir d'Émilie.

– Parce qu'il faut prendre soin des enfants pis servir au magasin.

L'homme s'arrêta au centre du lieu le mieux éclairé du magasin et qui l'était encore davantage du fait que le soleil n'était pas encore tout à fait disparu dans l'horizon de l'ouest et dispensait encore de la lumière à l'intérieur de la maison rouge. Il ôta son chapeau afin de montrer son savoir-vivre devant une dame, d'autant que la beauté et le port de tête noble d'Émélie l'estomaquaient.

– J'comprends ça. Avoir soin comme il faut des enfants, ça prend des mains de femme. La main de l'homme, c'est pour les corriger quand ils font du mal.

Émélie fronça les sourcils. Elle pensait qu'il n'appartenait pas à un homme de corriger les enfants, mais bel et bien à la mère qui était le mieux capable d'adapter la punition à la faute sans pour autant blesser l'enfant dans son moral. Elle en avait discuté avec Honoré avant et après leur mariage et là-dessus, ils s'entendaient plutôt bien.

L'inconnu remarqua la réaction de la femme et reprit :

– Mais une correction, c'est pas une volée. Qui aime bien châtie bien, dit la Bible. Pis moé, je dis : qui aime mal châtie mal. J'me présente... Marcellin Lavoie... Je viens de pas mal loin... Ça fait plusieurs jours que je voyage... Quand suis arrivé au milieu du village tantôt, j'me suis dit : c'est par icitte que je m'installe. C'est le bout du voyage.

– Sais-tu lire, écrire pis compter ? demanda Honoré.

– Lire pis écrire : couramment.

– Pis compter ?

Le jeune homme fit rapidement un calcul :

– Vingt-deux plus douze, moins quatre, divisé par trois, multiplié par deux, plus deux, ça donne quoi ?

– Tu parles vite, mon ami, dit Honoré.

– Vingt-deux est la bonne réponse, fit Émélie qui en profitait pour détailler leur visiteur de pied en cap.

Châtain clair, cheveux vagués jusque sur la nuque, regard bleu : l'air du Jésus sur les illustrations en vogue. Grand, athlétique, les bras musclés et velus, il paraissait sourire dès qu'il ouvrait la bouche pour parler, mais son visage retraitait derrière un voile de mystère sitôt qu'il reprenait son sérieux.

– Ça donne mon âge... pis mon âge, ben c'est ben ça : 22 ans.

Émélie ouvrit les bras et les mains :

– Ça donne rien de parler de ça, Honoré, on prend pas un homme à cause des enfants.

– Je demande ça au cas où… On sait pas l'avenir… Si on vient assez gros, on pourrait avoir besoin d'un commis à plein temps. Pis d'une servante à plein temps… Vu que notre ami veut s'installer dans la paroisse… Mais j'pense que de l'ouvrage, il pourrait y en avoir de ce temps-là au moulin à scie. Pis si c'est pas assez, il pourrait de temps en temps travailler avec ton père sur sa terre. Il pourrait s'adapter aux besoins de monsieur Allaire pis à ceux de Théophile Dubé.

– C'est où, le moulin à scie ?

– C'est vers la sortie du village de notre bord.

– Il doit y avoir une rivière par là.

– Non, le moulin vire pas par le courant d'eau, c'est avec un engin de train de char que Dubé a acheté pis déménagé en morceaux et remonté.

– Un engin à vapeur.

– En plein ça.

– Monsieur Dubé reste pas loin ?

– La maison d'après. Ça me surprendrait qu'il te prenne pas.

– Je vous ai dit mon nom, mais vous autres, c'est ?

– Honoré Grégoire… et ma femme Émélie.

– Vous avez un beau magasin. Ordonné. Propre.

– On devrait lui faire prendre une tasse de thé dans mon salon, suggéra Émélie.

– Bonne idée, approuva Honoré. Pour souhaiter la bienvenue à un futur paroissien.

C'est à ce moment que Marcellin s'était mis à aimer les Grégoire, Émélie plus encore, et à vouloir travailler en leur compagnie, peut-être même les convertir, lui que nourrissait la foi du néophyte, mais qui avait vite compris qu'il devait cacher son reniement du catholicisme dans un milieu aussi bien imprégné de l'esprit de l'Église de Rome et dominé par le curé en place.

Puis il avait découvert toute la beauté intérieure d'Émélie cachée derrière son masque de femme forte de l'Évangile. Et le sentiment né en lui profondément et qui devrait toujours y rester avait trouvé son expression dans une idylle avec Odile. De nouveau, à travers son échange avec Honoré, lui revint une scène du passé qu'il avait toujours gardée enfouie mais si souvent revue: ce lendemain du jour où Émélie avait donné naissance à Ildéfonse...

– Madame Grégoire, monsieur le commis demande pour vous voir.

– Comment? s'étonna Émélie qui aurait pu s'attendre à recevoir la visite de n'importe quelle autre femme de la paroisse, mais jamais d'un homme.

– C'est monsieur Lavoie...

– Oui, dis-lui de venir.

Elle remonta le drap qui la recouvrait pour ne rien laisser voir de sa jaquette, encore moins de ses épaules.

– Le bonjour, madame Émélie, fit-il dès qu'il parut dans l'embrasure. J'ai demandé à monsieur Honoré la permission de venir vous féliciter pis me v'là! Comment allez-vous?

– Je vais bien. On a eu un autre fils. C'est le petit Freddé qui tourne autour du berceau... il comprend pas grand-chose là-dedans, lui, à son âge.

– Je peux le voir?

– Il dort, mais tu peux le regarder, bien sûr!

On tutoyait Marcellin qui jamais n'aurait osé faire la même chose avec l'un ou l'autre du couple bien que la différence d'âge entre eux soit de quelques années seulement: en fait trois. La distance entre patrons et employé était sacrée.

– S'appelle Ildéfonse... Un nom pas courant, mais un choix de ma cousine qui est religieuse à Québec. Elle dit que c'est le nom d'un grand saint du paradis.

– Un bébé en santé, on dirait. Fait pour vivre 70 ans au moins.

Cette parole fit naître un sombre pressentiment dans l'esprit de la mère qui le chassa aussitôt. Seul le Seigneur, disaient les prêtres, connaît le futur, et un pressentiment, qu'il soit bon ou mauvais, demeure sans aucune valeur.

–Je vous félicite, madame Grégoire. Ça va faire des petits mousses tout à l'heure pour courir dans le magasin.

–Je te remercie de ta visite. C'est rare, un homme qui s'intéresse à un bébé naissant. Le plus souvent, les pères vont même pas assister au baptême des nouveaux-nés.

– C'est pas pour me faire valoir.

–Je le sais.

–J'vous dérange pas plus longtemps.

– Ça m'a fait plaisir de te voir.

Il plongea son regard dans celui d'Émélie tout en esquissant un sourire :

–Et moi donc!

– T'as l'air parti au loin, mon cher ami, dit soudain Honoré au marié.

– Il me repasse des souvenirs lointains dans la tête tout en parlant...

Toutefois, le propos fut interrompu par l'entrée dans la salle de réception du curé Feuiltault qui n'avait pas pu venir au repas en raison d'une réunion au sommet avec le constructeur de l'église et quelques marguilliers.

Le prêtre se dirigea vers les nouveaux époux afin de les féliciter et leur souhaiter tout le bonheur du monde. Quand cela fut accompli, il fut donné au nouveau marié de rencontrer le regard d'Émélie. Il se demanda si Obéline ne s'était pas confiée à son amie à propos de son sentiment avoué mais inavouable. Elle craignit qu'il comprenne le trouble qu'il provoquait en elle et détourna la tête. Ils ne s'étaient pas compris... Ils ne s'étaient en fait jamais compris et leur sentiment réciproque et secret n'avait à voir qu'avec les profondeurs de leur cœur émotionnel et rien avec l'intelligence du cœur. Le seul occupant de la grande place dans l'être complet d'Émélie était et demeurerait Honoré Grégoire. Mais comme dans toute vie d'homme ou de femme, il y a de l'espace pour quelques feux de broussailles aux abords du grand feu…

∞∞∞

Ildéfonse et Pampalon partageaient une même chambre donnant à l'arrière de la nouvelle résidence sur la maison rouge. Le garçon de 10 ans s'était agenouillé devant la fenêtre et il observait celles éclairées de l'ancien magasin. En fait, il avait une certaine idée des choses qui pourraient s'y passer ce soir-là vu que les locaux seraient occupés par un couple de nouveaux mariés. Enfant très éveillé, très curieux et surtout très intelligent, Ildéfonse possédait aussi l'audace des gens de sa trempe. Lui aussi, comme son frère aîné Alfred, avait grimpé dans la structure de l'église, qui plus est à maintes reprises, mais sans jamais se faire prendre. Voici qu'il sentait un autre appel, celui de son appétit de savoir. Et pour cela, il devait voir…

Et il voyait.

Obéline et Marcellin étaient assis à une table dans l'ancien bureau de poste et partageaient un petit lunch qui leur avait été apporté peu de temps auparavant par la dévouée Delphine.

– Pas trop malheureuse, Obe ?

Marcellin appelait son épouse par un diminutif de son cru inspiré, disait-il, du jour qui paraît dans l'aube matinale.

– Une vieille fille qui trouve mari, ça pourrait pas être une femme malheureuse.

– J'aime pas trop que tu dises ça. D'abord, t'es pas vieille ; ensuite, je sais que tu t'es pas mariée pour fuir le célibat, la solitude.

– Je plaisantais.

– Derrière une plaisanterie, y a toujours un fond de vérité. Je dirais plutôt de senti… Peut-être que tu le ressens, ce que tu dis, au fond de toi-même.

– Un peu, c'est vrai, dit-elle en penchant la tête.

Il tendit sa main par-dessus la table :

– Donne-moi la tienne, veux-tu ?

Elle obéit.

– Jure-moi de toujours dire que t'es jeune parce que tu te sens jeune.

– Quoi ?

– De toujours dire que tu te sens jeune et que c'est pour ça que tu restes jeune.

– C'est beau.

– Dis : je le jure.

– Je le jure.

Il se fit une pause souriante. Leurs yeux se pénétrèrent un court moment.

– T'as pas peur, Obe ?

– Peur de quoi ?

– De moi… de l'homme que je suis… de ce qui s'en vient… du devoir conjugal qu'on va accomplir ?

– C'est la volonté du bon Dieu.

– En effet ! Mais tu vas voir, je serai… tendre avec toi.

Le jeune homme se leva, lâcha la main de sa compagne, contourna la table et vint l'enlacer par l'arrière. Sa main frotta longuement les cheveux puis le cou et glissa jusqu'à la poitrine qu'elle caressa par-dessus la robe mais aussi en s'introduisant entre les boutons du corsage.

Pampalon dormait dans son lit comme un petit juste.

Ildéfonse avait les yeux grands ouverts, coudes appuyés au châssis. Tout virevoltait en lui : idées, émotions, sensations. Et parmi ses pensées, il y en avait une lui disant que les vraies choses importantes ne se passeraient pas dans l'ancien bureau de poste mais plus tard dans l'ancien salon de sa mère devenu chambre à coucher, là où dormiraient les mariés, ce qu'il savait de par des conversations qu'il avait surveillées la veille et ce jour-là. Son appétit de savoir lui commandait maintenant impérativement non seulement de voir mais aussi d'entendre… Et il savait comment procéder pour « accéder à la connaissance »…

Douce était la nuit. Il n'eut pas à enfiler de vêtements de jour pour quitter sa chambre et, en pyjama, suivre le couloir à pas feutrés, descendre l'escalier, bifurquer sur la gauche et entrer dans le magasin sans le moindre bruit pour aussitôt en ressortir par la porte des hangars, marcher pieds nus jusque dehors et progresser dans la pénombre entre le mur du magasin et la devanture de la maison rouge jusqu'à une porte de cave qu'il n'eut aucun mal à pousser. Il connaissait les airs et n'avait aucun problème à bouger à tâtons quoique la lune jetât en abondance de la lumière sur terre cette nuit-là. Il y avait une trappe sous la table de la pièce où était le couple tout à l'heure. Il y avait aussi un interstice sous le plancher de la chambre à coucher et l'enfant y avait souvent mis son œil quand sa mère y recevait les dames du temps de son salon de la maison rouge.

Ildéfonse eut un problème imprévu. Il était pieds nus suivant une habitude d'été bien ancrée chez lui et cela devenait hasardeux du fait que le sol de la cave était constitué d'éclats de roc produits par le dynamitage d'avant le déménagement de l'année précédente. Mais rien ne l'arrêta. Il se mit debout sous la trappe que la lumière du dessus révélait, sans toutefois entendre âme qui y vive. C'est donc que les époux étaient déjà rendus dans leur chambre. En suivant des mains une poutre au-dessus de sa tête, il parvint à ce rai de lumière indiquant le lieu de la chambre et se rendit y braquer son œil de petite fouine.

Il put voir Obéline enlever sa robe. Puis apparaître son corset lacé, un vêtement qui emprisonnait la taille des femmes et leur empoisonnait la vie. La jeune mariée se pencha vers Ildéfonse qui, se croyant repéré, recula son œil un court temps, mais Obéline l'avait fait pour tâcher d'attraper dans son dos le nœud et la boucle du laçage : entreprise vaine qui la faisait grimacer et composer sur son front les rides de l'inquiétude contrariée. Son époux qui l'observait à la dérobée s'approcha et lui proposa son aide:

– Faut être deux, je pense, pour ça, Obe.

– Je te dis… un gréement pareil!

Elle se redressa. L'homme trouva la boucle, tira puis, en délicatesse, malgré que son infirmité l'obligeait à des manœuvres parfois brusques, il délaça le corset qu'elle dut retenir à la fin pour ne pas qu'il tombe. En même temps, ils se parlaient de la journée, de leur joie, de leurs émois.

L'œil d'Ildéfonse captait tout. Apercevoir une femme aussi peu vêtue répandait en lui une odeur de péché, mais il aimait bien ça et rien n'aurait pu le faire bouger de son poste d'observation précaire et pas mal douloureux pour ses pieds.

Obéline regarda de côté comme pour situer son mari dans la chambre et laissa tomber son corset sur le lit. Sa poitrine peu abondante apparut comme une révélation à l'espion embusqué. Voilà donc ces rondeurs de chair que le marié caressait plus tôt dans le bureau de poste. S'il fut donné au garçon de les apercevoir, cela ne dépassa guère un bref moment car la jeune femme enfila aussitôt une jaquette blanche préalablement déposée sur le lit. Puis elle s'assit pour enlever en discrétion d'autres dessous mystérieux qui échappèrent à l'œil scrutateur. Et pas même Marcellin là-haut ne put les voir. Son imagination d'homme, tout autant que celle du garçon caché, travaillait, produisant en lui des effets qui eussent été moindres si la nudité d'Obéline avait été moins bien défendue.

Puis les sources de lumière s'éteignirent une après l'autre et il n'en resta en fin de compte qu'une seule, à l'évidence une simple chandelle s'il fallait en juger par le mince éclairage qu'elle prodiguait. Une sorte de veilleuse qui ne laissait à Ildéfonse que fort peu de capacité de discerner ce qui se passerait dans la chambre et dans le lit. Au moins entendrait-il les mots pourvu qu'on ne les chuchote point!

– Voudrais-tu qu'à soir, on fasse rien que dormir, Obe, vu la fatigue du jour et tout ?

Femme de la mi-trentaine, la mariée avait depuis longtemps apprivoisé l'idée d'une relation intime avec son mari dès le premier soir et elle s'y attendait, qui répondit :

– Ça dépend de toi… moi, je ferai ce que tu voudras faire.

– Tu vas pas me trouver trop pressé ?

– Ben… non…

Le ton de l'homme changea et devint tout à coup bien plus langoureux :

– T'es certaine, ma petite femme chérie ?

Elle se montra réceptive :

– Ce que tu veux, je le veux.

– Et ce que tu veux, Dieu le veut.

– Sûrement !

– On est bien dans ce lit-là, hein ?

– Hé oui !

– J'aime ça, ton parfum.

– C'est celui d'Émélie : elle m'en a donné du sien.

– Ah oui ?

Voilà qui augmenta le rythme de l'entreprise masculine.

– Oui.

– Tu veux que je te touche… au ventre ?

– Si tu veux.

– Et… plus loin comme ça ?

– Ta main est douce…

Ils se turent. Ildéfonse avait beau prêter l'oreille avec toute son attention, il n'entendait plus rien, pas même le froissement de quelque chose et pourtant, il devinait que l'action n'avait pas pris fin subitement alors que Marcellin touchait sa femme. Que pouvait-il donc se passer là-haut maintenant ? Il avait retiré son œil qui ne pouvait plus rien voir et pencha la tête comme un chat en quête de bruit pour que son oreille puisse ramasser la moindre information sonore venue du manège nocturne des mariés.

Le premier son entendu fut celui d'un souffle profond qui se répétait en se prolongeant comme si on était à prendre de longues respirations. S'y mêla ensuite de petits cris sur le registre de la douleur. Les cris étant féminins, le souffle devait donc être masculin.

– Ça... fait... mal...

Les trois mots frappèrent l'imagination de l'enfant. Et les questions fusaient. Qu'est-ce qui provoquait cette douleur? Qu'est-ce que l'homme pouvait faire à la femme pour qu'elle se lamente sur ces trois mots éloquents? La pinçait-il comme il lui était rêver de pincer Alice pour la faire crier? S'il l'avait frappée, Ildéfonse aurait entendu les coups.

– Tu veux que... j'arrête?

– N... non... il faut continuer.

– Je vais faire plus tranquillement.

– Une fois que tu y seras, ça ira mieux.

– Comment tu le sais, Obe?

– Des femmes, ça se parle des fois de ces choses-là... J'ai plusieurs amies mariées, tu le sais...

– Je vais faire attention...

De nouveau, ce fut silence. Obéline ne cria plus. Le souffle parut s'éteindre. Deux ou trois minutes s'écoulèrent. Ildéfonse se demandait si tout était terminé de ce qui se passait là-haut et dont il ignorait toujours la nature. Il pencha la tête, leva la main pour toucher la poutre et s'en aller quand il entendit des craquements faciles à reconnaître: c'étaient ceux d'un lit sur lequel on s'agite.

Puis les ahans d'un homme comme ceux d'un bûcheron s'ajoutèrent aux craquements du lit. Et de la femme, rien du tout: pas un cri, aucune lamentation, aucun souffle. Nul doute dans l'esprit de l'enfant qu'elle faisait partie du jeu, mais son rôle semblait devenu entièrement passif.

Soudain, le silence pur. Tête penchée. Écoute attentive. Une voix soufflée :

– Ça fait encore mal, Obe ?

– Ben… non…

– Je peux continuer ?

– Ben… oui…

Craquements. Ahans. Et un nouveau bruit. Comme celui d'une paume frappée par un poing fermé. Ildéfonse calcula : il se produisait deux coups semblables à la seconde. Et voici qu'il se mit à souffler les chiffres :

– Un, deux, un, deux, un, deux, un, deux…

Une minute ou deux, peut-être trois s'écoulèrent et une voix éclata dans un puissant « ah » inséré dans un souffle prolongé, interminable.

– Ahhhhhhhhhhhh ! Ahhhhhhhhhh ! Ahhhhhh ! Ahhh ! Ah !

C'était l'homme.

Puis l'enfant entendit un raclement de gorge : c'était la femme.

Que diable s'était-il passé là-haut ?

Le garçon fit des comparaisons, des raisonnements, des déductions. Il savait qu'un homme est par nature bien différent d'une femme. Il avait vu la petite Bernadette nue. La poitrine des femmes adultes leur était une caractéristique réservée. Et puis il venait de voir celle d'Obéline. Il avait déjà surpris sa mère en train d'allaiter Pampalon quand il était bébé puis Bernadette. C'était sans doute ça : l'homme avait dû se nourrir au sein de la femme. Il avait souventes fois vu des petits d'animaux téter leur mère. Au début, ça devait faire mal. Puis… Mais pourquoi ces coups et craquements ? Non, il n'était pas sur la bonne voie…

Tout était redevenu calme au-dessus de lui. Inutile de rester là plus longtemps. Il retourna à sa chambre par le même chemin semi-éclairé et fut longtemps à triturer dans sa tête toutes ses connaissances sur la vie, et qui pouvaient se rapporter au mariage. Les discours des hommes adultes entendus à la forge et surtout au nouveau magasin où il était facile de s'embusquer pour surprendre les propos, lui amenèrent peu à peu la réponse. La bonne réponse. Un des mystères de la vie venait de s'expliquer pour lui. Peut-être oserait-il demander à Freddé de confirmer ce qu'il pensait…

Et pourtant, quelque chose clochait encore. Comment cet organe qu'il avait, lui, entre les jambes pourrait-il s'introduire dans la chair d'une femme et faire mal alors que ce n'était qu'une toute petite chose bien mollasse ? Il se toucha et se rendit compte que la petite chose était moins mollasse qu'elle ne lui avait toujours paru…

∞∞∞∞∞∞∞∞

Chapitre 28

– Qui c'est qui pourrait bien être de cérémonie ? se demandait tout haut Émélie sur le point d'accoucher en cette fin de septembre 1901.

– Serait temps qu'on se décide, commenta Honoré qui se trouvait dans la chambre où Restitue préparait le nécessaire en vue de l'événement très prochain que les contractions utérines annonçaient.

– On a jamais été à la dernière minute de même.

– Prenez Éva pis Freddé, suggéra la femme Jobin.

– C'est déjà fait pour Bernadette.

– D'abord le petit Ildéfonse et… mettons Arthémise Boulanger.

– Ildéfonse est encore trop jeune : 10 ans, c'est pas assez pour un parrain, dit Honoré.

– Trouve une idée, c'est ça qui presse, Honoré, dit son épouse alitée et en attente.

– Je demanderais au maire Pelchat, mais je sais qu'il partait pour Saint-Évariste de bonne heure à matin.

– Pourquoi pas l'ancien maire Ferdinand Labrecque ? fit Restitue. C'est de vos amis. Aurélie serait ben contente. Pis c'est du monde distingué.

– Ça, c'est une bonne idée ! J'y vais de ce pas.

Honoré se rendit au fond de la rue Labrecque où était la résidence de l'ex-maire et propriétaire de l'aqueduc central, et il y reçut fort bon accueil. Les époux se préparèrent et accompagnèrent

Honoré jusque chez lui. Quand ils entrèrent dans la maison, on sut immédiatement que déjà le nouveau-né était de ce monde.

– C'est une petite fille, annonça Éva à son père.

– Ça veut dire qu'elle va s'appeler Armandine, dit Honoré à Aurélie. C'est ce qu'a dit Émélie ça fait pas longtemps.

Le docteur redescendait d'en haut. Il avait au visage le sourire satisfait de la réussite.

– Tout s'est fort bien passé. Et surtout rapidement. Un huitième enfant, c'est sûr que ça se passe mieux qu'un premier généralement. Madame Restitue aurait pu bien faire toute seule.

Honoré commenta:

– On a été assez longtemps sans docteur, qu'asteur qu'on en a un, on va pas s'en priver.

Puis il s'adressa aux Labrecque:

– Attendez-moi ici, je vais voir ma femme et ramener le bébé pour aller à l'église tout de suite. Docteur, pourriez-vous demander à monsieur le curé en passant... Non, laissez faire, je demande à mon gars... Freddé, va demander au curé s'il voudrait baptiser dans une demi-heure à peu près.

– O.K.

– Éva, viens avec moi en haut!

Tout ce passa comme prévu. Éva fut porteuse, les Labrecque parrain et marraine. Une fois le baptême terminé, le prêtre fit lecture de son entrée dans le registre paroissial. En fait, il lui fallut d'abord le compléter par les noms de l'enfant et ceux des parrain et marraine.

Le bébé reçut le nom de Marie Claire Armandine. Il avait été laissé à la discrétion de la marraine le choix du second prénom requis. Claire, ça faisait eau courante, ça faisait matin, ça faisait journée de soleil, ça faisait beauté... Quant à Aurélie, c'est Marie-Claire qu'elle aurait choisi pour cette enfant. Mais Émélie avait déjà décidé à sa façon...

Le bébé paraissait en excellente santé.

∞∞∞

Tous les enfants étaient malades. Une épidémie de fièvre scarlatine sévissait dans la région. On avait même fermé les écoles pour arrêter la propagation de la maladie. Mais il fallait bien que les affaires du magasin continuent. Non pour le profit mais pour le service à la clientèle. Les gens venus du fond des rangs n'auraient pas accepté de se river le nez sur une porte close. Après tout, la scarlatine était rarement mortelle.

Pour réduire au minimum les risques, Émélie et Honoré prirent la décision de fermer non pas la porte avant du magasin, mais celle reliant le magasin et leur résidence. Ils prirent Restitue pour seconder Delphine auprès de la marmaille et ainsi, il leur fut loisible de tenir l'établissement ouvert. Eux coucheraient dans la chambre de la maison rouge jusqu'à la fin de l'épidémie. Ils y auraient avec eux le bébé Armandine qui n'était pas affecté par le mal et dont le ber avait été amené au bout de la table centrale du magasin, près de cette belle source de chaleur qu'était la grille de la fournaise. À l'heure des boires, Émélie se retirerait avec la petite dans son salon en haut du large escalier du centre. Et puis les deux aides familiales rendraient compte chaque jour, chaque heure de l'état de santé des enfants. Tout pour tous irait au mieux ainsi.

Et pourtant un drame allait survenir. Une aggravation de la fièvre chez Bernadette échappa à l'attention des deux gardiennes. Au matin du troisième jour, Delphine la découvrit morte. Blanche comme la neige dehors. Figée comme les objets que décembre gelait. 2 ans et demi. «*Envolée au ciel comme un petit ange*», déclara Restitue une larme à l'œil.

Penchées au-dessus du petit lit, les deux femmes s'interrogeaient mentalement aux fins de savoir laquelle irait annoncer la terrible nouvelle aux parents là-bas, dans la maison rouge, et qui étaient sûrement levés et à prendre un petit repas avant d'entreprendre une autre dure journée de labeur.

Restitue prit les devants, son âge lui conférant l'autorité requise en les circonstances :

– Va chercher le docteur pour qu'il constate la mort, moé, je vais l'annoncer à Émélie pis Noré. Va, Delphine… Habille-toé ben comme il faut, même si c'est proche : fait frette comme au milieu de janvier, même si on est rien qu'au milieu de décembre.

– C'est ben correct.

– T'as pas à te sentir coupable pis moé non plus, là. C'est des choses qui arrivent dans la vie. Même que les Grégoire peuvent se compter chanceux que tous leurs enfants aient survécu jusqu'asteur.

Elles se suivirent au premier étage, endossèrent chacune un manteau et des bottes, et prirent des directions opposées. Restitue frappa à la porte de la maison rouge. Honoré la reconnut par la vitre et lui cria d'entrer :

– C'est ouvert, madame Jobin.

– Émélie est pas levée ? demanda l'arrivante une fois à l'intérieur.

– Certain… Elle s'occupe de la petite dans la chambre…

– Suis là, madame Jobin, cria Émélie.

Restitue comprit que c'était heure d'allaitement. Elle se dit que c'était peut-être le meilleur moment après tout.

– Je…

Ses soupirs alertèrent Honoré en train de préparer à manger au poêle à l'arrière.

– C'est quoi qu'il arrive donc à matin ?

– Je vas ôter mes bottes là…

– Non, non, approchez comme vous êtes…

Ce que Restitue fit en hochant la tête. Déjà Honoré était sur la piste, disant :

– Ça doit qu'un enfant va plus mal ?

– Oui…

Émélie parut dans l'embrasure de la porte, toujours en processus d'allaitement, sein et tête de l'enfant recouverts d'un linge blanc.

– Tu vois ben que c'est pire que ça, Honoré. C'est lequel? Ildéfonse? Pampalon?

– Bernadette.

– J'aurais dû y penser.

– On l'a trouvée… elle était déjà partie comme un petit ange au ciel…

– C'est quoi que vous dites là? se surprit Honoré qui n'avait jamais été confronté à la mort d'une personne aussi proche.

Émélie, elle, connaissait bien les traîtrises de la mort. Sa mère. Son frère aîné. La petite Henriette. La petite Georgina. Et puis Marie. Ses mots furent simples:

– L'Indienne le savait. Amabylis le savait que Bernadette survivrait pas, elle le savait. Je l'ai pas écoutée. Mais ça aurait rien changé.

– On a fait venir le docteur pour qu'il constate le décès comme on dit.

Les nerfs à vif, le visage exsangue, Honoré dit:

– Je vas aller voir… Pouvez-vous rester avec Émélie, madame Jobin?

– Ben oui.

Et l'homme se pressa de s'habiller et de sortir. Émélie retourna silencieusement dans la chambre où elle finit d'allaiter Armandine. L'autre femme la suivit:

– Elle sera dans les bras de Marie. Elle avait un nom prédestiné pour s'en aller dans les bras de Marie…

– Oui, madame Jobin, mais je penserais que c'est plutôt ma sœur Marie… Une ou l'autre, elle est bien entourée là-haut, je le sais ben comme il faut.

– C'est comme ça qu'il faut que tu le prennes, Émélie.

– C'est comme ça que je le prends. Pleurer, ça sert à rien… à rien du tout… Tout ce que je veux, c'est une cérémonie des anges dans l'église neuve… et on va enterrer le petit corps au printemps dans le nouveau cimetière sur la colline. J'aurais pas cru que le premier service dans la nouvelle église et le premier enterrement dans le nouveau cimetière, ça serait quelqu'un de la famille Grégoire… non, j'aurais pas cru… On a tout fait pour empêcher que l'épidémie se propage et en faisant ça, peut-être qu'on a perdu un enfant ? Sais pas… saurai jamais…

Elle mit la petite dans un berceau, la recouvrit chaudement et se redressa mais sans se retourner et sans cesser de parler, comme si son deuil passait par les mots plutôt que par les larmes :

– C'est pas un reproche que je vous fais et je vas rien reprocher à Delphine non plus, je sais comme vous êtes dévouées toutes les deux, mais des fois, une mère, ça sent des choses graves qu'une autre personne perçoit pas… J'aurais peut-être dû m'occuper des enfants et confier le magasin à Jean et Délia. Quand on veut faire pour le mieux, des fois on fait pour le pire… Mais non, je vous reproche rien, à vous deux. Vous connaissez ça, des enfants, bien mieux que moi, Restitue ; et Delphine est tellement, tellement bonne…

– Sais-tu, Émélie, ce que je voudrais faire si tu veux ?…

– Dites toujours, madame Jobin.

– Je voudrais te serrer dans mes bras comme une mère avec sa fille, comme le ferait peut-être ta mère Pétronille si elle était encore de ce monde. Veux-tu ?

– Si ça peut vous faire du bien.

L'intention de Restitue, c'était de faire du bien d'abord à Émélie. Elle s'approcha. Émélie se retourna. Chacune crut nécessaire de réconforter l'autre. Émélie ferma les yeux et durant l'étreinte pensa à sa mère qu'elle avait vue s'éteindre trente ans plus tôt… avec sa petite croix de bois sur le cœur…

C'est cela, elle irait dans sa chambre chercher la même petite croix et la mettrait aussi sur le cœur de la petite Bernadette jusqu'à l'heure de son inhumation…

– Voulez-vous rester avec la petite Armandine, madame Jobin ?

– C'est certain, c'est certain…

Le docteur et Honoré parlaient, debout, et Delphine effondrée pleurait dans un coin. Seule avec la dépouille, Émélie posa sur sa poitrine la croix de bois puis elle se rendit réconforter la jeune femme aux sanglots bourrés de culpabilité.

∞∞∞

La cérémonie des anges eut lieu le jour même alors que le vent se levait et que le ciel chargé commençait à déverser sur la terre des torrents de neige. Le curé fit remarquer à la douzaine de fidèles sur place que le bon Dieu avait choisi un ange afin de protéger ce temple nouveau en rappelant à lui de manière si imprévue et prématurée la petite Bernadette Grégoire.

On se rendit déposer le corps de l'enfant enfermé dans un cercueil blanc en un abri construit près de la sacristie et la jouxtant en fait. Puis les Grégoire retournèrent à la maison. Émélie se mit à la fenêtre pendant près de deux heures. Durant les accalmies, elle regardait le charnier disparaître de plus en plus, enterré par la neige, enseveli par l'hiver vorace. Si la vie battait son plein ces années-là en ce cœur de village, la mort continuerait à ne dormir que d'un œil tandis que son autre, gros et fou, resterait aux aguets. Quel serait son prochain sursaut ? Nul ne pouvait le dire.

Honoré savait qu'il devait lui laisser vivre seule ces moments de profonde affliction. Pour enfouir sa propre peine, il se rendit dans les hangars et transporta d'un coin à un autre une empilade de sacs d'avoine. Tâche inutile mais qui lui permettait de faire le vide en lui. Et il chanta… la vie qui s'éteint…

Seule ici, fraîche rose,
Comment peux-tu fleurir ?
Alors, qu'à peine éclose,
Tu vois tes sœurs mourir !
En ces lieux, des hivers

Le deuil sombre s'étale!
Et la brise n'exhale
Nul parfum dans les airs.

Laisse-moi te cueillir
Sur ta tige tremblante
Et d'amour palpitante
Sur mon cœur, ah! viens mourir
Et d'amour palpitante,
Sur mon cœur, ah! viens mourir!

∞∞∞∞∞∞∞

Chapitre 29

1902

Éva fit son signe de la croix et même esquissa le geste de la génuflexion en passant devant l'église sur le chemin du retour de l'école. Arrêtée un moment, elle sortit un morceau de linge blanc de son sac et l'ajusta sur son visage. En fait, il s'agissait d'un masque fabriqué par une couturière et contenant du camphre. Et pourtant, la jeune fille de 13 ans ne voulait pas ainsi se protéger contre les microbes et les maladies transmissibles par voie aérienne, non, c'était plutôt pour combattre l'odeur.

Une impitoyable odeur.

Insupportable.

Inimaginable.

Odeur abominable que toutefois certains hommes parvenaient à tolérer, car ils étaient les bras et les mains que la terrible tâche mobilisait: le déménagement du cimetière. Madame Lemay, le docteur Drouin, le curé et la servante, les Mercier, les Foley et surtout les Grégoire, tous ceux habitant au voisinage du champ des morts portaient le masque. Ou bien ils auraient vomi à cœur de jour. Ou bien ils n'auraient rien pu avaler, ni eau, ni aliments, tant que dureraient ces travaux incontournables. Ou bien ils auraient été marqués toute leur vie par le souvenir de ces effluves atroces capables de faire douter de la vie éternelle tant elles en disaient long et fort sur la putréfaction de l'être.

Parmi les fossoyeurs, il y avait comme contremaître engagé par la fabrique Napoléon Dulac dit Cipisse. Tout d'abord, on avait creusé des fosses sur la colline dans le nouveau cimetière : une terre qui avait été bénie préalablement par le curé Feuiltault. Puis, l'avant-veille, on avait commencé à creuser les tombes de l'ancien pour y prendre les restes et les emporter vers leur ultime repos après un dernier repos annoncé lors des funérailles de chaque disparu. Pour l'aider, il avait embauché Philippe Lambert ainsi que Rémi Nadeau, jeune homme de pas encore 20 ans. Et la deuxième journée, Philippe avait réussi à faire embaucher son fils Napoléon maintenant âgé de 14 ans. *Manne qui passe, on la ramasse*, disait-il.

Des plus anciens cadavres il ne restait le plus souvent que des ossements et la chevelure, mais la plupart n'avaient pas terminé leur décomposition vu la nature de la terre. Et c'est eux qui empoisonnaient l'atmosphère. De nouveau enceinte, Émélie avait parfois la nausée ces jours-là et en attribuait la cause à ces relents pestilentiels que seul un vent contraire pouvait chasser du magasin et de la résidence dont il fallait garder toutes les issues fermées. Tous à l'intérieur portaient le masque et il fallait en subir la chaleur, mais aussi les étourdissements que provoquait le camphre.

– Une semaine, c'est fait ! Les cadavres vont tous être partis et les trous bouchés.

Voilà ce que répondait Cipisse à Honoré quand celui-ci lui parlait de loin pour n'avoir pas à le faire de près.

Le jeune Lambert fut le dernier à porter un masque. Il se disait capable de supporter l'odeur. Son père ne s'en préoccupait guère. Il en eut un par les mains d'Émélie qui se souciait de lui. Quand elle le vit passer devant le magasin le troisième matin, elle le héla :

– Poléon, approche.

Mais elle restait masquée et avait refermé la porte derrière elle. Il vint.

– Reste en bas des marches.

Il portait le même linge que la veille et elle le craignait porteur de microbes ou autres bestioles infiniment petites qui sont néanmoins capables de tuer les vivants comme l'avait fait le bacille de Koch pour cette pauvre Marie en 1887.

Elle lui tendit le masque.

– Mets ça, sinon tu vas attraper la mort à travailler dans les fosses comme tu fais.

L'adolescent se mit à rire, épaules sautillantes:

– Ben non, madame Grégoire. Quand ils me voient, rien qu'un œil, les microbes, ils veulent pas me voir.

– Fais pas des folies avec ça.

Il prit le masque, tenta de le mettre sans trop y parvenir:

– Regarde comment je mets le mien.

Elle qui en portait un tourna la tête pour montrer les attaches au-dessus et sous l'oreille puis la boucle derrière la tête.

– Vous voulez pas me l'attacher?

Honoré qui s'était approché par l'intérieur et, lui aussi bien masqué, regardait à travers la vitre de la porte, sortit.

– Viens, Poléon, je vas te l'attacher. Émélie, tu peux retourner en dedans.

L'odeur nauséabonde flottait dans l'air immobile. Elle se répandait depuis les trous et en même temps stagnait. Les chevaux s'énervaient quand ils entraient dans cette zone délétère. Et tout le temps qu'ils restaient attachés sous le porche de l'autre côté du magasin, ils hennissaient comme pour presser leur maître d'en finir avec ses achats d'effets afin que l'on reparte et retrouve l'air sain plus loin.

Belzémire se révolta et dit au curé, le troisième jour:

– Pas question que je vous fasse à manger dans pareille puanteur. On ira manger ailleurs. Madame Restitue s'est offert à nous en faire…

Il faudrait bien qu'il le remette à sa place, le toupet de cette autoritaire Belzémire, songea le prêtre qui toutefois se soumit à sa volonté sans rechigner.

Ce que depuis l'annonce du déménagement du cimetière Émélie appréhendait le plus devait se produire : son père s'amena au magasin. Il n'était pas seul. Et eux, lui et l'homme qui l'accompagnait, ne portaient rien pour se protéger des exhalaisons macabres. La première chose qu'elle fit fut de leur offrir des masques. Peine perdue. Édouard lui parut complètement indifférent à ce que lui disait son nez. Et l'autre personnage, habitué à sa propre senteur, était peut-être protégé ainsi de l'odeur générale.

– C'est rien que pour vous dire que j'y vends ma terre, à lui.

Émélie s'était assise un moment sur la chaise près de la grille de la fournaise. Honoré, bras croisés, restait appuyé contre la table centrale. Les deux autres étaient debout. Édouard reprit :

– Vous connaissez Edmond Lepage ? C'est lui qui veut acheter. Mais il aurait besoin de quelqu'un pour prendre une deuxième hypothèque : j'ai pensé à toé, Noré.

– J'ai rien contre. Faut juste que je regarde mes comptes.

– Tu prends l'hypothèque pis tu me payes plus tard, quand t'es prêt à le faire.

– Demandé comme ça, j'pourrais pas vous refuser ça, monsieur Allaire. Ton idée, Émélie ?

– J'ai pas besoin de la dire, tu sais ben…

– Dites-moi juste à combien ça va se monter…

Il faisait bizarre aux visiteurs de traiter avec deux personnes ainsi masquées. Lepage prit la parole pour la première fois :

– Pourquoi c'est faire que vous vous mettez ça ?

– L'odeur, fit Émélie. On vous l'a dit tantôt. L'odeur et les microbes.

Depuis que les trois hommes se parlaient, elle se demandait quelle serait la réaction de son père quand il réaliserait vraiment que ces restes que l'on s'apprêtait à transporter sur la colline étaient aussi ceux de Marie-Rose Larochelle et de sa fille Marie…

Le surlendemain, tous les morts dormaient dans leur nouvelle terre. Et les fosses rouvertes précédemment pour les en retirer furent comblées au milieu de l'après-midi. Les citoyens du voisinage purent enfin se débarrasser de leurs masques. Mais il leur resterait longtemps dans la mémoire olfactive les relents du camphre et des cadavres putréfiés.

Le curé qui avait préparé la paye des hommes, demanda à Belzémire de la leur donner quand le contremaître Dulac se présenterait au presbytère. Le nombre d'heures ayant été arrondi en faveur des travailleurs, le presbytère ne risquait aucune réclamation et le prêtre avait pu retourner au chantier de l'intérieur de l'église, un chantier d'artiste avec toutes ces décorations sculptées et dorées en haut des colonnes, à l'autel et aux devantures des jubés. Il y mettait lui-même la main tel un Michel-Ange des temps modernes et des grands bois. Ce qui ne l'empêchait pas de réfléchir…

Soudain, il délaissa le travail près d'un établi de fortune et courut à l'extérieur de la sacristie pour ne plus apercevoir des fossoyeurs que le jeune Lambert achevant de combler la dernière fosse du nouveau cimetière. Il le héla, le fit venir en bordure de l'ancien, demanda :

– As-tu des outils, Napoléon ?

– Des outils ?

– Un pic, une pelle… une pelle, je vois ben que t'en as une là, mais… Une tombe a été oubliée. C'est qu'elle est située en dehors de la ligne du cimetière. En dehors de la terre bénie. La croix noire qui la surplombait a disparu l'autre année. La tombe du soldat…

Napoléon s'exclama :

– Ah oui, la tombe du pendu ! C'est vrai qu'on l'a oubliée.

– Remets ton masque et creuse. Je peux dire exactement où elle est. Va chercher ton pic et reviens… On va pas demander aux autres de t'aider: sont partis et ils ont dû prendre leur paye au presbytère.

Effectivement, les trois hommes engagés avaient reçu leur argent gagné non pas des mains de Belzémire qui avait refusé de les approcher, mais qui avait jeté les enveloppes à chacun sans faire plus que d'entrouvrir la porte et crier le nom du journalier concerné, un nom qui fut prononcé comme celui d'un lépreux. Elle aurait eu plus d'égards pour des pourceaux à soigner…

Quand Napoléon revint, le curé le fit arrêter à distance et dit:

– Tu vois où je suis? C'est ici qu'il faut creuser.

– On va faire quoi avec les restes, monsieur le curé. Le cimetière d'en haut est béni déjà… Pis les fosses remplies…

Le prêtre hésita. Il n'avait pas songé à cela.

– T'emporteras les restes jusqu'à la clôture de perches proche du cap à Foley, mais de ce côté-ci. C'est là qu'on va enterrer le…

– Le pendu?

– Ben… en tout cas, ce que tu vas trouver là-dessous.

– C'est ben correct, monsieur le curé.

– Tu vas toucher de la belle argent de plus pour ton ouvrage, Poléon.

– Ben marci à plein, monsieur le curé.

Le prêtre retraita vers la sacristie en disant:

– Oublie pas de remettre ton masque, là! Que ton nez et ta bouche soient bien cachés pour qu'aucune souillure ne puisse entrer en toi!

– Je vas le faire.

Et le jeune homme commença de piquer la terre et de creuser…

Édouard Allaire et Edmond Lepage montèrent avec Marcellin Veilleux pour se rendre chez le notaire à Saint-Évariste. Honoré les accompagnait. La transaction pourrait être réalisée le jour même. Là-bas, Honoré fit une rencontre imprévue qui le mit dans un certain embarras: il croisa Barnabé Tanguay qu'il n'avait presque pas revu depuis qu'il avait obtenu sa place de maître de poste ainsi que le contrat du logement de ce service public fédéral. C'est que Tanguay avait déménagé sur cette terre qu'il possédait dans le rang menant à Courcelles.

– Je vends moi aussi, dit l'homme venu à l'étude du notaire pour y passer un contrat avec un acheteur.

Mais le preneur avait du retard et Tanguay, un homme vieilli, blanchi, voûté, attendait dans la petite salle jouxtant le bureau de l'homme de loi.

– Vous pouvez passer avant moi… faut que j'attende que mon gars se présente, reprit-il.

Honoré s'adressa à ses deux compagnons :

– Entrez vous autres ! Quand le notaire aura besoin de moi, vous me le direz. Je vas parler un peu avec mon ami Barnabé.

La conversation ne fut pas bien longue et devait un peu plus tard être interrompue par la voix du notaire qui réclama Honoré à l'intérieur afin d'établir l'hypothèque. Tanguay apparut comme un homme affaibli, malade, découragé. Et cela, malgré tous les raisonnements passés, égratigna le cœur du marchand.

– Si je peux te rendre service d'une façon ou d'une autre, Barnabé, tu sais où me trouver.

– J'ai su que t'a fait bâtir un beau grand magasin.

– C'est sûr que ça nous a fait plaisir, ma femme et moi, mais c'est pour mieux servir le public qu'on l'a fait.

Tanguay fit un clin d'œil complice pour dire :

– Surtout qu'un autre, peut-être ben Louis Champagne, aurait pu se bâtir avant vous autres.

– C'est vrai, je dois l'admettre, ça aussi. Mais faut survivre et chacun s'y prend à sa manière. L'important, c'est de pas faire de tort à personne…

Tanguay comprit l'allusion à la fonction de maître de poste et se montra sincère en rassurant une fois encore celui qui l'avait remplacé :

– Je t'en ai jamais voulu dans l'histoire du bureau de poste. Je le perdais anyway quand Laurier a été élu à Ottawa.

– Je le sais... je t'ai toujours respecté pour l'avoir pris comme tu l'as pris.

La voix du notaire coupa court à l'échange. Et quand plus tard, Honoré et les deux autres sortirent de l'étude, Tanguay avait disparu. Sans doute reviendrait-il plus tard avec son acheteur. C'est ce que pensa tout haut le notaire en tout cas...

∞∞∞

Napoléon aurait dû savoir qu'à cette profondeur, il était sur le point de découvrir quelque chose. Mais il ne prenait pas souvent les bonnes décisions, bousculé comme il l'avait tant été depuis toujours par son père. Il utilisa le pic alors qu'il aurait dû ne se servir que de la pelle. L'odeur effroyable parlait d'elle-même pourtant, qui surpassait celle camphrée du masque. Il souleva l'instrument et frappa...

Un coup mat qui fit jaillir des entrailles de la terre une substance visqueuse dont le jet atteignit l'œil valide du jeune homme comme l'aurait fait le venin d'un serpent cracheur. Le fer du pic resta planté dans la source de cette abominable souillure et l'adolescent porta aussitôt sa main droite à son œil afin de le débarrasser de la douleur qu'il ressentait déjà et que provoquait cette matière empoisonnée.

Le garçon se mit à gémir tandis qu'il essuyait la chose. Puis il défit son masque pour mieux s'essuyer mais fut alors atteint directement et de plein fouet par l'odeur pestilentielle dont le linge l'avait protégé à demi jusque là. Et il crut s'évanouir. Qu'il perde conscience et il pourrait mourir là sans façon.

La douleur à l'œil augmenta.

Des têtes dans le voisinage se tournèrent en sa direction, non parce que l'incident les avait alertés, mais parce que l'odeur, disparue depuis quelques heures, reparaissait au cœur du village. On ne put l'apercevoir en raison de sa petite taille et parce que la hauteur de la fosse creusée sous ses pieds dépassait maintenant la sienne.

Napoléon dut attendre et souffrir. Et souffrir encore. Et souffrir moralement car il craignait de perdre son bon œil. Mais la douleur commença à s'amoindrir. Il put ouvrir les paupières et la lumière du jour apparut puis les choses se précisèrent.

C'est dans un crâne que le pic avait frappé. Le crâne du pendu certainement. Quant au bois du cercueil, nul doute qu'il s'était entièrement effrité, laissant le cadavre à l'action du temps et des bestioles infiniment petites dont le travail consiste à digérer lentement les chairs humaines pour en faire des humeurs qu'il ne fait pas bon voir et sentir. Il fallait continuer le travail. Et qu'importe la senteur !

Les restes furent exhumés, jetés à la pelle sur le bord du trou. Entre chaque effort, Napoléon levait le nez au ciel pour tâcher d'attraper un peu d'oxygène puis il reprenait la cognée. Enfin, il jeta la pelle hors la fosse puis, s'aidant du pic, il en émergea et alla s'asseoir plus loin sur l'herbe à se baigner les poumons de l'air doux et pur d'un été naissant.

Quelques heures plus tard, Jean Genest disparaissait une autre fois de la surface de la terre et les morceaux de sa personne décomposée finiraient de se fondre dans la grande nature pas très loin des pistes du diable. Le curé avait-il songé à ces pistes au moment de choisir le lieu de la nouvelle inhumation du pendu ? Nul ne le saurait jamais. Peut-être même que, la question lui étant posée, l'abbé Feuiltault n'aurait pas su y répondre…

Un dernier oubli resterait aux oubliettes : le bras de Marcellin Lavoie enterré quelque part, personne ne savait plus où. Mais c'était du temps du curé Fraser et l'abbé Feuiltault ignorait jusque l'existence de cette insolite inhumation du membre d'un ex-membre d'une secte américaine…

∞∞∞

Une autre source d'inconfort pour la population, cet été de chaleur immobile, fut l'ouverture d'un commerce désiré par tous et pourtant peu désirable: un abattoir. Depuis le temps qu'on en parlait, de ce besoin à combler, et ce, malgré les grands services rendus par Ferdinand Labrecque comme boucher, un jeune couple marié récemment s'en chargea: celui de Joseph Boutin et de son épouse métissée Marie Bellegarde.

Mais on avait beau éloigner les abats des habitations, toutes ces entrailles pourrissantes empestaient l'atmosphère, surtout au bord du soir. Et que de mouches tous azimuts: comme si les effluves nauséabonds avaient alerté tout ce que l'Amérique pouvait compter de moustiques.

L'on ne tarda pas à protester. Le docteur Drouin en tête, lui pourtant client du jeune commerçant que plusieurs déjà surnommaient Boutin-la-Viande.

« Déménage ton cimetière plus loin, Joseph, » lui conseillait Honoré.

« Tu contamines l'eau dans la terre, » d'ajouter Prudent Mercier.

« Le sang des animaux croupit dans le ruisseau d'égout à côté, c'est pas drôle à voir et à sentir, » de protester Joseph Foley.

Une solution se présenta d'elle-même. Cipisse Dulac se lança dans l'élevage des renards et autres petites bêtes à fourrure; il demanda les abats aux Boutin trop contents de s'en débarrasser sans frais à mesure qu'on les produisait. Et c'est ainsi que le lundi, Dulac passait sur la rue avec une brouette chargée de ventres et organes chauds, encore presque vivants, suivi d'une trace de sang frais qui coulait sous le petit tombereau. Ce liquide séchait vite au soleil et ne causait pas trop d'inconvénients. Toutefois, Honoré fit cadeau à son « ami » Cipisse d'un morceau d'asphalte (coaltar) afin qu'il s'en serve pour goudronner le fond de sa brouette. Il n'avait pas fourni le mode d'emploi et le « satané coaltar » comme le disait Honoré à Émélie disparut derrière un mensonge de Cipisse qui disait s'en être servi et pourtant qui faisait toujours sa trace tous les maudits lundis.

∞∞∞

Au moins se passa-t-il quelque chose qui pour les gens de la place ne sentait pas mauvais cette année-là : une élection… Le très digne docteur Béland démissionna comme député à Québec et se présenta à Ottawa : un poste plus prestigieux qu'il obtint lors d'une partielle dans la Beauce. Honoré agit de nouveau comme organisateur paroissial et « gagna ses épaulettes »…

Le parfum de la victoire éclipsa toutes les puanteurs de l'été 1902…

∞∞∞

Mieux encore, un beau mercredi d'octobre, Saint-Honoré serait en liesse. Jamais les Grégoire n'auraient vu autant de monde réuni au cœur du village, occupant la rue dans sa pleine largeur et débordant sur l'emplacement bien tassé maintenant de l'ancien cimetière jusqu'à la résidence d'Émélie et Honoré. Une célébrité visitait la paroisse et le clocher dans la forêt céderait officiellement sa place à la flèche élancée projetée à 175 pieds vers le ciel, de la nouvelle église. Monseigneur Louis-Nazaire Bégin, évêque et futur cardinal de Québec était venu bénir le temple dont la première pierre des fondations avait été posée en 1901. L'ensemble avait pu servir dès la fin de cette année-là et toute la liturgie s'y passait maintenant, bien qu'il faudrait encore des années avant que l'église ne soit achevée jusque dans son point final.

Le gratin du comté assistait à la cérémonie. Curés, députés, maires étaient venus mélanger leur fierté à celle des paroissiens qui pouvaient se targuer de posséder la plus vaste église des environs après Saint-Georges.

Par l'entremise du curé Feuiltault, Honoré avait obtenu une faveur exceptionnelle, soit que l'évêque bénisse aussi par la même occasion le magasin Grégoire et la demeure attenante. Les deux hommes avaient convenu d'un signe si Mgr Bégin, arrivé le jour précédent, donnait son accord à cette seconde bénédiction, soit une lampe à la fenêtre du presbytère la veille au soir. Éva eut pour tâche de se tenir à la vitrine du magasin pour surveiller la dite fenêtre. Elle courut à ses parents crier victoire quand la lumière parut dans la soirée.

On ignorait toutefois quelle forme prendrait cette bénédiction. L'évêque viendrait-il devant le magasin ? Ou devant la résidence ? Le public en aurait-il connaissance ? À quoi s'attendre ?

Ce ne devait pas être à la hauteur de ce que les Grégoire espéraient. Monseigneur se rendit tout droit à l'église au sortir du presbytère, d'un pas qui n'admettait aucune hésitation, pas le moindre arrêt, même pour bénir un enfant ; il y entra puis, un quart d'heure après, revint à l'extérieur sur le perron afin de procéder à la première partie de la cérémonie, flanqué de l'abbé Feuiltault et d'un autre curé. Il s'adressa à la foule tout d'abord et salua son mérite d'avoir offert au Seigneur une demeure aussi vaste et coûteuse.

– Plus grand est le cœur, plus grande est l'ouverture de sa bourse, lança-t-il. Vous faites exemple dans tout le diocèse. Non seulement avez-vous rattrapé les autres paroisses moins jeunes et plus fortunées, mais voici que vous les dépassez toutes…

Et quand les fidèles se sentirent tous sauvés, même les plus farouches dissidents des années 90, l'évêque essuya son front qui n'avait pas besoin de l'être en raison de la fraîche température de la mi-saison d'automne, il se mit à hocher la tête de manière affirmative afin de poursuivre :

– Il reste du travail, beaucoup de travail à faire même si l'essentiel se trouve là devant nos yeux… devant vos yeux de pionniers bâtisseurs… Un nouveau presbytère attend vos efforts et votre soutien. J'ai dormi dans l'autre cette nuit et je vous assure qu'il y a mieux. Donnez-vous un an ou deux pour respirer et attaquez ce nouveau défi autant matériel que spirituel. Un nouveau presbytère pour accueillir et loger vos prêtres, votre évêque quand il vous visite, bref, les serviteurs de Dieu, ces hommes qui vous relient au Seigneur par les sacrements… Mais ça ne s'arrête pas là… il faut à cette magnifique paroisse une maison pour l'éducation des enfants… il faut un couvent, ce qui vous permettra d'obtenir la venue d'un groupe de religieuses, des femmes dévouées capables de seconder votre curé dans sa tâche de vous guider, vous tous et vos enfants, vers une vie éternelle bienheureuse. Mais aussi… mais aussi des femmes qui donneront à vos enfants les outils requis pour gagner honnêtement leur vie et prendre la relève de leurs dignes prédécesseurs…

Le cœur des vieux dissidents se mit en accéléré. On avait plié l'échine devant le projet de la construction d'une église bien trop tôt pour les moyens de chacun et voici qu'on leur parlait d'un presbytère quand il y en avait déjà un très valable et d'un couvent quand il y avait des écoles presque neuves érigées du temps où Honoré Grégoire était président de la commission scolaire.

– Va falloir qu'ils «slaquent» la poulie, eux autres, marmonna Georges Beaudoin derrière Onésime Pelchat.

Le maire se retourna pour dire par son regard que la roue du progrès continuerait de tourner avec ou sans lui. Beaudoin haussa une épaule et retraita vers quelqu'un de plus sympathique.

Et après son laïus, l'évêque procéda au rituel de la bénédiction. Il prit le goupillon que lui tendait le servant de messe, le petit Alphonse, fils de Louis Champagne, âgé de 8 ans, garçon que le curé Feuiltault avait choisi parmi une vingtaine d'autres pour servir monseigneur aux offices qu'il célébrerait durant sa visite.

Et l'église fut bénie. Puis l'évêque se tourna vers le complexe commercial et résidentiel Grégoire pour l'asperger symboliquement d'eau bénite en disant alors:

– Et que toutes les demeures nouvelles de cette paroisse soient à jamais protégées par la main du Seigneur. Que ces demeures… et ce magasin soient bénis!

Le servant de messe eut alors une pensée prémonitoire: il se voyait, lui, propriétaire d'un magasin général…

Debout devant l'ancien cimetière, à mi-chemin entre leur propriété et l'église, les époux Grégoire s'échangèrent un regard voulant dire: « c'est mieux que pas de bénédiction du tout ».

– On aurait dû faire un don à l'évêque hier, commenta Honoré ce soir-là.

– On donne déjà plus que nos moyens, tu le sais, répliqua Émélie. De toute façon, dans cent ans, ce magasin-là existera toujours, je le sais, je l'ai vu dans un rêve et j'y crois…

– Un rêve prémonitoire.

– C'est ça.

∞∞∞∞∞∞∞∞

Chapitre 30

Édouard Paradis, veuf de Célina Carbonneau, avait mis en vente sa maison du bas du village. À 71 ans, l'homme avait pris la décision de se « donner » à son fils aîné. Pour cela, il lui suffisait de liquider tous ses avoirs et d'en verser le fruit à son bénéficiaire puis d'habiter avec lui et sa famille jusqu'à sa mort, y obtenant gîte et couvert. La pratique était courante et apportait sécurité aux deux parties. Mais pas toujours…

Édouard Allaire acheta la maison d'Édouard Paradis et s'y installa. Son premier soin le premier dimanche fut de se rendre au nouveau cimetière saluer Marie et Marie-Rose. Il n'y était pas le seul en cet après-midi doux et ensoleillé. Des proches de disparus, une bonne dizaine de personnes, soit solitaires soit en couple, s'y trouvaient à se recueillir et à se familiariser avec le nouvel emplacement déterminé pour la sépulture de leur défunt à eux.

Il savait qu'Émélie et Honoré avaient acheté un lot tout près de la grande entrée et qu'il pourrait donc y situer sa fille Marie ; mais qu'était-il advenu de Marie-Rose ? Lui faudrait-il voir toutes les planches et pierres tombales, lire toutes les épitaphes ? Et puis bien des défunts n'avaient rien pour marquer le lieu de leur sépulture : Marie-Rose en serait-elle, de ces oubliés que la mort et le temps combinés avaient effacés non pas que de la surface de la terre mais aussi de la surface des mémoires ?

L'homme avait conservé sa bonne santé et tout son souffle sur ces 70 ans bien accomplis qui marquaient sans excès son visage et ses mains industrieuses. Il ne s'arrêta pas une seule fois de marcher depuis la sortie de l'église neuve jusqu'à la tombe commune de Marie Allaire et de la petite Bernadette Grégoire, marquée d'une croix noire en attendant l'achat d'un monument par la famille.

Là-bas, sans lever la tête et les yeux vers les autres visiteurs silencieux, il pensa longuement à tous ceux qu'il avait perdus, à commencer par sa mère en 1871, puis son fils aîné, puis sa femme Pétronille, puis la petite Georgina (et l'enfant Henriette) et enfin Marie, mais par-dessus tout peut-être son fils Jos parce que disparu de son vivant et toujours en vie au bout du monde.

Quelque chose vint troubler sa réflexion. Un sentiment indéfinissable. Il leva la tête pour apercevoir pas loin en biais une silhouette noire immobile qui lui faisait dos. Une étrange expression familière émanait d'elle vers lui. Comme un appel. Comme un sourire invisible et pourtant si beau à voir. Comme un signe venu d'un lieu où le temps n'existe pas. Comme les mots de séduction d'une terre féconde…

Un souvenir vint prendre tout l'espace disponible dans le cœur du vieillard. Il le revécut seconde par seconde… Cela se passait peu de temps avant la mort de Marie-Rose alors qu'il l'avait reconduite à Saint-Georges pour s'y faire soigner.

Pas loin, près d'un ruisseau limpide, le cheval bifurqua hors chemin.

– Rendu icitte, y a pas moyen, faut qu'il boive, monsieur le cheval. C'est vrai que l'eau est bonne pis fraîche. Tiens, en veux-tu un peu, Marie-Rose ?

L'homme trouva sous la banquette deux tasses souriantes en fer-blanc qu'il arbora devant son propre sourire. Et les entrechoqua :

– Rien qu'à entendre ça, ça me donne la soif, déclara-t-elle en agrandissant les yeux.

Il fit s'arrêter le cheval devant l'eau qui formait un remous près d'une grosse pierre et se rendit lui-même un peu en amont rincer les tasses dans l'eau courante avant de les remplir et de les ramener à la voiture.

– Tiens, ça va te faire du bien, Marie-Rose.

– À toi aussi, Édouard.

Ils burent par petites gorgées en se regardant droit dans les yeux et en se disant par ce long moment de silence, et de lèvres qui s'essuient parfois, que si la vie n'était pas facile, au moins l'heure de boire à deux cœurs qui vibrent valait-elle d'endurer bien des misères.

– Elle est bien bonne, finit-elle par dire alors que les brillances de l'eau coulaient dans ses yeux.

– Ça sort du fin fond des « cèderiéres », (cédrières) pis là, de creux dans la terre. Y a rien de plus pur…

– Oui…

– Ah ?

– Nos cœurs. Ton cœur. Mon cœur.

– Deux cœurs purs qui se partagent de l'eau pure, c'est une éternité de bonheur.

– Comme tu dis bien les choses, Édouard !

– C'est les belles choses qui se laissent ben dire par ma bouche.

Il remonta et prit place auprès d'elle. La bête secoua la tête, ce qui signifiait qu'elle avait fini d'étancher sa soif et qu'elle était prête à reprendre la route. Mais Édouard ne lui donna pas d'ordre. Et ne bougea pas aux côtés de la femme aimée qui sentait si bon, sous les rayons obliques d'un soleil si doux, dans cet air matinal si vivifiant. Ce moment de leur jour, ce moment de leur vie, ce moment de pur bonheur commandait qu'ils se donnent un autre baiser après le premier, celui si tendre de la nuit du hangar.

La femme du cimetière en ce jour de fin d'été 1902 comprit-elle ce que revivait cet homme à trente pas d'elle ? Sans doute puisqu'elle se retourna…

Leurs yeux se rencontrèrent. C'était elle. C'était Marie-Rose en noir, venue prier sur sa propre tombe… Non, cela ne se pouvait pas… Édouard se dit qu'il était en train de perdre la raison. Puis la personne sourit légèrement et marcha vers lui en parlant :

– Vous me reconnaissez, monsieur Allaire, je suis Marie-Césarie Larochelle.

Édouard se souvint que ce n'était pas la première fois qu'il confondait mère et fille. Elle poursuivit :

– Je cherche la tombe de ma mère, mais je la trouve pas. Mon père m'a dit qu'elle était à peu près là, à trente pas de la tombe de votre fille Marie.

Il répondit, la voix tremblante :

– Trente pas d'homme ou trente pas de femme ?

– Sais pas.

Elle s'arrêta à dix pas devant lui. Il reprit la parole :

– T'as pas ton mari avec toé ?

Elle tourna légèrement la tête et le regard :

– Il est… chez monsieur Foley… pour une sangle à la voiture. Saint-Éphrem, c'est pas à la porte.

– Je vas faire des pas d'homme pour voir si on arrive à la même place.

Tout en marchant vers elle qui se déplaça pour le laisser passer, Édouard revécut le plus beau souvenir qu'il gardait de la mère de Marie-Césarie. Cela se passait cinquante ans auparavant sur le chemin de Sainte-Marie vers Sainte-Hénédine…

Sachant que leurs routes se sépareraient bientôt, elle eut l'idée de s'arrêter pour vérifier quelque chose au harnais, n'importe quoi : attelles, traits… Les hommes le faisaient souvent pour rajuster les rallonges afin que le bacul reste droit et tire plus juste sans risque de heurt pour les canons et sabots des chevaux au trot.

– Huhau ! Huhau ! lança Édouard quand il fut à sa hauteur. Y a-t-il quelque chose qui va de travers, madame Larochelle ?

– Non… non… je pensais, mais…

– J'peux aller voir ?

Elle répondit sans conviction :

– Pas nécessaire…

Mais il en jugea autrement et descendit de voiture pour se précipiter vers elle et son attelage. Il lui fallait absolument laisser paraître que seul le souci de rendre service l'animait tout entier, aussi sonda-t-il chacune des pièces du harnais, allant jusqu'à faire le tour du cheval et là, s'y pencher et en profiter pour poser son regard sur les gracieux plis de sa robe et surtout les superbes souliers français bien vernis qu'il avait entrevus quand elle était montée dans la voiture au départ du magasin général, et dont il pouvait voir la seule partie sous la cheville elle-même camouflée par le rebord de la robe.

À chaque élément d'elle qu'il découvrait, son cœur faisait un bond de plus. Mais elle appartenait à un autre homme et il devait en faire son deuil en même temps qu'il en faisait son ciel.

Il la vit tourner les talons, s'éloigner, disparaître de sa vue. Puis il contourna de nouveau l'attelage par devant pour l'apercevoir qui flattait avec affection le chanfrein de son propre cheval gris. Sa main disait toute sa jeunesse ardente par sa forme et par les doigts qui pianotaient dans leur glissade et leur remontée. La bête gardait les yeux fixes, comme envoûtée. Et le regard de Marie-Rose luisait d'eau, arrosé par l'émoi et l'agrément.

Pour montrer son bonheur, l'animal renâcla faiblement, dans un bruit contraire au mécontentement qu'il aurait exprimé s'il s'était produit à pleine force.

– Il est doux… pis docile, on dirait, ton cheval.

Elle le tutoyait et ça donna au jeune homme un nouveau coup au cœur, en pleine poitrine. Et qui fit naître un palpitant vol de papillons :

– Comme son maître… je veux dire…

Le pauvre trop ému venait de s'enfarger. Il voulut se rattraper :

– Je veux dire que… ben moé, me faire flatter le nez de même…

Le pauvre Édouard s'enlisait. Elle eut un petit rire moqueur. Il se désespéra :

– Des fois, je rêve que je suis un cheval…

Ce qui était vrai, mais si mal placé dans les circonstances. Le jeune homme ne savait plus où donner de la parole. Elle rit davantage et retourna vers sa voiture en remerciant de deux mots simples qui contenaient aussi un adieu que le ton et le geste de la main rendaient évident :

– Ben merci, là !

Le fit-elle exprès ou non, peut-être qu'elle-même ne le savait pas, toujours est-il qu'en voulant remonter dans la voiture, quand elle posa le bout de son soulier sur la marche, son pied glissa, échappa. Et voici qu'elle s'érafla la jambe contre la marche de bois.

Elle compressa un juron dans une simple plainte :

– Aïe, mon Dieu, suis donc gauche à midi ! Hé que ça fait pas de bien…

Elle tourna en rond sur elle-même pour mieux absorber la première douleur. Puis souleva la jambe et appuya le pied à la marche afin d'examiner sa blessure. Elle ne songeait qu'à elle-même et plus du tout à la présence de ce jeune homme étranger. Se conduisant en fait comme s'il était Clément, son époux, elle releva sa robe jusqu'à mi-jambe et fit rouler son bas noir au genou vers la cheville, découvrant son mollet tout blanc et si bien galbé.

Il ne s'y trouvait guère de sang, mais la peau était pelée sur une longueur de trois bons pouces. Son visage grimaça, qui n'en fut point enlaidi. Édouard regarda tout autour et aperçut en bordure du chemin, sur un rocher de faible hauteur, de l'herbe à dinde, une plante médicinale dont il connaissait bien les vertus. Il s'y rendit vivement, s'étira et en saisit plusieurs plants qu'il arracha et ramena à la femme qui s'apprêtait à remonter son bas.

– Quen, applique ça dessus… ta blessure… C'est pour guérir ben plus vite.

– C'est quoi, ça ?

– De l'herbe à dinde.

Elle éclata de rire :

– Tu me prends donc pour une dinde ?

– Ben… ben c'est pas de ma faute si ça s'appelle de même… Prends pis frotte le bobo comme dirait ma mère.

– Je veux ben, dit-elle, l'air espiègle.

Elle prit le bouquet et fit ce qu'il disait tout en parlant :

– De l'herbe à dinde… c'est drôle comme nom.

– C'est bon pour la santé : ça cicatrise ben plus vite avec ça. Même que ma mère en fait bouillir pour soigner la grippe. Y en a partout sur le bord des chemins… mais ça doit être sec, la terre autour.

Elle frotta sa blessure à une dizaine de reprises, le corps penché en avant, la tête hochant comme le ferait une petite fille et parlant par phrases entrecoupées de pauses. Et en blaguant :

– Ça fait saigner un petit peu… Mais ça fait moins mal… De l'herbe à dinde… pour Marie-Rose la grande dinde… Ton nom de famille, c'est Allaire, mais ton nom, c'est…

– Édouard.

– Ben en partant, je te dis merci encore Édouard.

– Attends, je m'en vas t'aider à remonter…

Elle laissa retomber sa robe, laissa tomber à terre le bouquet blanc d'herbe à dinde et se mit en biais, ses mains accrochées à la banquette et au montant de l'appui-pieds. Il hésita une seconde avant de la toucher, se demandant quoi faire au juste. Trouva que le mieux était d'envelopper sa taille de ses mains et de l'aider à se hisser, de la même façon que Clément l'avait fait tout à l'heure au départ.

– Merci encore ! dit-elle quand elle fut enfin bien assise et prête à s'en aller.

Il marmonna :

– De rien !

Mais il aurait voulu crier : quand est-ce qu'on va se revoir ? Puis il songea que de toute façon, ce serait inutile. Et resta pantois au beau milieu du chemin à la regarder aller puis emprunter la fourche de chemin vers sa paroisse de Sainte-Hénédine.

Elle ne se retourna pas une seule fois, et pourtant les yeux de son cœur le firent à plusieurs reprises. Quelle bonne rencontre ! songeait-elle en s'éteignant doucement sur l'horizon.

Quand elle disparut, il se pencha pour ramasser le bouquet d'herbe à dinde. Et aperçut des traces de sang sur les fleurs blanches. Il le garda et le posa en respect et en délicatesse dans sa voiture à l'arrière: attitude plutôt étrange pour un jeune homme de cette virilité.

Durant toute sa traversée de la forêt hantée, ému, il se retournait à chaque arpent pour regarder son trésor. Et au milieu de la forêt, là où le chemin était le plus bourbeux et où les roues calaient dans la terre noire jusqu'aux essieux, un plan germa dans son esprit, qu'il réaliserait une fois rendu dans sa maison à Saint-Henri.

Parvenu à destination, il recula la voiture sous la rallonge de la grange, dételа le cheval et le libéra afin qu'il paisse à satiété dans la jachère. Ensuite, il rentra chez lui, dans cette maison qu'il habitait depuis peu, emportant son bouquet précieux qu'il posa sur la table. Et malgré la chaleur du jour, il alluma le poêle et fit bouillir de l'eau et en versa dans une tasse de fer-blanc. Puis il détacha du bouquet les quatre fleurs tachées de sang et les plongea dans le liquide fumant. Et laissa infuser le tout durant une demi-heure qui lui parut l'éternité. Puis retira les fleurs maintenant ramollies et toutes blanches et les remit sur la table avec les autres délaissées auparavant. Il entoura la tasse de ses deux mains, tira une chaise avec son pied gauche et prit place à la table. Promenant un long regard dans les dédales de sa mémoire, il revit cet ange de femme en train de caresser le remoulin de son cheval. Alors il but le contenu de sa tasse à petites gorgées successives comme une tisane d'or, comme un divin fluide. Désormais et pour toujours, Marie-Rose serait en lui, faute d'être à lui.

Le souvenir de cette scène garda l'homme dans une immobilité complète plus longtemps qu'il ne l'aurait voulu. Aux images s'étaient ajoutés le parfum subtil exhalé par la personne de Marie-Césarie et le son aimable mais comme en écho de sa voix forte et pure.

Édouard reprit conscience de la réalité. Il se tourna vers la fille de Marie-Rose. Plus personne ne se trouvait où elle aurait dû être, près du lot des Grégoire. Avait-elle attendu qu'il sorte de sa douce torpeur puis était-elle partie retrouver son mari qui aurait pu lui faire reproche d'un retard autrement ? Avait-elle essayé de le ramener sur terre et, trop absorbé par le passé, y était-il resté plongé ? Ou bien avait-il rêvé tout bonnement ? Ou peut-être avait-il vu le fantôme de Marie-Rose qui, pour ne pas l'effrayer, lui avait dit être Marie-Césarie ?

Qu'était-il arrivé ?

Qu'était-il donc arrivé ?

Et s'il entrait en contact avec les époux Dostie de Saint-Éphrem, quelques questions à Marie-Césarie lui révéleraient si c'était bien elle ou bien s'il s'était passé quelque chose de surnaturel dans le cimetière ce dimanche-là…

∞∞∞

Le 14 novembre suivant, Édouard devint grand-père pour la neuvième fois quand Émélie accoucha d'un garçon.

Éva qui avait été la marraine de Bernadette, voulut l'être de ce nouveau-né pour remplacer la petite disparue dans son cœur ; Émélie approuva. L'enfant nouvellement né n'aurait toutefois pas le même parrain que la petite fille décédée un an plus tôt vu l'absence d'Alfred qui poursuivait ses études à Sainte-Marie. Ce serait Ildéfonse qui signerait le registre avec sa sœur et le nom d'Honoré y apparaîtrait également comme père de ce nouvel enfant au prénom de Joseph Eugène Alphonse. Dans la vie quotidienne, on l'appellerait Eugène.

∞∞∞∞∞∞∞∞

Chapitre 31

– Un jardin, ça prend du soleil.

– Sont à la veille de débâtir la vieille église.

– Bah! même sans ça, j'pense que ça pousserait pas mal bien.

Émélie, Honoré et Napoléon Dulac échangeaient près du comptoir des dames. Les Grégoire ne faisaient pas la différence dans leur considération entre un personnage de dignité comme le docteur Drouin et un autre comme Cipisse, pur produit de la terre et de la forêt.

Dulac dit:

– J'ai du bon fumier de renard pis de mouton, si vous en voulez, j'vous en apporterai. Ça m'ferait ben plaisir.

Le personnage aimait bien passer pour l'ami d'Honoré et sa phrase d'entrée de jeu quand il s'adressait à quelqu'un était souvent: j'parlais de ça à Noré Grégoire...

– T'es ben bon, Cipisse, fit Honoré en lui posant la main sur l'épaule. On te le revaudra.

– J'fais pas ça pour être payé.

– On le sait: on connaît ta générosité.

C'est que Émélie voulait faire du jardinage sur leur terrain, un espace de terre plutôt noire et à coup sûr fertile situé entre la chapelle et la maison de Prudent Mercier, acquis par Honoré pour le futur. En ce printemps de 1903, soulagement, elle n'était pas enceinte. Pas encore... Et le goût de faire croître la vie autrement lui venait du fond des fibres. Le jardin la reposerait de la famille, du magasin, du quotidien et la conduirait par le cœur à Saint-Henri dans le si beau mais si cruel temps de son enfance. C'est de cette façon de même que par ses voyages à Québec que l'épouse d'Honoré retrouverait ses sources, ses racines profondes, une immersion nourricière dans le temps d'autrefois.

Napoléon Dulac et son épouse indienne Célestine s'amenèrent un soir avec le fumier de mouton (et quelques crottes de renard bien mélangées à l'engrais) une bêche et une provision de tabac à pipe. Car les deux s'adonnaient aux plaisirs du tabagisme et ce trait commun les avait rapprochés puis quasiment à lui seul fait se marier.

Émélie et Honoré les retrouvèrent. On ferma le magasin une heure plus tôt et l'inévitable se produisit : des clients s'y présentèrent.

– C'est-il urgent, madame Restitue ? cria Émélie à l'une.

– Pantoute, je r'viendrai demain.

– C'est-il urgent, Belzémire ? cria la marchande à une autre.

– Monsieur le curé saura attendre. La patience doit faire partie des qualités d'un bon prêtre.

– C'est-il urgent ? demanda Honoré à Ferdinand Labrecque venu sonder la porte du magasin à son tour.

L'ancien maire hocha la tête et s'amena au jardin d'Émélie. Il s'entretint avec les deux hommes tandis que les deux femmes s'occupaient à bêcher la terre en déplorant le peu d'aide que leurs compagnons leur apportaient.

– Vous devriez labourer la terre, ça serait pas mal moins d'ouvrage pour les bras, commenta le visiteur. T'as pas une charrue, Noré ?

– Honte à moi, j'ai pas pensé ! Ben oui ! J'en vends, des charrues. Arrêtez de vous faire mourir, les femmes, demain, on va labourer. Poléon, tu laisseras le fumier là : on va l'étendre demain au soir.

Il arriva un moment où Honoré se retira mentalement de l'échange à trois voix masculines pour regarder sa femme se redresser. Il la trouva différente. Comme si les 37 ans d'Émélie avaient pesé plus lourd sur ses épaules sous les rayons obliques d'un soleil en train de bâiller. Il ne prit pas en compte que c'étaient plutôt ses neuf grossesses qui l'avaient alourdie. Aucun homme n'aurait vraiment songé à cela, pas plus lui malgré un certain raffinement de la pensée et une intelligence du cœur plus développée que celle de ses contemporains.

Hanches fortes malgré un corset serré qu'elle n'oubliait plus d'endosser le matin, poitrine abondante qu'il savait plutôt ramollie pour la toucher la nuit lors des rapprochements conjugaux requis par la culture, les mœurs, la religion, le profit des hommes, visage s'élargissant et même regard profond empreint de nostalgie, d'une tristesse indéfinissable qui ne la quittait jamais, Émélie avait beau s'approcher de la quarantaine et son âge s'écrire dans sa personne, elle faisait quand même plus jeune que la plupart des femmes nées dans les mêmes années. L'une d'entre elles traversa la rue pour échanger aussi avec les gens du groupe et particulièrement Émélie : c'était Lucie Foley enceinte de sept bons mois et pour la douzième fois. (Le onzième, Emil, était né deux ans auparavant.)

Elle marchait misérablement dans la poussière du chemin, robe qui traînait au sol, mains sur les reins pour les soulager de la pression qu'y exerçait l'enfant porté.

– Lucie, fit Honoré de sa voix la plus accueillante. Ça fait assez longtemps qu'on se bourre avec les légumes de ton jardin, là, ça va être à ton tour.

– Mary est venue m'aider. Ça va pousser encore cette année dans mon jardin.

Émélie déclara :

– Toi, Lucie et Célestine ici présente, vous êtes certainement les meilleures jardinières au monde.

De nouveau Honoré se retira de la conversation et observa les personnes à la dérobée. Et pendant que Dulac et Labrecque discutaient à propos de la terre sous leurs pieds, il vit venir sur le chemin une fillette de 10 ans, légère, mignonne, pimpante mais qu'il trouvait bien excitée : sa fille Alice.

« C'est pas elle qui sera jamais capable de prendre la place à Éva, » songea Honoré avec un soupir dans la pensée.

Delphine, Émélie, Éva aussi avaient beau faire, Alice ne pensait qu'à s'amuser, qu'à rire, qu'à courir les champs, qu'à essayer des robes de femmes adultes, qu'à placoter avec d'autres de son âge, assises à l'ombre sur le trottoir de bois entre la résidence nouvelle et la maison rouge, qu'à organiser des piques-niques sur le cap à Foley, qu'à former et animer des chœurs de chant sans avenir mais au présent joyeux et insouciant, qu'à vivre son enfance dans une frivolité que ne comprenaient pas toujours ses parents.

Que venait-elle faire dans un groupe de ce qu'elle appelait des « vieux », soit des gens dépassant tous la trentaine et tout ridés d'expérience ? Sûrement pas apprendre à bêcher la terre en tout cas, pensait aussi son père.

En fait, Alice ne venait pas du tout voir le futur jardin et elle allait passer droit son chemin quand Honoré l'arrêta :

– Jeune fille, où c'est que tu vas de ce train-là à l'heure du soir qu'il est déjà ?

– Chez Marie-Zélou.

Émélie intervint :

– Marie-Zélou ? Mais elle a deux fois ton âge.

– Je le sais.

– Qui va être là avec vous autres ?

– Ben… Zoade itou…

Honoré plaisanta :

– Zoade, la fille à monsieur itou ?

– Non, protesta l'enfant, Zoade elle itou… elle avec…

– Qui d'autre ?

– Alice Foley.

– On l'a pas vue sortir de la maison.

Lucie intervint :

– Elle est partie plus de bonne heure.

– Vont faire quoi chez Marie-Zélou ?

– Vont répéter une petite pièce de théâtre.

Émélie parla :

– Ah oui ? Tu nous as pas dit ça, Alice.

– Y a pas de mal là-dedans.

– Sauf qu'on aime savoir où c'est que tu te trouves ? Tu pourrais te noyer quelque part…

– Maman, y a pas de lac par ici, pas de rivière non plus, rien que des ruisseaux qui coulent pas haut.

Émélie ne détestait pas les réponses d'Alice, toujours d'aplomb, toujours directes et qui semblaient toujours mûries à point. Mais le ton contenait du toupet. Et du toupet, Alice n'en manquait pas.

– C'est quoi, votre pièce de théâtre ? demanda Honoré.

– *L'Avare*.

– *L'Avare*, s'écria, menaçant, Cipisse Dulac qu'un collègue de chantier avait souvent traité de ce sobriquet l'hiver d'avant, c'est-il pour rire du monde, ça ?

– Rire de qui ?

– Ben… de moé disons.

– Vous êtes-vous un avare ? osa demander la fillette.

– Si monsieur Dulac était un avare, il garderait pour lui son fumier de mouton, commenta Émélie.

– *L'Avare*… de Molière, fit Honoré qui se sentait fier de connaître la pièce en question.

– Oui, c'est ça, fit Alice les yeux éclairés.

Dulac pas plus que Labrecque ne savaient de quoi on parlait. Mais Honoré revint à la charge avec sa fille :

– Ça serait pas que tu veux te montrer au petit Poléon Lambert toujours ? On a su qu'il avait un œil sur toi, Alice.

– Ah vous là !

Émélie s'insurgea devant cette parole qu'elle jugeait dérisoire compte tenu de l'infirmité du jeune Lambert, de son œil perdu :

– Monsieur Dulac, c'est pas ceux qui montent *L'Avare* qui rient des autres, c'est lui. C'est pas correct, Honoré, de rire du petit Lambert parce qu'il est borgne.

– Je ris pas de personne, Émélie, je fais des farces. Il a un œil sur Alice : c'est pas méprisant de le dire, voyons donc...

Émélie se radoucit :

– Et vous savez qui c'est qui va prendre la relève de son père pour dire des folies ? Le petit Pampalon. 6 ans et il essaye tout le temps de faire rire tout le monde. La maîtresse d'école s'en plaint.

Honoré sourit malicieusement :

– Je vous crois, avec un nom pareil...

– C'est pas à soir en tout cas qu'on va revenir là-dessus, fit Émélie qui reprit la bêche.

Suivit une conversation à bâtons rompus dans chacun des deux attroupements tandis que la jeune Alice, joyeuse et indépendante, allait son petit bonhomme de chemin dans une marche aux pas de danse.

Un attelage la remplaça au bord du chemin, devant le jardin. C'étaient Gédéon Jolicœur et son épouse Marie, de nouveau enceinte et pas loin d'accoucher. Elle commença de vouloir descendre sans que son époux ne bronche et c'est Honoré qui se porta à son aide.

– Le magasin serait-il fermé ? se contenta de demander le jeune homme qui avait fait trotter le cheval, ce que révélait l'écume sous les lanières de cuir du harnais.

– Mais vu que tu viens du fond du Grand-Shenley, on va ouvrir pour toi, fit Honoré. Va attacher ton cheval en dessous du « punch », j'arrive. Toi, Marie, aurais-tu affaire au magasin aussi ?

Elle jeta un œil vers Gédéon qui ne tourna pas la tête et dit en regardant Émélie qui s'était de nouveau arrêtée de travailler :

– J'aurais des petites affaires à acheter...

– Je vas y aller, dit Émélie, d'abord que demain soir, on va labourer pis qu'on a pas grand-chose à faire ici comme c'est là. Je dis ça comme ça, mais je serais allée pareil t'ouvrir, Marie, vu que t'as pas la chance de venir souvent au magasin.

Cette fois, Gédéon se tourna vers Émélie et lui jeta un regard voulant dire: *mêle-toi donc de tes affaires*! Puis il clappa afin que le cheval reparte en direction du porche...

∞∞∞

La vie et la mort s'interpellèrent dans les prochains mois de cette année 1903. Marie Jolicœur donna naissance à une fille que l'on prénomma Marie-Ange. Le 20 juillet, à Rome, le pape mourut. Léon XIII serait bientôt remplacé par Pie X. Puis le 14 août, Lucie Foley donna au monde et à l'Église catholique un futur prêtre: Eugene qui lui, écrirait son prénom à la française avec l'accent grave, donc Eugène. Quant à Édouard Paradis qui s'était «donné» à son fils l'année précédente et avait vendu sa maison à Édouard Allaire, il termina à son tour ses jours sur la terre du bon Dieu et s'en fut retrouver dans un monde meilleur la Célina Carbonneau, son épouse décédée.

Et ce qui devait arriver arriva: Émélie tomba enceinte. Pour la dixième fois. Quand elle le sut hors de tout doute début novembre, elle s'en plaignit amèrement à son mari un soir dans leur chambre:

– Après ça, faut que ça soit fini: suis au bout du rouleau.

– On prend ce que le bon Dieu nous donne.

Ils étaient tous les deux en jaquette blanche, assis sur le lit mais dos à dos. Le bébé Eugène dormait et les autres enfants aussi dans leur chambre. L'éclairage ne provenait que d'une lampe à l'huile posée sur la commode d'Émélie où trônait comme auparavant son coffret, héritage de Pétronille.

– Trop de grossesses, ça tue les femmes: c'est-il ça que le bon Dieu veut?

– C'est de la révolte, Émélie. Ça me fait frémir.

– C'est-il écrit dans l'Évangile qu'une femme doit avoir dix, quinze, vingt enfants ? Le père Chiniquy disait que c'est de l'abus du corps des femmes.

– Chiniquy est un damné, tout le monde le sait.

– Moi, je le sais pas, Honoré. Qui peut le juger ? Il a défendu la vie contre la mort.

– Mort excommunié, c'est l'enfer assuré.

– Faudrait oublier ce que les prêtres disent, ce que le pape pense, ce que la religion enseigne et même ce que le père Chiniquy disait, pour penser par nous autres mêmes, avec notre tête et notre cœur. Pourquoi il sortirait quelque chose de méchant de ça, Honoré ?

– C'est pas notre rôle de séparer ce qui est bien de ce qui est mal.

– Pourquoi ça le serait pas un peu aussi ?

– Y a les commandements de Dieu et ceux de l'Église et on doit les suivre. La vérité est là, Émélie.

– Elle est pas un peu dans notre cœur et dans notre corps aussi ? Trop de grossesses, ça détruit la santé, ça tue les femmes, ça tue les femmes...

Un peu plus et Émélie aurait versé des larmes. Elle rechignait tout en sachant l'inutilité de la chose. Puis elle plongea dans le vide :

– Peut-être que si tu... te retirais de moi quand... quand on fait notre devoir... avant de risquer une grossesse... quand c'est trop dangereux pour ça...

Honoré s'écria :

– Mais c'est un péché mortel, Émélie ! Tu veux donc l'enfer pour nous deux ?

– Dix enfants déjà, c'est pas assez pour nous mériter le ciel, ça ?

– C'est pas le nombre qui compte, c'est la décision du bon Dieu. On peut pas aller contre sa volonté.

– Ce que je veux dire, c'est que sa volonté pourrait passer des fois par la nôtre ? Dix enfants, on a fait sa volonté. Protéger un peu notre santé, on fait sa volonté. Plus on a d'enfants, moins on peut s'occuper de chacun. Et mieux on prend soin de chacun, plus on fait sa volonté. Qui a décidé que ça, c'est faire sa volonté et ça, c'est aller contre ?

– J'aurais jamais cru entendre un discours de même de ta part, Émélie Allaire. Jamais !

– Sais-tu, j'me sens pas la force pour avoir un autre bébé.

– Les prêtres le disent : c'est ceux-là qui demandent le plus de sacrifices aux parents qui sont les mieux. Ça pourrait être un prêtre, une religieuse.

– En tout cas, j'espère que jamais elle va se marier si c'est une fille.

– Tu regrettes, Émélie ? demanda-t-il à douce voix bien mesurée.

– C'est pas ça que je veux dire. Mets-toi un peu à ma place. On s'est mariés le 8 septembre 85, on est le 8 octobre 1903, ça fait combien d'années ?... ça fait dix-huit ans. Là-dessus, j'ai été enceinte durant sept ans.

Honoré haussa une épaule et son ton devint encore plus conciliant :

– Mais c'est dans la moyenne... Lucie Foley, à côté, en a eu douze, elle...

– Justement, regarde-la. On dirait une loque humaine. Les yeux cernés. Les rides. La pâleur au visage. Suis plus jeune qu'elle : qu'est-ce que ça va être à son âge ?

Honoré alla s'asseoir près de sa femme en soupirant :

– Ça va ben aller, tu vas voir.

Il lui toucha le ventre et fit tournoyer la paume de sa main en ajoutant :

– Comment tu vas le faire appeler, celui-là ?

– Si c'est un gars, je le sais pas. Si c'est une fille, ça sera Bernadette comme celle qui nous a quittés.

– C'est un bon choix. Cette Bernadette-là, elle va survivre pis se rendre jusqu'à la fin du siècle qui commence.

– On sera pas là pour le voir.

Il se fit une pause. Puis l'homme se fit plus entreprenant :

– Si t'es enceinte, tu peux pas l'être plus que tu l'es là…

Elle répliqua froidement :

– Si on pouvait mettre en banque chaque fois qu'on fait notre devoir pour pouvoir faire des économies plus tard.

Honoré eut un petit rire composé pour dire, le ton à la résignation :

– C'est le bon Dieu qui gère tout ça, Émélie, pas nous autres… J'sais bien que tu pensais pas à ce que tu disais en parlant d'interruption de notre… devoir avant la fin…

– C'est certain, mais…

∞∞∞∞∞∞∞∞∞∞

Chapitre 32

– C'est fait solide comme le pont de Québec.

– L'arche du sud est même pas à moitié de sa construction.

– Même si y en a pas beaucoup de bâti, c'est le pont de Québec pareil.

En fait, la comparaison établie par Joseph Foley venait de détourner le sujet de conversation. Honoré le ramena au sujet principal, un événement qui le passionnait: la construction de la première automobile de marque Ford, modèle A, et qui avait trouvé vite preneur en la personne d'un dentiste de Chicago. On prévoyait en fabriquer au moins mille autres en l'année 1904. Ça restait à voir.

Mais il pleuvait des objections lors de cette soirée de placotage au magasin en ce 16 décembre à propos de ce que d'aucuns appelaient déjà l'ère de l'automobile. Se trouvaient là des détracteurs et des défenseurs de ce nouveau et encore bien fragile moyen de transport. Philippe Lambert votait farouchement contre. Uldéric Blais soutenait tout comme Honoré Grégoire que l'avenir appartenait à l'automobile. Hilaire Paradis se montrait aussi très favorable tandis que Romuald Beaudoin se faisait remarquer une fois de plus par sa dissidence. Le curé viendrait se joindre au cercle un peu plus tard, avait annoncé Honoré. On savait d'avance sa position sur la question: un bâtisseur d'église ne saurait s'inscrire en faux contre cet énorme progrès accompli par l'humanité.

– C'est les chemins qui sont pas faits pour ça, batêche, dit Lambert.

– On les arrangera, opposa Uldéric.

– Ta... tabarnac... c'est ça! fit Hilaire Paradis.

Victime d'un accident quelque temps auparavant, un madrier l'ayant frappé à la tête, ce qui lui avait laissé le cou tordu, comme cassé sans l'être tout à fait, Hilaire avait non seulement des problèmes d'élocution depuis lors mais pour mieux faire valoir ses points de vue, il avait ajouté à son vocabulaire le juron et jusqu'au blasphème à l'occasion quand il ne se trouvait autour que des hommes mais quand même au plus grand scandale de certains. Et comme il avait la plaisanterie facile et rapide, voici qu'il provoquait le rire chaque fois qu'il ouvrait la bouche, même s'il utilisait le nom de Dieu en vain.

– Faire des chemins? Pis l'hiver? dit Beaudoin qui était assis sur la table centrale du côté du comptoir des femmes.

– L'hiver, on sortira les chevaux, dit Honoré qui s'était adossé au comptoir entre Lambert et Foley.

Des jeunes gens assistaient aussi à l'échange sans y prendre part et parmi eux Freddé Grégoire, le petit Napoléon Lambert et Cyrille Martin dit *Bourré-ben-Dur*. Pas un seul élément féminin dans cette assistance variable à laquelle s'ajoutaient parfois d'aucuns et se retranchaient d'autres au fil de la soirée et des sujets de conversation.

On faisait une sorte de rappel des événements de l'année 1903 qui s'achevait sans savoir que le plus important de tous se produirait le lendemain même aux États-Unis, en Caroline du Nord, et qui les ramènerait bientôt tous au magasin pour en parler et en rêver...

– Ça va coûter une fortune, ces chars-là, ça va coûter leurs deux bras aux contribuables pour faire des chemins passables: non, non, vont être mieux de garder ça dans les villes. Pis dans les villes, pas besoin de ça, ils ont les petits chars électriques pour aller où c'est qu'ils veulent quand ils veulent.

– C'est pas fou, c'est que tu dis, Beaudoin, fit Honoré. Mais…

– Quand on veut, on peut, lança Uldéric. Des chemins, on va en paver pis des machines, on va en acheter.

– Si toé, t'as les moyens, Déric Blais, nous autres, on est rien que du monde pauvre, objecta Lambert.

– On sait ben, ta… barnac… Blais, tu t'es m… mis riche au Klondike: pis… pis… pis t'es revenu de là comme le p'tit Martin.

– C'est que tu veux dire avec ça, Hilaire Paradis?

– Bourré ben dur…

Ce fut un éclat de rire général et même celui qui portait le sobriquet avait l'air de s'en accommoder tandis qu'au fond de lui-même, il aurait préféré qu'on le surnomme autrement. Freddé, ça allait, lui semblait-il ou encore Tine comme on appelait toujours Elzéar Racine ou même Ti-Bedon comme on désignait souvent Alfred Dubé. Et Cyrille rit jaune pour cacher qu'au fond de lui-même, il grimaçait.

– T'en sais, des affaires, toé, Hilaire Paradis, commenta Uldéric sans ajouter à ce qui s'était dit à propos de son pactole imaginaire, en réalité un pécule.

Survinrent alors Napoléon Martin, son épouse Odile et leur petite Èveline maintenant âgée de 4 ans que sa mère tenait par la main. Honoré les accueillit:

– Si c'est pas notre chère Odile avec Napoléon!

– On venait au village, chez monsieur Blanchet; aussi ben faire notre tour au magasin.

Odile jeta un regard panoramique sur la place. Honoré comprit qu'elle cherchait quelqu'un de son sexe:

– T'es déjà venue, tu prends la porte à l'autre bout du comptoir là-bas pis tu peux retrouver Émélie dans la cuisine. Elle est pas couchée. Tu peux y aller si tu veux: elle va être pas mal contente de te voir.

Et tandis que placotaient les hommes en exagérant les avantages et inconvénients futurs de l'automobile, un sujet qu'ils avaient par ailleurs couvert à maintes reprises depuis le temps que se produisaient ces rencontres aux forges Racine et Foley ainsi que dans le vieux magasin naguère, Odile se rendit visiter Émélie qui l'accueillit de manière toute spéciale.

– On va toujours s'ennuyer de toi dans la maison Grégoire, viens au salon, on pourra mieux parler. Les enfants sont en haut ou dehors. Viens, Odile. Et si c'est pas la belle petite Èveline que je vois là !

L'enfant montra de l'étonnement devant cette personne adulte qui savait son nom. Elle questionna sa mère du regard et une réponse lui fut donnée, quoique adressée à Émélie :

– Elle s'imagine pas que quelqu'un qu'elle connaît pas la connaisse.

– C'est un signe d'intelligence.

– Ah, pour ça, elle est intelligente. Curieuse. Même un peu fouine.

Elles allèrent prendre place dans le salon. Émélie désigna à la visiteuse un sofa de velours bleu sans usure puisqu'il avait été acheté en 1901 et parce que les enfants avaient défense de se trouver au salon, une pièce réservée aux grandes personnes chez les Grégoire. D'ailleurs, deux portes vitrées séparaient la grande cuisine du salon et le plus souvent, elles étaient verrouillées. Ainsi, disaient les époux Grégoire, les enfants apprendraient que tout ne leur appartenait pas et qu'ils devaient respecter le territoire privé des autres.

– Sais-tu, Odile, fit Émélie de son fauteuil assorti au divan, quand les deux autres furent assises, la petite à côté de sa mère, ici on accueille les messieurs et leurs dames, jamais les clients comme dans mon salon du haut du magasin. Monseigneur Bégin s'est assis là même où t'es…

Odile blagua :

– Je vas avoir le derrière béni.

Les deux femmes éclatèrent de rire. Èveline rit aussi sans savoir pourquoi. Émélie ajouta:

– Aussi madame Béland, la femme de notre député fédéral. Une femme de classe. Instruite. Une Belge d'origine. Raffinée comme pas une. Polie. Belle.

– Nous autres, on est juste des cultivateurs de la paroisse, se désola Odile.

– J'ai pas dit ça pour ça. Ce qui compte, c'est les qualités du cœur et ça, t'en manques pas, Odile Blanchet. Non, j'aimerais recevoir tout le monde ici, mais les meubles s'useraient vite… c'est surtout une question de propreté. Tu le sais, plusieurs femmes sont pas tirées à quatre épingles comme toi quand elles viennent au magasin. Ça fait qu'on prend le thé des fois au salon du magasin. Et Honoré peut en faire un comité d'élection tant qu'il veut, ça me dérange pas comme dans le temps.

– Suis venue pour… me vider un peu le cœur d'un poids.

Émélie songea aussitôt à ce sentiment qui avait uni la jeune femme à Marcellin autrefois, mais elle errait et Odile ne venait pas se libérer de quelque chose ayant trait à cet amour.

– Serais-tu peinée à cause d'Obéline? Je veux dire que j'ai tout fait pour qu'elle et Marcellin se…

– Non, non, madame Grégoire, c'est pas ça. Non, c'est au sujet de votre petite Bernadette qui est morte. J'ai jamais eu le courage de venir vous en parler, mais à soir…

– En quoi ça peut donc te mettre un poids sur le cœur?

– Amabylis Bizier l'avait prédit devant moi et j'ai pas eu le courage de vous le dire.

– Pauvre toi, c'est pas parce qu'Amabylis l'a prédit que ça s'est produit. C'est pas non plus parce que je l'ai pas su sur le coup qu'elle avait eu une vision, que ça se serait pas produit. En plus qu'elle aurait pu le prédire et que la chose serait pas arrivée…

Émélie toucha son ventre et ses yeux parlèrent autant que les mots qui suivirent:

– Je m'en vas t'en faire une, moi, une prédiction : y a une autre Bernadette là et elle… aura jamais d'enfants. Je lui dis à tous les soirs… de s'occuper des enfants des autres et comme ça, elle aura pas besoin d'en porter une douzaine dans son ventre comme nous autres.

– Suis loin de là pis j'ai pas le sentiment que je vas en avoir autant.

– C'est tout ce que tu peux dire. T'es encore jeune, Odile.

– En tout cas, mes visions sont aussi bonnes que celles des Indiennes comme Amabylis. Je la respecte, Amabylis, mais de là à croire tout ce qu'elle prévoit dans ses délires… C'est monsieur le curé qui aime pas ça du tout… Il dit que c'est de la divination…

– Des fois, j'me dis que c'est pas parce qu'on est au vingtième siècle qu'on sait tout.

– J'me rappelle que t'étais enceinte d'elle… Èveline, le soir où Amabylis a eu ses visions… Ça parlait de Cordélia Viau dans la maison rouge qui était paquetée pour l'occasion. Elle t'a prédit quoi pour Èveline ?

– Ben… rien…

– Odile, j'te connais, dis-moi la vérité vraie.

– Ben pas le pire comme pour votre petite Bernadette.

– Ce qui veut dire quoi ? C'est bien en quoi, tu peux me le dire, d'abord que c'était pas le pire.

– Ben… que la petite serait aux prises avec un… démon toute sa vie.

– Un démon ? s'écria presque Émélie.

– Oui.

– Mais quel démon ?

– De… la concupiscence comme disent les prêtres.

Émélie se mit à rire, ce qui lui était arrivé à deux reprises depuis la venue d'Odile : chose rare en si peu de temps.

– Elle peut pas savoir ça…

– Mais vous dites que la future Bernadette aura jamais d'enfants : c'est pas de la divination, ça ?

– Je le sais pas, je la prépare à ça en lui parlant : c'est pas pareil.

– Mais elle peut pas vous comprendre.

– Pourquoi pas ?

– Sais pas.

– C'est pas une vision que j'ai au sujet du bébé dans mon ventre, c'est une éducation que je fais... un cours de préparation à la vie. Tu sais, des fois, je vas jusqu'à me demander si c'est pas mes pensées qui ont provoqué le départ de la petite Bernadette. J'étais contrariée quand je suis tombée enceinte d'elle : on avait tant de choses à faire et à devoir faire avec la construction du magasin et de la résidence. C'est pareil pour Armandine. J'essaie de me rattraper, mais on dirait que sa santé est précaire.

– C'est peut-être juste que vous leur avez donné moins de santé qu'aux autres avant.

Et l'échange se poursuivit. Comme souvent en de pareilles circonstances, l'on se répéta. Émélie servit du thé et des biscuits. Èveline n'avait jamais goûté rien d'aussi délicieux que ces galettes au beurre faites et cuites par Émélie la veille. Elle avait les yeux immenses en mangeant et semblait goûter chaque morceau, chaque parcelle... À telle enseigne qu'il passa dans la tête d'Émélie cette incongruité entendue de la bouche même d'Odile : la petite étaitelle vraiment habitée par le démon de la concupiscence ?

– Nahahahahah...

– Quoi ?

– Ah, rien... une réflexion sans conséquence...

Au moment de partir, Odile osa s'informer d'Obéline et de Marcellin. Elle fut rassurée de savoir leur bonheur... Et sut que là où ils habitaient, ils voyaient chaque jour les progrès que l'on faisait sur l'arche sud du pont de Québec.

Émélie les précéda au magasin.

Le curé avait rejoint le groupe de parleurs. On était loin des automobiles. Uldéric Blais avait quitté. Hilaire aussi. Et maintenant, le docteur Drouin alarmait tout le monde sans le vouloir avec la possibilité d'une pandémie mondiale de grippe, disant qu'il s'en produisait une au moins par siècle et que la plus récente datait déjà de plusieurs années.

– Une chance qu'on a un bon docteur! déclara Prudent Mercier junior.

Un voile passa sur le regard du médecin. Il n'avait pas l'intention de passer sa vie dans cette paroisse. Mais il se promettait d'attendre qu'un autre le remplace pour s'en aller pratiquer ailleurs, sans doute à Saint-Georges quand ce village plus central serait desservi par le train.

C'est alors qu'entra un personnage sorti d'une histoire de Dickens : barbe hirsute, enterré de vêtements, l'air d'un bison qui marche lentement, enneigé, yeux injectés de sang. Personne ne le connaissait. Personne ne l'avait jamais vu. Il semblait venir de l'enfer. Ou de plus loin encore. Odile eut le frisson de la crainte.

Il s'approcha des hommes, détailla le curé des pieds à la tête puis son regard se posa sur la petite Èveline qui lui sourit tout en gardant serrée la main de sa mère. L'homme parla, comme le lui imposait le lourd silence de tous :

– Y fait-t-il frette à souère, maudit verrat. Jh'arrive du neuf à grosse noèreceur... ah, y a un quartchié d'lune, mais jh'arais ben dû emm'ner un fanal.

Double surprise pour les auditeurs : l'homme avait la voix enrouée d'un vieillard et pourtant, il ne devait pas faire plus de 20 ans. À d'aucuns, il rappela le vétéran de la guerre de Sécession, ce Jean Genest dans les années de sa déchéance finale.

– Qui que t'es? demanda Honoré, la voix sur le bout des mots. On te connaît pas, nous autres.

– Moé? Chu l'gars à Edmond Page... Jhoseph...

– Joseph Lepage, constata doucement Honoré.

– Djos Page, fit l'arrivant. À Beauceville, ils m'appellent de même.

Et il s'esclaffa jusqu'à s'étouffer.

Èveline eut un petit rire et regarda sa mère qui ne l'encouragea pas.

Émélie qui avait eu pour première impression de voir devant elle un démon se rendit vite compte que le personnage n'avait rien de menaçant et qu'au contraire, il semblait posséder un naturel bon enfant. Est-ce pour cela que l'enfant n'avait pas tardé à le trouver bienveillant et sans danger pour elle ?

Le curé intervint :

– Comment cela, vous n'êtes pas venu vivre avec votre père quand il est venu s'établir dans la paroisse ?

– Non, chu pas v'nu. Mais là, chu v'nu…

Et il éclata de rire de nouveau avant d'ajouter :

– Pis pour rester par icitte. Pis à souère, chu v'nu cri d'l'huile à lampe.

Il arbora une cruche à vinaigre qu'il avait attachée à sa taille et que personne n'avait encore remarquée.

– On en a, de l'huile à lampe, s'exclama Honoré. On peut même dire qu'on éclaire toute la paroisse.

Ce semblant d'humour dérida l'assistance. Le docteur y alla de son commentaire :

– Quand on connaît pas quelqu'un, nous autres, on pense toujours que c'est un quêteux de grands chemins.

– Pas moé.

Le docteur, le curé et Honoré s'échangèrent un regard entendu par lequel passa l'idée que le métier conviendrait bien à ce jeune homme si pauvrement vêtu et qui possédait la parfaite gueule de l'emploi.

Sa présence cessa de soulever l'intérêt à part celui du marchand qui devait se rendre à la cave remplir la cruche. Jos le suivit et lui posa des tas de questions auxquelles Honoré répondit posément et honnêtement. Il l'aima bien finalement, ce jeune homme pas comme les autres, mais au nom plutôt facile à retenir par sa brièveté et tout ce qu'il contenait de rassurant : Jos Page…

∞∞∞

Deux soirs plus tard, un nouvel attroupement eut lieu au magasin et l'on s'étonna à qui mieux mieux de la grande nouvelle du jour relatant un événement de la veille : le vol d'un « plus lourd que l'air ». En effet, à Kittyhawk, en Caroline du Nord, les frères Wright, Orville et Wilbur, avaient réussi après quelques vaines tentatives peu connues à faire voler un appareil plus lourd que l'air que d'aucuns appelaient avion.

Le commentaire qui se dégagea de tous les autres fut d'Honoré ; et plusieurs de ses enfants, Éva, Ildéfonse, Alice, Pampalon, admis au magasin pour la circonstance, purent l'entendre :

– Le monde ne sera plus jamais le même, messieurs, jamais plus...

La déclaration était si solennelle, faite avec de si grands yeux et une voix si prophétique et grave que se produisit alors un grand silence qui se répandit partout où la lumière des lanternes se rendait, à la grandeur du magasin. Il faudrait une approbation du curé pour rompre cet instant de vérité comme on en connaissait peu à Saint-Honoré-de-Shenley.

Plusieurs firent de la lévitation en rêve cette nuit-là...

∞∞∞

La paroisse était devenue l'une des plus importantes du Québec au point de vue agricole. La prospérité des Grégoire augmenta considérablement en cette année 1903 comme put en témoigner le bilan établi par Émélie en fin d'année soit quelques jours avant Noël.

La femme tenait la comptabilité dans le salon même du magasin qui lui servait de bureau. Elle s'y trouvait, seule, à écrire des chiffres, quand son fils aîné vint lui faire connaître son retour du collège de Sainte-Marie pour les vacances du temps des fêtes.

Assise au fond du salon, lunettes sur le bout du nez, la femme leva la tête quand elle perçut la présence de quelqu'un qui venait d'entrer subrepticement par la porte laissée ouverte.

– C'est moi: suis revenu.

– Je vois bien ça.

Il s'approcha gauchement dans le clair-obscur du lieu, tâchant de redresser sa couette de cheveux qui retombait inexorablement en travers de son front:

– Ben… suis venu vous le dire.

– C'est ben correct de même… mais ta mère est en plein bilan annuel, je vas te revoir plus tard. Ta chambre t'attend…

– O.K.

– Dis donc pas ça: ça fait trop américain… À propos, Alfred, sauve-toi pas tout de suite, j'ai une nouvelle à t'annoncer. Approche un peu…

Il obéit. Elle poursuivit:

– Tu vas finir ton cours commercial cette année, on le sait, et ensuite, tu vas aller apprendre l'anglais comme il faut aux États… un an ou deux… Tu vas rester chez ton oncle Jos. Il est prêt à te recevoir. Comme ça, quand tu vas être marchand à ton tour, tu vas être bilingue. Avec les compagnies de Québec et de Montréal, c'est nécessaire. Ton père se débrouille assez bien en anglais, mais pas moi. Mais toi, tu vas avoir cet outil-là pour faire ta vie.

– Ben… c'est O.K… je veux dire, correct…

– Je sais que y a une ou deux jeunes filles qui t'intéressent par ici, mais si elles s'intéressent à toi, elles t'attendront. Sinon, c'est que c'est pas des personnes pour toi. Quand tu vas revenir, tu les retrouveras, sinon tu trouveras mieux.

– Oui, maman.

– Là-dessus, tu peux partir…

Pour Alfred, la nouvelle était assommante. Parti aux États, peut-être pour deux ans, Arthémise Boulanger ne serait plus disponible. Maria Racine non plus. Mais si sa mère l'annonçait, c'est que la décision avait été prise autant par son père que par elle et en ce cas, inutile de seulement penser à protester.

C'était le soir. Alfred rentra dans la pénombre de l'escalier qu'il descendit lentement jusqu'à se trouver dans l'éclairage du magasin encore ouvert mais désert. Il savait son père à l'arrière, au bureau de poste, à y lire le quotidien de ce jour-là. Au pied de l'escalier, il s'arrêta dans l'espoir que l'homme l'appelle, lui parle, le rassure. Cela ne se produisit pas et autre chose arriva : il entra quelqu'un dans le magasin. Un personnage inconnu à la jambe de bois et à la barbe longue et fournie. Voilà le vrai quêteux de grands chemins dont avait parlé le docteur Drouin et qui manquait au bonheur de la paroisse. Car aucun mendiant ne s'était manifesté depuis la construction de l'église, comme si les quêteux avaient deviné que les poches des paroissiens étaient pour le moment vides et avides. Le visiteur appuya sa canne à côté de la porte et s'amena dans l'allée entre le comptoir des dames et la longue table du centre.

– Salut ben, mon gars ! fit-il en apercevant Alfred qui ne bougeait pas et l'interrogeait du regard. C'est pas toé le boss icitte ?

– Non, mon père est là, au bureau de poste.

– Le bureau de poste, c'est le bureau du boss, blagua le visiteur sans obtenir de réaction de la part du jeune homme.

Il poursuivit. Alfred écouta.

– Salut ben, monsieur…

– Grégoire, Honoré Grégoire.

– J'passe par les portes pour demander la charité pour l'amour du bon Dieu.

– Un quêteux ! s'exclama Honoré. Ça manquait à la paroisse.

– Il en passe pas, je l'ai su. Ben me v'là…

– T'es qui, toé ?

– Rostand… j'viens de Mégantic. À moitié blanc, à moitié sauvage comme on dit.

– Disons indien, c'est mieux.

– J'en veux pas au monde de pas savoir le sens des mots.

– Tu parles comme un homme instruit.

– Six ans d'école : deux fois ma troisième année.

Honoré s'esclaffa. Puis s'exclama :

– Ben attends un peu, je te donne cinquante cents. Pis manque pas d'arrêter quand tu vas passer.

Émélie entendit au loin cette voix qui éclatait comme un coup de fouet à la fin des phrases et il lui paraissait que ce son et ce ton sans lui être familiers ne lui étaient pas inconnus. Elle s'amena, descendit l'escalier. Alfred s'éloigna. Il lui semblait que cet étranger suscitait chez sa mère plus d'intérêt que lui-même et le déplorait. Mais pas outre mesure et il alla s'embusquer derrière la cage d'escalier où les voix lui parviendraient par la seconde entrée du bureau de poste.

– Si c'est pas l'homme du train ! s'écria-t-elle en arrivant dans l'espace réservé aux sacs de courrier. Je vous ai vu ça doit faire deux ou trois ans. Je m'en allais à Québec sur les gros chars avec mon amie Obéline Racine.

– Émélie... Grégoire, dit l'homme avec une fort brève hésitation.

– Vous avez une mémoire d'éléphant.

– Pas autant que vous.

– C'est un homme d'enseignement, Honoré. Il a fait la guerre des Bœrs. D'où son infirmité si je me trompe pas.

– Non, vous vous trompez pas.

– La pauvreté et l'infirmité excluent pas la sagesse, déclara Honoré.

– Vous êtes un homme sympathique, monsieur Grégoire.

– C'est pas de ma faute, c'est mes parents qui m'ont légué ça en héritage.

Puis la femme fit un rappel des événements qui les avaient fait se côtoyer dans le train vers Québec. Une rencontre dont Émélie avait parlé avec Honoré à son retour, mais sans insister sur l'étrangeté du personnage. Elle se souvenait qu'il émaillait ses phrases de jurons à caractère liturgique, mais voici que pas une fois encore, elle ne l'avait entendu glisser un «ostie» un «calvaire» ou un «sacrement» dans ses phrases. Rostand avait retranché ces mots de son vocabulaire pour des raisons économiques: obtenir plus quand il tendait la main. Et ne pas risquer de se faire vilipender…

– Monsieur Rostand sait parler de l'amour, de la vie, de la mort, de tout.

– Mais je sais écouter itou, madame. D'aucuns parlent tout le temps pis laissent parler les autres rien que pour recommencer à parler, moé, c'est pas ça. Je parle; l'autre écoute. L'autre parle; j'écoute.

– C'est généreux, ça, quelqu'un qui sait écouter les autres.

– Comme votre garçon.

Les époux ne savaient pas trop ce qu'il voulait dire par là et se regardèrent. Il sut qu'il avait visé dans le mille, ajouta:

– Suis certain qu'il nous écoute, votre garçon.

– Qui, Alfred? Il s'en allait dans sa chambre.

Honoré se leva rapidement de sa chaise, étira le cou et aperçut son fils dans la pénombre du couloir:

– Tu peux venir, Freddé, on va pas te manger.

Le jeune homme s'amena, parut dans la lumière blafarde du bureau de poste. Rostand voulut le mettre à l'aise:

– T'es assez grand pour parler avec des grands, mon gars. En plus que t'as l'air ben intelligent.

Regonflé par ce propos, Alfred s'adossa au mur, mains derrière le dos et ne bougea plus tandis que l'échange à trois se poursuivait. En fin de compte, le quêteux demanda:

– Savez-vous si quelqu'un pourrait m'héberger pour la nuitte par icitte?

– Ben… nous autres, fit Honoré qui hésitait en consultant sa femme par le ton.

Émélie pensa aux parasites dont l'homme était sûrement porteur et se dit qu'il ne fallait pas le laisser dormir dans la résidence. Par contre, l'homme pourrait peut-être se contenter de passer la nuit dans le magasin, près de la grille de la fournaise. On pourrait lui fournir une pile de poches de jute qui serait remise au hangar une fois le bonhomme parti. Le gel tuerait alors tous les poux, puces et tiques ayant possiblement trouvé refuge dans ce matelas de fortune.

Elle s'excusa d'abord et fit sa suggestion que son mari s'empressa d'approuver :

– On peut pas vous prendre dans la maison, mais vous pourriez dormir là, proche de la grille. C'est chaud jusqu'aux petites heures. Quand ça va refroidir, vous pourrez vous recouvrir avec des poches de jute. Veux-tu aller chercher une bonne trentaine de poches, Alfred ? Tu sais où elles sont.

– O.K.

On savait que rien dans le magasin ne disparaîtrait, un quêteux ne volant jamais personne ou bien il serait décrié de tous et chassé de partout. Mais il arrivait à ces personnages malpropres qui couchaient souvent dans les granges, les écuries, les étables, les hangars ou simplement dehors, de charrier avec eux une kyrielle de petits amis dont pas grand monde ne voulait. La manière d'Émélie de lui procurer un gîte pour la nuit réduisait considérablement les risques d'infestation. En fait, il venait souvent au magasin des enfants pouilleux, mais sans contact physique, il n'arrivait jamais une propagation de leurs parasites.

Bientôt, Rostand fut prêt à se coucher, et les Grégoire à s'en retourner de l'autre côté, dans la résidence. Émélie se rendit verrouiller la porte. Elle dit au visiteur :

– Je vas vous envoyer à manger par Alfred un peu plus tard.

– Pas nécessaire.

– Avez-vous mangé plein votre ventre aujourd'hui ?

– J'mange jamais plein mon ventre. Mais… j'offre ça au bon Dieu qui nous entend.

– C'est le mieux à faire.

– Vous vous fiez à moé. J'pourrais partir avec mon sac plein d'effets…

– On sait que vous le ferez pas.

– C'est beau de votre part de faire confiance à un pur étranger comme moé.

– Vous êtes pas tant étranger que ça. Je me souviens de vous comme je vous l'ai dit tout à l'heure. Là-dessus, je vous souhaite une très bonne nuit.

– Vous êtes une femme de grande classe, chère madame Grégoire.

– Je vous en remercie.

On lui laissa deux lanternes allumées et une lampe sur le comptoir des dames. Honoré s'approcha pour lui dire un dernier mot à mi-voix et le tutoya :

– Si t'as des envies durant la nuit, va dans la cave et jette ça dans la fournaise. Tu vas voir de la gazette pour tu sais quoi.

– J'ai jamais d'envies la nuitte.

– C'est comme moi. Bonne nuit.

– Bonne nuitte !

Une heure plus tard, Alfred s'amena au magasin avec un plateau contenant de la nourriture et de l'eau fraîche. Il ne se préoccupa aucunement du bruit que faisait toujours la porte en s'ouvrant, celui de l'étirement d'un ressort et de sa compression, bruit qu'on pouvait neutraliser par des mouvements très lents, et relâcha la porte sans la retenir du pied. Et pourtant, Rostand ronflait déjà quand il posa le cabaret sur la table au-dessus de lui. Car le quêteux s'était glissé dans l'étage du bas et seules ses jambes étaient visibles.

– Voulez-vous manger, monsieur Ross… ?

Silence et ronflements furent la réponse.

Alfred ne se rappelait pas la deuxième syllabe du nom du personnage. En fait, il avait mal entendu quand le gueux s'était identifié et il ne se souvenait donc que de la première syllabe soit Ross avec un double S.

Il répéta :

– Vous mangez, monsieur Ross ?

Le quêteux renâcla comme un cheval puis il parla :

– J'ai le choix de manger ou de pas manger, sais-tu ça, mon gars ? C'est quoi ton nom ?

– Grégoire.

– Ça, je le sais, mais ton premier nom.

– Freddé.

– Ben mon Freddé, je choisis de manger.

Il roula dans l'allée puis se releva et se tint debout devant le plateau.

– C'est quoi que y a là-dedans ?

– Des patates rôties. Du pain rôti. Des œufs au miroir. Pis des confitures aux fraises.

– Un festin de roi. Je mangerais ça tous les jours de ma vie à la même heure. Manque rien que du thé brûlant.

Puis l'homme éructa avant de dire :

– Faut faire de la place dans l'estomac : vider l'air pour mettre du manger. Ben merci à plein, mon Freddé, pis merci à ta mère. T'as des bons parents, mon gars, le sais-tu ?

Alfred restait debout, adossé au comptoir des dames, sans rien dire, comme attendant qu'on le questionne sur ses problèmes de vie et qu'on le réconforte.

– Toé, fit Rostand après avoir piqué un morceau de pomme de terre pour le porter à sa bouche, on dirait que y a quelque chose qui te tracasse en sacre… en sacrifice. Ça se peut-il ?

– Ben…

– Je le savais.

Le quêteux mastiqua ce qu'il avait en bouche et en remit tout en parlant :

– Faut me le dire pis je m'en vas te dire quoi c'est faire de ton problème. T'auras pas à suivre mon idée, j'te demande juste de m'écouter. C'est pas pour rien que t'es venu me porter à manger. Le hasard, mon gars, ça existe pas. Y a une raison, pis la raison, c'est ton problème. Ça fait que conte-moé ça, j't'écoute comme il faut.

Alfred dit qu'il n'avait aucune envie de passer un an aux États, qu'il aurait aimé mieux rester à Saint-Honoré et travailler au magasin en attendant d'avoir sa terre à lui pour la cultiver.

Il tomba une goutte de confiture dans la barbe du mangeur ; il voulut l'essuyer mais ne réussit qu'à emmêler et agglutiner les poils. Il s'en accommoda.

– Ton rêve va être encore plus beau si tu t'en éloignes un boutte de temps. Vas-y, aux États, c'est ton destin. Tu vas faire plaisir à tes parents. Tu vas les rassurer. Ils veulent ton bien. Tu vas souffrir en partant, pis peut-être là-bas, mais tu seras pas détruit pour ça. Plus tu vas vouloir ta terre, plus tu vas l'aimer quand tu vas l'avoir. J'te demande pas de me crère, j'te demande de réfléchir à quoi c'est que j'te dis.

Freddé soupira. Il était contrarié. Il eût voulu entendre quelqu'un lui dire qu'il devait refuser d'aller vivre aux États, qui lui conseille même de quitter la demeure familiale après l'obtention de son diplôme pour montrer qu'il était le maître de lui-même. Il n'y avait pas en Alfred les grands traits de caractère de ses parents, ni la force morale d'Émélie, ni la fermeté réfléchie d'Honoré. Comme si ces deux-là ne lui avaient légué que la sensibilité, la bonté, la docilité en oubliant de lui donner leurs griffes. Il lui avait semblé depuis l'arrivée de ce mendiant que l'homme comprendrait son désarroi pour vivre lui-même la solitude rattachée à son état de misère. Mais il apparaissait de plus en plus clairement que la pauvreté faisait la richesse du personnage et qu'il était apte à vite apprivoiser toute situation, la pire que ce puisse être.

Ce fut silence pendant un temps et l'on n'entendait que la bouche du gueux qui sapait et lapait ainsi que le bruit de la fourchette quand elle frappait la vaisselle sous les aliments piqués et saisis. Quand son repas fut terminé, il reprit la parole :

– Asteur que t'as réfléchi, je le sais que tu vas aller aux États comme tes parents le veulent. Dis-moé le contraire, mon Freddé.

Mais le jeune homme ne put que soupirer.

– Ça fait que… ben tu peux reprendre le plateau, j'ai fini de manger pis là, ben je vas dormir parce que j'ai une grosse journée de marche à faire demain… T'as-tu déjà vu ça, toé, Freddé, un quêteux l'hiver ? Des quêteux, ça quête le printemps, l'été, l'automne, pis l'hiver, ça dort comme des marmottes. Mais moé, chu pas comme les autres… L'hiver, le jour, j'quête pis la nuitte, j'dors comme une marmotte…

Alfred repartit. Son départ pour l'étranger lui paraîtrait moins lourd à cause de cet homme qui en savait pas mal sur la vie…

∞∞∞∞∞∞∞∞

Chapitre 33

Jour de l'An 1904

Ils étaient tous là, autour de la table, dans la cuisine, prêts à prendre le repas du midi. Honoré à une extrémité, dos au salon dont on avait ouvert les portes pour avoir plus d'espace, Émélie à sa droite qui pouvait seconder Delphine dans le service des plats, Édouard à sa gauche qui avait refusé à l'avance de donner sa bénédiction, arguant que le tour dorénavant serait sans répit jusqu'à sa belle mort, celui du vrai chef de famille, Honoré. L'on n'avait eu d'autre choix que de se plier à sa volonté ferme et l'événement avait eu lieu lorsque lui-même, arrivé après la grand-messe, avait requis la chose en se mettant à genoux le premier.

Dans l'ordre, après leur grand-père Allaire, il y avait Alfred (16 ans), Éva (14 ans), Ildéfonse (12 ans), tous trois du côté gauche, puis le fantôme de la petite Bernadette qui occupait une place vide, une place de deuil au bout de la table, et ensuite, sur la droite, Alice (10 ans), Henri (8 ans), Pampalon (6 ans), Armandine (2 ans) et Eugène (1 an).

Durant la prière récitée par Honoré, Émélie jeta un regard panoramique sur les enfants. Elle pensa que trois d'entre eux, Alfred, Éva et Ildéfonse s'en iraient au cours des années assez prochaines, le premier pour travailler aux États et y apprendre à fond l'anglais et le second fils pour faire des études plus poussées au séminaire Saint-Charles-Borromée de Sherbrooke où il suivrait son cours commercial. Tout avait été décidé et pour l'un et pour l'autre quand, en même temps que le bilan annuel du magasin, on avait fait le bilan familial global.

Les époux Grégoire voulaient compter autant sur Ildéfonse que sur Alfred pour prendre la relève au magasin. Parce qu'il était l'aîné, Alfred demeurerait toujours leur premier choix. Mais parce qu'il montrait de bien meilleures dispositions pour le métier de marchand général, Ildéfonse restait leur «deuxième premier choix». En fait, Émélie et Honoré ne le disaient pas, ne se le disaient pas non plus, mais tous les deux préféraient la forte personnalité d'Ildéfonse à celle, trop bonasse à leur goût, d'Alfred.

La perle de la famille avait toujours Éva pour prénom. Elle était la seconde Émélie de plus en plus. Et quelle Émélie! Sans elle, il aurait fallu engager une deuxième aide domestique ou bien la pauvre Delphine serait morte, écrasée par la tâche insurmontable. Ou bien Émélie aurait dû abandonner tout travail au magasin, ce qui lui apparaissait, tout comme à son mari, une impossibilité pure et nette.

Éva compléterait sa huitième année de classe en 1904 puis sa neuvième l'année suivante, et il était déjà question de l'envoyer pensionnaire en 1905 à Stanstead où, hantise des parents, elle aussi deviendrait bilingue.

Quant à sa sœur Alice, il y avait plein de temps devant ses bouffonneries, ses courses dans toutes les aires du magasin et de la maison, ses excursions dans la nature, ses rires sonores qui allaient heurter la tôle de l'église pour revenir envahir la maison, aussi cristallins qu'à leur départ. Si Éva était la perle de la famille, Alice en était parfois un rayon de soleil et toujours un coup de vent.

Quant au petit Henri, le plus effacé des enfants, le plus discret, il différait des autres garçons Grégoire mais aussi des autres garçons tout simplement. Pas une bâtisse du village ne lui était inconnue, pas un coin de la forêt voisine à trois arpents à la ronde, pas un ruisseau du voisinage ne lui étaient étrangers: il allait partout, explorait tout, cherchait à tout voir, tout entendre. Il coulait dans ses veines le sang de pionnier de son oncle Thomas Grégoire vivant au Yukon, celui de son grand-père Allaire et de son père Honoré venus tous deux s'établir dans ce village de la forêt près d'un quart de siècle auparavant, et sûrement aussi celui de son oncle Jos happé par les brillantes promesses américaines. C'est ailleurs qu'il serait chez lui, ce petit Henri au sourire princier et au regard profond.

Après lui, dans sa chaise haute, Armandine semblait inerte, absente. On ne pouvait déceler une force de survie en son petit corps fragile qui avait eu bien du mal à se mettre en marche à l'âge où la plupart apprennent à se tenir debout et à se mouvoir par eux-mêmes en cette posture. Elle pleurait souvent sans raison et alors, Éva accourait pour la prendre dans ses bras. Et il semblait à la jeune fille qu'elle tenait entre ses mains une poupée de guenille sans ossature. Son teint ciré se confondait avec celui de sa robe de satin blanc; et ce que l'on appelait une coquetterie dans l'œil soit un léger strabisme tenait plus à sa faiblesse qu'à une vivacité perdue…

Eugène plus qu'Armandine était le chouchou de sa mère. Elle lui portait plus d'attention qu'à tout autre enfant y compris le beau et solide Ildéfonse. Il ne pleurait jamais, ne rechignait guère, se repaissait d'indépendance et d'autonomie, semblait souffrir plus que d'autres du froid en saison hivernale et, depuis qu'il était capable de marcher, dès que s'ouvrait la porte menant à l'extérieur, il courait se réfugier derrière le poêle, un *L'Islet* dernier cri qui avait remplacé *Le Bijou* à trois ponts laissé dans la maison rouge. Parfois même, il s'y couchait et s'y endormait.

Honoré prit la parole :

– Maman, grand-père Allaire, les enfants, madame Delphine, je vous souhaite à tous une bonne et joyeuse année 1904. La vie qui vous attend, – je parle de vous autres, les enfants – sera plus facile que la nôtre. Toute la société est en progrès. Médecine, transports, moyens de communication, produits domestiques, machines-outils de toutes sortes…

– Sont trop jeunes pour comprendre ça, de la manière que tu le dis, Honoré, intervint aussitôt Émélie.

– Moi, je comprends, glissa vivement Éva.

– Moi itou, ajouta aussitôt Alfred.

– Et Ildéfonse ? lui demanda sa mère par les mots et par le regard.

Il se contenta d'un signe de tête voulant dire qu'il était au-dessus de la question. Elle poursuivit :

– Par exemple, d'autres médicaments comme l'aspirine seront inventés pour soigner les maladies comme la tuberculose et le cancer. Les docteurs seront plus savants. Il va se bâtir des hôpitaux ailleurs qu'à Québec ou Montréal. Les aéroplanes vont peut-être transporter des sacs de malle et même des gens…

– Pas trop pesants, glissa Édouard, une tache d'ironie dans l'œil, lui qui ne croyait pas beaucoup en l'avenir de l'aviation.

Honoré reprit la parole que sa femme lui avait enlevée et se fit plus concret :

– Des machines automobiles, un jour, on va peut-être en avoir une, nous autres.

Le regard du petit Pampalon se remplit d'étincelles. Il lui semblait se mettre au volant d'un de ces véhicules à moteur dont il avait vu des illustrations dans le journal. Il en parlait souvent dans la cour de l'école avec son ami Wilfrid Gilbert, mais celui-ci, moins exubérant, ne partageait pas toujours son enthousiasme.

– L'instruction, ça va être pareil, on aura un beau grand couvent nous autres aussi et des religieuses viendront l'habiter pour enseigner… faire l'école, aux enfants du village…

Alfred leva la main pour solliciter la parole. Honoré lui adressa un signe de tête affirmatif.

– Itou aux enfants des rangs qui voudront être pensionnaires au couvent.

– Comment tu sais ça, Alfred ? Un couvent de paroisse, c'est pas un collège comme à Sainte-Marie.

– C'est monsieur Dubé qui l'a dit devant moi.

– Si Théophile l'a dit… C'est un homme instruit, lui… En plus que ça me surprendrait pas que le futur couvent soit bâti par lui. Un peu plus et c'est lui qui aurait bâti l'église. Un homme de bon commandement, Théophile Dubé… Bon… Si on veut embrasser le progrès nous autres aussi, faut se remplir la bedaine. C'est le temps de manger. Mon discours est fini pour aujourd'hui. On verra la suite dans un an. Parce qu'on va être tous là en 1905, y compris grand-papa Allaire. Et peut-être même mon oncle Jos…

– Et un petit bébé de plus, faut pas l'oublier, prévint Émélie.

Honoré blagua ensuite :

– Que le bon Dieu nous bénisse pis que le diable « charisse » les méchants du monde.

La somme des sentiments des enfants envers leurs parents leur était entièrement favorable, mais chacun ressentait les choses à sa manière, suivant sa propre structure mentale. Alfred voyait en eux l'autorité bienveillante et sévère, une force des poignets qu'il savait lui manquer et, illusion, qu'il croyait devoir acquérir avec l'âge et le mariage quand surviendrait le sien. Éva était toute d'admiration autant pour son père que sa mère. Ils étaient les grands modèles à imiter malgré leurs différences et parfois même leurs prises de bec. Ildéfonse ressemblait fort à sa mère par le cœur et l'âme, mais c'est à son père qu'il voulait s'identifier : meneur d'hommes, orateur à ses heures, touche-à-tout, aimable artiste à l'occasion, bon catholique toujours. Alice, la rebelle folichonne, gardait avec eux de respectueuses distances morales. Fière et forte, elle acceptait que ses parents la contredisent et la contrecarrent, sachant que s'ils contraient sa volonté, c'était pour son bien. Dieu les bénissait, le curé les approuvait, ils étaient de bons exemples pour toute la paroisse. Elle les boudait parfois pour qu'ils lui laissent un peu d'air frais, pour qu'ils lui permettent de grandir au moins de temps en temps hors du moule familial qu'elle trouvait trop petit, et de son cadre qu'elle trouvait trop étroit.

Il flottait dans l'air une odeur de ragoût. L'on mangeait beaucoup plus de viande depuis l'ouverture de l'abattoir du village et les Grégoire étaient les premiers clients de Boutin-la-Viande. On se disait que les enfants grandiraient en meilleure santé s'ils étaient de plus grands carnivores qu'eux-mêmes ne l'avaient été.

– Éva, sers donc les enfants, demanda Émélie. Delphine en a plein les bras avec les bébés.

– Oui, maman!

De tous, Henri était celui qui s'arrangeait le plus pour ne pas rencontrer ses parents. Il aménageait d'habiles détours dans son temps et ses déplacements afin de les croiser le moins possible. S'il en avait crainte, ce n'était pas la peur qui le faisait agir de la sorte et plutôt un irrésistible attrait pour l'ailleurs, toujours l'ailleurs. Et la soumission dont il faisait preuve en toutes choses, contrairement à sa sœur Alice, avait pour objectif de ne pas se faire remarquer. Ambidextre, il tâchait de n'utiliser que sa main droite pour ne pas contrarier sa mère.

Et Pampalon que plusieurs appelaient la fouine au grand dam d'Émélie qui rêvait d'en faire un curé, pas une belette à la Belzémire, parlait aisément à ses parents, sourire épanoui, plaisanterie dans l'œil et voix joyeuse. Jamais aucun de ses parents ne l'avait grondé et même ses frasques les faisaient sourire. On savait qu'il n'avait aucun besoin d'être repris pour agir mieux, car il avait tôt fait de se rendre compte de ses erreurs. C'était un petit gars plein de générosité, joueur de tours et jamais méchant envers ses compagnons de classe ou de jeux.

Quant aux personnalités d'Armandine et d'Eugène, elles n'étaient guère définies encore, en tout cas en apparence, vu leur âge précoce. Émélie pouvait lire sur le visage de chacun une sorte d'anxiété permanente attribuable sûrement à l'énorme brouhaha ayant précédé et accompagné leur jeune existence. Tous deux avaient été projetés dans un univers en grande mutation: début d'un siècle nouveau, construction du magasin, de l'église, toutes choses qui avaient profondément marqué le cours de la vie de leurs parents dans un mélange d'incertitude, d'enthousiasme voire de frénésie mais aussi de crainte face à leur vieillissement.

Quand tous eurent terminé et que venait le temps du dessert, Honoré reprit la parole pour tous, lui qui de tout le repas l'avait réservée aux adultes près de lui :

– Les enfants, comme à chaque année, c'est l'occasion, le premier de l'An, de souligner l'anniversaire de naissance de votre mère qui avait lieu hier, le 31 décembre. Votre maman a eu 38 ans. Elle est encore toute jeune. Mais dans la tête d'un enfant, une personne de cet âge est vieille comme le chemin… ce n'est pas vrai… pas vrai du tout…

Édouard intervint :

– Ben non, elle a quasiment rien que la moitié de mon âge. 73 ans, ça c'est vieux, mes amis.

Alfred acquiesçait d'un signe de tête. Éva souriait et se demandait si elle-même atteindrait le chiffre de 38 ans comme sa mère.

– Vous êtes bâti pour cent ans, monsieur Allaire, commenta Honoré. Émélie pour pas loin autant, hein, madame Grégoire ?

La jeune femme posa son regard le plus profond et empreint de lassitude sur son mari sans dire un mot de ceux qui lui passaient par la tête et auraient exprimé son angoisse devant son usure prématurée en raison de ces grossesses trop nombreuses et rapprochées. Il reprit :

– Tout le monde ensemble : bonne fête maman. Allez, tout le monde ensemble…

– Bonne fête maman !

De ce concert de voix mélangées, celle d'Alice fut la plus pointue et celle d'Ildéfonse la plus forte…

∞∞∞∞∞∞∞∞

Chapitre 34

– On aurait dit qu'elle riait sur les fonts baptismaux quand le prêtre a fait couler l'eau bénite sur son front. Je jure qu'elle avait l'air de sourire.

C'était le 7 juillet de l'année 1904. L'enfant avait vu le jour la veille. Une petite fille comme l'avait prévu Émélie et qu'on ramenait de l'église avec un nom et la grâce du Seigneur mouillant son âme.

Bernadette.

Bernadette Grégoire, dixième enfant du couple, remplacerait l'autre que 1902 avait emportée dans ses mémoires et dans la nuit de l'au-delà. Elle portait le même prénom béni du ciel, béni surtout par la vierge Marie apparue à la petite Soubirous un demi-siècle auparavant. Même intention d'Émélie: placer la petite sous la protection de la mère de Jésus. Même rêve: en faire une religieuse qui prendrait soin des enfants... des autres.

Restitue avait été porteuse. Alfred avait agi comme parrain lui qui l'avait été aussi à la première Bernadette. Mais au lieu d'Éva, que le petit Eugène en 1902 avait reçue pour marraine, on avait jugé que c'était le tour d'Alice cette fois. Et l'événement avait fort amusé la fillette de 11 ans qui n'avait cessé de sourire et ricaner tout le temps du baptême.

Il y avait d'autres différences entre le cas des deux Bernadette: la première avait eu pour second prénom Claire et celle-ci Léontine en l'honneur du bon pape Léon XIII mort dans la sainteté un an auparavant. Et puis le prêtre qui avait procédé à la cérémonie du baptême en était un de passage dans la paroisse, soit l'abbé Aurélius Michaud et non pas le curé Feuiltault parti voir l'évêque pour lui demander son remplacement et son transfert ailleurs où il y aurait quelque chose d'important à réaliser.

Mais quelle différence dans l'énergie ! Cette Bernadette agitait les bras, les pieds, tournait la tête, regardait tout sans rien voir encore et comme pressée de découvrir ce monde où elle venait de plonger sans que le choc ne fût trop brutal pour elle. Après tout, c'était l'été et un temps de forte chaleur humide qui aspirait des fronts, même ceux des enfants, des gouttes de sueur abondantes. Elle fut donc moins dépaysée en cette terre étrangère que d'autres venus en saison froide passer ici-bas le temps d'une vie, d'un labeur, d'une misère. Et puis, il se peut que rassurée depuis plusieurs mois par les paroles que sa mère lui adressait par la pensée, Bernadette sût déjà ce qui l'attendait : une vie heureuse à semer du bonheur tout autour sans les souffrances des mères de famille. Mais le vœu d'Émélie s'accomplirait-il vraiment ? Au contraire de ce qu'elle espérait pour cette petite, il se pourrait que Bernadette donne elle aussi naissance à une ribambelle d'enfants ?... Qui donc sur terre pouvait savoir aussi longtemps d'avance ?

Quand on lui remit l'enfant pour la tétée, Émélie, encore alitée pour quelques heures, soit jusqu'au lendemain, le 8 juillet, se reprit à parler à l'enfant mentalement, à lui suggérer une vie moins rude que la sienne.

– C'est vrai qu'elle a un visage fait pour sourire, constata-t-elle.

– Pis j'te dis, Mélie, que j'me trompe pas sur les nouveau-nés, j'en ai assez vu, des bébés, dans ma vie.

On entendit des pleurs venir de la cuisine. La sage-femme soupira :

– Armandine... tu m'en parles pas... quoi c'est qu'en a dit le docteur quand il est venu l'autre jour ?

– Le bon docteur Drouin a été incapable de faire un diagnostic. Il prétend que la petite pourrait faire de l'anémie. Il a prescrit des remèdes qui contiendraient du fer. Faut lui faire manger de la mélasse tous les jours, mais elle a horreur de ça. On en dilue dans de l'eau chaude. Pauvre Armandine, elle m'inquiète, vous savez.

– Je vas prier fort pour elle.

– Les prières, c'est grand, mais ça suffit pas toujours.

– Aurais-tu perdu espoir ?

– Non, c'est pas ce que je veux dire, mais…

Émélie se pencha sur le bébé qui commençait à boire et lui dit sans sourciller :

– Et toi, la Bernadette toute neuve, c'est quoi qu'il va t'arriver ? Tu vas pas, comme l'autre, t'en aller juste comme on va commencer à te connaître ?

– Ah non, pas celle-là, sûrement pas elle ! s'exclama Restitue dont les plis du front exprimaient la certitude et non pas l'inquiétude.

– J'me demande ce qu'en dira Amabylis quand elle la verra ? Paraît qu'elle savait que la pauvre Bernadette… première était née sous une mauvaise étoile.

– Faut pas s'arrêter à ce que la Sauvage dit. C'est pas chrétien.

– Je le sais. Je l'ai dit à Odile Martin…

Trois jours plus tard, Amabylis vint au magasin. Honoré, curieux comme une belette, voulut savoir comment elle réagirait devant le nouveau bébé. Il la conduisit à son ber dans la cuisine sous le regard assombri d'Émélie qui s'inquiéta tout le temps que ces deux-là furent partis.

L'air grave de son mari amena la marchande à l'autre comptoir, mais elle ne posa aucune question. Amabylis rejoignit Augure au pied de l'escalier. Ils saluèrent et s'en allèrent par la voie des hangars arrière.

– Elle s'est penchée sur Bernadette… a dit qu'elle savait pas son futur. Aucune réaction, ni bonne ni mauvaise. Mais pour Armandine, c'est pas la même chose…

– Alarmiste encore ?

– Elle a soupiré… bougé la tête… fait signe que non… paraissait désolée. Et pourtant, le petite lui a souri et ça, c'est rare que ça lui arrive.

– Bon, faut pas s'arrêter à ça comme me disait madame Restitue l'autre jour. On a de l'ouvrage qui nous attend… et pas mal d'ouvrage…

Émélie retourna derrière son comptoir et déroula une pièce de tissu. Son geste aurait indiqué à l'observateur attentif un trouble intérieur certain…

∞∞∞

Honoré, debout près de la voiture à Marcellin Veilleux, tendit la main. C'était la première fois qu'il traitait son fils en adulte. Alfred tendit la sienne et se sentit un homme. Le geste lui fit oublier son grand départ.

– Tu vas nous revenir bilingue et un jour pas si lointain, tu vas reprendre tout ça.

L'homme s'était tourné à demi et d'un grand geste de la main droite avait embrassé tout le complexe : maison, magasin et hangars. Alfred sourit, regarda les bâtisses, mit sa tête en biais en signe d'acquiescement avec réserve. Puis, comme venues de nulle part arrivèrent du chemin Foley derrière le long hangar deux jeunes filles dont l'une, Arthémise Boulanger, qui fit bondir le cœur du jeune homme. Elle était avec Éva et l'accompagnait pour souhaiter bon voyage et bon séjour aux États-Unis à celui qui partait à regret.

– Freddé, tu m'écriras si tu veux, lui dit Éva en s'approchant de la voiture.

– Oué.

– J'aimerais ça être à ta place, fit Arthémise qui semblait, elle, avoir le cœur joyeux.

– Veux-tu partir à ma place ? lui demanda Alfred malgré le mutisme qu'en temps ordinaire lui aurait imposé son cœur battant.

– J'peux pas malheureusement.

Marcellin jeta un sac de courrier sur la fonçure arrière et grimpa sur la banquette :

– All aboard ! C'est le temps de partir. Djeng !

Le cheval comprit son nom et sur un coup sec, se mit en marche. Le passager eut le haut du corps projeté en arrière le temps d'une seconde puis aussitôt vers l'avant quand le charretier cria :

– Huhau ! Huhau !

C'était Émélie accourue dehors à la toute dernière minute et qui faisait signe à Veilleux de s'arrêter. Elle n'avait pas salué son fils, trop occupée à servir des clientes, et voulait lui dire un mot, mais surtout elle venait réclamer Éva pour l'envoyer seconder Delphine qui en avait trop les bras.

– La petite Armandine est ben malade, Éva, dépêche, va l'aider. Et toi Alfred, reviens-nous en santé !

– O.K.

– Tu peux repartir, Marcellin.

– C'est beau, m'me Grégoire.

Et l'attelage se mit en route.

– Salut Freddé ! cria Arthémise une dernière fois y ajoutant un geste de la main.

– Oué… oué… marmonna-t-il, la gorge serrée, sans se retourner.

On était le matin. Alfred allait prendre le train pour Mégantic et de là, s'enfoncer dans ce pays étranger qui ne l'était guère en fait pour bien des Canadiens français malgré les hauts cris de l'Église catholique toujours en train de fustiger les presque traîtres qui allaient vivre au-delà de la frontière et s'y fondre comme les cuillers d'argent de Wolfred Nelson.

∞∞∞

La tâche d'Éva fut lourde dans les mois qui suivirent. Il fallait qu'elle seconde son père au bureau de poste, qu'elle seconde sa mère au magasin et surtout qu'elle seconde Delphine au soin des enfants et particulièrement à celui de la petite malade qui dépérissait chaque semaine et ne fut même plus capable de marcher au cours de l'automne.

« C'est la tuberculose des os ! » finit par déclarer officiellement le docteur Drouin. « Elle pourrait guérir s'il advenait un miracle ; probable qu'elle ne survivra pas six mois. »

Ses classes en souffrirent et à cœur de jour, Éva souffrait de la souffrance de la petite fille qui avait eu ses 3 ans le 26 septembre. Elle cherchait parfois du réconfort moral auprès de sa mère qui ne lui en fournissait pas et semblait tout garder pour elle-même en se noyant de travail au magasin. Pour Émélie, le dépérissement de cette enfant lui rappelait l'abominable agonie de sa petite sœur Georgina après qu'elle se soit ébouillantée à mort trente ans auparavant. La différence majeure était que l'enfant accidentée avait rendu l'âme en moins de trois jours tandis que le temps de l'atrocité pour Armandine semblait devoir durer des mois. Émélie ne parvenait simplement pas à le supporter. Elle se faisait aider de Restitue et prenait le magasin pour prétexte afin de se trouver le moins possible en la présence de la petite moribonde. Mais chaque soir, à son chevet, une ride de son front se creusait un peu plus. L'immense peine qu'elle avait traversée au jour de l'An 1873 et les jours d'après lui revenait à la gorge pour l'étouffer. Chaque fois, Honoré intervenait pour la ramener dans la cuisine ou dans leur chambre. Il comprenait la douleur profonde de sa femme et la partageait sans jamais rien dire.

Armandine rendit le dernier soupir après une sorte de coma qui durait depuis le jour de l'An, ce 25 janvier 1905. Elle avait 3 ans et 4 mois. Dans son petit cercueil blanc, il ne se trouvait qu'un dérisoire sac d'os sous un visage entièrement décharné. On lui avait mis la plus belle robe de satin blanc qu'on puisse trouver et qu'ornaient des fleurs bleues brodées à la main par Agathe, l'épouse de Prudent Mercier senior.

Éva, à l'exposition du corps et aux funérailles, pleura pour deux au moins. Émélie s'entoura d'une aura de froidure que pas même la température excessivement basse du jeudi 26 janvier n'aurait pu empirer. Le soir, après souper, elle s'enferma dans le salon du magasin et y écrivit une lettre à son frère Jos et à son fils Alfred. Entre ses lignes, voici qu'elle écrivit aussi, à l'aide de son seul cœur cette fois, quelques chapitres à sa sœur Marie dans son éternité bienheureuse.

« *C'est la huitième que j'ai dû enterrer après grand-maman Allaire, maman, Joseph-Édouard, Henriette, Georgina, Marie et la première Bernadette. Armandine, ce soir, dort dans le charnier du cimetière, engloutie par la mort et par le gel. Alfred, tu savais avant de partir pour les États que c'était pour arriver. Eh bien, c'est fini ! Et c'est mieux pour elle qui souffrait quasiment autant vers la fin que la pauvre Georgina autrefois. Et c'est mieux pour Éva aussi qui a donné tout son cœur au soin de sa petite sœur. Elle a pleuré toutes les larmes de son corps, la pauvre Éva, ces jours-ci. Elle en a le visage desséché comme celui d'une morte. Et dire que je devrai me passer d'elle à partir du mois de septembre quand elle s'en ira pensionnaire au couvent de Stanstead. Je n'arrive pas à imaginer ce que sera la vie de la famille Grégoire sans elle. Mais on ne peut pas sacrifier son avenir à elle, à notre bien-être à nous autres.*

L'hiver est dur cette année. Honoré doit se lever deux fois par nuit pour chauffer la fournaise du magasin, autrement les clients du matin gèleraient comme… comme… ceux qui au cimetière attendent leur inhumation au printemps…

La vieille église a été démolie à l'automne et voici qu'ils ont commencé d'ériger une maison à la place. C'est Elzéar Racine qui a fait l'acquisition du terrain et qui va s'y établir comme forgeron. Il fera concurrence à son père Pierre qui l'aide à se «partir» et à monsieur

Foley, mais monsieur Foley rendu pas loin de 50 ans, est pas éternel ni monsieur Racine non plus qui approche, lui, la soixantaine. Une grosse paroisse comme la nôtre, ils vont bien vivre tous les trois. Qui aurait cru que ce beau Tine Racine serait un jour notre voisin d'en face ? Et bien entendu, il va se marier bientôt. Le 6 mars à ce que j'ai su. Et c'est sûr que son épouse sera la belle Marie à Louis Beaulieu.

D'autres nouvelles ? Il est de plus en plus question du départ de monsieur le curé Feuiltault. Il paraît que la construction de l'église a miné sa santé. Selon moi, en tout cas, le travail maintient la santé et n'a jamais tué personne.

Tu te souviens du quêteux Rostand, Alfred, eh bien il est revenu faire son tour tous les mois durant l'année. C'est ton père qui pique une longue jasette avec lui chaque fois. L'homme prétend être capable de guérir, mais il a vu la petite Armandine et elle est partie quand même. Alors il va dire qu'elle n'est pas morte, mais qu'elle s'est envolée. C'est ce qu'il disait en sachant qu'elle était condamnée par la médecine et que pas même l'imposition des mains d'un Sauvage pourrait changer le cours de son destin. S'envoler… il a dû lire les exploits des frères Wright dans son journal. Je devrais dire dans un journal parce qu'il a sûrement pas les moyens de s'abonner au Soleil ou à la Presse. Mais ce n'est pas un méchant homme et il croit en ce qu'il dit : c'est mieux que les hypocrites qui cachent un poignard dans leur dos et vous regardent avec un large sourire. Heureusement que voilà une espèce d'oiseaux rare à Saint-Honoré-de-Shenley.

Et toi, Alfred, comment te débrouilles-tu en anglais après cinq mois là-bas ? Et ton ouvrage à la filature, c'est tolérable ? Les voyages forment la jeunesse, tu sais.

Jos, viens nous voir cet été avec Alfred. Tu vas voir des gros changements au cœur du village depuis le temps que t'es venu. C'est notre père qui s'ennuie souvent et qui parle de toi et de ta réussite à l'étranger.

Des nouvelles d'Ildéfonse. Il aime bien ça au séminaire de Sherbrooke. Quand Honoré l'a reconduit là-bas, quelques jours après ton départ, Alfred, on s'est rendu compte d'un grand vide dans la maison. Deux garçons qui partent en même temps, ça change une famille. Et là, un troisième enfant qui part… Heureusement, ceux qui restent vont bien de leur santé. Alice et Pampalon sont pas mal excités, mais ça met de la vie dans la maison. Henri, on le voit jamais. Le petit Eugène va souvent se cacher quelque part et il faut qu'on le cherche pour le retrouver; mais par grand froid, il reste proche de la chaleur.

Le magasin prospère. Monsieur le curé Feuiltault ne se trompait pas en prédisant que nous allions récolter une moisson d'or. Mais on n'abuse pas des prix. C'est la prospérité de cette grande paroisse qui nous profite. On ne se connaît pas d'ennemis par ici, même si Honoré fait de la politique libérale: trop de politique à mon goût.

Pour en revenir à ce que j'écrivais au début de ma lettre, je pense acheter un monument pour notre lot au cimetière. Il y aurait dessus deux noms déjà: Bernadette et Armandine. Papa veut acheter le lot voisin pour Marie et lui-même. Lui est pas près de mourir: jamais malade et pas d'épouse pour le faire étriver.

Bon, je vous laisse tous les deux. La nuit m'entoure et je n'ai que la faible flamme d'une chandelle pour la combattre. Et puis j'ai d'autres lettres à écrire… à Cédulie et Alice Leblond et aussi à Obéline Racine. Et une à ma sœur Marie… *(*Émélie biffa ensuite cette dernière phrase.*)*

Prenez soin de vous autres tous les deux. Jos, tu salueras de ma part ta compagne de vie.

Ta sœur, Jos.

Ta mère, Alfred.

Émélie Grégoire. »

∞∞∞∞∞∞∞

Chapitre 35

1905… au printemps

Émélie grattait la terre dans son jardin. À côté, les ouvriers achevaient de construire la maison d'Elzéar Racine et des hommes de Théophile Dubé entreprenaient de lever une bâtisse à l'arrière qui servirait au jeune homme de boutique de forge. En attendant que la propriété soit prête à recevoir le couple nouvellement marié, les Racine logeaient chez les Beaulieu sur la Grand-Ligne vers Saint-Martin.

Il faisait chaud et humide. La jardinière se redressait parfois sous son chapeau de paille à large rebord effrangé et essuyait son front avec un mouchoir blanc qu'elle remettait en poche ensuite et alors s'arrêtait un moment pour se remettre en la mémoire du cœur des événements heureux survenus là et que le progrès dans sa course effrénée effaçait à la vitesse de l'éclair.

Vingt ans auparavant, c'était le grand départ pour le rude voyage d'une vie d'épouse et mère. Mais en ce jour de noce, on s'entoure de bonheur sans aucunement s'imaginer que ces vieilles femmes qui vous regardent en pleurant puissent vous plaindre et regretter que votre lot futur soit le même que le leur. La fébrilité du matin dans la maison rouge, la cérémonie par le curé Quézel, le chant par Onésime Lacasse, l'*Ave Maria* par Marie à la réception dans la sacristie, la fierté de la jeunesse, le photographe, le parapluie blanc… Et tous ces gens venus célébrer… Une mouche sur son bras nu ramena la femme à la réalité de 1905. Émélie le savait, mais ne l'avait révélé à personne, pas même à son époux: elle était enceinte pour la onzième fois. La résignation s'était installée en elle en même temps que l'embryon. Vaut-il mieux secouer son bras pour se débarrasser de la mouche qui risque de revenir aussitôt ou bien la laisser aller son chemin?

Elle allait reprendre le labeur quand une voix masculine se fit entendre dans son dos. Quelqu'un se trouvait sur le chemin, un homme qu'elle n'avait pas entendu marcher, trop absorbée par ses réflexions.

– Madame Grégoire, je viens vous saluer une dernière fois avant de partir.

Elle se tourna:

– Monsieur le curé? Comment ça, une dernière fois? Votre départ, c'était prévu pour juillet, non?

– Il a été devancé. Le nouveau curé arrivera demain pour me remplacer.

On avait fêté l'abbé Feuiltault fin mai. On connaissait le nom de son remplaçant: l'abbé Godbout.

– On avait prévu organiser une haie d'honneur le jour de votre départ.

– Vous la ferez dans vos cœurs: je pars dans une heure.

– J'en reviens pas. Si vite! Onze ans que vous êtes avec nous autres, on vous aurait gardé vingt, trente ans.

– Suis un homme fatigué, vous savez.

– Un bâtisseur dans la force de l'âge. Vous avez changé le visage de la paroisse.

– Et vous, les Grégoire, y avez largement contribué… pour le mieux, soulignons-le.

Émélie marcha vers lui qui ne cessait d'éponger son visage:

– Honoré qui est parti à Québec… il va se morfondre de savoir qu'il aura pas pu vous serrer la main avant votre départ.

– Transmettez-lui mes meilleures salutations. Il me laisse un souvenir extraordinaire, ce jeune homme exemplaire.

Émelie hocha la tête:

– Exemplaire, sûrement; jeune, c'est une autre histoire. Vous savez, il a ses 40 ans, mon cher époux.

– Un vieillard vraiment! exagéra le prêtre avec un fin sourire aux lèvres.

La suite consista en des redites. Puis l'abbé retourna au presbytère, chacun de ses pas soulevant un peu de poussière du chemin. Émélie grommela pour elle-même:

– C'est la faute aux dissidents: sans eux, on aurait bâti un presbytère neuf et le curé Feuiltault resterait parmi nous…

Mais elle se trompait. Les ambitions bâtisseuses du prêtre se limitaient dès le départ à l'église et c'est à son successeur qu'il voulait alors passer le sceptre, et c'est lui qui devrait veiller aux nécessaires constructions d'un presbytère et d'un couvent afin de compléter le cadre et le paysage paroissial inachevés…

∞∞∞

Au premier regard, on découvrait le front important du curé Godbout. Au second apparaissaient des sourcils d'un noir profond. Puis tout semblait ordinaire, sans accent: le nez, la bouche, les mâchoires, les oreilles, tout en lui disait la pondération. Mais si son regard exprimait une certaine profondeur qui manquait au curé d'avant, par contre il n'en possédait pas la détermination. Cette placidité apparente cachait-elle un dogmatisme rigide? Seul l'avenir le dirait.

Personne ne l'avait encore vu à part Belzémire et le servant de messe de ce dimanche-là, le petit Louis Grégoire, fils d'Anselme et petit-fils de Grégoire, mais toute la paroisse le savait arrivé. Par quel tour de passe-passe avait-il réussi à gagner la sacristie sans qu'un seul villageois ne le croise ou ne le voie par sa fenêtre, nul ne le saurait jamais.

Aussi quand il parut pour officier la messe, l'on se dit qu'on avait affaire à un personnage effacé, discret, une sorte d'homme invisible qui ne passerait par Saint-Honoré que le temps d'une seule érection : celle du presbytère.

– Il est d'usage, dira-t-il plus tard dès qu'il fut en chaire, de présenter le nouveau prêtre et cette tâche appartient généralement à l'ancien. Ce ne fut pas possible lors de cette succession, mais il faut souligner l'immense apport de mon prédécesseur à cette paroisse neuve. Tous, vous le savez et tous l'en remerciez sûrement. Il fut le véritable maître d'œuvre lors de la construction de cette belle église. Il a donné onze ans de sa vie et une bonne partie de sa santé à Saint-Honoré-de-Shenley et sa marque ici demeurera indélébile...

Les Grégoire disposaient de deux bancs dans l'église. L'un au premier jubé et l'autre presque sous la chaire où Émélie et Honoré se trouvaient maintenant, tête forcément haute pour voir le prêtre en même temps que de l'entendre. Par un concours de circonstances dont la cérémonie des anges à la mort de Bernadette première, Émélie n'avait jamais vraiment remarqué encore moins admiré les travaux réalisés à l'intérieur du temple, et qui rendaient un certain hommage au curé Feuiltault. Certes, chaque jour, elle avait pu voir les progrès accomplis à l'extérieur depuis la maison ou le magasin, mais de là à s'arrêter aux détails de la finition intérieure, il aurait fallu qu'elle se rende seule à l'église et la « marche » de bout en bout, ce qu'elle n'avait jamais fait. Elle se promit de le faire incessamment, peut-être le jour même en après-midi...

– ... Il reste du chemin à faire pour que Saint-Honoré devienne une vraie paroisse catholique complète, et monseigneur a cru que pour en accomplir un petit bout avec vous, celui qui vous parle serait le meilleur choix. Je ne vois pas pourquoi vraiment. L'avenir peut-être le fera voir. Je suis le curé Godbout venu remplacer le curé Feuiltault...

Émilie reçut pour première impression une image favorable d'un personnage à la voix mesurée, posée, rassurante. Elle le traiterait en bon prêtre dans une perspective de bon voisinage. Et lui ferait comme à ses prédécesseurs, un cadeau à l'occasion. Maîtresse femme, jamais elle n'avait eu maille à partir vraiment avec un curé et ce n'est sans doute pas avec le curé Godbout, pensait-elle, qu'il y aurait des frictions.

Et pourtant, les choses s'avérèrent différentes de ses prévisions au cours de la semaine même. Au milieu d'un avant-midi, Marcellin Veilleux ramena de la gare une pierre tombale que les Grégoire étaient allés choisir eux-mêmes peu de temps auparavant au pays du granit à Saint-Samuel près de Saint-Sébastien au voisinage de Lac-Mégantic.

Il avait fallu six hommes pour charger dans la voiture renforcée ce que tous appelaient à tort le monument. Et voici qu'il en faudrait autant pour le décharger au cimetière. L'attelage s'arrêta. Veilleux entra prévenir Honoré qui sortit, bientôt suivi de son épouse et de Louis Champagne, le sacristain du village.

– Ça va prendre six paires de bras forts, dit Veilleux à son employeur.

– Y en a à toutes les portes par ici, dit Honoré.

– Le temps que vous allez recruter du monde, je vas aller prévenir le curé.

– Et pourquoi donc ? demanda Émilie qui examinait la pierre et n'y trouvait aucune brèche, aucune imperfection.

– D'habitude, c'est le curé qui approuve les « monuments ».

– Ah bon !

Honoré alla quérir de l'aide. Il revint un quart d'heure plus tard avec les paires de bras nécessaires : celles d'Octave Bellegarde, de Hilaire Paradis, de Firmin Mercier, de Will Foley, de son cousin Anselme Grégoire et de Joseph Poirier. Des curieux se trouvaient sur place, devant le magasin, autour de la voiture à Veilleux. Un attelage venait du haut du village quand les hommes arrivèrent, prêts à suivre Marcellin en direction du cimetière. Mais il se déroulait une scène qui figeait tout le monde. Le curé venait de prendre la parole après avoir vu la pierre :

– Non, non, non… il n'est pas question de faire entrer un pareil monument dans un cimetière catholique. On croirait une pierre tombale de protestants. Je ne vais pas la bénir et même, je la frappe d'interdiction.

– Quel est donc le problème, monsieur le curé ? demanda Émélie que l'attitude du prêtre contrariait fort, elle qui depuis trois ans caressait le projet de marquer le lot familial sans jamais avoir le temps de l'accomplir.

– Où est la croix, madame Grégoire, où donc est la croix qui dise à tous la foi des disparus et aussi des vivants à qui le lot appartient ?

Non seulement l'abbé Godbout voulait-il protéger l'intégrité de la religion en tous lieux lui étant consacrés, mais il profitait de l'occasion pour donner un formidable exemple d'autorité. En imposant dès le départ sa volonté à la plus éminente citoyenne de la paroisse certainement, c'est à tous qu'il l'imposerait ensuite sans difficulté.

Émélie n'était pas femme à baisser les bras aussi vite :

– Monsieur le curé, on va mettre le monument en place et ensuite faire venir un tailleur de pierre de Saint-Sébastien ; il va graver une belle croix dans la pierre.

– Même là, madame, on dirait un obélisque. Nous ne sommes pas des luthériens, nous sommes des catholiques. Une pareille pierre tombale devrait être surmontée d'une croix… une croix taillée à même la pierre.

Honoré intervint :

– Peut-être qu'on pourrait faire sculpter une croix dans la partie haute du monument…

– Faites ça et on le bénira. Mais en attendant, ne faites pas entrer cette chose au cimetière paroissial.

Et sans attendre son reste, le prêtre retourna au presbytère en face, la soutane claquant sur ses mollets comme drapeau par grand vent, laissant les Grégoire bouche bée et les autres impuissants.

– J'connais quelqu'un qui vous le rachèterait, votre monument, lança la voix puissante d'Uldéric Blais depuis la banquette de sa voiture fraîchement arrivée sur place.

– Il est pas à vendre, répondit Honoré en qui la colère faisait bouillir le sang.

– J'disais ça pour vous rendre service.

– Merci, mais non ! fit Émélie. Et vous autres, allez décharger le monument dans le hangar. On verra plus tard ce qu'on fera avec...

Louis Champagne se montra et haussa une épaule pour exprimer sa désolation. Les Grégoire n'étaient guère contents de son attitude, mais ils ne lui en voulurent pas. Veilleux fit avancer son cheval vers le « punch » devant le hangar...

∞∞∞

La semaine suivante, les Grégoire reçurent la visite du quêteux Rostand qui se présenta dans l'après-midi du samedi. Ils en profitèrent pour inviter les Bizier et de la sorte mettre en présence ces deux Métis qu'étaient l'homme de Mégantic et Amabylis. En Émélie se réaliserait par cette rencontre un désir de douce vengeance envers le nouveau curé. Elle prêterait oreille aux dires des « Sauvages » malgré les gros yeux de la religion catholique devant leurs visions et prédictions.

On garda donc le quêteux à coucher. Alice fut dépêchée chez les Bizier pour leur transmettre l'invitation des Grégoire et dans la soirée du samedi, elle s'y rendit avec son amie Alice Foley, un peu plus jeune qu'elle et qui faisait toujours ses trente-six volontés.

Le repas fut servi derrière la maison rouge où les époux Grégoire « déménageaient » durant la saison estivale qui allait de la fin mai à la fin de septembre. L'on avait monté une table sur le petit cap entre trois érables qui ombrageaient l'espace. Une brise douce achevait le tableau du confort et de l'agrément.

Deux enfants seulement faisaient partie du groupe : Éva et Ildéfonse. Les autres étaient sous la responsabilité de Delphine et d'une seconde aide domestique requise pour l'occasion et remplaçant Éva soit Alvina Mercier une jeune fille d'à peu près son âge.

On était donc sept à table.

– Un chiffre chanceux ! déclara Rostand quand on prit place et qu'un toast fut levé en l'honneur d'Émélie à la suggestion d'Honoré.

– C'est du vin qui a été « élevé » comme disent les connaisseurs par notre fille Éva, de révéler Émélie.

L'adolescente pencha un peu la tête et sourit. L'on but puis Rostand se racla bruyamment la gorge pour déclarer :

– C'est pas du bon, c'est du meilleur. C'est de valeur que les Canadiens prennent pas le goût du vin comme les Français : c'est bon pour la santé quand on le boit comme il faut.

Amabylis gardait sa réserve naturelle quoique le quêteux la mît à son aise par son naturel bon enfant et ses manières frustes. Comme de coutume, elle portait des vêtements à couleurs criardes et avait orné sa chevelure de rubans multicolores. Augure portait de nombreuses rides que le soleil creusait un peu plus chaque année. Il s'entendait bien depuis leur rencontre avec l'homme de Mégantic. Tous deux avaient fait la guerre. Tous deux en portaient les marques. Tous deux connaissaient le même métier de mendiant. Et si le premier n'avait rien d'un Indien, son long contact avec son épouse Amabylis l'avait lui-même indianisé.

– C'est un honneur de vous avoir à table, chers invités, déclara ensuite Honoré qui leva son verre de nouveau et que l'on suivit dans son geste.

Un autre couple avait été invité à ce repas sur l'herbe, mais Célestine, autre femme indienne, avait fait servir aux Grégoire le prétexte d'une infection sans en préciser la nature, pour décliner l'invitation. Cipisse Dulac lui-même était venu porter le message ce matin-là. En fait, c'est lui qu'aurait le plus embarrassé cette rencontre et il avait demandé à sa femme de trouver une bonne raison de ne pas y être, malgré son respect pour Honoré et la considération que le marchand lui vouait.

Il fut question du développement rapide de la paroisse, de sa prospérité, du labeur des gens, des ancêtres d'Amabylis, des années d'Augure à la guerre, de son temps sur les routes à la manière de Rostand. Puis se produisit l'inévitable moment des augures.

– Dites-nous notre futur, demanda Émélie en s'adressant par le regard au quêteux et à la femme Bizier.

Sa curiosité aiguisée par les prédictions d'Amabylis quant à Bernadette première et la petite Èveline Martin, son désir de contredire l'enseignement du curé et de l'Église à propos de telles pratiques, condamnables mais auxquelles aucun péché n'était jamais rattaché, ce qui en faisait une zone grise entre le bien et le mal, Émélie venait de plonger en se disant que si les deux descendants d'Indiens s'entendaient pour anticiper quelque chose, ils risquaient d'avoir davantage raison qu'un seul. À trois, on aurait eu plus de certitude, mais la femme Dulac n'avait pas pu venir.

– Allez-y, madame Bizier, fit Rostand.

Intimidée, elle baissa la tête :

– Pas moé, vous, osa-t-elle dire.

Lui ne demandait pas mieux. Il reprit la parole :

– Je commence par qui ?

– Ben... par Honoré, fit Émélie.

– O.K. laissez-moé vous r'garder comme il faut. J'veux dire l'âme qui entoure le corps... C'est des couleurs et ça dit tout... le passé, le présent, l'avenir...

– Ah oui ? s'étonna Honoré qui n'avait jamais entendu pareille hypothèse, surtout lancée avec pareille certitude.

Rostand fit silence un temps et tous, surtout Éva et Ildéfonse, brûlaient de l'entendre de nouveau. Il semblait se concentrer, entrer en lui-même, y errer peut-être, et son regard tournait autour de la personne de son vis-à-vis à cette table.

– Le passé est tout beau… Le présent itou… L'avenir, c'est des coups de couteau dans le cœur, mais je vois partout de la consolation… de la consolation… Les coups de couteau, j'en vois les cicatrices… Les plaies ont guéri… mais les marques sont profondes…

Émélie songea aux enfants et se dit que si l'homme disait vrai, elle subirait les mêmes souffrances que son époux. Au moins Rostand semblait-il voir l'avenir d'Honoré à ses côtés à elle, et serait-on deux pour faire face au pire s'il devait se produire. Son visage durcit. Elle ne voulait pas croire en ces choses, seulement les entendre, pas plus…

Amabylis que tous avaient perdue de vue entra dans un léger frémissement et des sons inintelligibles émergèrent de sa bouche fermée. Ses yeux étaient fermement clos. Son corps se balançait sur la chaise.

– Elle s'en va en transe, dit Augure. Faut la laisser faire. Ensuite, elle va dire ce qu'elle a vu.

– Passe à ma femme, dit Honoré au gueux. Je veux savoir son avenir à elle…

Rostand braqua son regard scrutateur sur elle, en fait autour d'elle comme pour y lire les inscriptions dans son âme, et il parla, la voix étrange, comme venant d'une autre dimension :

– Les cicatrices sont partout… dans le passé, dans le présent, dans l'avenir… Jamais vu quelqu'un avec autant de blessures… c'est… c'est… insupportable… Mais… je vois une force… bleue… non, violette… les couleurs du bonheur pis du sang mélangées… une flamme qui… qui… guérit les plaies… qui protège l'âme mais qui… qui…

Il s'arrêta, grimaça puis ajouta rapidement :

– J'vois encore vingt-cinq ans icitte, su'a terre… ensuite…

Amabylis ouvrit les yeux, mais son regard était immobile, enfui dans un lointain connu d'elle seule. Puis elle tendit ses deux bras comme des ressorts, traversa la table avec ses mains et s'empara à la fois de celles d'Éva et d'Ildéfonse.

Et elle entra dans une phase de gémissements tout en balançant très doucement la tête de droite à gauche. Il parut que les esprits des deux Indiens se fondirent en un seul afin de percevoir et faire savoir. Rostand dit, lui qui pouvait voir les deux adolescents Grégoire en un seul plan :

– L'avenir est brisé… coupé à moitié de son chemin… non, au quart de son chemin…

Émélie et Honoré s'échangèrent un regard entendu. Eux qui ne croyaient pas en ces visions mais avaient voulu les provoquer devaient savoir qui, de leur fille ou de leur fils, faisait l'objet du propos. Honoré glissa :

– Éva ou Ildéfonse ?

L'autre parut ne rien entendre et poursuivit :

– Blessures… mort… blessures… mort… non… c'est… la force… force violette… non… elle est pas là… pas là…

À son tour, il se mit à gémir et la douloureuse mélopée d'Amabylis se fit plus insistante.

Éva et Ildéfonse avaient tous deux le visage exsangue, blanc comme de la farine. Aucun ne bougeait. Ils donnaient l'air de deux mannequins vissés à leur chaise. À telle enseigne que leurs parents se prirent à regretter toute cette mise en scène qu'eux-mêmes ne prenaient pas très au sérieux. Ils allaient la désamorcer quand une voix forte le fit pour eux :

– Que diable se passe-t-il ici aujourd'hui ? Ça ressemble fort à de la divination… indienne de surcroît…

C'était le curé Godbout. Il avait vu arriver les invités des Grégoire et deviné la raison de leur visite alors que le magasin était fermé comme tous les dimanches après l'heure du midi. Après avoir mangé, il avait annoncé à Belzémire qu'il allait payer une visite aux gens d'en face. Et il venait de les trouver en train de chercher des réponses à leurs interrogations morales en dehors de la foi catholique. Gardien des âmes, le curé intervenait ainsi que son devoir de prêtre le lui commandait impérieusement, et sûrement aussi pour se faire valoir et continuer d'établir solidement son autorité :

– Je suis étonné voire renversé d'assister à pareille hérésie à deux pas de l'église et un seul du presbytère.

– C'est pas sérieux, monsieur le curé, faut pas vous en faire. Personne n'invoque le démon ici aujourd'hui.

– Mais, monsieur Grégoire, regardez le visage de vos enfants : on les dirait possédés par le Malin…

Émélie intervint :

– Monsieur Rostand leur a fait un peu peur, mais on compte sur vous pour les rassurer.

Elle se leva :

– Prenez ma chaise… Ildéfonse, cours donc chercher une autre chaise, veux-tu ?

L'adolescent quitta la table et reviendrait quelques instants plus tard avec la chaise demandée. Entre-temps, le prêtre resté debout, continua de sermonner mais en atténuant les gestes, le ton, la valeur des mots, à mesure qu'il sentait l'acceptation, la honte et le remords chez ceux qu'il tançait.

– Assoyez-vous, monsieur le curé, dit Honoré.

– Vous allez bien manger une croûte avec nous autres, enchérit Émélie.

– Je veux bien, mais plus d'incantations divinatoires ou alors… Écoutez, mes amis, seul Dieu connaît le futur… parce qu'Il est le seul à posséder la vie éternelle, à n'avoir eu aucun commencement et à devoir exister toujours… Nous autres, les mortels, avons les yeux bouchés par le temps. Le temps est notre limite. On ne peut donc pas savoir ce qu'il nous réserve…

Son propos commença de rassurer Éva. Puis les craintes de son frère s'amenuisèrent doucement à leur tour. Au bout du compte, la pensée unique de l'époque reprit ses droits et les choses retrouvèrent leur normalité. Le curé repartit content. Le quêteux et les Bizier également. Émélie et Honoré se dirent que la journée n'avait pas été inutile et que ce repas avait joyeusement brisé la routine hebdomadaire. Toutefois, il resta des craintes en Éva et son frère. Ils s'en parlèrent, mais par bonheur pour la paix de leur âme, la foi les rassura presque tout à fait…

∞∞∞

Malgré ses dires, Émélie décida cette semaine-là de confier le chapelet de Marie qu'on avait retiré de son cercueil le jour de son inhumation à un artisan bijoutier de Saint-Georges afin qu'il le transforme en bracelet-talisman…

∞∞∞

Et ce fut bientôt septembre. Un lundi matin, Honoré, Éva et Ildéfonse montèrent dans la voiture à Marcellin Veilleux pour se rendre à la gare. Émélie vint les voir avant qu'ils ne partent chacun avec une grosse malle contenant le nécessaire pour une année de pensionnat.

– Si vous avez besoin de quelque chose, vous écrirez, là…

En elle-même, Émélie aurait voulu leur dire simplement de lui écrire, mais en paroles, elle fournissait un prétexte terre-à-terre à leurs possibles lettres.

– Djeng ! lança Veilleux après un coup d'œil à la femme qui lui avait fait un signe de tête affirmatif.

– Bonjour, là, maman ! dit Éva le cœur lourd.

– Bonjour, ajouta froidement son frère, comme un homme doit dire sans plus quand il s'en va ailleurs.

– T'as pas oublié ton argent, Honoré ? lança Émélie de loin.

L'homme sonda sa poche de veston, répondit :

– J'ai ce qu'il faut, j'ai ce qu'il faut…

Émélie fit un signe de tête voulant dire bon voyage, mais elle n'ouvrit pas la bouche et rentra dans le magasin où l'attendait une autre grosse journée.

∞∞∞

L'on se rendit à Mégantic en train depuis la gare de Saint-Évariste puis de là, à Sherbrooke. Un cocher les amena tous trois au séminaire où descendit Ildéfonse. Honoré l'aida à entrer sa malle puis se rendit à l'administration régler ses comptes pour l'année de pensionnat de son fils. L'on se serra ensuite la main à l'extérieur. Honoré livra un solide « bonne chance » à son fils préféré puis remonta en voiture en direction de la gare. Après une autre étape en train, il fallut encore louer une diligence pour enfin arriver devant l'imposant édifice de briques rouges à toit mansardé qu'était le couvent des Ursulines de Stanstead.

C'était un jour de grand soleil que ce mercredi, le 6 septembre 1905. L'adolescente regarda le ciel bleu tandis que le cocher et son père déchargeaient la malle à couvercle bombé contenant ses affaires personnelles. Puis le cœur gros, elle les suivit à l'intérieur.

Mère Sainte-Winefride Anderson, préposée à l'accueil ce jour-là, les conduisit au grand dortoir tandis qu'elle parlait des règles de la maison et indiquait les lieux que les pensionnaires pouvaient fréquenter et ceux auxquels d'autre part elles n'avaient pas accès.

Par la suite, le cocher retourna à la voiture tandis que le père d'Éva allait régler aux religieuses les 70 dollars que coûtaient une pension pour une année dans cette institution, qu'il versait aussi un supplément de 10 dollars pour le blanchissage, de 2,50 dollars pour le loyer du lit et enfin de 3,45 dollars pour les fournitures classiques. Il revint ensuite au parloir pour laisser un dernier bonjour à sa fille. Sœur Sainte-Winefride resta discrètement près de la porte d'entrée pour laisser se faire la séparation et l'observer afin d'en savoir un peu sur ces deux-là.

– Papa, fit Éva émue, je vas travailler fort pour réussir mes études, je le promets.

– T'as pas besoin de me le dire, je le sais. Même que tu vas avoir le double de temps pour tes études ici qu'à Shenley où ta mère te réclamait toujours au magasin ou au soin des jeunes enfants.

– Pauvre maman, elle va se faire mourir à travailler.

– On va engager le monde qu'il faudra, crains rien. Ton ouvrage à toi, c'est d'étudier comme il faut.

L'homme fit émerger sa montre de sa petite poche de pantalon et se désola:

– Faut que je parte ou je pourrais revenir à la maison avec un jour de retard et ta mère se morfondrait comme il faut.

Il prit Éva par les deux épaules, le regarda dans les yeux pour dire avec conviction:

– Ta mère et moi, on a toujours eu ben confiance en toi.

La jeune fille demeura silencieuse. Sa gorge se serrait. Il y avait là un vilain nœud de larmes. Honoré s'en alla, accompagné des salutations presque à la japonaise de la religieuse d'origine anglaise.

Mère Sainte-Winefride s'adressa alors à la nouvelle pensionnaire:

– Please, follow me…

Elle la conduisit à la salle à manger des sœurs et lui dit en désignant une pile de linge:

– Put your apron and set the table.

Éva fondit en larmes. La sœur la prit en pitié et lui concéda en français quelques mots de consolation.

∞∞∞

Le jour suivant, Honoré rentra au magasin à son retour de Stanstead et Sherbrooke, satisfait de son voyage, heureux de savoir

Éva et Ildéfonse entre bonnes mains là-bas et pas si loin que ça l'un de l'autre.

C'était vendredi, une fin de jour achalandée au commerce des Grégoire. C'est que l'importante clientèle du village, village de plus de cent maisons qui s'étirait maintenant sur un mille de longueur, préférait faire ses emplettes ce jour-là de même que le samedi plutôt que le dimanche après la messe, un temps qu'on laissait volontiers aux acheteurs venus des dix rangs de la paroisse.

Jean Jobin travaillait au comptoir de la marchandise sèche. Hilaire Paradis le secondait comme homme à tout faire. Délia, l'épouse de Jobin, s'affairait avec Émélie du côté des dames. Le courrier du matin attendait toujours dans les sacs et des gens grommelaient. Un maître de poste se devait d'être toujours au poste, se disaient-ils entre eux pour prolonger leur patience. Et pourtant, cette longue attente les gardait à l'extérieur de chez eux et les divertissait. Ils se plaignaient et aimaient le faire. Et aimaient en fait attendre pour se parler de mille et une choses.

Quand Alice aperçut son père arriver, elle se dépêcha de disparaître. Grimpant l'escalier à toute vitesse, elle se rendit à la mezzanine et s'y arrêta pour espionner, sachant que ses parents se parleraient probablement sous son nez. Et à portée de voix avec un peu de chance. Son intuition la servit une fois encore. Émélie et Honoré se dirent un mot au bout du comptoir des dames avant que l'homme ne s'engouffre dans l'office (bureau de poste) pour y « dépaqueter la malle ». Sans bouger d'une ligne afin de ne pas être repérée, Alice écouta sa mère demander :

– Tout s'est bien passé ?

– Parfaitement !

– Content de ton voyage ?

– Ah oui ! Mais...

Il hocha la tête, soupira. Elle insista :

– Mais quoi ?

– Ben… Éva partie, c'est comme si… ben… comme un deuil à faire dans la maison. Elle va revenir durant les vacances, mais… Ildéfonse va nous revenir probablement si mettons… Alfred reprend pas le magasin, mais Éva…

– Des enfants, c'est comme des oiseaux, faut que ça vole de leurs propres ailes un jour ou l'autre.

– En tout cas, il va nous rester la belle excitée d'Alice pour un bout de temps…

– Honoré, ça fait plusieurs fois que je t'entends la traiter d'excitée… Peut-être qu'Éva partie, Alice va s'intéresser un peu plus à la tenue de maison et aux choses sérieuses ?

– Ça reste à voir. Ça reste à voir.

Ce ne serait pas la dernière fois que la pauvre Alice entendrait son père la traiter d'excitée… Mais il lui faudrait du temps pour que ces paroles ne la troublent vraiment.

– Excité vous-même, papa Noré Grégoire ! marmonna-t-elle sans bouger…

∞∞∞∞∞∞∞

Chapitre 36

1906

Une petite réception fut donnée ce jour-là en l'honneur de William Foley et de sa jeune épouse Délia Patry dans le sous-sol de la sacristie. C'était le 15 janvier, un lundi clair de grande froidure. Malgré la rigueur du temps, Honoré avait emporté sur les lieux de la fête intime un graphophone tout neuf. L'inventaire du magasin en comptait une douzaine de ces appareils servant à reproduire le son, bien rangés sur la tablette du haut près du plafond. Des bleus, des rouges, des gris, des verts : tous à cylindre de cire et cornet pour diffuser le son.

Le cylindre qu'il avait aussi apporté reproduisait un concert du ténor Enrico Caruso, un artiste célébré mondialement que tous connaissaient dans les pays occidentaux développés, à cause de sa réputation et maintenant par sa voix puissante et mélodieuse répandue en Europe et en Amérique par cette invention acoustique. (Le graphophone était en fait un phonographe perfectionné, amélioré par le génie d'inventeurs comme Edison et Bell.)

Au milieu du repas, Honoré mit l'appareil en marche. Un air d'opéra se répandit par toute la pièce basse. On aimait ou bien on se faisait croire que c'était agréable à entendre.

– C'est de valeur que Caruso chante rien qu'en italien, dit le jeune marié à Honoré qui venait ramasser de la reconnaissance pour son beau geste.

– Il chante en français, en anglais, en espagnol, en italien, en allemand… Caruso est un polyglotte… autant que le pape Pie X.

Émélie n'était guère impressionnée par l'appareil et pas plus par le ténor. D'ailleurs, le soir, à la maison, au salon, quand son mari faisait jouer un cylindre d'opéra, elle faisait en sorte de s'éclipser sur un bon prétexte pour ne revenir qu'au moment où elle n'entendait plus rien. Plus rien que le ronflement d'Honoré que le chant classique avait tôt fait d'endormir sur le divan.

À part le graphophone, ce fut une noce simple et modeste.

Quinze jours plus tard, Émélie donnait naissance au onzième enfant de la famille.

– Neuf de vivants, dit Honoré à un commis voyageur le jour suivant, 2 février. Alfred qui est aux États. Éva à Stanstead. Ildéfonse à Sherbrooke. Alice et les autres, Henri, Pampalon et Eugène, sans oublier la petite Bernadette, sont avec nous autres. Celui-là qui vient de naître s'appelle Maurice. Deux sont morts, des petites filles : Bernadette et Armandine. C'est ça, la famille du vieux Honoré Grégoire qui achève déjà sa quarantième année sur la terre du bon Dieu.

Les pieds levés, accrochés à la table de travail dans le bureau de poste, chaise reculée sur ses pattes arrière, Honoré prenait un moment pour répondre à ce voyageur de commerce à qui il venait de donner sa liste d'effets commandés.

– Belle famille, fit distraitement le visiteur en parcourant la liste des yeux aux fins de savoir si elle correspondait à ses attentes ou bien si le marchand ne lui préférait pas des compagnies concurrentes.

– C'est vous, monsieur Capistran, qui avez toujours la plus belle commande.

L'homme dont la voix claquait comme les fers d'un cheval frappant le ciment lissa doucement sa noire et lourde chevelure pour dire sans broncher :

– Je vois ça… Y a rien que les remèdes de l'abbé Warré qui sont pas là.

Honoré grimaça :

– On les paye un peu moins cher à la compagnie Morris.

– Morris ? Abraham Morris ?

– Oué...

– Mais c'est un Juif, monsieur, un Juif.

– Et puis ?

– Vous savez quoi ? Ce monsieur a dû fermer sa boulangerie parce que les inspecteurs l'ont surpris endormi...

– Il dormait sur l'ouvrage ? Mais si la boulangerie était à lui, où est le problème ?

– Savez-vous c'est qu'il avait utilisé pour oreiller ? Le savez-vous ?

– J'imagine pas, non.

– La pâte à pain. Je vous le dis, monsieur Grégoire, la pâte à pain pour oreiller. Il avait la tête en plein dans le pétrin, si vous voulez savoir. Ils ont fermé sa boutique. Ensuite, il s'est mis à représenter l'abbé Warré.

Honoré éclata d'un de ces éclats de rire mémorables. À vous réveiller les morts si tant est que le cimetière n'eût pas été déménagé sur la colline là-bas. Il répéta :

– La tête sur la pâte à pain ?

– Dans le pétrin.

– Ah ben Cipisse !

Honoré eut un second éclat de rire qui contrariait fort le commis voyageur. Et Capistran reprit :

– Il a dû en faire manger, des cheveux juifs, à ses clients.

– Pis c'est grâce à ça que nos remèdes de l'abbé Warré nous coûtent moins cher qu'avec votre compagnie. J'en reviens pas comme c'est comique !

– Vous trouvez ça comique, vous.

– Pas vous ?

Et Capistran glissa la liste d'Honoré dans une pochette de carton, fronça les sourcils, en finit avec sa visite :

– Au mois prochain, monsieur Grégoire. Là-dessus, je vas aller visiter monsieur Champagne; on m'a dit à l'hôtel qu'il désirait ouvrir un magasin.

Honoré cessa de rire et se remit sur ses jambes:

– Ça fera pas baisser les prix: on a les prix les plus bas. Moins, tu vires à perte.

– Peut-être qu'il va faire des affaires avec des bons Canadiens français comme nous autres, lui. Salutations, monsieur Grégoire.

– Vous partez pas fâché toujours, là?

– Pantoute. Jos Capistran est jamais, jamais fâché. Le commerce, c'est le commerce. J'ai pas peur de défendre mes produits…

Le regard d'Honoré s'agrandit et pétilla. Il enchérit:

– Pis pas de cheveux juifs dans votre marchandise.

L'autre haussa une épaule, sourit à peine et s'en alla, suivi d'un troisième éclat de rire de la part du marchand qui ne s'était pas autant amusé depuis des lunes.

∞∞∞

On était le 19 avril: un jour ensoleillé qui brillait autant dans le ciel bleu que sur les îlots de neige blanche parsemant les champs. Mais le printemps disait aussi sa présence par tous ces espaces de terre nue un peu partout dans le village et la campagne environnante. Une odeur de végétaux en décomposition flottait dans l'air doux et frais. C'était l'heure entre chien et loup et plusieurs citoyens du village se trouvaient au magasin, attendant qu'Honoré finisse de dépouiller le courrier. Surtout en attente de détails autour de l'énorme nouvelle du jour: un événement qui pourtant s'était déroulé à des milliers de milles de la quiétude beauceronne. Sans que personne ne joue du tam-tam, plusieurs villageois étaient déjà au courant par le bouche à oreille. La nouvelle était parvenue à Saint-Honoré par la voix de Marcellin Veilleux à qui l'avait annoncée le chef de la gare de Saint-Évariste. Le journal du jour tout juste arrivé jetait un premier éclairage majeur sur la catastrophe. Car il s'agissait bel et bien d'une épouvantable catastrophe, de celles dont on parlerait encore dans cent ans. La ville de San Francisco avait été détruite la veille au petit matin par un tremblement de terre de forte intensité. Les dommages provoqués directement par le séisme n'avaient pas été très importants, mais l'incendie à cinquante foyers qui avait suivi aurait, disait-on, emporté dans la mort des milliers de personnes (en fait 450).

Dès que le courrier et les journaux furent distribués, la plupart des hommes demeurèrent sur place pour entendre ceux qui savaient lire et interpréter les articles du Soleil et les mieux faire comprendre.

– 8,2 sur l'échelle de Richter, déclara solennellement Honoré quand il put se joindre au groupe.

– Quelle échelle ? demanda un loustic ignare.

– C'est… l'échelle à Lomer, blagua Hilaire Paradis.

Depuis un mois, le Québec avait un nouveau Premier ministre et son prénom faisait sourciller les électeurs. Lomer Gouin, libéral, avait remplacé Simon-Napoléon Parent, tout aussi libéral que lui.

– Ah oui ! s'étonna Cipisse Dulac.

– Mais non ! fit le docteur Drouin par-dessus les nombreuses voix des hommes alignés, assis, debout, adossés. L'échelle de Richter, c'est une échelle qui mesure la force des tremblements de terre.

– On savait ça ! fit Dulac qui ne voulait pas passer pour un ignorant.

Honoré sourit avec un brin de condescendance et parla :

– J'ai pas eu le temps de lire les détails dans le journal, mais la ville de San Francisco est ravagée aux trois quarts. C'est la tempête de feu qui a suivi qui a fait les gros dommages. Et vous savez quoi, mes amis, on va faire une minute de silence pour les Américains qui sont morts là-bas. Chacun pourra prier pour eux autres à sa manière… Non… Attendez, j'ai mieux que le silence… ben mieux…

Il sauta sur le comptoir, prit un graphophone sur l'étagère la plus haute et descendit l'appareil dont il remonta le ressort à la manivelle. Ensuite, il montra à bout de bras un cylindre en disant:

– Mes amis, vous allez entendre monsieur Caruso. Vous savez pourquoi? Parce qu'il était là-bas, à San Francisco, hier. C'est écrit dans le journal. Il n'a aucun mal. Plus de peur que de mal comme on dit… Écoutez ça: c'est quasiment divin comme son, comme chant… Écoutez…

Et la voix du ténor remplit la place sans toutefois pouvoir la garder aussi garnie. On voulait entendre des histoires d'horreur venues de San Francisco, pas des airs d'opéra venus de nulle part. Hilaire Paradis fut le premier à filer à l'anglaise, suivi de Cipisse Dulac qui grommela en sortant:

– Y chante comme un ourre (ours) pogné dans son piége.

D'autres s'en allèrent à leur tour après avoir consulté leur montre ou s'être échangé des regards entendus. Il ne resta plus que le tiers de l'audience à la fin du chant. C'était moins Caruso le coupable que le graphophone qui ne rendait pas justice à son talent, un talent que l'auditeur devait évaluer en y ajoutant le jugement de sa propre imagination. Mais la folle du logis manquait à plusieurs…

∞∞∞

Deux fils Grégoire revinrent à la maison le même jour de juin: Alfred que les États-Unis avaient échappé de leurs griffes dorées et Ildéfonse que le séminaire Saint-Charles-Borromée relâchait pour les vacances de ce doux été 1906.

Le hasard fit que tous les deux arrivèrent à la gare par le même train venu de Mégantic. Et ils ne se virent qu'une fois rendus sur le quai, chacun ayant voyagé dans un wagon différent.

– C'est que tu fais par ici? lança Ildéfonse qui fut le premier à voir l'autre.

– Je reviens des États.

– Moi du séminaire.

Les deux garçons se ressemblaient autant qu'un vélo et une poêle à frire. Personne n'aurait pu affirmer leur parenté. Alfred avait le visage plus rond qu'à son départ et Ildéfonse, au contraire, semblait avoir une mâchoire inférieure plus accusée qu'auparavant. Le premier allait avoir ses 19 ans tandis que son frère venait d'en avoir quatorze. L'un aux cheveux d'un brun foncé et l'autre qui les avait plutôt châtains.

– Viens m'aider pour descendre ma valise, Freddé.

– La mienne est pas grosse comme la tienne. Je gage que t'en as une à deux poignées pour deux porteurs.

– En plein ça ! Et notre mère l'a remplie ben comme il faut.

– Ben moi, j'aime pas ça, trop de bagages à traîner.

Un quart d'heure plus tard, ils voyageaient tous les deux en compagnie de Marcellin Veilleux en direction de leur domicile, chacun abreuvant l'autre de ses récits propres sur l'année qu'il venait de passer.

Quelle ne serait pas la surprise de leurs parents de les voir arriver ensemble ! Aucun ne songeait à l'accueil qui lui serait fait. Démontrerait-on plus de joie à voir l'étudiant que son frère aîné ? On attendait Ildéfonse ces jours-là, mais pas Alfred qui ne devait revenir à la maison qu'à l'automne si seulement il prenait la décision de retourner chez lui sans se laisser happer définitivement comme son oncle Jos par la « belle sirène Américaine » aux chants si séducteurs. Pareille décision faciliterait celle des époux Grégoire quant à leur succession au magasin. Ildéfonse remplacerait Honoré l'heure venue de dételer.

– Huhau ! Huhau ! fit Veilleux devant le magasin.

Les deux fils descendirent et allèrent mettre la grosse malle sur le perron du magasin tandis que le postillon entrait les sacs de courrier et disait à Émélie en marchant vers le bureau de poste :

– J'ai deux passagers que vous connaissez ben comme il faut.

La femme ne leva pas la tête de sa pièce de tissu et marmonna un « ah oui » d'indifférence. Veilleux répéta sa phrase pour Honoré qui ne releva pas la tête du journal de la veille ; il le relisait pour la seconde fois comme chaque jour.

Et les deux grands garçons entrèrent les bagages sans que leurs parents ne les aperçoivent encore. Ils approchèrent de leur mère ; et, par hasard ou par flair, Honoré émergea au même moment du bureau de poste pour aller parler à Émélie, si bien que les quatre furent tout à coup réunis par le regard et des sentiments mélangés de joie et d'étonnement.

– Ah ben les gars qui nous reviennent ! s'exclama Honoré.

– Alfred, c'est qu'il t'arrive de revenir si vite ? fit à son tour Émélie.

– Ben… j'ai décidé…

– De revenir avant, poursuivit Ildéfonse à sa place.

– Ben ça va nous faire deux commis pour l'été ; comme ça, on n'aura pas besoin d'en engager.

– Ben moi, j'sais pas si j'vas travailler au magasin par exemple, osa dire Alfred, le visage tourné au cramoisi.

– Comment ça ? demanda sa mère au regard inquisiteur.

Alfred s'empressa de dire une phrase affirmant son autonomie décisionnelle :

– Avec mon argent, là, j'veux m'acheter un billet de location pour une terre à bois.

– Tu veux un lot de colonisation ? s'écria la femme le ton réprobateur, comme si son fils avait blasphémé.

– Ben…

– Moi, je vais m'en occuper du magasin, glissa Ildéfonse que les désirs de son frère de cultiver la terre accommodaient, car il avait lui-même grand intérêt pour les affaires de l'entreprise familiale et commençait de se voir, suite aux propos entendus dans la bouche de ses parents, comme celui qui prendrait leur relève.

Honoré statua :

– On verra à tout ça plus tard. Réinstallez-vous tous les deux dans vos chambres. Freddé, tu sais qu'on a perdu une petite fille, par contre, on a dans la maison un autre enfant : il s'appelle Maurice.

– Ouais, dit Alfred qui reprit sa valise posée à terre et s'en alla d'un pas à la fois mal assuré et nonchalant.

– Tu viendras m'aider pour ma valise, lui cria Ildéfonse.

– Oué, oué…

∞∞∞

Alfred apprit que plus un seul lot n'était encore disponible dans le canton de Shenley. Il dut choisir une terre en « bois debout » dans le canton de Marlow soit le lot numéro 10 du 4e rang. Il se trouvait là une mission sous le vocable de Saint-Gédéon, appelée à devenir très bientôt une paroisse. C'est là que ce jeune homme doux et bon, dépourvu de grandes ambitions, fidèle aux traditions, voulait s'établir et fonder une famille. Il serait colon. Un rêve de toujours.

(*Des colons venus des villages voisins affluaient vers cette importante réserve de lots à défricher que le gouvernement concédait par billets de location pour une période de trois ans. Au bout de ce laps de temps, le défricheur qui avait, tel que convenu, déboisé quatre acres de terrain et qui avait construit une habitation, recevait alors de l'agent des terres son titre de propriété.* Extrait de *Un clocher dans la forêt*.)

Les parents du jeune homme comprenaient cet attachement de leur fils aîné pour la terre. Eux aussi, naguère, avaient répondu à l'appel de l'arrière-pays, mais ils croyaient que la province comptait assez de défricheurs et cultivateurs, et voulaient, au fond d'eux-mêmes, que leur Alfred en tant que marchand général joue un rôle hautement actif dans le développement économique de sa communauté, et ce, bien plus que s'il devait n'être qu'un simple colon.

Sans tarder, le jeune homme se rendit entreprendre le défrichement de sa terre. Il prit pension pour un temps chez un colon des environs et quand il se fut doté d'une cabane habitable, il y vécut, ne revenant à Saint-Honoré qu'une fois la semaine pour refaire ses provisions et donner de ses nouvelles.

Au mois d'août survint un malheur qui ébranla le jeune colon et fit naître en lui une certaine hésitation quant à la poursuite de son rêve. Le dernier-né de la famille, Maurice, mourut sans que personne ne puisse le prévoir. À plus de six mois, l'enfant n'était pas de santé fragile et pourtant, on le trouva mort dans sa couchette. C'est Alfred qui fit cette affligeante découverte alors que ses parents travaillaient au magasin et que Delphine s'occupait des autres tandis qu'après son allaitement, le bébé dormait. Mû par quel instinct, il ne le saurait jamais, quelque chose l'avait poussé dans la chambre de ses parents où il avait dessein de regarder l'enfant pour s'y demander quand il en aurait un ou plusieurs lui-même. Le bébé avait le visage bleu et aucune partie de son corps ne bougeait. Alfred le toucha, comprit, demeura figé un moment. L'horreur serait plus grande encore s'il s'agissait de son fils. Et comment avoir recours rapidement aux services d'un docteur quand on vit dans le bois à plusieurs milles de la civilisation?

Il annonça la triste nouvelle à sa mère qui vint constater le décès puis, sèche, demanda à son fils d'aller chercher le docteur Drouin afin qu'il vienne officialiser la mort du petit Maurice. Ni Alfred ni sa mère n'assistèrent à l'enterrement qui eut lieu le lendemain. Lui était retourné à Saint-Gédéon et elle trouva refuge dans son ancienne maison afin de s'y bercer dans la solitude le temps d'une réflexion, d'une émotion bien cachée…

Honoré et son fils Ildéfonse furent les seules personnes au monde qui accompagnèrent cet enfant au cimetière après une cérémonie des anges vivement bâclée par le curé Godbout. Ce n'était qu'un parmi tant d'enfants en bas âge qui mouraient chaque année…

Un mois plus tard, Émélie tomba de nouveau enceinte. Comme s'il était requis de remplacer un bébé par un autre, soupira-t-elle quand elle le sut.

∞∞∞∞∞∞∞∞

Chapitre 37

1907

Après un court séjour à la mairie en remplacement d'Onésime Pelchat, Hormidas Lapointe démissionna pour des raisons personnelles et Théophile Dubé fut élu par acclamation au poste de maire de la grosse paroisse. Quant à Jean Jobin junior, il conserva celui de secrétaire-trésorier. Serait bien mal vu par la population le maire qui tenterait de l'en évincer. De toute façon, Dubé et Jobin s'entendaient à merveille et partageraient la gouverne municipale pendant les trois prochaines années.

Et fut enfin lancée la construction d'un imposant presbytère sis à l'arrière de l'église et formant la pointe d'un triangle dont les deux autres étaient la sacristie et le cimetière. Et c'est Théophile Dubé qui obtint le contrat, lui, entrepreneur local qui ouvrait et dirigeait des chantiers 30 milles à la ronde.

Le curé Godbout comme son prédécesseur à l'érection de l'église surveillerait de près les travaux afin que les plans soient suivis à la lettre et pour que rien ne manque de ce qu'il avait prévu dans la nouvelle demeure du pasteur de la communauté. Il avait conscience d'agir non seulement en sa faveur propre mais en celle de ses successeurs à la cure de Saint-Honoré pour au moins un siècle à venir.

Autre chose d'important survint ces jours-là de fin de printemps: la confrérie du St-Rosaire établie une vingtaine d'années auparavant sous inspiration du curé Fraser et fondée par Honoré Grégoire et Aristide Blais fut, à l'instigation de l'abbé Godbout, transformée en la garde d'honneur de Marie. Ce qui caractérisait la confrérie, c'était la promesse par les « associés » (dont le nombre atteignit tout près de 2000 personnes) de réciter leur rosaire le 27 de chaque mois, à l'église ou à la maison. À l'intérieur de la nouvelle garde d'honneur, cette promesse devint un engagement plus solennel encore par les familles de réciter le rosaire à l'église. Et sans aucune interruption durant vingt-quatre heures, ce qui causait un va-et-vient continuel à l'église par les personnes qui avaient, oh consolation! quand même la liberté de prier à l'heure qu'elles-mêmes avaient choisie...

Saint-Honoré où il ne se trouvait que des Canadiens français catholiques plus quelques descendants d'Indiens, devenait par toutes sortes de groupements dévotieux un fleuron de l'ensemble diocésain et favoriserait l'élévation de Monseigneur Bégin à la dignité cardinalice.

Et que dire des familles nombreuses et de ces femmes dites reines du foyer si dévouées, ces mamans si magnifiquement célébrées par les prêtres dans leurs sermons ? C'est dans leur ventre qu'elles portaient courageusement l'avenir de la bonne race...

∞∞∞

Ildéfonse termina ses études au milieu de juin et retourna chez lui, la joie et l'espérance au cœur. Il serait commis au magasin et apprendrait par le détail et par l'esprit le métier de marchand général tandis que son frère aîné suait dans la joie sur son lot de Saint-Gédéon.

Sa mère était sur le point de donner naissance au douzième enfant de la famille. Encore un jour ou deux et ce serait l'événement dit heureux. Certes, à 16 ans, le garçon était au courant des grandes choses de la vie. Fini les cigognes dans le décor de ses connaissances. Ni Sauvages non plus qui apportaient les bébés la nuit. Non seulement savait-il comment les enfants naissent mais aussi de quelle manière ils se fabriquent. Cela datait même des noces d'Obéline et de son observation de la première nuit des mariés par un interstice sous la maison rouge. Un souvenir impérissable.

Il ne lui fut donc pas interdit de rendre visite à sa mère qui, pour les naissances d'été, demeurait dans la résidence d'hiver. Il frappa sans brusquerie à la porte de la chambre des maîtres.

– C'est toi, Alfred ?

Émélie savait qu'Honoré n'aurait pas frappé avant d'entrer dans leur chambre. Le son entendu était celui d'un homme. À moins qu'il ne s'agisse d'Ildéfonse revenu, elle l'ignorait, une heure plus tôt de Sherbrooke.

– Non, c'est moi, maman.

– Ildéfonse ? Mais entre. Ta mère est alitée, mais c'est pas par maladie.

– Je sais, fit-il en ouvrant, vous allez avoir un autre bébé.

– Un autre, oui, un autre…

La pièce n'était pas très éclairée sauf que des rais de lumière pénétraient à travers le voile des rideaux et tombaient sur un livre de chevet posé sur une petite table à la gauche du lit blanc.

– Vous lisez, vous, maman ?

– Tu veux dire des livres ?

– Oui.

– J'ai toujours lu des livres, mon grand garçon. Mais jamais autrement que dans la chambre. C'est la place pour ça. Ailleurs, c'est la place pour travailler.

– Vos livres, vous les cachez où ? Je les ai jamais vus de ma vie, moi.

– Dans le tiroir de commode en bas, sous des vêtements. Ah, y en a pas beaucoup. Je relis chacun une fois par année. Là, c'est celui-là que ton père m'a donné avant notre mariage.

Ildéfonse mit sa tête en biais et son visage s'éclaira :

– Notre-Dame de Paris ! Victor Hugo ! Ça, c'est de la littérature !

– Et ça fait rêver. Je l'ai lu une bonne douzaine de fois… Et toi, tu nous ramènes ton diplôme.

– Je l'aurai par la poste dans un mois si… ben si j'ai réussi mes examens de fin d'année.

– Ça, j'en doute pas, avec les notes que t'as toujours eues.

Le jeune homme fouilla dans sa poche de veston noir et en sortit un objet qu'il montra à sa mère à moitié assise dans son lit :

– Ça, maman, c'est une médaille en argent.

– Ta médaille de finissant ?

– C'est ça.

Elle la prit par la longue chaîne qui y était attachée et la fit se balancer devant son regard :

– Ça, c'est les initiales du séminaire et de l'autre bord, c'est les miennes : I.G.

– Est donc belle. Rouge et argent : un contraste parfait et la forme… Et c'est de la qualité, on le voit au poids, on le voit tout de suite. Je te félicite pour tes études. Tu l'as méritée, ta médaille.

Ildéfonse ressentit une forte émotion. Il n'avait pas souvent entendu sa mère prononcer le mot « félicitations » dans sa vie. Il fallait qu'elle soit vraiment contente de lui pour lui parler ainsi et voilà qui le touchait au cœur. Un peu plus et il aurait versé une larme de bonheur.

– Ça, tu vas le garder toute ta vie et ensuite, tu le donneras à un de tes descendants. C'est un objet précieux qui devrait rester un objet Grégoire dans cent ans. J'ai des objets Allaire, moi, et je vais les garder jusqu'à mon dernier souffle. Tu veux que je te les montre ? Y a seulement Éva qui les a vus parmi les enfants. D'abord le coffret là… et tout ce qu'il y a dedans…

∞∞∞

Et deux jours plus tard, un enfant naquit chez les Grégoire. On devait le prénommer Armand. Il lui fut donné pour marraine Alice et pour parrain Henri.

– Il a les cheveux blonds comme Ildéfonse les avait, déclara Émélie quand elle le vit pour la première fois après la naissance.

Cette caractéristique ajoutée à une parole de Restitue à l'accouchement et qui avait dit: *c'est le plus beau bébé que j'ai jamais vu*, inclina la mère vers l'enfant d'une façon bien spéciale. Une chimie des sentiments cachés se produisit comme à la naissance d'Ildéfonse et ce garçon occuperait une place d'exception, tout comme l'autre, dans un coin de son cœur…

∞∞∞

En ce soir du 30 août, le magasin se remplit d'hommes. Et comme la fois où on avait lu des articles de journaux sur la pendaison de Cordélia Viau, plusieurs femmes curieuses avaient accompagné leur mari. Sauf qu'ici, au contraire de la maison rouge, il y avait de l'espace en quantité: il s'y trouvait une bonne trentaine de personnes et on aurait pu en loger une bonne centaine et plus en utilisant le large escalier pour asseoir les gens en sus des comptoirs et de la table centrale. Et plusieurs jeunes hommes étaient carrément assis sur le plancher, adossés à l'un ou l'autre des comptoirs latéraux.

Le personnage qui parlait aux gens occupait l'espace autour de la grille de la fournaise. En l'occurrence, il s'agissait en ce moment de Joseph Foley:

– On est là pour se parler du pont de Québec qui, comme vous le savez tous, s'est écrasé dans le fleuve hier. Près de 80 morts. Un désastre national. Si vous voulez mon avis, du fer, je connais ça pas mal, c'est leur acier qui avait pas la qualité nécessaire pour supporter le poids.

– Par hasard, ça serait pas le modèle de pont qui aurait fait problème ? lui demanda le docteur Drouin.

– C'est pas le premier cantilever dans le monde. Les autres se tiennent debout. Non, c'est l'acier. Vous allez voir qu'ils vont trouver, prouver que c'est l'acier.

– C'est quoi, de l'acier déjà ? lança Hilaire Paradis.

– Tu sais pas c'est quoi de l'acier ? lui dit Honoré par-dessus les nombreuses voix à commentaires.

Le marchand se tenait debout à côté de Foley. Estomaqué par la nouvelle de la catastrophe, rempli des images de la pose de la première pierre par le premier ministre Laurier à laquelle il avait assisté avec Émélie, il essayait de s'adapter à la situation pour le moins renversante, d'autant que ce pont était appelé à réduire les coûts de transport des marchandises par train donc leurs prix de gros sur à peu près tout.

– C'est du fer trempé dans l'eau frette d'après moé, répondit l'interpellé.

– Pas tout à fait, dit Foley qui expliqua comment on s'y prenait dans les aciéries pour renforcer le fer en l'additionnant de carbone.

Ildéfonse faisait partie de l'assistance, jasant parfois avec son ami Jean Pelchat, écoutant celui qui parlait de manière distraite malgré l'ampleur de l'événement qui les rassemblait au magasin ; c'est qu'il ne cessait de porter son regard vers une jeune fille du haut du village, Laura Lemieux, qui avait drôlement grandi depuis le départ du jeune homme pour les études. Il ne la voyait alors que comme une fillette et voici qu'elle était femme faite. Et plutôt jolie personne humaine, songeait le diplômé du séminaire de Sherbrooke.

– Vont-ils le rebâtir, le pont ? lança Philippe Lambert.

– Certainement ! Mais ça pourrait prendre deux, trois ans de plus, dit Honoré.

– Ils avaient pas besoin de faire passer dessus un train chargé d'acier dessus, commenta Napoléon Martin.

– Un pont qui est pas capable de supporter trois fois ce poids-là est un pont dangereux, dit Foley.

Mary, sa fille, se trouvait parmi l'assistance. Elle se tenait debout près de son mari derrière le comptoir des dames où on admettait les gens pour l'occasion. Auprès d'eux, il y avait Odile et Napoléon venus faire des achats et restés au village, sachant que la chute du pont de Québec provoquerait une soirée de placotage au magasin. La petite Èveline, maintenant âgée de presque 8 ans, les accompagnait et regardait cet univers d'adultes les yeux agrandis, tâchant d'imaginer l'importance de l'ouvrage détruit là-bas à Québec sans y parvenir, même si on lui disait que cette arche tombée faisait plus gros à elle seule que vingt églises comme celle du village réunies.

Napoléon Lambert n'aurait pas manqué cette rencontre pour tout l'or du monde. À 19 ans, il était maître de lui-même et son père ne lui en imposait plus. Et puis il fréquentait presque régulièrement une jeune femme rondelette du nom d'Anne-Marie Labrecque, instruite, généreuse et avenante, la fille de Rémi et Philomène Morin. C'est avec elle qu'il voulait passer sa vie. On prévoyait des accordailles pour le prochain jour de l'An et le mariage à l'été suivant. Anne-Marie n'avait pas eu de réticence à se laisser approcher par lui, sans s'arrêter à son infirmité que personne n'oubliait malgré – et à cause de lui – son « œil de pirate » qu'il portait chaque jour pour vaquer à ses occupations.

Parmi les assistants se trouvaient également Georges Pelchat, frère de Jean et fils d'Onésime, Uldéric Blais venu du quatre en apprenant la nouvelle du désastre, Romain Leconte et sa femme Marie Paradis, Tine Racine et son épouse Marie Beaulieu, son frère Louis qui venait tout juste de se marier avec Adèle Talbot, de même que le père d'Émélie et les frères Dubé du bas du village. Et puis Octave Bellegarde et son beau-frère Joseph dit Boutin-la-viande de même que Cipisse Dulac, Marcellin Veilleux et Jos Page se tenaient tous près de la porte d'entrée et s'échangeaient des commentaires à l'occasion. Enfin, par exception, Louis Champagne, et, pour la première fois, le curé Godbout, silencieux et sérieux, bras croisés et à qui on n'en apprendrait pas sur les catastrophes et cataclysmes tous azimuts affligeant cette pauvre humanité pécheresse.

– Ils ont-ils fait bénir le chantier toujours, au commencement? demanda Leconte.

– J'étais là, fit Honoré. Laurier y était. Ma femme y était. Des milliers de gens y étaient. Le chantier a été béni ben comme il faut.

– Comme de raison, le bon Dieu fait pas des miracles tous les jours, commenta le curé. Mais, voyez-vous, l'erreur, c'est le lot de la nature humaine. Et peut-être que le bon Dieu a permis que le pont tombe avant d'être complété pour épargner des vies.

Hilaire Paradis, un personnage qui n'aimait pas trop les bondieuseries des prêtres, contredit son propos:

– Y en a près de 80 de morts, meu… meu… meusieur le curé, sac… sacrifice.

– C'aurait pu être trois fois 80, mon ami.

– C'est sûr que le bon… bon… Dieu est ben… bon d'en avoir laissé mourir rien que 80. Pis la plupart, c'étaient des maudits Sau… Sau… Sauvages de Caughnawaga.

– Les Sauvages ont une âme, tu sauras, mon gars, lui cria Augure Bizier qui, sans le savoir, paraphrasait Voltaire, ce qui ne manqua pas de faire sourciller l'abbé.

Par bonheur, Amabylis était absente et l'insulte ne saurait l'atteindre à moins que son mari ne la lui transmette. Ce qu'il ne ferait sûrement pas.

Et l'échange se poursuivit. À force d'entendre des âneries par d'aucuns et des plaisanteries par d'autres, l'on finit par apprivoiser la tragédie du pont de Québec… D'autres ailleurs y mettraient plus de temps, car avec l'écroulement de l'arche s'était écroulé un large pan de leur vie…

∞∞∞∞∞∞

Chapitre 38

1908

Un soir de printemps, le docteur Drouin vint faire ses adieux à la population. Cela se passa au magasin où des représentants de tous les rangs s'étaient réunis pour souhaiter bon départ à leur médecin si dévoué qui partageait leurs bonheurs et misères depuis une décennie. Il s'adressa à eux tous, assis tout partout comme chaque fois qu'une réunion se tenait là ou s'y improvisait.

– Mes amis, pour des raisons personnelles que vous comprendrez, je dois quitter cette belle paroisse où les dix dernières années ont filé à la vitesse de l'éclair. Je vous avais dit que le jour où le train s'amènerait jusqu'à Saint-Georges, je partirais m'y établir. Mon épouse est originaire de là-bas et vous la comprendrez de vouloir y retourner. D'ailleurs, en ce moment, elle s'y trouve déjà dans notre nouvelle résidence et c'est la raison de son absence ici ce soir. D'autre part, je vous avais promis de ne pas quitter la paroisse sans avoir été remplacé. Eh bien, c'est chose faite. Dans les jours qui viennent arrivera celui qui prendra soin de vous tous comme j'ai essayé de le faire…

– Ça, c'est vrai en maudit! lança une voix lourde et puissante que d'aucuns surent être celle du jeune Georges Pelchat, laquelle pouvait vous emplir une pièce entière tout comme celle d'Uldéric Blais et du voyageur de commerce Capistran.

Parmi l'assistance, il y avait un jeune couple dont plusieurs prédisaient le mariage dans pas plus de deux ou trois ans tant on voyait d'affinités à ces deux-là et tant leur relation semblait faite pour durer. Il était formé de la belle Laura Lemieux et d'Ildéfonse Grégoire, tous deux âgés de 17 ans. Du beau monde comme ça se peut pas, disaient les villageois aux autres villageois.

L'automne précédent, le jeune homme avait fait en sorte de se rapprocher d'elle, lui avait prodigué toutes sortes d'attentions particulières quand elle venait au magasin, allait marcher jusque devant chez elle, lui adressait des salutations, des sourires et souvent des phrases à propos du temps qu'il faisait. Puis il avait osé l'inviter à partager avec lui le repas du jour de l'An de la famille Grégoire. Émélie et Honoré avaient fort bien réagi à cette fréquentation naissante. L'on voyait en Laura quelqu'un de bonne race, d'un certain raffinement et d'assez instruit pour seconder son mari un jour au magasin à titre de marchande.

Il était bien sûr trop tôt par parler de mariage, mais chacun en avait la notion derrière la tête et au creux du cœur. Deux ans d'attente, d'espérance, au plus trois…

Laura portait une robe bleu ciel ornée de dentelle blanche qui l'entourait en quatre endroits depuis la taille jusqu'aux chevilles. Avec des épaulettes rebondissantes et une encolure en tissu blanc. Ses cheveux châtains flottaient sur ses épaules ; elle y avait accroché des petits rubans couleur des blés mûrs. Une taille fine faisait ressortir sa poitrine malgré ses efforts pour n'en rien laisser paraître.

Ildéfonse se sentait le cœur léger et pourtant rempli d'elle. Occupé tout autant par la fierté qui rougissait son front quand elle était à son bras. Elle avait le rire aussi facile que lui la plaisanterie ; et leurs marches dans les rues du village n'étaient jamais rien de moins que plaisir et bon temps.

Ils pensaient l'un à l'autre sans se regarder alors que le docteur achevait son court laïus d'adieu :

– Son nom : docteur Joseph Goulet. Je ne saurais vous en dire beaucoup à son sujet. Il n'a fait qu'une seule visite dans la place et vous lui êtes tombés dans l'œil, mes amis. Je sais aussi qu'il est âgé de 24 ans, c'est dire que vous pourrez compter sur lui durant plusieurs années. Il vient tout juste de terminer sa médecine à l'université et il possède donc les toutes dernières connaissances en cet art qui est aussi une science...

Drouin pensa que le moment était mal venu d'expliquer en quoi la médecine était à la fois un art et une science et se dit que ce public ne s'y entendrait guère devant de pareilles définitions. Par contre, des gens comme Honoré Grégoire et son épouse, comme Ildéfonse et puis d'autres tels que Théophile Dubé ou Jean Jobin junior, auraient sans doute voulu qu'il avance sur ce terrain. Il choisit de demeurer pratique:

– Autre avantage avec mon remplaçant: il est marié en arrivant ici. Son épouse n'a encore que 20 ans et saura bien s'adapter parmi vous. Je vous dis son nom de fille que je connais: c'est Blanche Desjardins. Peut-on trouver aussi joli nom à part Jacinthe Lafleur?

Il en fit rire d'aucuns, surtout des minois féminins. Puis en vint à sa conclusion:

– Je suis très heureux de mes dix années parmi vous. Labeur, bonne humeur, foi en l'avenir, persévérance, patience, générosité, je n'en finirais pas d'énumérer vos qualités d'âme, chers amis de Saint-Honoré-de-Shenley. Je reviendrai souvent faire mon tour par ici. Et en terminant, je veux rendre un hommage particulier à mon ami et voisin Honoré Grégoire qui m'a rendu tant de services durant mon séjour. Sachez qu'en le faisant pour moi, c'est vous tous qu'il aidait. Je le remercie de même que son épouse Émélie. Et à tous, je dis merci et portez-vous bien pendant longtemps!

– Bravo! Bravo! lança Hilaire Paradis le premier.

D'autres voix s'ajoutèrent à la sienne et des applaudissements nourris accompagnèrent le docteur qui s'en alla en saluant de nombreux signes de tête sans parvenir à cacher entièrement son émotion profonde.

Il ne dit rien à personne sauf deux mots qu'il adressa à Laura et Ildéfonse tout juste avant de sortir du magasin:

– Invitez-moi à vos noces: je viendrai.

La jeune fille rougit: elle fit un sourire tendre et embarrassé. Son compagnon montra une fois encore sa détermination et son calme:

– C'est une promesse, docteur, une promesse!

∞∞∞

Et il arriva au village deux jours plus tard avec son propre attelage, ce jeune docteur de belle prestance au sourire rempli de bienveillance sous sa moustache pleine de curiosité. Une entente préalable lui permettait de s'établir en lieu et place de son prédécesseur, mais l'homme avait promis à son épouse qui s'amènerait dans quelques jours, après la venue de leurs bagages et de quelques meubles, de construire maison et à cette fin, il avait acheté le terrain voisin de la maison Foley, un endroit tout aussi à la main au cœur du village que la maison du docteur Drouin.

Qui fut le premier à l'accueillir? Ildéfonse Grégoire qui travaillait au magasin tandis que son père était occupé dans les hangars à l'arrière de la bâtisse principale. Il le reconnut par les quelques signes donnés sur son successeur par le docteur Drouin et salua l'arrivant qui entrait au magasin.

– Bonjour, docteur Goulet.

L'homme se montra tout étonné:

– Et comment le sais-tu? J'arrive. Mon attelage est là, dehors.

– Toute la paroisse sait, monsieur Goulet, que vous deviez arriver hier ou aujourd'hui, au plus tard demain.

– Mais… je ne dois pas être le seul étranger à passer par ici dans une journée…

Il y avait dans l'œil du personnage de l'ironie douce et toujours l'expression de son amour du prochain de même qu'un grand respect pour tous, quelle que soit leur condition sociale. Tout cela le rendait taquin. Il ajouta:

– … ou dans une semaine.

– Non, c'est sûr, mais on voit tout de suite que vous êtes… docteur.

– C'est écrit sur mon visage ? Oui ?

– Vous inspirez confiance.

Ildéfonse se tenait debout derrière le comptoir, à égale distance des deux extrémités. Le visiteur tira un pan de son veston vers l'arrière et sortit sa montre de poche dont il souleva le couvercle avant de le refermer sitôt l'heure sue.

– Et à qui ai-je l'honneur de donner confiance aujourd'hui ici ? Un monsieur Grégoire, je le sais puisque je suis au magasin général et que j'y suis venu quand j'ai visité la paroisse avant de prendre la décision de venir m'y établir, mais quel monsieur Grégoire ?

L'autre rougit jusqu'à la racine des cheveux comme chaque fois qu'il devait avouer son prénom. Il savait néanmoins maîtriser son émotion :

– Ildéfonse. Un saint de l'Église porte ce nom ; ça convenait à mes parents. J'me console quand j'pense à mon jeune frère Pampalon. Lui, c'est pire.

– En as-tu d'autres comme ça ?

– Quoi, des noms ?

– Oui.

– Non! Mes autres frères s'appellent Alfred, Henri, Eugène, Armand, et mes sœurs Éva, Alice, Bernadette.

– Le docteur Drouin a parlé d'une famille de douze. Il en manque.

– Trois enfants sont morts : Bernadette… première, Armandine et Maurice.

Le docteur ouvrit grands les bras :

– Parlez-moi de ça : connaître une famille au complet dans deux petites minutes. Je venais seulement ouvrir un compte. Le propriétaire est absent à ce que je vois.

– Ma mère qui s'occupe des comptes est à la veille de revenir au magasin… ben la voilà justement.

– Eh bien, eh bien, si c'est pas ce bon docteur Goulet qui nous arrive enfin ! s'exclama-t-elle sur un ton qui n'était pourtant guère exclamatif.

– Madame Grégoire, c'est la première fois que je vous rencontre.

– Mais je vous ai aperçu l'autre jour. Mais vous m'avez pas vue. Et en vous voyant entrer au magasin tout à l'heure, je savais que c'était… vous.

– Et tout à l'heure, je ne vous ai pas vue non plus.

– Je travaillais dans mon jardin… de l'autre côté du chemin, entre la maison Racine et la maison Mercier. Ça me remet dans mon enfance sur une terre de Saint-Henri.

Le docteur vint à sa rencontre et tendit la main. Elle essuya la sienne sur un tablier en jute :

– J'ai la main pleine de terre.

– Et la mienne comme la vôtre, de travail à accomplir.

Goulet ne put s'empêcher de mesurer les ravages de douze grossesses sur ce corps alourdi. Son œil de praticien travaillait toujours, même en temps d'arrêt de son travail. Il recueillait des données visuelles qui s'ajouteraient aux autres quand les personnes le consulteraient plus tard.

– On en a eu un pas mal vaillant avant vous.

– Je marcherai dans ses traces.

– C'est une grosse paroisse : la tâche qui vous attend est lourde en grand.

– Suis prêt. Comme les scouts.

– Les quoi ?

– Les scouts de monsieur Baden-Powell. Ils sont toujours prêts. Prêts à se débrouiller par eux-mêmes. Prêts à faire une bonne action. Culottes courtes et chemise kaki : ils sont prêts.

– C'est du charabia pour moi, ça, fit Émélie.

– Votre mari est peut-être au courant par les journaux.

Elle fronça les sourcils :

– Vous saurez, mon cher docteur, que les femmes aussi lisent les journaux.

– Ah, ça, je le sais. D'ailleurs la plupart des femmes du Québec sont plus instruites que les hommes. Suis sûr que votre fils Ildéfonse a entendu parler des scouts.

– Un peu au séminaire. Monsieur Baden-Powell vient de publier un livre intitulé *Scouting for boys*… Tout est là-dedans.

– On va se dépêcher de l'acheter quand on ira à Québec, dit Émélie. Ça pourrait servir à nos petits gars.

– Je venais pour me faire ouvrir un compte au magasin.

– C'est déjà fait, monsieur Goulet.

– Cré yable, vous avez le sens du futur…

– Appelez-moi Émélie… pas Émilie… pas Mélie… Émélie.

– En ce cas, appelez-moi Joseph…

La femme était plutôt impressionnée par ce personnage de fière allure, rassurant dans son propos, volubile et plutôt bel homme. Et de son côté, le médecin fut remué en son for intérieur par cette femme solide au regard profond empreint d'une tristesse indéfinissable. Chacun trouva en l'autre un mystère à découvrir… L'homme quitta bientôt le magasin, content de sa première visite à quelqu'un de Saint-Honoré. Émélie lui avait donné de la paroisse une image si favorable.

∞∞∞

Aucune assemblée impromptue ne se produisit en juillet suivant malgré l'énormité de l'événement survenu le dernier jour de juin. Pas grand monde à part Honoré ou le curé n'en pouvait évaluer le gigantisme. Et à part Ildéfonse qui s'intéressait fort aux « choses du ciel ».

Le 30 juin, dans la lointaine Sibérie, un astéroïde s'était écrasé dans une zone inhabitée, en tout cas par les humains. L'onde de choc détruisait les arbres dans un rayon de cinquante milles et les secousses étaient perçues jusqu'à Londres. Des débris et poussières soulevés par le formidable impact se répandaient depuis lors à travers toute la planète par la voie des vents.

– Tout ce qui vit sur terre a failli disparaître, répondit Honoré à son fils qui, le visitant au bureau de poste, lui demandait quels étaient les derniers développements dans cette histoire. Il y a une expédition scientifique envoyée sur place par le tsar de Russie et des messages ont été transmis par courrier humain et par télégraphe à travers le monde.

– Ça pourrait-il être ça qu'on a vu, Laura et moi, l'autre soir en marchant dehors ? Une traînée brillante dans le ciel. Ça s'en allait vers l'ouest.

– T'aurais dû m'en parler. Probablement que c'était le corps céleste tombé en Sibérie. Dix fois plus gros – et c'est encore minime à l'échelle de la planète – et c'était la fin de la race humaine. Effacée. Disparue en quelques mois. Le bon Dieu a dû intervenir pour nous protéger. Ou bien c'est un avertissement à l'humain de se conduire mieux…

Debout, épaule droite appuyée au chambranle de la porte, Ildéfonse paraissait assommé par l'événement cosmique. Il lui semblait comme aux gens des temps anciens qu'il s'agissait là d'un mauvais présage pour ceux comme Laura et lui qui en avaient vu la manifestation. Honoré reprit :

– L'information nous arrive au compte-gouttes chaque jour. D'Angleterre, de Russie, de France et même de Montréal où des hommes de science suivent ça de près. As-tu lu les articles là-dessus, mon gars ?

– Oui, tous les jours.

– Tu dois en savoir autant que moi dans ce cas-là.

– J'ai pas toutes vos connaissances.

– Tu veux rire : t'en connais trois fois comme moi sur tout ce qui relève de la science d'aujourd'hui.

– Vous êtes un autodidacte depuis votre sortie du collège de Sainte-Marie.

– Faut ben se tenir renseigné un peu sur tout ce qui se passe.

Et l'échange entre père et fils se poursuivit sur une aussi belle note malgré les craintes sans doute exagérées de celui-ci. Honoré comprit que le jeune homme était fort impressionné par l'accident astral, cette collision qui faisait frissonner les scientifiques comme Albert Einstein dont la théorie sur la relativité émise trois ans auparavant permettait de prêter des mesures à pareille catastrophe suivant l'importance de l'objet en cause.

On s'en parla plus longuement et on s'en reparlerait dans les jours suivants, en ce mois d'août 1908 appelé à devenir mémorable pour la famille Grégoire.

∞∞∞

– C'était pas un mauvais signe, c'était un bon signe.

Laura évoquait le passage de ce qu'elle appelait une étoile filante voilà quasiment un mois déjà dans la voûte céleste, ce soir agréable de la fin juin.

– Si tu le dis, c'est sûrement vrai, commenta doucement son compagnon de marche.

Elle et son ami avaient emprunté le rang neuf sous le clair de lune de ce 26 août. Il était rare qu'ils se voient le mercredi, mais ils avaient voulu profiter de la douceur du soir avant que septembre et l'automne ne s'installent dans toute leur crudité.

– Mon père dit que c'est certainement un miracle si l'humanité a pas été anéantie par l'astéroïde.

– Un miracle du frère André peut-être.

Ils rirent tous deux. Lui commenta :

– Le frère André dit que c'est pas lui qui fait les miracles et que c'est saint Joseph qui obtient des faveurs pour les personnes malades.

Tous deux possédaient une foi profonde et priaient tous les jours pour une raison ou pour une autre. Et c'est ensemble qu'ils iraient réciter le rosaire à l'église le jour suivant, 27 du mois, car tous deux faisaient partie de la garde d'honneur de Marie.

Ils se prirent par la main et se parlèrent encore du bon frère André devenu le thaumaturge du Mont-Royal et qui vivait comme un saint sur terre, dans la pauvreté et l'humilité. Et qui faisait preuve de compassion constante envers les démunis et les plus souffrants…

Ildéfonse soupira:

– Il a 63 ans. Je me demande ce que je serai, moi, à l'âge du frère André. 63 ans, c'est vieux en torrieu…

Elle échappa une phrase qu'elle eût voulu garder dans son cœur:

– J'espère qu'à 63 ans, on sera encore ensemble comme à soir…

∞∞∞∞∞∞

Chapitre 39

1908, la dure année continue…

Laura et son ami se rejoignirent sur le perron de l'église et quand une famille sortit par la grande porte, ils entrèrent. C'était leur tour de dire le rosaire. Ils se touchèrent la main, tous deux assis côte à côte dans le banc des Grégoire. Puis ils quittèrent quand ce fut terminé. Et se séparèrent dans la joie…

En retournant à la maison, Ildéfonse aperçut un chevreuil qui broutait l'herbe tendre derrière le hangar rouge soit l'ancienne sacristie. Il lui vint en tête de l'attraper: entreprise impossible pour un jeune homme seul. Alors il fit appel à ses frères Henri et Pampalon que le jeu prometteur amusait déjà avant même qu'il ne commence. Ses deux compères passeraient par un côté de la bâtisse en rasant le mur sans bruit tandis que lui marcherait sur la pointe des pieds de l'autre côté.

Ce qui fut fait. Et Ildéfonse se lança dans une course effrénée mais qui demeura vaine devant l'agilité et la légèreté de l'animal qui bondissait comme un ressort en s'éloignant vers le cap à Foley. Et la petite aventure se termina dans de nombreux éclats de rire à la Grégoire…

∞∞∞

Le matin suivant, Ildéfonse fut réveillé par une douleur au ventre et des sueurs froides au front. Il parvint à s'habiller et descendit dans la cuisine où il prit place sur une berçante. Ses parents dormaient encore puisqu'on était aux aurores seulement. Il ne voulut pas les réveiller et endura son mal comme un homme doit le faire. Par bonheur que la famille était revenue de la maison rouge à la résidence principale trois jours auparavant, il y ferait plus frais en raison des deux étages; or, il avait besoin de fraîcheur autour de lui et même qu'il prendrait volontiers du froid s'il pouvait en trouver quelque part, tant la douleur lui causait de transpiration.

Émélie entendit des gémissements qui semblaient survenir au bout de respirations profondes et saccadées et comprit que dans la cuisine se trouvait quelqu'un dans un état de grande souffrance physique. Elle se leva et trouva son fils assis, jambes repliées, pieds accrochés au rebord de la chaise, une main appuyée sur le ventre. Elle songea aussitôt à une de ces crises de foie qui vous poignarde durant des heures avant de vous laisser inerte, vidé de toute énergie et bon pour un sommeil de vingt-quatre heures d'affilée.

– Où c'est que t'as mal?

– Au ventre... de ce côté-là...

Cela confirmait son diagnostic sommaire, mais Émélie pensa aussi à la possibilité d'un problème d'appendice. Pas question d'attendre pour appeler le docteur; elle réveilla aussitôt Honoré qui s'habilla sans tarder et se rendit chercher le médecin.

Le docteur Goulet fit étendre Ildéfonse sur le lit de ses parents et l'ausculta. Et diagnostiqua très vite une appendicite. Il craignait sans le dire qu'il puisse s'agir d'une appendicite aiguë pouvant dégénérer en péritonite.

– Faut faire venir un chirurgien de Québec! déclara-t-il à Honoré en sortant de la chambre. Je lui ai donné un médicament pour réduire la douleur, mais à part l'aspirine, y a pas grand-chose dans ces cas-là qui calme la douleur sinon une opération. Mais l'aspirine, faut pas trop en donner à un patient qui va se faire opérer: on dit que ça éclaircit trop le sang et augmente donc les risques d'hémorragie.

– Je vas aller moi-même à la gare pour télégraphier à Québec.

– Je vous donne les endroits où envoyer le message.

Les Grégoire possédaient un cheval de chemin qu'on utilisait en des situations le requérant, urgentes comme celle-ci et d'autres moins sérieuses.

– Pour télégraphier, je vas aller à la gare de Saint-Évariste, mais ensuite, je vas envoyer un homme à Saint-Georges pour ramener le docteur qui viendra de Québec par train. Autrement, ça irait à demain avant que le chirurgien nous arrive à Saint-Évariste.

Le médecin admira le sang-froid d'Honoré. Peut-être que le temps ainsi épargné sauverait la vie du jeune homme malade s'il advenait que le pire soit son cas.

– C'est la manière la plus rapide. Faites ça.

S'adressant à Émélie, Honoré ordonna :

– Quand Marcellin va venir prendre les sacs de malle, dis-lui d'oublier le courrier et d'aller immédiatement à la gare de Saint-Georges. En réalité, il a tout le temps de se rendre là ben avant le train venu de Lévis… Ah, si le maudit pont de Québec était donc pas tombé… Va falloir que le docteur prenne le traversier avant de prendre les gros chars… ça va le retarder d'une demi-journée…

– Peut-être qu'il pourrait venir en machine au moins jusqu'à Saint-Georges ? suggéra Émélie.

– C'est pas encore assez sûr, une machine automobile, surtout avec les chemins qu'on a. Ça nous prendrait une campagne de bons chemins comme dans les villes.

– Faut qu'il s'amène par le train : c'est le moyen le plus rapide, en tout cas jusqu'à Saint-Georges.

– Si j'ai le temps de revenir de Saint-Évariste avant que Marcellin parte pour Saint-Georges, je vas lui prêter notre cheval qui est pas mal plus de chemin que le sien.

Cet échange rapide et nerveux fut complété tandis qu'Honoré quittait la chambre suivi du docteur et de sa femme, puis qu'il sortait de la maison. Pas une seule seconde n'avait encore été perdue dans le processus décisionnel d'urgence mis en marche.

Et Honoré se rendit atteler Grisette, une jument rapide, sur un boghei aux roues cerclées de bandes de caoutchouc et à la fonçure assise sur deux gros et longs ressorts qui absorbaient avec une grande efficacité les contrecoups subis par les roues dans les ornières ou à cause des cahots.

Pendant ce temps, Émélie se rendit réveiller Éva qui, durant l'été, faisait office – comme longtemps jadis – de seconde mère, surtout que Delphine avait quitté le service des Grégoire et qu'on était en recherche d'une aide domestique de valeur mais assez jeune pour qu'on puisse compter sur elle au moins deux ou trois ans devant.

Elle l'informa de la situation et lui confia le soin d'aller chercher le couple Jobin afin qu'il prenne en charge le magasin jusqu'à ce que les choses reviennent à la normale dans la maison. Devenue femme accomplie dans bien des domaines grâce aux années passées à Stanstead, Éva, à 19 ans, était restée l'être sensible, prévenant, plein de vie qu'elle avait toujours été. Mais tandis qu'elle s'habillait puis se rendait chez Jean Jobin, elle ne put s'empêcher de penser à cette sorte de prophétie de malheur prononcée trois ans auparavant par Amabylis et ses gestes ainsi qu'à travers les mots du quêteux indien. De voir la femme indienne leur prendre la main, à elle et Ildéfonse, et entrer en transe, et d'entendre Rostand leur prédire à tous deux une vie écourtée lui donnait encore autant le frisson que le jour même où ça s'était passé. Et en ce moment, les dires du curé Godbout à propos de ce condamnable charabia divinatoire ne revenaient pas en sa tête. Pourtant, elle pria pour son frère.

Alice vint mettre son nez dans la porte de la chambre. Sa mère retournée au chevet de son fils pour lui éponger le front et le veiller comme elle l'avait fait autrefois sur sa petite sœur Georgina, lui demanda de se rendre chez les Lemieux afin de prévenir Laura et lui dire qu'elle pourrait venir voir Ildéfonse si elle le désirait.

L'adolescente regarda son frère grimacer de douleur. Ildéfonse lui adressa un semblant de sourire et la jeune fille en fut profondément troublée, comme s'il lui avait dit: «*Fais vite, Alice, avant que je meure.*»

Pampalon, 11 ans, et Henri, 13 ans, virent leur sœur sortir de la chambre et se dépêcher de sortir de la maison. Ils la suivirent dehors et le cadet des deux lui cria:

– Où c'est que tu vas comme ça, Alice?

Elle ne répondit pas et se mit à courir, pattes aux fesses, vers le haut du village. Les deux garçons se regardèrent. Ils savaient leur frère malade sans plus et le mystère leur faisait imaginer une situation grave. Ils avaient entendu leur père partir, cheval au galop, et voici que le va-et-vient du docteur et d'Éva puis d'Alice les pétrifiait d'inquiétude.

Là-haut, dans une chambre de garçons, Eugène dormait, un état qu'il semblait apprécier plus que tout autre enfant. Il était celui qui se couche le plus tôt, qui s'endort le plus vite et qui se lève le plus tard. Mais voici que dans quelques semaines, il entrerait à l'école pour la première fois et alors devrait se «grouiller les puces» le matin. Émélie avait commencé à le prévenir déjà...

Et puis la petite Bernadette ouvrit les yeux dans sa grande couchette bleue qu'elle devrait bientôt abandonner pour un lit ordinaire quand Armand la remplacerait dans cette petite chambre. Un sourire se dessina aussitôt sur ses lèvres. Tout était toujours si beau à son regard de 4 ans. Tout était si grand. Tout respirait le bonheur et la joie de vivre. Les objets, les rideaux, la lumière du jour, les petits bruits, les arbres dehors, le ciel bleu... tout et même les riens la rendaient heureuse. Elle se leva, enjamba le rebord de la couchette, remit sa jaquette blanche en place sur ses jambes et prit la direction de l'escalier menant à la cuisine...

Éva revint avec les Jobin qui se rendirent voir aux choses du magasin. Émélie demanda à sa grande d'aller chercher Restitue pour l'aider à cuisiner. Toujours en santé malgré ses 76 ans, la vieille dame se réalisait à rendre de petits services même si elle n'agissait plus comme sage-femme depuis un bon moment. Elle ne tarda pas à venir…

Et Alfred quant à lui travaillait comme une fourmi sur son lot de Saint-Gédéon, sûr d'obtenir bientôt ses lettres patentes puisqu'il avait rempli toutes les conditions exigées par le gouvernement à cet effet.

Honoré poussa la jument au maximum. Il avait peur du pire à propos de son fils. Un sentiment qu'il s'efforçait de combattre par la pensée sans parvenir à le bien faire par les gestes. On le vit passer dans les chaumières matinales et on se posa des questions. Il fut bientôt à la gare, message tout prêt en tête, et le préposé, un homme à visière, télégraphia aussitôt à trois hôpitaux de Québec.

«*Jeune homme: appendicite. Stop. Urgence chirurgien. Stop. Saint-Honoré, Beauce. Stop. Voiture en attente aujourd'hui, gare Saint-Georges. Stop. Docteur Joseph Goulet. Stop.*»

Un chirurgien, le docteur Calixte Daignault finit par répondre favorablement à la demande. Il traverserait à Lévis dans les plus courts délais et prendrait le train du jour pour Saint-Georges. Aussitôt la réponse reçue, Honoré reprit la route pour chez lui. D'aucuns sortirent des chaumières dans l'espoir d'en apprendre de lui au passage. Il se contenta de salutations par des signes de tête. Cette hâte en disait long aux gens: il se passait quelque chose de grave au village.

Marcellin l'attendait. On changea d'attelage vu que la *Grisette* possédait bien plus d'énergie que la *Djeng* à Veilleux, un homme à chevaux mais qui, comme le dit le proverbe n'était pas toujours bien «chaussé» à ce point de vue.

– Prends le temps qu'il faut pour te rendre là-bas. Le chirurgien arrivera pas à Saint-Georges avant le milieu de l'après-midi.

– Je passe par Saint-Benoît, c'est sûr.

– C'est le chemin le plus court. Le rang six est assez beau… Inquiète-toi pas pour la malle, je retourne la chercher à Saint-Évariste avec ta voiture…

Et Veilleux repartit vers le haut du village en songeant à ses propres fils, Omer, Philias et Adjutor, tous pleins de santé… comme l'était Ildéfonse Grégoire encore la veille…

Honoré entra prendre des nouvelles. L'état de son fils n'avait pas changé. Émélie et Laura veillaient sur lui. Le docteur Goulet avait regagné son bureau. Il ne restait plus qu'à attendre la venue du chirurgien. Et à prier…

∞∞∞

Dans la journée, l'état du malade parut s'améliorer. À telle enseigne que sa mère put quitter la chambre pendant un certain temps pour aller manger et voir de quoi il retournait au magasin. Laura demeura seule avec son ami. On avait sorti de la chambre le berceau du petit Armand et il entrait par la fenêtre ouverte un bon air frais qui soulageait fort l'adolescent malade au teint pâle et cireux.

Il prit la main de la jeune fille entre les siennes :

– J'aime que tu sois là, Laura.

– Ça va bien aller, tu vas voir.

– Je le sais : on meurt pas à 17 ans.

– Surtout qu'on a du chemin à faire ensemble.

Il faisait une sorte de clarté sombre dans la pièce. La lumière de l'extérieur semblait toute captée par le visage de Laura qui gardait aux lèvres un sourire de tendresse. Mais il restait tout de même de l'illumination à partager et Ildéfonse en prenait une partie, maintenant que la douleur se faisait moins sourde et lourde. De nouveau, on s'était parlé de mariage sans en prononcer le mot, un mot ensoleillé qui grandissait dans les deux cœurs à l'ombre du temps.

On poussa doucement la porte de la chambre. On eût dit une main de fée à l'insondable magie. Laura assise auprès du malade qui s'était un peu redressé et appuyé à deux oreillers, regardèrent entrer quelqu'un qui ne montra tout d'abord que sa petite main, puis un œil rempli de curiosité.

– Bernadette, s'exclama Ildéfonse, tu peux venir nous voir si tu veux.

La fillette sourit aussitôt qu'elle entendit ces mots et s'approcha dans sa robe en tissu fleuri qui lui allait aux chevilles.

– Le sais-tu comme t'es jolie, petite sœur?

On devina par son regard que la petite ignorait le sens du mot jolie. Laura parla:

– Je pense qu'elle sait pas trop ce que tu veux dire.

– Jolie, ça veut dire belle… belle comme un cœur, fit le jeune homme.

Il arrivait souvent que l'enfant saute dans les bras de son grand frère quand il la taquinait et l'incitait à courir vers lui. Alors il la soulevait à bout de bras jusqu'au plafond et recevait des éclats de rire à rendre heureuse toute une maisonnée comme celle des Grégoire. On n'avait jamais vu une enfant aussi rieuse que la petite Bernadette.

Elle éclata de rire au point que ses yeux devinrent une ligne fine. Puis elle courut au lit et y sauta sans savoir qu'elle risquait de provoquer chez son frère le retour de la douleur intense. Cela n'arriva pas et tous trois passèrent d'heureux moments, les derniers avant que le mal qui accablait Ildéfonse depuis le matin et jusque récemment ne revienne triomphant s'emparer de sa chair, de toute sa chair.

∞∞∞∞∞∞∞∞

Chapitre 40

Le plus vite que purent faire le docteur Daignault pour venir à Saint-Georges, Marcellin Veilleux et la jument lancée à fond de train au départ de la gare et ne s'arrêtant que fort peu en chemin au retour à Saint-Honoré fut la journée de clarté dans son entier ou presque. L'attelage s'arrêta enfin à près de huit heures du soir devant la résidence Grégoire. Honoré attendait dehors en marchant de long en large sur le chemin de terre brune, mains derrière le dos, corps courbé en avant par le souci que lui donnait si soudainement ce fils qu'il aimait tant sans jamais le dire en mots.

Le docteur Goulet était à l'intérieur auprès du malade qui avait pris du mieux et ensuite du pire. Ildéfonse souffrait atrocement et pourtant, il avait avalé plusieurs aspirines quand le gros mal l'avait repris et ensuite. Laura et sa mère étaient assises de l'autre côté du lit. Pour ne pas que Bernadette soit trop marquée par l'événement qui, grâce à Dieu, prendrait fin dans quelques heures vu l'intervention du chirurgien, Émélie avait confié à Éva le soin de garder la petite ailleurs qu'aux abords de la porte de chambre où l'enfant avait tendance à mettre son petit nez de fouine. Armand, un bébé qui avait souvent besoin de boire, dormait paisiblement dans son berceau. Alice était partie visiter Alice Foley et avait emmené avec elle son petit frère Eugène. Henri et Pampalon boxaient derrière la maison rouge sans trop se cogner et assez pour se vider un peu de leur anxiété à cause du mal de leur frère aîné.

Pendant ce temps, à Saint-Gédéon, dans son petit camp de bois rond, Alfred fumait une pipée de tabac fort pas assez sec et il empestait la pièce sans y songer le moindrement. Sa pensée inquiète allait toute vers sa famille et Saint-Honoré. Il avait le sentiment qu'il s'y passait quelque chose d'anormal et de dangereux. Parfois, il haussait une épaule qui disait à la noirceur : *ça n'a pas de sens. On peut pas savoir ce qui se passe ailleurs au loin à moins d'un télégraphe ou d'un téléphone.* Or les deux faisaient cruellement défaut à Saint-Honoré et pour longtemps encore.

Sans rien dire ni laisser entendre à personne, les deux médecins conférèrent un temps dans le salon dont Émélie avait laissé les portes grandes ouvertes pour recevoir l'un et l'autre s'il advenait qu'ils veuillent se parler ou s'y reposer. On convoqua les époux Grégoire.

– Il faut opérer sans tarder, déclara Daignault.

– Il est pas transportable vu son état, enchérit Goulet.

– Mettez un drap propre et blanc sur la table de cuisine : c'est là que va se faire l'opération, reprit le chirurgien.

– Faut éloigner tous les enfants, ajouta Goulet. Le mieux serait de les garder au magasin. Et vous-mêmes, Émélie, Honoré, feriez mieux de rester ailleurs qu'ici. On pourrait garder madame Restitue qui vous tiendra au courant à mesure du déroulement de l'opération.

Les plaintes du jeune homme leur parvenaient et chacune allait droit au cœur de sa mère qui ne bronchait pas et de son père qui grimaçait de douleur morale. On ignorait à quel point le docteur Goulet était lui-même affecté par la situation. Encore jeune médecin, il n'était pas solide sur ses patins, mais il se devait de paraître en contrôle. L'arrivée de son collègue le soulagea sans lui apporter la paix de l'esprit. Le plus grand reproche qu'il s'adressait à lui-même, c'était de craindre le pire pour Ildéfonse. Alors qu'un praticien de la médecine se devait de n'avoir en tête que la vie, lui ne cessait de voir en toutes choses autour, tous symptômes chez le malade, que la fin de son patient. Ce jeune homme avait été le premier de cette paroisse à l'accueillir, à lui parler de confiance absolue en ses capacités ; s'il devait le perdre, ce serait un désastre d'ordre professionnel. Et humain sûrement. L'envie irrésistible de boire un coup pour se donner du courage lui vint ; il la contint. Il aurait fallu de toute manière qu'il quitte les lieux et retourne à la maison sous un prétexte quelconque ; et de cela, pas question !

Le chirurgien était un personnage dans la jeune cinquantaine, cheveux blonds avec traces blanches çà et là, moustache en V inversé, fendue au milieu, au sourire rapide qui formait des plis importants depuis les ailes du nez jusqu'aux commissures des lèvres. Et voix légèrement enrouée de quelqu'un usé prématurément. Un professionnel dévoué tout comme le docteur Goulet et que rien, ni la tempête ni la nuit pas plus que la distance, n'aurait pu empêcher d'accourir au chevet d'un malade en danger. Et un front dégarni de trop de sueurs, froides ou autres, qui y avaient coulé depuis une trentaine d'années.

– Il faut quelqu'un pour laver le malade et le raser dans tout le bas du ventre y compris la région pubienne.

– Madame Restitue a l'habitude, elle va m'aider, dit aussitôt Émélie en quittant la pièce.

Honoré se planta devant les deux médecins :

– C'est pas trop grave toujours ?

– C'est grave, mais pas trop, répondit Daignault.

– Il va pas trop souffrir ?

– On a ce qu'il faut pour l'anesthésier, vous pensez bien, monsieur Grégoire.

Daignault en savait déjà beaucoup de cette famille exemplaire par Marcellin Veilleux dont la bouche n'avait cessé de fonctionner de tout le voyage de Saint-Georges à Saint-Honoré. Surtout, il en avait saisi toute la solidarité et pour cette raison, demandait qu'elle soit réunie dans cette salle d'attente que serait pour elle le magasin.

Le temps qui avait viré au gris dans l'après-midi amenait la nuit plus tôt que par les soirs de lune. Mais il apportait aussi les menaces de l'orage. Personne ne s'en plaindrait car l'été jusque là s'était fait exceptionnellement sec. On entendit au loin un premier coup de tonnerre quand un dernier mot d'échange entre les docteurs et le père de famille passa par le seul silence de leurs regards éloquents.

– Il me faut tout l'éclairage que vous pouvez me donner, dit le chirurgien. Mettez la table au milieu de la pièce, accrochez des lanternes vis-à-vis des extrémités et installez des lampes tout autour en nous laissant trois pieds pour travailler.

Honoré avait besoin d'aide et vite. Il courut dehors et cria à ses fils Henri et Pampalon de venir. Eux se tenaient à l'affût et se présentèrent à lui très vite.

– Allez chercher le marteau au magasin. Ramenez trois clous de trois pouces. Emmenez aussi tous les « fanals » qui sont à vendre et deux cruches d'huile à charbon. Ça presse.

Enfin chacun se sentait utile et participerait à la guérison du malade par sa propre intervention. Ils tournèrent les talons sans tarder. Henri battant la marche, ils prirent la direction du couloir menant au magasin.

Les médecins retournèrent auprès du malade. Daignault lui dit :

– Tu pouvais pas être sous meilleure garde, mon ami.

Il désignait Laura d'un signe de tête. La pénombre conférait à la jeune fille une beauté nouvelle, un brin mystérieuse, mais triste. Elle avait le cœur gros et la gorge nouée. Et quand il lui était donné une seule seconde de pause dans l'échange avec son ami, elle lançait au ciel une invocation respectueuse et douloureuse.

Le tonnerre glissa son mot entre ceux des hommes. On ne s'en inquiéta pas. Le docteur Goulet mit les écouteurs de son stéthoscope sur ses oreilles et sonda le cœur du patient tandis que son collègue installait sur son bras un brassard pour prendre la pression artérielle. Pendant ce temps, Ildéfonse tâcha de retenir ses plaintes, mais il ne parvenait pas à retenir ses sueurs. Laura se pencha vers lui pour éponger son front…

Émilie et Restitue entrèrent avec le nécessaire à rasage. L'on demanda à Laura d'attendre à l'extérieur. Elle dit qu'elle aiderait à la préparation de la «salle d'opération» si on avait besoin. Honoré pensa qu'elle se sentirait moins impuissante à faire quelque chose et la prit pour disposer les meubles de la manière que l'avait demandé le chirurgien.

Le moment le plus difficile serait le transport du malade. Lui demanderait-on de marcher? Sans doute pas. Il aurait fallu une civière. Tout en travaillant, Honoré se demandait…

Henri et Pampalon revinrent poser sur la table ce qui leur avait été demandé. Ils dirent que des clients attendaient au magasin que la malle soit dépaquetée et le courrier distribué. Honoré avait complètement oublié cet aspect de sa vie. D'ailleurs, il ne s'était pas rendu chercher les sacs à la gare et Marcellin quant à lui n'aurait pas pu le faire avant le matin suivant vu son voyage à Saint-Georges.

– Je vais leur dire un mot, leur expliquer ce qui se passe.

– Ils ont l'air de le savoir, dit Henri.

– Mais je vas leur faire comprendre comme il faut. Les gars, plantez un clou au plafond là et là… C'est pour accrocher des «fanals»… Je vas revenir dans pas long…

Et l'homme quitta. Rendu au magasin, il monta dans l'escalier central jusqu'à son tiers et s'adressa aux gens:

– Mes amis, y aura pas de malle à soir par exception. Ce qui arrive, c'est que… mon garçon va se faire opérer dans quelques minutes pour l'appendicite. J'ai envoyé Marcellin Veilleux chercher le chirurgien à Saint-Georges, ça fait qu'il a pas pu aller attendre la malle aux gros chars à Saint-Évariste…

– On sait tout ça, Noré. On vient pas pour la malle, on vient pour vous encourager, lança Cipisse Dulac.

– Pis on va prier pour que ça se passe ben comme il faut, enchérit Elzéar Racine.

Il vint une larme à l'œil d'Honoré qui la cacha en appuyant ses pouces sur les globes oculaires comme quelqu'un qui est fatigué et cherche à soulager son état. Il put néanmoins reconnaître parmi la trentaine de personnes essaimées un peu partout les Hilaire Paradis, Napoléon Lambert, Georges Pelchat, Octave Bellegarde, Napoléon Martin et son épouse, Onésime Pelchat, Ferdinand Labrecque, Jean Leblanc et Cyrille « Bourré-ben-dur » Martin et son épouse Séraphie Crépeau. Et puis quelques dames venues sans leur époux : Démerise, la femme de Théophile Dubé, Malvina la femme de son frère Joseph, l'épouse du docteur Goulet, et puis Mary Foley ainsi que Agathe Mercier et Séraphie Grégoire. Quelques jeunes femmes complétaient le décor : Joséphine Plante, les deux amies Marie-Zélou et Zoade et puis Maria Racine.

– Tant de sollicitude de votre part me touche beaucoup.

Certes, il couvait chez quelques-uns, rares, une curiosité morbide, mais l'on pouvait sentir sur les visages l'expression d'une sincère assistance morale.

– Tout va ben aller, lança Hilaire Paradis.

– Oué, oué, approuva Napoléon Lambert.

Honoré retourna dans la résidence. Rapidement, tout fut en place : tables, éclairage, draps, linges, eau requise, eau à bouillir sur le poêle. Le temps vint de transporter le malade. On discuta du moyen à prendre pour qu'il souffre le moins possible et avec le moindre risque d'aggraver son état à l'intérieur de son ventre, car on ignorait s'il s'agissait seulement d'une appendicite. En pas deux minutes, plusieurs idées furent amenées et toutes présentaient l'inconvénient de provoquer la courbure de la colonne donc un renfoncement vers l'intérieur du bas-ventre. Il ne le fallait pas. Alors Pampalon eut une idée lumineuse :

– On devrait prendre la planche-trappe du bureau de poste.

C'est ainsi qu'on désignait la planche à bascule qui fermait l'entrée du bureau de poste. Il suffirait de dévisser les pentures qui la retenaient au mur contigu à l'escalier central et de l'utiliser comme civière droite. Il manquerait un peu de longueur, mais quelqu'un soutiendrait les jambes du malade et son corps serait maintenu sur le dur, bien droit, sans aucune possibilité de dommage accru en lui.

Honoré expliqua au chirurgien ce qu'était l'objet en question.

– T'es un génie, Pampalon, dit le docteur Daignault.

L'adolescent se sentit fier. Non seulement de son idée mais de ce qu'un étranger instruit dise son prénom sans lui adresser, surtout à son pantalon, un sourire narquois…

– On va la chercher, dit Honoré qui partit aussitôt…

∞∞∞

Pas même les parents ne furent donc admis dans cette salle d'opération de fortune et seule madame Restitue y resta pour servir les médecins des instruments chirurgicaux qu'on avait stérilisés à l'aide d'eau bouillante et qui étaient disposés sur un linge blanc. À la demande du docteur Daignault, les fils Grégoire avaient installé plus tôt des papiers collants pour attirer et attraper les mouches afin qu'aucune ne risque de contaminer scalpels, écarteurs, pinces, fil à coudre les chairs et autres instruments prêts à servir.

Après toutes ces rencontres de placotage dans le magasin depuis la fin de 1900, voici que l'on pouvait assister à une première: la soirée du silence. Silence dans l'escalier central où des paroissiens attendaient en regardant parfois les autres avec leur air grave. Silence derrière le comptoir de droite au bout duquel, tout près de la porte de la cuisine se tenaient Émélie et Honoré dans l'attente de quelques mots de réconfort. Silence autour de la table centrale où même les raclements de gorge se faisaient sans le moindre bruit.

Mais entre ces silences, il y avait l'épouvantable fracas du tonnerre se rapprochant et annonçant une pluie forte d'un moment à l'autre.

Égorgée par la peine et la crainte, Laura n'avait pu supporter le silence. Elle avait quitté le magasin et marchait lentement devant la résidence, bras croisés, dos voûté, tête en biais pour tâcher d'y voir quelque chose à travers les fenêtres de la cuisine d'où parvenaient à son regard des ombres jaunes qui bougeaient même quand elles s'arrêtaient.

Avant d'opérer, les deux médecins avaient mis un masque et une jaquette. On avait imposé le même accoutrement à la vieille dame et on eût dit trois fantômes qui s'affairaient sur le corps de celui qu'elle considérait comme son fiancé.

Émélie l'ayant vue sortir, avait compris que la jeune fille supportait mal l'événement. S'était dit qu'elle reviendrait un peu plus tard sans doute. Avait souhaité que l'orage ne la surprenne pas en chemin si elle devait être retournée chez elle.

Honoré consulta sa montre. On opérait depuis trois quarts d'heure. Personne n'était venu les réconforter. Cela indiquait-il le pire ?

La petite Bernadette allait d'une personne à l'autre dans le magasin. Son regard recherchait le regard. Elle s'arrêtait devant quelqu'un, homme ou femme, et penchait un peu la tête en lui réclamant un sourire. Parfois, elle bâillait car son heure de dormir approchait. Et cela faisait sourire… un brin…

Quant à son frère Eugène, âgé de 6 ans, lui, revenu seul de chez les Foley, il dormait déjà pour la nuit dans une chambre en haut de la demeure familiale. Éva s'y trouvait aussi, mais elle restait éveillée, assise près de la fenêtre, à regarder la nuit dont la profondeur était maintenant déchirée de plus en plus souvent par les éclairs qui zébraient le ciel au-dessus de la boutique de forge Racine, là où était la sacristie jadis. Elle aperçut Laura que des jets de lumière frappaient et fut sur le point de lui crier à travers la moustiquaire afin qu'elle se réfugie à l'intérieur du magasin, mais elle pensa que le choix de l'autre à ce moment était celui de marcher sous l'orage.

Et les gros grains de pluie se mirent à tomber.

Et Laura continua de marcher doucement. Insensible à toute chose que son propre corps pouvait subir et préoccupée par le seul sort de son ami. Extrêmement anxieuse…

– Il nous faudrait de la glace, en avez-vous, monsieur Grégoire ? demanda le docteur Goulet par la porte entrouverte.

– Il nous en reste, oui.

– Vous la casserez au pic et mettrez les morceaux dans des linges propres.

Des nouvelles d'Ildéfonse auraient davantage réconforté son père, mais au moins se passait-il quelque chose et au moins pouvait-il agir pour aider. Honoré réclama l'aide de ses fils et, malgré l'orage, l'on se rendit vite, lanternes tenues par des accompagnateurs, Napoléon Lambert et Cyrille Martin, à la cabane à dynamite de l'autre côté de la maison rouge d'où l'on ramena trois gros morceaux de la glace enterrée là-bas dans le bran de scie.

Pendant ce temps, Émélie et Marie Beaulieu (l'épouse de Tine Racine) se rendirent dans la résidence et prirent l'escalier pour aller en haut quérir les linges nécessaires aux compresses de glace requises. La mère en profita pour reconduire Bernadette à son lit pour la nuit. Elle n'osa regarder sur la table d'opération en passant assez près mais pas trop à la demande du chirurgien qui voulait éviter la contamination par voie aérienne.

Anesthésié au chloroforme, le patient traversait l'appendicectomie sans souffrir ni gémir. Ce sont ceux qui l'aimaient, réunis au magasin, qui souffraient à sa place. Son père, sa mère, ses frères, Éva dans le noir de sa chambre. Et Laura là dehors…

Exemptée de l'anxiété générale sachant que Memére Foley s'était mise en prière pour le succès de l'intervention chirurgicale, Alice ne s'en faisait pas trop et passait du bon temps avec son amie Alice Foley tout en craignant les foudres du ciel de la nuit noire.

Laura était trempée jusqu'aux os. Sa robe lui collait au corps, ce qui affirmait ses courbes quand éclatait la lumière affolée qu'un ciel aigri jetait par longs rais brisés sur le village bousculé, maltraité.

Émélie l'aperçut par-dessus la tête d'Éva en reprenant l'escalier.

– Elle va attraper la mort. Faut aller la chercher. Vas-y, Éva, vas-y, ma grande fille.

Jamais Émélie n'avait utilisé les mots « ma grande fille » pour désigner Éva qui en fut bouleversée. À son tour d'ignorer l'orage, elle suivit sa mère pour obéir à sa demande...

Émélie ne put s'empêcher de jeter un œil sur le corps de son fils en descendant. Le ventre était refermé, mais il y avait tellement de sang répandu sur les draps... Et puis pourquoi cette glace demandée sinon pour faire baisser la température du corps ? Pour le centième fois, elle supplia Dieu de sauver Ildéfonse et, s'il avait besoin de rappeler quelqu'un à lui, de la prendre, elle qui tout en aimant vivre avait bien assez vécu déjà...

La glace fut mise dans les linges, apportée dans la cuisine. Aussitôt, on enroba le corps. Il était passé neuf heures. L'orage n'en finissait pas de cracher sa rage.

Éva entoura les épaules de Laura et l'incita à rentrer au magasin avec elle. L'autre hésita puis accepta devant l'insistance et l'autorité de la jeune femme. Émélie accourut les envelopper chacune d'une couverture et les fit monter dans son salon du magasin pour sécher.

Quelques moments plus tard, madame Restitue apporta une mauvaise nouvelle aux parents. Elle leur dit à mi-voix :

– Les docteurs arrivent pas à contrôler sa température. Ils disent qu'il a perdu trop de sang. Ils pensent qu'il a pris trop d'aspirine. Vous pouvez venir le voir...

Tandis que les époux regagnaient la cuisine, toutes les têtes dans le magasin, se tournèrent vers la porte centrale où venait d'apparaître une forme humaine étrange, celle d'un homme qui ne bougeait pas et semblait attendre. Plusieurs songèrent à la mort qui s'était incarnée et venait chercher un tribut. Les éclairs silhouettaient le personnage qui soudain disparut. En fait, rien de surnaturel ne s'était passé. Le quêteux Rostand avait su plus tôt, à son arrivée au village, qu'il se passait chez les Grégoire un événement sérieux et il était venu prendre des nouvelles. Au dernier moment, sur le perron, il avait décidé d'aller voir de quoi il retournait par une fenêtre de la cuisine. Il avait le pressentiment, la quasi certitude que le jeune Ildéfonse rendrait l'âme bientôt et voulait que son propre corps astral (son âme) l'accompagnât pour un bout de chemin vers la dimension de l'éternité.

Peut-être que si le curé Godbout demeurait encore en face dans l'ancien presbytère, ses prières alimentées par les images dramatiques venant de chez les Grégoire et du ciel auraient donné au patient le coup de pouce requis pour qu'il revienne à la santé… Mais le prêtre en ce moment lisait son bréviaire dans son bureau tout neuf, jambes relevées et accrochées à la table devant lui. Et de l'autre côté du chemin, au centre du village, cette demeure qui avait longtemps logé les prêtres et qu'on appelait maintenant la « vieille maison » gardait ses yeux muets et profondément noirs.

La glace ne suffit pas.

La température augmenta.

Le pouls faiblit.

Le jeune homme à moitié sorti de son antesthésie et qui se plaignait doucement entra soudain dans le coma quand ses parents furent là. Comme s'il avait attendu leur présence pour s'endormir à jamais. Les médecins s'échangeaient des regards silencieux, se livraient à des respirations d'impuissance, bougeaient la glace, touchaient le front, réinséraient le thermomètre dans la bouche puis le lisaient…

L'orage diminuait. Le docteur Goulet aperçut la silhouette de Rostand par le fenêtre et pensa qu'il s'agissait d'un mauvais présage même s'il ne voyait là rien de surnaturel et seulement la personne d'un loustic trop curieux et prêt à se laisser mouiller pour assister à une agonie.

Honoré demanda pourquoi on ne transportait pas l'opéré dans la chambre au lit des maîtres qu'il occupait depuis le matin. Ce pourrait être la goutte d'eau qui fait déborder le vase, lui fut-il répondu. Et il demeura assis auprès de sa femme devant la porte ouverte de leur chambre, tous deux assommés, la mort dans l'âme.

Toute tachée de sang, Restitue alla se changer de linge en haut. Les médecins mirent des chaises de chaque côté d'Ildéfonse et s'y assirent pour le surveiller jusqu'à son réveil ou bien... jusqu'à la mort.

Et la mort survint sur le coup de onze heures.

Le docteur Goulet qui tenait le poignet du malade s'en rendit compte. Il ausculta le pouls. Le pouls était perdu. Il se leva, ouvrit un œil pour voir la pupille, regarda son collègue qui fit aussitôt les mêmes constatations.

– C'est fini, on l'a perdu, dit le docteur Daignault sans avoir le courage de regarder les parents.

Honoré émit une plainte sourde comme si on venait de le frapper du poing au plexus solaire. Émélie se raidit sur sa chaise, se fit dure comme du bois.

Il y eut un long, très long silence. Puis Honoré se leva de peine et de misère en murmurant:

– Je vas aller dire au monde du magasin qu'ils peuvent s'en aller asteur, et je vas les remercier pour leurs sympathies d'à soir à notre égard.

Émélie parvint à son tour à s'arracher de sa chaise.

– Moi, je vas aller en haut, dans sa chambre, trouver du linge à lui mettre pour l'exposer.

Honoré entra tête basse au magasin; il escalada quelques marches du large escalier et la releva pour parler:

– Mes amis, je veux vous remercier... pour la peine que vous vous êtes donnée en venant ici à soir et en y restant pour nous réconforter, ma femme, mes enfants et moi-même. Je l'oublierai jamais. Vous pouvez retourner chez vous: tout est terminé. Mon fils... est décédé. On a pas fait venir le curé avant sa mort vu qu'on s'attendait pas à ça à cause de la bonne santé et de la force d'Ildéfonse. On pensait pas que sa vie prendrait fin si vite. On le voulait pas surtout. Là, quelqu'un est parti chercher le prêtre qui va l'administrer sous condition…

Étranglé par la douleur, Honoré vacilla puis dut s'asseoir dans les marches. Au pied de l'escalier, ses deux fils Henri et Pampalon regardaient l'extrême douleur de leur père et la partageaient. Pampalon surtout s'identifiait à Honoré en s'imaginant quel déchirement ce devait être dans le cœur d'un père quand un fils disparaît aussi brutalement. Quelque chose d'intolérable se produisit en lui, un sentiment insupportable, en fait plusieurs sentiments horribles formant chaos, comme si le même sort lui était réservé…

En haut de l'escalier, cheveux encore mouillés, le visage d'un pâleur jaunâtre vu l'éclairage réduit, Éva et Laura se tenaient épaule contre épaule, enrobées d'une même souffrance morale qui s'écoulait de leurs yeux en larmes abondantes et silencieuses. Elles n'y croyaient pas, mais devaient y croire. Laura confia sa main à celle d'Éva entre leurs corps afin de prendre d'elle courage et résignation…

Dans la chambre d'Ildéfonse, Émélie s'adossa à la porte refermée et frappa sa tête contre le bois pour refouler sa peine, puis elle alla s'asseoir sur le lit. Les éclairs se faisaient plus rares et mêlaient leur lumière à celle, faiblarde, d'une lampe à la mèche basse. Elle riva son regard sur la flamme qui bougeait à peine, juste assez pour montrer qu'elle était vivante… Avec l'aide de tous ceux qui étaient partis, sa mère, ses sœurs, son frère, elle enferma son cœur dans un sarcophage de plomb…

Rostand demeuré près d'une fenêtre fut reconnu par le docteur Goulet qui lui fit signe d'entrer. Prisonnier de sa propre impuissance, mis au fait de la réputation de cet homme dont on disait qu'il possédait un don exceptionnel et une pensée peu commune, le médecin se disait qu'une intervention par le scalpel de l'esprit sauverait peut-être Ildéfonse et le ramènerait de la mort dont il n'était peut-être encore que dans l'antichambre, raison d'ailleurs pour laquelle l'Église permettait d'administrer sous condition.

L'homme comprit et obéit. Au moment où allait prendre la poignée de la porte, le curé arrivait, suivi de Napoléon Lambert que Restitue avait dépêché au presbytère aussitôt après la mort du jeune homme. Il poussa le quêteux et entra le premier. Et vivement bientôt, le prêtre administra à la dépouille le sacrement de l'Extrême-Onction.

Plusieurs témoins se trouvaient alors dans la cuisine outre les parents, soit Restitue, Rostand, Napoléon Lambert et trois enfants Grégoire, Éva, Henri et Pampalon de même que Laura Lemieux qui ne cessait de pleurer les larmes de la plus tendre souffrance qui se puisse être en ce monde: celles d'un cœur rempli d'un amour tout neuf que le sort vient de briser en mille morceaux.

D'autres comme Maria Racine et Marie Beaulieu s'ajoutèrent, qui entraient discrètement dans la cuisine par la porte du magasin alors que les autres sympathisants quittaient les lieux la tête basse et silencieuse, et se dispersaient dans la nuit profonde que l'orage épuisé laissait enfin tranquille.

Puis le corps demeura seul dans la pièce. Les derniers espoirs du docteur Goulet en vue d'une réanimation par la prière, le sacrement voire la superstition – à moins que sa croyance in extremis en le pouvoir surhumain d'un pauvre quêteux ne contienne un fond de réalité – s'évanouirent tous. Il emmena chez lui son collègue, lui désigna une chambre et alla boire plusieurs rasades de whisky afin de pouvoir dormir le moindrement cette nuit-là.

Les époux Grégoire demeurèrent dans leur chambre, porte à demi ouverte et laissant voir des cierges qui brûlaient près du corps de leur fils. Ils furent le plus souvent sans se parler. Et quand ils le firent, ce fut pour répéter encore et encore les mêmes choses. Au matin, il faudrait dépêcher quelqu'un avec Henri, peut-être Alfred Dubé, pour aller prévenir Alfred à Saint-Gédéon. Il faudrait apprendre à Alice la mort de son frère (on ignorait qu'elle le saurait par la bouche des Foley eux-mêmes informés par Rostand le quêteux). Il faudrait envoyer un message télégraphié au séminaire de Sherbrooke où Ildéfonse avait étudié pendant plusieurs années; sûrement qu'on enverrait un prêtre assister à l'enterrement... Aussi, il faudrait télégraphier au couvent de Stanstead pour justifier par ce malheur familial le retour d'Éva là-bas qu'on envisageait retarder d'une dizaine de jours afin que la maisonnée puisse commencer à se remettre de la terrible tempête.

Personne à part Éva qui l'avait réveillé la veille au soir pour lui parler de l'intervention et ses possibles conséquences, ne songea au petit Eugène qui, à l'aube, se leva et vint s'asseoir en haut de l'escalier pour interroger la mort en regardant la dépouille de son grand frère. Pour lui, âgé de seulement 6 ans, quelqu'un de 17 était pas mal «vieux»... assez en tout cas pour mourir... c'est-à-dire ne plus bouger et être enterré dans une fosse au cimetière...

Alice fut retenue par les Foley qui transformèrent la matinée en une longue et fervente prière.

Rostand qui avait couché dans leur grange derrière la forge sur un tas de foin sec après avoir apporté à Joseph pas loin de minuit la nouvelle de la mort du jeune Ildéfonse, se leva à la barre du jour et sortit pour regarder les premiers rayons du soleil par delà le cap, lueurs qui promettaient aux vivants la vie...

Quant au curé Godbout, il prit sa valise et sortit du presbytère pour monter dans sa voiture attelée et prendre le chemin pour Saint-Georges. À Saint-Benoît, il demanderait au curé Turcotte d'aller le remplacer à Saint-Honoré afin de procéder à l'inhumation du défunt. Lui avait des devoirs plus urgents à remplir autre part...

Un ciel clair et pur annonçait le retour du beau temps après un orage qui n'avait en aucune façon rassasié la terre assoiffée de la Beauce.

∞∞∞∞∞∞∞

Chapitre 41

En signe de deuil, Honoré installa dans la vitrine du magasin la petite sleigh qu'il avait offerte à Ildéfonse le jour de ses 10 ans. Il voulait qu'elle y demeure des années. De son côté, Émélie consacra la chambre de son fils défunt. Ce serait un musée. Des accessoires ayant servi lors de l'intervention y furent déposés et côtoyaient ses effets personnels. Rien n'y serait touché, pas la moindre chose. Elle la ferma à clef. Elle seule viendrait épousseter parfois. Et elle avait l'intention que cela dure des années…

La mort d'Ildéfonse fut rapportée à la nécrologie dans le nouveau journal fondé à Beauceville quelque temps auparavant sous le nom de L'Éclaireur. Mais ce qui remplissait les pages de l'hebdomadaire était bien plutôt la terrible sécheresse qui sévissait depuis cinq longues semaines sur toute la Beauce voire le Québec en entier.

Qui donc avait tant péché pour que le ciel punisse ainsi les cultivateurs et villageois de la région ? Pourtant, le sang indien coulait dans bien des veines beauceronnes et qui dit indien dit capacité de faire venir la pluie. Il semblait aux Grégoire que cet orage du soir de la mort de leur fils n'avait été qu'un moyen de voyager envoyé par le ciel pour prendre l'âme d'Ildéfonse comme passagère de l'infini et la conduire au paradis. Leur douleur à tous deux perdurait. Il ne pouvait rien arriver de pire, mais que pouvait-il arriver de plus encore ?

Honoré délaissait son journal parfois, seul au bureau de poste, pour se demander si l'astéroïde de la fin juin que Laura et son fils avaient vu dans le ciel nocturne n'avait pas constitué un signe néfaste comme le craignait Ildéfonse. Et il se rappela aussi les prophéties de malheur d'Amabylis Bizier et du quêteux Rostand. Peut-être vaudrait-il mieux ne plus fréquenter ces gens-là? Encore qu'ils ne portaient aucune responsabilité quant au futur pour avoir le don de l'anticiper, de le voir se dessiner dans les auras des personnes…

Quelqu'un entra dans le magasin tandis que le courrier avait été distribué et que chacun était rentré chez lui avec ses lettres et son journal s'il était un abonné à quelque chose.

– Ça pouvait pas être pire, Noré, le feu est poigné dans le bois du Petit-Shenley.

Le marchand reconnut la voix alarmante de Cipisse Dulac. Il se leva en comprenant d'emblée la gravité de la situation. Au bout d'une aussi dure sécheresse, même le village pourrait y passer. On ne disposait pas même du nécessaire pour combattre un feu de maison, comment lutter contre un feu de forêt?

– Comment ça se fait, sacrifice du bon Dieu?

Le visiteur et Honoré se rencontrèrent et furent face à face dans la petite pièce entre le bureau de poste et le magasin. Dulac déclara sur un air contrefait:

– C'est grave en maudit torrieu!

– C'est grave certain. Il manquait plus rien que ça. Faut avertir le maire, le curé. Faut mobiliser du monde… Le feu va dormir durant la nuit, mais au matin, il va se lever comme un monstre enragé et affamé. Toutes nos forêts pourraient y passer sans compter le village étant donné que dans une jeune paroisse comme la nôtre, des arbres en grandes étendues autant qu'en petits bosquets, y en a partout encore.

Possiblement que le drame d'Ildéfonse inclinait Honoré à exagérer les conséquences de l'événement présent, peut-être pas.

Il faudrait une armée pour arrêter un incendie de forêt par une sécheresse pareille si le malheur voulait que le vent se lève et transporte des étincelles. Honoré vit en une fraction de seconde tous les efforts de sa vie et celle d'Émélie réduits en cendres. Et il aboya du fond de ses pires craintes:

– C'est grave, mon ami. Cours prévenir…

Dulac coupa:

– D'autres que moé sont allés au presbytère pis su' le maire Dubé. Ils m'ont demandé de t'avertir vu que t'es un citoyen important de la paroisse.

– Je m'en vas atteler pour aller au Petit-Shenley.

Émélie se trouvait dans son salon du magasin, porte entrouverte, à travailler sur les comptes à percevoir. Elle entendit l'échange et le cri tordu de son mari.

– C'est quoi qu'il se passe? demanda-t-elle quand les deux hommes apparurent au pied de l'escalier central en haut duquel, en pleine pénombre, elle se trouvait.

– Y a le feu dans le bois du Petit-Shenley.

– Je vous ai entendus parler, mais c'est quoi que tu veux faire?

– Faire quelque chose! dit son mari la voix déterminée et faussement modérée.

– Tu l'as dit toi-même et tout le monde le sait: le feu dort la nuit. Ça va donner quoi de monter dans le Petit-Shenley à soir?

Honoré se rendit compte qu'il ne s'appartenait plus, qu'il était dépassé par l'énervement et l'événement. Il leva les bras au ciel:

– T'as raison, t'as ben raison. On est mieux de dormir, en tout cas d'essayer de fermer l'œil durant la nuit, de se lever avec l'aurore et d'aller combattre le feu au petit matin avant que lui se réveille.

Puis s'adressant à Dulac:

– Ça serait où à peu près, le feu?

– Dans le haut de la terre à Majorique Cloutier.

– C'est encore un bon bout du village…

– Oui, mais ça court vite, le feu…

Rassuré de nouveau par sa femme dans leur chambre, Honoré parvint à dormir d'un œil et aux premières lueurs de l'aube, il se leva, s'habilla et se rendit atteler la jument. Henri et Pampalon coururent le rejoindre. Il fut sur le point de leur ordonner de rester à la maison, mais se ravisa aussitôt. Ces deux-là se conduisaient comme des hommes et il ne fallait plus les traiter comme des enfants. Ils avaient tant aidé le soir de la mort de leur frère, ils pourraient tout autant le faire au feu. Et il les accepta en voiture.

Éva devait partir ce jour-là pour Stanstead y faire sa dernière année là-bas avant de fréquenter l'année suivante l'école Normale Laval de Québec. Le destin en décidait tout autrement. À moins qu'elle ne transporte sur son dos sa grosse malle jusqu'à la gare de Saint-Évariste. Car tous les hommes valides furent mobilisés dès les aurores pour se rendre se battre contre la nature dans le fond du rang menant à Saint-Éphrem-de-Tring.

Le feu terrifiait Éva. Elle y voyait un mauvais présage tout comme son frère en avait trouvé un dans l'étoile filante dont d'aucuns avaient dit après sa mort qu'il ne s'agissait même pas de l'astéroïde tombé en Sibérie. Son destin à elle serait-il lié à l'élément destructeur ? Sa vie future en serait-elle heurtée, bafouée ?

« Le feu qui s'était déclaré dans le Petit-Shenley se propagea le pas d'un homme dans le rang 9. Le lendemain, trois autres foyers d'incendie s'allumèrent spontanément sur cette terre brûlée par le soleil… Pendant que les hommes creusaient des tranchées pour arrêter le feu, les femmes accrochaient des images bénies sur les murs de leurs maisons afin qu'elles soient épargnées. Le curé exhortait ses paroissiens à faire pénitence et à prier Dieu avec ferveur pour que vienne la pluie. Il décida d'organiser une procession du Saint-Sacrement pour que cesse ce fléau… »

Un clocher dans la forêt, par Hélène Jolicœur.

Dieu interviendrait-il enfin pour sauver les habitations et retenir le monstre de venir dévorer le village et son église dont le parachèvement demanderait encore une année de travaux par l'entrepreneur Métivier ?

La veille de la première procession, sortis devant le magasin pour prendre des nouvelles auprès d'Elzéar Racine qui arrivait du deuxième front, celui du rang neuf, les époux Grégoire écoutèrent le compte-rendu de leur voisin d'en face. Il leur avoua que le feu avait gagné du terrain encore ce jour-là et que ce n'était plus qu'une question de deux ou trois jours pour qu'il atteigne les abords du village. Si le ciel envoyait le vent, ce serait plus rapidement. Si le ciel envoyait la pluie, le feu serait éteint. Il pouvait arriver aussi bien l'un que l'autre…

Des femmes allaient, leur silhouette malaisée à reconnaître dans cette fumée dense qui englobait les habitations, mais sûrement en train de prier comme en témoignaient le chapelet qu'elles tenaient toutes entre leurs mains.

Émélie et Honoré s'échangèrent un regard. Il se produisit alors un événement unique dans leur vie à part le jour de leur noce : ils s'étreignirent devant tous, devant l'univers, devant Dieu. Le feu menaçant en était le prétexte, la mort de leur fils en était la cause…

∞∞∞∞∞∞∞∞

À suivre dans

Les années grises

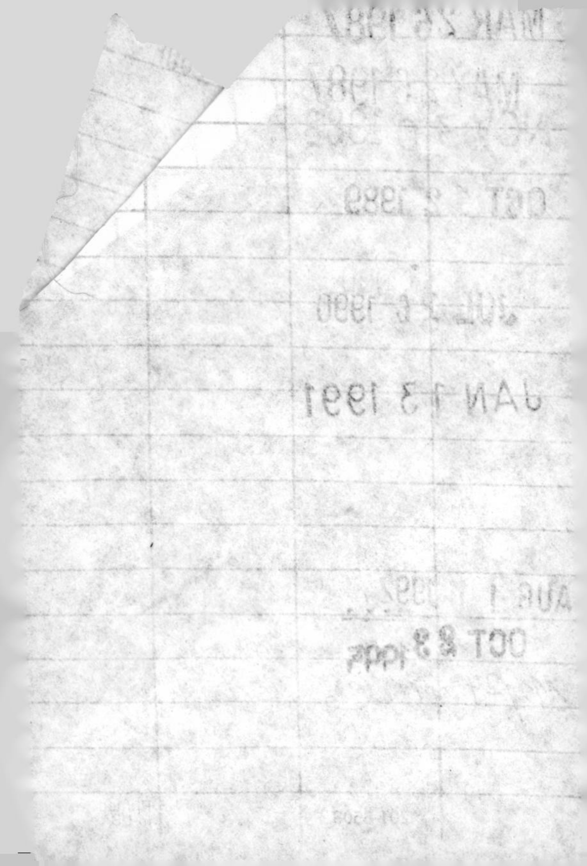